RON KALENUIK

EINFACH KÖSTLICH KOCHEN 2

Projektkoordination
Dianna Kalenuik

Redaktion Lori Koch

Küchenkoordination
Küchenchef Ron Kalenuik

Küchenassistentinnen
Mary Gifford
Jacqueline Hunt
Evelyn Hohn

Kunstregie Sylvia Cook

Fotografie Kim Griffiths Photography, Edmonton

Gestaltung / Farbmischung / Film
Creative Edge Graphic Design, Edmonton

51 Glenthorne Dr., Scarborough, Ontario M1C 3S9

ISBN 1-55185-416-3

Dieses Buch ist eine Exklusivherausgabe von 

Druck in den U.S.A.

Inhaltsverzeichnis

Über den Verfasser

Herr Kalenuik, liebevoll (von denen, die seinen Nachnamen nicht richtig aussprechen konnten) als Küchenchef K. bezeichnet, begann seine kulinarische Laufbahn 1973 im weltberühmten Jasper Park Lodge in Jasper, Alberta, Kanada. Seitdem hat er sich als Chef de Cuisine in vielen Nobelrestaurants und Hotels in ganz Kanada einen Namen gemacht.

Ron war Inhaber und Geschäftsführer mehrerer Restaurants, die nationale Auszeichnungen gewonnen haben. Er ist Lehrer und Berater des Hotel- und Gaststättengewerbes wie auch Präsident des North American Institute of Modern Cuisine Inc.

Als Autor bringt er ein einmaliges und schöpferisches Talent auf allen Gebieten der Kochkunst zum Ausdruck. Ob klassische Rezepte oder nur Hausmannskost, oder in moderner Präsentation, jeder Stil ist leicht verständlich und einfach in der Zubereitung. Dieses Buch besteht aus mehr als nur einer Sammlung von Rezepten; es stellt eine Sammlung von nützlichen und köstlichen Rezepten da, die zum Standardwerk in jeder Küche werden wird, von der Küche der Hausfrau bis hin zur Küche des professionellen Kochs.

Einfach Köstlich Kochen 2 ist jetzt das achte Kochbuch, das Herr Kalenuik in seiner kulinarischen Laufbahn geschrieben hat. Von seiner internationalen Bestsellerreihe *Einfach Köstlich Kochen* wurden weltweit mehr als 850.000 Exemplare verkauft. Einige seiner anderen Büchern sind *The Fundamentals of Taste, Cuisine Extraordinaire, Dining In, Championship Cooking, Chef K's Cheese Best* und *The Right Spice.*

Vorwort des Verfassers

Die Kochleidenschaft des Menschen ist tief verwurzelt, ob man dem letzten Trend folgt oder „gerade nur das tut, was die Mutter immer tat." Man hält fest an dem, was sich bewährt hat. Deshalb ist die Reihe *Einfach Köstlich Kochen* mehr als 850.000 Menschen so wichtig. Man weiß, daß man sich auf diese Kochbücher verlassen kann, um in der Küche erfolgreich zu sein. Jetzt können Sie auch mit *Einfach Köstlich Kochen 2* dasselbe Vertrauen genießen.

Die meisten Menschen wollen das Beste für ihre Familien und sie verdienen es auch. Dies bringen wir Ihnen in *Einfach Köstlich Kochen 2,* das Beste in einfachen und wunderschönen Rezepten. Ungeachtet wo Sie wohnen, werden diese Rezepte Ihrer Familie gewiß das liefern, was Sie für sie wünschen, nämlich das Allerbeste.

Die besten Köche sind diejenigen, die stets neue Inspirationen suchen, die versuchen, das Alte mit dem Neuen zu vereinen, damit die Kreativität wachsen kann. In *Einfach Köstlich Kochen 2,* wird diese Inspiration definiert und perfektioniert. Hier gibt es kein Rezept, das so schwer oder so andersgeartet ist, daß man es übergeht. Jedes Rezept schmeckt nach mehr und läßt den Gast mit dem sehnlichen Verlangen nach einer neuen Einladung zu Tisch.

Kein Koch kann der Anziehungskraft seiner Lieblingsrezepte widerstehen, auch ich nicht. Ich habe Ihnen Kreatives vorzustellen, das Auszeichnungen und begeisterte Stimmen von sowohl Freunden, als auch von Kritikern erhalten hat. Ich habe Ihnen mehr als nur die Jahre an Kocherfahrung gegeben. Ich habe Ihnen den Geschmack von kulinarischen Träumen geschenkt. Ich hoffe, daß Sie den Traum mit mir erleben.

Durch mein erstes internationales Bestsellerkochbuch, *Einfach Köstlich Kochen,* erfuhr ich, daß meine Leser mehr internationale Küche suchten. Wir haben auf den Appell geantwortet, denn innerhalb dieser Seiten wird man die Küche von Afrika bis nach Asien, von Neuseeland bis Neufundland, von den USA zum Vereinigten Königreich und den dazwischenliegenden Gebieten finden.

In *Einfach Köstlich Kochen 2* versuchen wir, Ihnen Jahre voller Freude an der Zubereitung von Speisen zu geben, denn sowohl die Zubereitung als auch das Servieren der Speisen sollte ein Vergnügen sein. Dieses Ziel soll hier verwirklicht werden. Der Geschmack besteht aus der Gesamtheit aller Sinneseindrücke, nicht nur den Geschmacksnerven, die für Ihren Genuß zusammenarbeiten. Um den Geschmacksinn völlig auszunutzen, muß man Sehvermögen, Tastsinn, Geruchssinn, Gehörsinn und Aroma kombinieren, um den richtigen Geschmack zu treffen. Hier habe ich alles für Sie zusammengestellt; unsere Bilder sind nur das Vorspiel zu dem, was mit Geschmack folgt. Sie sind Appetithappen für die Augen.

Dieses Buch sieht wie ein Bildband aus, zum Vorzeigen geeignet. Wie schön es auch aussieht, es gehört in der Tat in die Küche, wo sich Ihre zuverlässigsten Kochutensilien befinden. Schlagen Sie die Seiten zu einer neuen Welt des Entzückens auf, die Ihre Welt der kulinarischen Fähigkeiten für immer ändern könnte.

Ron Kalenuik, Küchenchef K.

Appetithappen

Hühnerflügel - jemand hat die Hühner rausgelassen und sie haben das Fliegen gelernt! Appetitliche „Flügel" werden in der ganzen Welt serviert, und ihre Beliebtheit nimmt mit jedem Tag zu.

Wollten Sie schon immer wissen, wie die Hühnerflügel zubereitet werden , für die Buffalo, N.Y. berühmt ist? (Sie wurden in dem kleinen Restaurant „Anchor Bar" in der Innenstadt Buffalos kreiert). In diesem Kapitel von *Einfach Köstlich Kochen 2* können Sie es erfahren, ohne nach Buffalo zu reisen. Oder lieben Sie es exotisch - auch das ist auf diesen Seiten beschrieben. Wir haben mehr als 10 verschiedene Zubereitungsarten aufgelistet, wie z.B. „Buffalo Flügel", „Aprikosen-Brandy-Flügel" sowie „Rauchende Texas Flügel". Warum nicht alle Arten genießen?

Außer Hühnerflügeln haben wir noch viele Anregungen. Wir bieten einige appetit- liche Partyhappen und Gourmetvorspeisen für die besonderen Anlässe in Ihrem Leben. Warum nicht ein Menü aus Appetithappen und Vorspeisen zusammenstellen? Dies wäre etwas Besonderes - passend zum besonderen Anlaß.

Das Konzept der Appetithappen und Vorspeisen begann vor vielen Jahren in Rußland. Um den Appetit anzuregen, wurde an schmackhaften Bissen geknabbert. Den Franzosen war schon immer bekannt, daß Hors d'oeuvres Maßstab für die nachfolgenden Gänge sind. Wenn der erste Gang von geringer Qualität war, dann wurden auch die feinsten Gänge, die folgten, gering beurteilt. Machen Sie jedoch die Zubereitung gemäß *einfach köstlich*, so werden die Lobeshymnen für die nachfolgenden Gänge noch wochenlang erklingen.

Heutzutage sind Appetithappen mehr als kleine Bissen. Sie können der Auftakt zu einem erfolgreichen und unvergessenen Gaumenschmaus sein. Ganz gleich, ob außergewöhnliche „Chef K. Garnelen in Apfel-Schokoladen-Sauce" oder faszinierende „Tomaten Capellini mit rotem Paprika-Pesto und Krabben" gewählt werden, das Resultat ist immer gleich - Erfolg!

Vertrauen Sie auf die Kreativität dieser außergewöhnlichen Gaumenfreuden, um das Beste in Ihren Gästen zum Vorschein zu bringen. Sie werden mit Sicherheit zustimmen, daß diese Appetithappen (wie „Geräucherte Lachsravioli mit Pfeffer-Wodka-Käse-Sauce") die besten sind, die sie jemals probierten. Sie haben sie zubereitet. Der Kommentar Ihrer Gäste zu Ihrem Menü wird „capriccioso" sein - italienisch für *„einfach köstlich"*.

Eingelegte Partygarnelen

"YOU"
Radio

KREBS UND CASHEW APPETITHAPPEN

450 g	gekochtes Krebsfleisch
285 g	ungesalzene Cashewnüsse
1 Eßl.	Butter
2 Eßl.	Mehl
180 ml	Sahne
2 Eßl.	gehackte Petersilie
30 g	frisch geriebener Parmesankäse
36	Vollkornkräcker oder Toastecken

Krebsfleisch und Cashewnüsse mischen. Butter in einem Topf erhitzen, Mehl hinzufügen und 2 Minuten kochen (niedrige Temperatur). Sahne hinzugießen und langsam zu einer dickflüssigen Sauce kochen. Petersilie, Käse und Krebs zufügen.

Die Masse auf die Kräcker verteilen und warm servieren.

6 PORTIONEN

GARNELEN-, JAKOBSMUSCHELN- UND SCHNECKEN-HAPPEN

24 und	große Garnelen, ohne Schale Darm
24	große Jakobsmuscheln
24	extra große Schnecken
3 Eßl.	Butter
2	feingehackte Knoblauchzehen
60 ml	Weißwein
2 Eßl.	Pernod
1 Eßl.	gehackter Schnittlauch
1 Eßl.	gehackte Petersilie

Abwechselnd je 2 Garnelen, Jakobsmuscheln und Schnecken auf Bambusspieße stecken. Spieße auf ein Backblech legen.

Butter in einer Pfanne erhitzen und die restlichen Zutaten hinzufügen.

Spieße mit der Butter bestreichen und 2-3 Minuten braten. Spieße wenden, nochmals mit Butter bestreichen und weitere 2-3 Minuten braten. Das Backblech aus dem Ofen nehmen, die Spieße nochmals mit Butter bestreichen. Sofort servieren

6 PORTIONEN

GÜRTELTIEREIER

16	Jalapeño-Schoten
115 g	geriebener Monterey Jack Käse
2	Eier
60 ml	Milch
55 g	Mehl
45 g	gewürztes Paniermehl
500 ml	Distelöl
500 ml	scharfe Kreolensauce (siehe Seite 121)
	krause Salatblätter

Den oberen Teil der Jalapeño-Schoten abschneiden. Mit einem kleinen Messer das Innere durch Entfernen von Zellwand und Samen säubern.

Jalapeño-Schoten mit Käse füllen. Käse fest hineindrücken. Schoten auf ein Backblech legen.

In einer kleinen Schüssel Eier mit der Milch verrühren.

Schoten mit Mehl bestäuben, in die Eierflüssigkeit tauchen und dann in Paniermehl wenden.

Öl auf 190°C erhitzen und die Schoten im Öl goldbraun braten.

Die Kreolensauce in eine kleine Schüssel gießen und auf eine große, mit Salatblättern dekorierte Servierplatte stellen. Gürteltiereier auf die Platte legen und sofort servieren.

4 PORTIONEN

Garnelen, Jakobsmuscheln und Schnecken-Happen

Gürteltiereier

Pikante Hühnerflügel Yukatan

PIKANTE HÜHNERFLÜGEL YUKATAN

125 ml	Distelöl
1	feingehackte, spanische Zwiebel
1	kleingewürfelte, grüne Paprikaschote
1	kleingewürfelte Selleriestange
2	feingehackte Knoblauchzehen
2 Teel.	feingehackte, rote Chilischoten
250 ml	zerdrückte Tomaten
300 g	zerdrückte Bananen
½ Teel.	Salz (wahlweise)
½ Teel.	Cayennepfeffer
1 Teel.	Oregano
¼ Teel.	weißer Pfeffer
¼ Teel.	schwarzer Pfeffer
1 kg	Hühnerflügel

Öl in einem Topf erhitzen. Zwiebel, Paprikaschote, Sellerie, Knoblauch und Chilischoten hinzufügen und weichdünsten. Tomaten, Bananen und Gewürze hinzufügen. 15-20 Minuten köcheln lassen.

Hühnerflügel waschen und Spitzen abschneiden. Mit Küchenpapier trockentupfen und in eine große Kasserolle legen. Sauce darübergießen und mit Alufolie abdecken. 45 Minuten im vorgeheizten Ofen bei 180°C braten. Folie entfernen und weitere 15 Minuten braten. Hühnerflügel auf einer Servierplatte anrichten und warm servieren.

4 PORTIONEN

Hühnerflügel Buffalo

HÜHNERFLÜGEL BUFFALO

1 kg	Hühnerflügel
1 l	Öl
60 g	Butter
5 Eßl.	(Franks-Durkees) scharfe rote Cayennepfeffersoße, weniger für mild, mehr für scharf
1 Staude	Sellerie
115 g	Blauschimmelkäse, zerkrümelt
250 ml	Mayonnaise

Flügelknochen putzen und vom Trommelknochen ablösen. Das Öl auf 190° C erhitzen und die Flügel nacheinander jeweils 10 Minuten braten. Auf gleichmäßige Öltemperatur achten. Die gebratenen Flügel im Ofen warmhalten.

Butter in einer Pfanne zerlassen und die scharfe Soße hinzufügen. Die Hühnerflügel in eine Servierschüssel legen und die Soße darübergießen. Die Flügel wenden, bis sie gleichmäßig bedeckt sind.

Während die Flügel braten, den Sellerie in Stücke schneiden. Den Blauschimmelkäse mit der Mayonnaise vermengen und als Dip für Sellerie und Flügel servieren. Flügel und Sellerie zusammen servieren.

4 PORTIONEN

HUMMER COCKTAIL

450 g	gekochtes Hummerfleisch
60 ml	Tomatenketchup
2 Eßl.	Sherry
1 Eßl.	scharfer, gemahlener Meerrettich
¼ Teel.	Cayennepfeffer
1 Eßl.	Zitronensaft
2 Teel.	gehackter Schnittlauch
1 Teel.	gehackte Kapern
6	Endiviensalatblätter
6	Hummerscheren - nur Fleisch

Hummerfleisch würfeln. Ketchup, Sherry, Meerrettich, Cayennepfeffer, Zitronensaft, Schnittlauch und Kapern in einer Rührschüssel vermischen. Die Hummerwürfel hinzufügen und vermengen.

Die Salatblätter auf eine gekühlte Servierplatte oder in gekühlte Sektgläser legen und das Hummerfleisch daraufgeben. Mit einer Hummerschere dekorieren. Servieren.

TIP: Statt Hummer kann man auch Krabben- oder Krebsfleisch verwenden.

6 PORTIONEN

DIJON-NUSSFLÜGEL

1 kg	Hühnerflügel
250 ml	Dijonsenf
100 g	feingemahlene Mandeln
90 g	feines, gewürztes Paniermehl
1 l	Distelöl

Hühnerflügel waschen, Spitzen abschneiden und mit Küchenpapier trockentupfen. Jeden Flügel mit Dijonsenf bestreichen.

Mandeln mit dem Paniermehl vermengen. Die Flügel mit der Paniermehlmischung gut bedecken.

Öl auf 180°C erhitzen. Die Flügel in kleinen Mengen nacheinander 10 Minuten im Öl braten. Die gebratenen Flügel im Ofen warmhalten. Heiß servieren.

4 PORTIONEN

APRIKOSEN-BRANDY-FLÜGEL

190 g	getrocknete Aprikosen
250 ml	heißes Wasser
125 ml	Aprikosenbrandy
3 Eßl.	Zucker
½ Teel.	Zimt
1 kg	Hühnerflügel

Aprikosen in einem Topf im Wasser weich kochen. Im Mixer zu Brei pürieren.

Den Brei zurück in den Topf geben. Brandy, Zucker und Zimt hinzufügen und 5 Minuten schwach köcheln lassen.

Hühnerflügel auf ein Backblech geben und 10 Minuten im vorgeheizten Ofen braten. Die Flügel wenden und weitere 10 Minuten braten. Während der letzten 3 Minuten zweimal mit der Sauce bestreichen. Die Flügel aus dem Ofen nehmen und nochmals mit der Sauce bestreichen. Heiß servieren.

TIP: Der Brandy kann durch Apfelsaft oder Aprikosennektar ersetzt werden.

4 PORTIONEN

GEBRATENE FLÜGEL NACH CAJUN-ART

1 kg	Hühnerflügel
90 g	Paniermehl
2 Teel.	Oregano
1 Teel.	Basilikum
1 Teel.	Salz
1 Teel.	Chilipulver
½ Teel.	Zwiebelpulver
½ Teel.	Paprika
½ Teel.	Cayennepfeffer
¼ Teel.	schwarzer Pfeffer
¼ Teel.	weißer Pfeffer
2	Eier
60 ml	Milch
60 g	Mehl
1 l	Distelöl

Öl auf 190°C erhitzen. Hühnerflügel waschen und Spitzen abschneiden, mit Küchenpapier trockentupfen. Paniermehl mit den Kräutern und Gewürzen vermengen. Die Flügel darin panieren.

Eier mit der Milch verquirlen. Mehl in eine separate Rührschüssel geben. Zügig jeden Hühnerflügel im Mehl wenden, in die Eier-Milch-Flüssigkeit tauchen und anschließend im gewürzten Paniermehl wenden.

Die Flügel in kleinen Mengen nacheinander 10-12 Minuten braten. Die gebratenen Flügel im Ofen bis zum Servieren warmhalten.

4 PORTIONEN

Dijon-Nußflügel, Aprikosen-Brandy-Flügel, gebratene Flügel nach Cajun-Art

Gegrillte Hühnerflügel

MEERESFRÜCHTE CRÊPES

60 g	Butter
225 g	Garnelen
225 g	Krebsfleich
225 g	Hummerfleisch
3 Eßl.	Mehl
250 ml	Fischbrühe (siehe Seite 76)
500 ml	Weißwein
125 ml	entrahmte Sahne
½ Teel.	Salz (wahlweise)
½ Teel.	Pfeffer
40 g	frisch geriebener Parmesankäse
16	Crêpes (siehe Crêpesteig, Seite 469)
2 Eßl.	gehackte Petersilie

Butter in einer Bratpfanne erhitzen. Die Meeresfrüchte hinzugeben und bei schwacher Hitze kochen. Mehl darüberstreuen und 2 weitere Minuten bei niedriger Temperatur kochen lassen. Unter Rühren Fischbrühe, Wein und Sahne hinzugeben. Schwach kochen lassen, bis die Mischung bindet und sämig wird. Salz, Pfeffer und Parmesankäse hinzufügen und die Masse noch 2 Minuten kochen.

250 g der Füllung zur Seite stellen, gleichgroße Mengen der verbleibenden Füllung auf jedes Crêpe legen und rollen. Crêpes auf einer Servierplatte anrichten. Mit der verbleibenden Füllung dekorieren und mit Petersilie bestreuen.

8 PORTIONEN

MASCARPONE BOUCHEES

115 g	Mascarponekäse oder Frischkäse
1 Teel.	Salz
¼ Teel.	weißer Pfeffer
60 ml	fein gehackter Schnittlauch
330 g	gehackte Walnüsse

Käse, Salz, Pfeffer und Schnittlauch im Mixer cremig rühren. Die Käsemasse in kleine Bällchen rollen. Walnüsse in eine Schüssel geben und die Käsebällchen darin wenden, bis sie gut paniert sind.

Käsebällchen auf eine mit Wachspapier ausgelegte Servierplatte legen. Vor dem Servieren ca. 1 Stunde kalt stellen.

6 PORTIONEN

GEGRILLTE HÜHNERFLÜGEL

80 g	brauner Zucker
125 ml	Tomatenketchup
2 Eßl.	Worcestersauce
1 Teel.	Chilipulver
je ½ Teel.	Oregano, Knoblauchpulver, Thymian, Zwiebelpulver, Paprika, Salz, Pfeffer, Basilikum
1 kg	Hühnerflügel

Zucker, Ketchup, Worcestersauce mit den Kräutern und Gewürzen vermischen.

Flügel waschen, Spitzen abschneiden und mit Küchenpapier trockentupfen. Flügel auf ein Grillblech geben und 10 Minuten im vorgeheizten Ofen braten. Die Flügel wenden, mit der Sauce bestreichen und weitere 10 Minuten braten. Während der letzten 2 Minuten nochmals mit der Sauce bestreichen.

Warm mit der restlichen Sauce servieren.

4 PORTIONEN

KREBSPILZE

3 Eßl.	Butter
3 Eßl.	Mehl
125 ml	Hühnerbrühe (siehe Seite 77)
125 ml	entrahmte Sahne
½ Teel.	Salz
¼ Teel.	weißer Pfeffer
1 Teel.	Dijonsenf
1	Eigelb
250 ml	gekochtes Krebsfleisch
450 g	frische Pilzköpfe
3	Eier
90 g	gewürztes Paniermehl
1 l	Distelöl

Butter in einem Topf erhitzen. Mehl hineinstreuen und bei geringer Temperatur 2 Minuten kochen lassen. Brühe, Sahne, Salz, Pfeffer und Senf hinzufügen. Schwach kochen, bis die Sauce dick wird; dann das Eigelb unterrühren.

Krebsfleisch in die Sauce rühren. Die Masse im Mixer pürieren und auf Zimmertemperatur abkühlen. Eine geringe Menge des Pürees in jeden Pilzkopf geben. Zwei Köpfe jeweils zusammendrücken, in die restliche Füllung tauchen und wenden.

Eier schlagen. Pilze hineintauchen und anschließend gründlich mit dem Paniermehl bedecken.

Öl auf 190°C erhitzen und die Pilze in jeweils geringen Mengen nacheinander darin goldbraun braten. Im Ofen warmhalten, bis alle fertig sind. Sofort heiß servieren.

6 PORTIONEN

FRANZÖSISCHE FRIKADELLEN

1 Portion	Blätterteig (siehe Seite 689)
300 g	gekochtes, feingehacktes Hühnerfleisch
190 ml	Mornaysauce (siehe Seite 111)
3	Eier
60 ml	entrahmte Sahne
1 l	Distelöl

Den Teig dünn ausrollen und in kleine Vierecke schneiden.

Hühnerfleisch mit der Mornaysauce vermengen und jeweils 1½ Teelöffel der Füllung in die Mitte eines jeden Vierecks legen. Die Seiten mit etwas Wasser befeuchten, den Teig über die Füllung falten und Seiten zusammendrücken.

Eier mit der Sahne verrühren.

Öl auf 190°C erhitzen. Die Pasteten in die Eier-Sahne tauchen und jeweils in geringen Mengen im Öl goldbraun braten. Auf ein mit Küchenpapier ausgelegtes Backblech legen und im Ofen warmhalten.

Sofort sehr heiß servieren.

6 PORTIONEN

RINDER-FLAUTAS

1 Eßl.	Chilipulver
2 Teel.	Paprika
1 Teel.	Oregano
je ½ Teel.	Basilikum, Thymian, Knoblauchpulver, Zwiebelpulver, Salz, Pfeffer
450 g	dünn geschnittene Hüftsteaks
3 Eßl.	Distelöl
1	fein geschnittene Zwiebel
1	fein geschnittene, grüne Paprikaschote
120 g	fein geschnittene Pilze
12	weiche Maistortillas

Kräuter und Gewürze vermischen und das Fleisch leicht damit bestreuen. Öl erhitzen und das Fleisch darin 5 Minuten dünsten. Das Fleisch vom Herd nehmen und warmhalten.

Das Gemüse schnell im Öl dünsten. Das Fleisch mit dem Gemüse in die Tortillas wickeln. Mit Salsa (siehe Seite 115) servieren.

6 PORTIONEN

Krebspilze

Rinder-Flautas

Hühnerflügel Jezebel

TOMATEN CAPELLINI MIT ROTEM PAPRIKA-PESTO UND KRABBEN

1	gehackte Knoblauchzehe
2 Eßl.	Piniennüsse
1 Eßl.	frisches, gehacktes Basilikum
3 Eßl.	gehackte Petersilie
150 g	entkernte, gewürfelte, rote Paprikaschoten
85 g	frisch geriebener Romanokäse
60 ml	Olivenöl
1 Portion	Tomaten-Nudelteig (siehe Seite 440)
450 g	gekochte Küstenkrabben

Knoblauch und Nüsse im Mixer fein zerkleinern. Basilikum, Petersilie, Paprikaschoten und Käse hinzufügen und pürieren. Langsam das Öl hinzugeben und zu einer remouladenartigen Sauce rühren.

Den Nudelteig in 4 l kochendem Salzwasser al dente kochen. Das Wasser abgießen, die Nudeln in der Sauce wenden und in einer vorgewärmten Schüssel servieren. Mit den Krabben verzieren.

6 PORTIONEN

CHEF K. FROSCH-SCHENKEL

16 Paar	Froschschenkel
500 ml	Bier
220 g	Mehl
1 Teel.	Basilikumblätter
je ½ Teel.	Thymian, Paprika, Oregano, Salz, Knoblauchpulver, Zwiebelpulver, Pfeffer
3 Eßl.	Butter
3 Eßl.	Olivenöl
2 Eßl.	Zitronensaft
2 Eßl.	gehackte Petersilie

Froschschenkel 2 Stunden im Bier einlegen.

Mehl, Kräuter und Gewürze vermischen.

Froschschenkel aus dem Bier nehmen, mit Küchenpapier trockentupfen und mit gewürztem Mehl bestäuben. Butter und Öl in einer großen Pfanne erhitzen. Die Schenkel von beiden Seiten darin goldbraun braten.

Froschschenkel mit Zitrone bespritzen und mit Petersilie bestreuen.

4 PORTIONEN

HÜHNERFLÜGEL JEZEBEL

190 g	Apfelgelee
125 ml	eingemachte Ananas
1 Teel.	Senfpulver
½ Teel.	rote Pfefferschotenflocken
1 Eßl.	scharfer Meerrettich
225 g	Frischkäse
1 kg	Hühnerflügel
	Salz & Pfeffer nach Geschmack

Apfelgelee, Ananas, Senf, rote Pfefferschotenflocken und Meerrettich mit dem Frischkäse vermischen.

Hühnerflügel waschen und Spitzen abschneiden, mit Küchenpapier trockentupfen und auf ein Backblech legen. Die Flügel mit Salz und Pfeffer würzen und 45 Minuten bei 180°C im vorgeheizten Ofen braten. Die Flügel in eine Kasserolle geben und die Sauce darübergießen. Alles mit Alufolie abdecken und weitere 20 Minuten braten. Heiß servieren.

4 PORTIONEN

Tomaten Capellini mit rotem Paprika-Pesto und Krabben

Honig-Zitronen-Hühnerflügel

HONIG-ZITRONEN HÜHNERFLÜGEL

1 kg	Hühnerflügel
3 Eßl.	geriebene Zitronenschale
3 Eßl.	Zitronensaft
340 g	Honig
1 Teel.	Zimt

Hühnerflügel waschen und Spitzen abschneiden, mit Küchenpapier trockentupfen.

Zitronenschale, Zitronensaft und Zimt in den Honig rühren. Die Marinade über die Flügel gießen und 2 Stunden ziehen lassen.

Die Flügel auf ein Backblech legen und 10-12 Minuten im Ofen braten. Wenden, mit der Marinade bestreichen und weitere 10 Minuten braten. Sofort servieren.

4 PORTIONEN

RAUCHENDE TEXAS-FLÜGEL

1 kg	Putenflügel
125 ml	Chilisoße
3 Eßl.	Sojasoße
2	feingehackte Knoblauchzehen
½ Teel.	flüssige Räucherwürze
½ Teel.	Cayennepfeffer
½ Teel.	schwarzer Pfeffer
40 g	brauner Zucker

Flügel waschen und Spitzen abschneiden, mit Küchenpapier trockentupfen. In eine Kasserolle geben und mit Folie abdecken. 30 Minuten im vorgeheizten Ofen bei 180°C braten.

Während die Flügel braten, die restlichen Zutaten vermischen und Flügel damit begießen. Die Kasserolle wieder abdecken und weitere 35-40 Minuten braten, bis die Flügel weich sind. Sofort servieren.

4 PORTIONEN

BERMUDA HAMBURGER

450 g	Gehacktes, mager
je ¼ Teel.	Salz, Pfeffer, Basilikum, Thymian, Oregano
2 Teel.	Worcestersauce
30	eingelegte Silberzwiebeln
1	Eigelb
125 ml	Eiswasser
85 g	Mehl mit Backpulver
1 l	Distelöl
55 g	ungebleichtes Mehl
625 ml	zerdrückte Corn Flakes
625 ml	Barbecuesauce

Das Gehackte mit den Gewürzen und der Worcestersauce in einer Rührschüssel vermischen.

Jede Zwiebel mit einem Eßlöffel Gehacktem umhüllen.

Eigelb, Wasser und Mehl mit Backpulver verrühren.

Öl auf 190°C erhitzen.

Die Hackbällchen mit Mehl bestäuben, in den Teig tauchen und in den Corn Flakes rollen. In jeweils kleinen Mengen goldbraun braten. Die fertigen Hackbällchen im Ofen warmhalten.

Barbecuesauce in eine kleine Schüssel geben und in die Mitte einer Servierplatte stellen. Die fertigen Hackbällchen dazulegen und sofort servieren.

6 PORTIONEN

Rauchende Texas-Flügel

Pilze mit Krebsfüllung

HONIG-KNOBLAUCH FLÜGEL

1 kg	Hühnerflügel
1 l	Distelöl
250 ml	flüssiger Honig
1Eßl.	Knoblauchpulver

Hühnerflügel waschen und Spitzen abschneiden. Mit Küchenpapier trockentupfen.

Öl auf 375°C erhitzen. Die Flügel jeweils in kleinen Mengen 10 Minuten braten. Warmhalten, bis alle fertig sind.

Honig mit dem Knoblauchpulver verrühren, (warmer Honig erleichtert diesen Arbeitsgang).

Die Flügel in eine Servierschüssel geben und mit dem Honig begießen. Die Flügel wenden, bis sie mit dem Honig gut beschichtet sind.

4 PORTIONEN

GEFÜLLTE GURKENSCHEIBEN

1	Salatgurke
250 ml	Olivenöl
80 ml	Zitronensaft
2 Teel.	Salz
½ Teel.	weißer Pfeffer
250 ml	feingehackter, geräucherter Lachs
60 ml	Mayonnaise
2 Teel.	Dijonsenf
	Brunnenkresseblätter

Gurke schälen und in 1 cm dicke Scheiben schneiden. Das Innere mit den Samenkörnern entfernen. Gurkenscheiben in eine große Rührschüssel geben.

Öl, Zitronensaft, Salz und Pfeffer mischen und über die Gurken gießen. Bedecken und 2 Stunden kalt stellen. Anschließend die Flüssigkeit abgießen.

Lachs, Mayonnaise und Senf vermengen. Füllung in die Gurkenstücke drücken. Mundgerechte Bissen schneiden und auf einer Servierplatte anrichten. Mit Brunnenkresse dekorieren. Servieren.

6 PORTIONEN

PILZE MIT KREBSFÜLLUNG

36	große Pilze
3 Eßl.	Butter
225 g	Krebsfleisch
2 Eßl.	Mehl
1 Eßl.	Schnittlauch
1Eßl.	Dijonsenf
3 Eßl.	Zitronensaft
2 Teel.	Worcestersauce
2 Teel.	Basilikum
60 ml	Sherry
80 ml	entrahmte Sahne
250 ml	Sauce Béarnaise (siehe Seite 108)

Pilze waschen und Stiele entfernen. Die Köpfe in leicht gesalzenem Wasser kochen, abgießen und abkühlen lassen. Stiele hacken.

Butter in einer großen Bratpfanne erhitzen. Krebsfleisch und Pilzstiele dünsten. Mehl darüberstreuen und weitere 2 Minuten kochen. Die restlichen Zutaten mit Ausnahme der Sauce Béarnaise einrühren und bei geringer Hitzezufuhr zu einer sehr dicken Sauce weiterkochen.

Den Ofengrill vorheizen.

Die Pilzköpfe mit der Krebsmischung füllen und auf ein Backblech legen. Ein Häufchen Sauce Béarnaise auf jeden Kopf geben. Das Blech unter den Ofengrill stellen und die Pilze bräunen.

Heiß servieren.

6 PORTIONEN

Gefüllte Gurkenscheiben

ITALIENISCHE GAUMENFREUDEN

1	italienisches Brot
450 g	zerbröckelter Mascarponekäse
85 g	Gorgonzolakäse, zerkrümelt
15-20	Sardellenfilets
15-20	gefüllte, grüne Oliven

Das Brot in dünne Scheiben schneiden und die Kruste entfernen. Verschiedene Scheibenformen schneiden.

Käsesorten miteinander verrühren und die Brotscheiben damit bestreichen.

Die Sardellenfilets um die Oliven rollen und jeweils auf eine Brotscheibe legen.

6 PORTIONEN

ENTEN-LINGUINI A L'ORANGE

1 Portion	Safrannudeln (siehe Seite 436)
1 kg	Ente
250 ml	Rinderbrühe (siehe Seite 85)
500 ml	Weißwein
6	Orangen
2	Zitronen
3 Eßl.	Mehl
60 g	Zucker
¼ Teel.	Zimt
60 ml	Orangenbrandy
2 Eßl.	rotes Johannisbeergelee

Den Nudelteig wie vorgeschrieben verarbeiten und zu Linguini-Nudeln schneiden.

Ente mit etwas Salz und Pfeffer würzen und in einen Brattopf legen. Brühe und Wein über die Ente gießen. 3 Orangen und 1 Zitrone einschneiden und den Saft über die Ente drücken, abdecken. Im auf 200°C vorgeheizten Ofen 1¼ Stunde braten, oder bis der Schenkelsaft beim Einspicken klar herausläuft. Die Ente aus dem Brattopf nehmen. Das Fett vom Bratensaft entfernen. 3 Eßlöffel Fett aufheben; den Rest wegstellen.

Das Fett in einem Topf erhitzen, Mehl hinzufügen und zwei Minuten bei mittlerer Temperatur kochen. Temperatur reduzieren, den Bratensaft dazugeben und köcheln lassen. In einem weiteren Topf den Zucker karamelisieren (bräunen, jedoch nicht anbrennen lassen). Brandy und den restlichen Orangen- und Zitronensaft hinzugeben.

Zimt und Gelee untermengen und zu einer Sauce verrühren. Orangen- und Zitronenfleisch hinzugeben. Sauce weitere 10 Minuten schwach kochen.

Das Entenfleisch von den Knochen lösen, in grobe Würfel schneiden und warm stellen.

Die Nudeln in einem Topf mit kochendem, gesalzenen Wasser al dente kochen. Abgießen. Nudeln auf eine Servierplatte legen, das Entenfleisch darauf anrichten und mit der Sauce bedecken. Servieren.

6 PORTIONEN

Enten-Linguini a l'Orangé

Monte Cristo Happen

SCHNECKEN TORTELLINI

¼ Portion	Nudelteig (siehe Seite 426)
18	große Schnecken
1 Eßl.	Butter
1	feingehackte Knoblauchzehe
1	feingehackte, kleine Zwiebel
1 Eßl.	Zitronensaft
1 Teel.	Basilikum
2 Eßl.	Sherry
2 Teel.	Pernod
3 Eßl.	gehackte Petersilie
80 ml	entrahmte Sahne

Den Teig dünn ausrollen. Mit einem großen, runden Plätzchenstecher 36 Kreise schneiden. Die Kreise mit einem feuchten Tuch bedecken, um das Austrocknen zu verhindern.

Die Schnecken halbieren. Butter in einer Bratpfanne erhitzen und Knoblauch und Zwiebeln langsam weichdünsten. Die Schnecken hinzufügen und eine weitere Minute schwach kochen lassen. Zitrone, Basilikum, Sherry und Pernod hinzufügen. Temperatur reduzieren und 3 weitere Minuten kochen. Petersilie und Sahne einrühren. Den Topf warm stellen.

Die Schnecken in eine Schüssel legen. Abkühlen lassen. Die Teigkreise mit Wasser befeuchten. Jeweils ½ Schnecke auf jeden Kreis legen, falten und die Seiten zusammenpressen. Die Enden um die Füllung biegen und zusammendrücken.

Die Tortellini in 3 l kochendem Salzwasser solange kochen, bis sie auf der Wasserfläche schwimmen. Abgießen.

Die Sauce wieder erhitzen und die abgetropften Tortellini einrühren. Servieren.

6 PORTIONEN

GEFÜLLTE PILZE

450 g	große Pilze
130 g	Wurstbrät
45 g	feines, gewürztes Paniermahl
1 Eßl.	zerlassene Butter
250 ml	Sauce Béarnaise (siehe Seite 108)

Pilze waschen, Stiele entfernen und fein hacken. Wurstfbrät in einer großen Bratpfanne bräunen. Wenn fast gar, gehackte Stiele hinzufügen und weich kochen. Überschüssiges Fett entfernen. Die Mischung in eine Rührschüssel geben und auf Zimmertemperatur abkühlen lassen.

Paniermehl und Butter in die abgekühlte Wurstmischung rühren. Die Pilzköpfe damit füllen, auf ein Backblech legen und 15 Minuten bei 180°C im vorgeheizten Ofen backen.

Auf jeden Pilzkopf ½ Teelöffel Sauce Béarnaise geben. Die Ofentemperatur erhöhen und die Pilzköpfe 2-3 Minuten braten, oder bis die Sauce gebräunt ist.

Sehr heiß servieren.

6 PORTIONEN

MONTE CRISTO HAPPEN

16	Weißbrotschreiben
16	Scheiben Parmaschinken (Prosciutto)
115 g	geriebener Schweizer Käse
4	Eier
60 ml	entrahmte Sahne
4 Eßl.	Butter

Die Kruste vom Brot abschneiden.

Zwischen 2 Brotscheiben je zwei Scheiben Schinken und etwas Käse legen. Diagonal vierteln.

Eier mit Sahne verrühren und die Brotecken hineintauchen.

Butter in kleinen Mengen in einer Pfanne erhitzen und die Brotecken darin goldbraun braten. Sofort servieren.

4 PORTIONEN

Chef K. Garnelen in Apfel-Schokoladen-Sauce

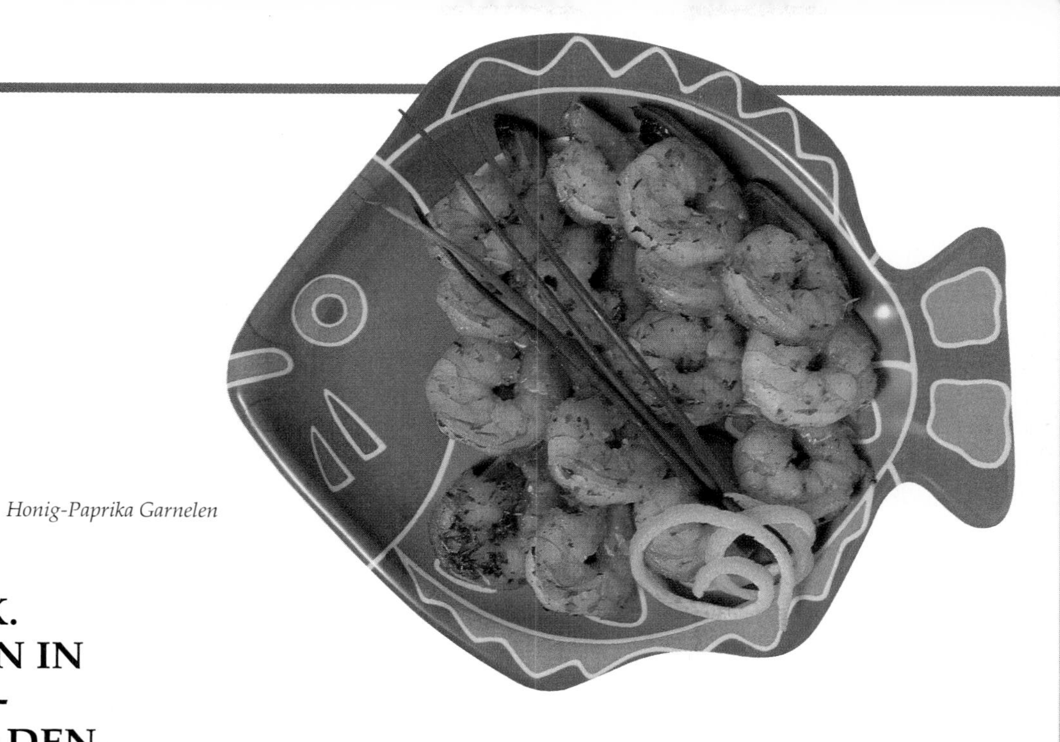

Honig-Paprika Garnelen

CHEF K. GARNELEN IN APFEL-SCHOKOLADEN-SAUCE

450 g	große Garnelen, ohne Schale und Darm
3 Eßl.	Butter
2 Eßl.	Distelöl
150 g	geschälte, entkernte, gewürfelte Äpfel
80 g	Pilze
2 Eßl.	Mehl
250 ml	entrahmte Sahne
60 ml	Apfelbrandy (Calvados)
80 ml	geriebene, weiße Schokolade

Die Garnelen mit einem kleinen Messer im Rücken einschneiden und in Schmetterlingsform öffnen. Butter und Öl in einer großen Bratpfanne erhitzen. Die Garnelen zügig im Fett dünsten, aus der Pfanne nehmen und warm stellen.

Apfelscheiben und Pilze in die Pfanne geben und drei Minuten dünsten. Mit Mehl bestreuen und zwei Minuten bei niedriger Temperatur kochen. Sahne und Brandy hinzufügen und langsam zu einer cremigen Sauce kochen. Die Schokolade hinzugeben und 1 Minute kochen. Die Sauce über die Garnelen gießen und servieren.

4 PORTIONEN

HONIG-PAPRIKA GARNELEN

170 g	Honig
1 Eßl.	süßes Paprikapulver
2 Eßl.	Worcestersauce
2 Eßl.	Sojasoße
1 Teel.	getrocknete Thymianblätter
1 Teel.	Chilipulver
60 ml	Distelöl
60 ml	Sherry
675 g	große Garnelen

Honig, Paprika, Worcestersauce, Sojasoße, Thymian, Chilipulver, Öl und Sherry miteinander rühren.

Schale und Darm von den Garnelen entfernen. Garnelen im Rücken einschneiden und in Schmetterlingsform öffnen. Unter fließendem Wasser reinigen und mit Küchenpapier trockentupfen.

Garnelen mit der Marinade bedecken und eine Stunde ziehen lassen.

Garnelen auf ein großes Backblech legen und drei Minuten im vorgeheizten Ofen grillen. Wenden und zusätzliche drei Minuten grillen.

Garnelen auf eine Servierplatte legen und servieren.

6 PORTIONEN

AUSTERN MARINARA

36	Austern
280 g	Spinat
2 Eßl.	Butter
375 ml	Marinara Sauce (siehe Seite 111)
50 g	Paniermehl
30 g	frisch geriebener Romanokäse
30 g	frisch geriebener Parmesankäse

Austern säubern und öffnen. Die Flüssigkeit für die Marinara Sauce verwahren. Das Fleisch entnehmen.

Spinat putzen. Die Butter in einer großen Bratpfanne erhitzen und den Spinat darin dünsten. Etwas Spinat in jede Schale legen und jeweils mit einer Auster dekorieren. Einen Teelöffel Marinara Sauce über jede Auster geben.

Die Austern mit Paniermehl und Käse bestreuen. Im vorgeheizten Ofen 10-12 Minuten bei 230°C backen.

6 PORTIONEN

Käse-Rindfleisch-Rädchen

KÄSE-RINDFLEISCH-RÄDCHEN

225 g	kaltes Roastbeef
230 g	Frischkäse
3 Eßl.	cremiger Meerrettich
3 Eßl.	fein gehackter Schnittlauch
60 ml	geschnittene, gefüllte Oliven

Roastbeef in sehr dünne Scheiben schneiden. Käse, Meerrettich und Schnittlauch cremig rühren.

Die Käsemischung auf die Fleischscheiben streichen, Scheiben aufrollen und in mundgerechte Happen schneiden.

Die Happen auf eine mit Wachspapier ausgelegte Servierplatte legen. Jedes Rädchen mit einer Olivenscheibe in der Mitte verzieren. Vor dem Servieren eine Stunde kalt stellen.

6 PORTIONEN

HÜHNER UND SPINAT FÖRMCHEN

300 g	feingewürfeltes, gekochtes Hühnerfleisch
500 ml	gehackter, gekochter Spinat, abgetropft
5	Eier
180 ml	Sahne
2 Eßl.	feingehackte Petersilie
1 Teel.	gehackter Schnittlauch
½ Teel.	Basilikumblätter
2 Eßl.	Butter

Hühnerfleisch und Spinat verrühren. Nach und nach Eier, Sahne und Gewürze hinzugeben.

Sechs kleine Auflaufförmchen mit Butter bestreichen, jede mit der gleichen Menge Fleischmischung füllen. Formen auf ein tiefes Backblech stellen, dieses bis zur halben Höhe der Formen mit Wasser füllen. Darauf achten, daß kein Wasser in die Förmchen kommt. 45 Minuten im vorgeheizten Ofen bei 180°C backen. Die Förmchen auf vorgewärmte Teller stürzen und servieren.

Vorschlag: Als gelungene Ergänzung zu diesem Gericht etwas Mornaysauce (siehe Seite 111) dazu servieren.

6 PORTIONEN

PISTAZIEN KÄSEBÄLLCHEN

455 g	Ricottakäse (oder Hüttenkäse)
60 ml	frisch gehackte Petersilie
125 ml	feingewürfelter, roter Piment
¼ Teel.	Salz
¼ Teel.	gemahlener, schwarzer Pfeffer
500 ml	geschälte, gehackte Pistaziennüsse

Käse, Petersilie, Piment, Salz und Pfeffer im Mixer cremig rühren und in kleine Bällchen rollen.

Die Pistazienmasse in eine Rührschüssel geben und die Käsebällchen darin ausgiebig rollen.

Die Käsebällchen auf eine mit Wachspapier ausgelegte Servierplatte legen. Vor dem Servieren eine Stunde kalt stellen.

6 PORTIONEN

HUMMERROLLEN

450 g	Hummerschwanzfleisch
18	Scheiben durchwachsener Speck

Den Hummer in 36 gleichgroße Stücke schneiden. Jede Speckscheibe halbieren. Je ein Hummerstück mit einem Stück Speck umwickeln und mit einem Zahnstocher zusammenstecken.

Die Rollen im vorgeheizten Ofen bei 250°C 8-10 Minuten backen. Heiß servieren.

6 PORTIONEN

Pistazien-Käsebällchen

GURKENHAPPEN

12	große Gewürzgurken
24	Scheiben pikante Salami
3 Eßl.	Dijonsenf

Durch die Gurkenmitte (der Länge nach) ein Loch schneiden. Dafür einen kleinen, hohlen Stab mit einer Spitze verwenden.

Eine Salamischeibe mit einer dünnen Schicht Senf bestreichen, dann fest zusammenrollen. Je eine Salamirolle in die Gurken drücken.

Die Gurken in Happen schneiden und auf eine Servierplatte legen. Sofort servieren oder abdecken und kalt stellen.

6 PORTIONEN

Gurkenhappen

SÜSSE, WÜRZIGE HÜHNERFLÜGEL

1 kg	Hühnerflügel
340 g	Honig
3 Eßl.	Sojasoße
3 Eßl.	Worcestersauce
½ Teel.	Ingwerpulver
½ Teel.	Knoblauchpulver

Hühnerflügel waschen, Spitzen abschneiden und mit Küchenpapier trockentupfen. In eine große Rührschüssel geben.

Honig, Sojasoße, Worcestersauce, Ingwer und Knoblauch mischen und über die Flügel gießen. Zwei Stunden marinieren lassen.

Die Flügel auf ein Backblech geben. Die Marinade aufheben. 10 Minuten im vorgeheizten Ofen braten. Flügel wenden, mit der verbliebenen Marinade bestreichen und zusätzlich 10 Minuten braten. Heiß servieren.

4 PORTIONEN

GERÄUCHERTE LACHSRAVIOLI IN PFEFFER-WODKA KÄSE-SAUCE

½Portion	Zitronenpfeffer-Nudeln (siehe Seite 432)
1 Eßl.	Butter
225 g Lachs	feingehackter, geräucherter
1	feingehackte Selleriestange
1	feingehackte, kleine Möhre
¼ Teel.	Salz
¼ Teel.	gemahlener, schwarzer Pfeffer
1	Ei
60 ml	Wodka
60 ml	Marsalawein
60 ml	Tomatenmark
375 ml	Hühnerbrühe (siehe Seite 77)
30 g	frisch geriebener Romanokäse
2 Teel.	grüne Pfefferkörner
1 Eßl.	gehackte Petersilie

Den Nudelteig wie angegeben verarbeiten. In dünne Schichten rollen. Mit einem 7,5 cm ø Plätzchenmesser Kreise aus dem Teig stechen. Mit einem feuchten Tuch bedecken und zur Seite stellen.

Butter in einer Bratpfanne erhitzen. Möhren und Sellerie weichdünsten, in eine Rührschüssel geben und auf Zimmertemperatur abkühlen lassen. Lachs, Salz, Pfeffer, Ei und abgekühltes Gemüse untermischen.

Auf jeden Teigkreis je einen Teelöffel Füllung geben. Die Ränder mit etwas Wasser befeuchten. Den Nudelteig zuklappen, die Ränder fest zusammenpressen. Ränder um die Füllung drücken und fest zusammenpressen. Die Teigtaschen in einen großen Topf mit kochendem Salzwasser geben. Wenn sie an der Oberfläche schwimmen, noch zwei weitere Minuten kochen.

Für die Sauce Wodka und Wein in einen Topf gießen und das Tomatenmark hineinrühren. Bei geringer Hitzezufuhr kochen, bis die Menge auf ⅔ reduziert ist. Käse, Pfefferkörner und Petersilie untermischen und die Teigtaschen hinzugeben. Servieren.

6 PORTIONEN

Geräucherte Lachsravioli in Pfeffer-Wodka-Käse-Sauce

Miesmuscheln Provençale

EINGELEGTE PARTY GARNELEN

2 l	kochendes Wasser
625 g	große Garnelen, ohne Schale und Darm
1	Zitrone
1	Limone
1	gewürfelte Möhre
375 g	gewürfelte Zwiebel
200 g	gewürfelter Stangensellerie
60 ml	Gewürze zum Einmachen
6	Lorbeerblätter
250 ml	Distelöl
125 ml	Essig
60 ml	Sherry
2 Eßl.	Kapern
2 Teel.	Salz
¼ Teel.	rote Pfeffersoße

Garnelen in einen Kochtopf geben und das kochende Wasser darübergießen. Zitrone und Limone vierteln und mit Möhren, Sellerie, 125 g Zwiebeln und den Gewürzen zum Einmachen zu den Garnelen geben. Alles zum Kochen bringen und weitere 5 Minuten kochen. Das Wasser abgießen und die Garnelen abkühlen lassen.

In einer großen Schüssel abwechselnd Garnelen und Zwiebeln schichten. Mit den Lorbeerblättern bedecken. Die restlichen Zutaten zusammenrühren und über die Garnelen gießen. Die Schüssel zudecken und 12-24 Stunden kalt stellen. Marinade abgießen und servieren.

12 PORTIONEN

MIESMUSCHELN PROVENÇALE

48	frische Miesmuscheln
2 Eßl.	Butter
2	feingehackte Knoblauchzehen
1	feingewürfelte Zwiebel
1	feingewürfelte Selleriestange
250 ml	Rotwein
500 ml	geschmorte Tomaten
½ Teel.	Salz
½ Teel.	Basilikum
¼ Teel.	schwarzer Pfeffer

Muscheln bürsten und Bartbüschel entfernen.

Butter in einer Pfanne erhitzen. Knoblauch, Zwiebeln und Sellerie hinzufügen und weichdünsten. Die restlichen Zutaten dazugeben und 15 Minuten köcheln lassen.

Muscheln hineingeben und langsam weitere 10 Minuten köcheln lassen. Servieren.

6 PORTIONEN

GURKENBOOTE

16	kleine Gewürzgurken
75 g	feingehackter Schinken
120 g	Frischkäse
1 Teel.	Senf
16	Scheiben geräucherter Lachs

Gurken der Länge nach halbieren und das Innere mit einem kleinen Löffel entfernen.

Schinken, Käse, Senf miteinander vermengen und alles in einen Spritzbeutel mit einer großen Sternspitze geben. Die Masse in die ausgehöhlten Gurken drücken.

Die geräucherten Lachsscheiben diagonal halbieren. Die Scheiben so auf Zahnstocher aufspießen, daß sie ein Segel formen, diese auf die Gurkenmitte setzen. Sofort servieren oder bis zum Servieren kalt stellen.

6 PORTIONEN

Eingelegte Partygarnelen

ORIENTALISCHE HÜHNERFLÜGEL

60 ml	Sojasoße
60 ml	Distelöl
110 g	brauner Zucker
60 ml	Zitronensaft
60 ml	Sherry
je ½ Teel.	gemahlener Ingwer, Senfpulver, Zwiebelpulver, Knoblauchpulver
1 Teel.	Salz
1 Eßl.	Worcestersauce
1 kg	Hühnerflügel

Alle Zutaten mit Ausnahme der Flügel vermischen. Flügel waschen und Spitzen abschneiden. Flügel mit Küchenpapier trockentupfen, auf ein Backblech legen, mit der Sauce bestreichen und 10 Minuten braten. Während dieser Zeit zweimal mit der Sauce bestreichen.

Flügel wenden, mit der Sauce bestreichen, nochmal 10 Minuten braten und noch zweimal mit der Sauce bestreichen. Heiß servieren.

4 PORTIONEN

CHORIZO-BÄLLCHEN

450 g	rohe Chorizo-Wurstfüllung *
3	Eier
60 ml	Milch
30 g	Mehl
500 ml	zerdrückte Corn Flakes
750 ml	Distelöl
375 ml	scharfe Kreolensauce (siehe Seite 121)

Aus der Wurstfüllung Bällchen von der Größe eines Eßlöffels formen.

Eier mit der Milch verquirlen.

Die Wurstbällchen mit Mehl bestreuen, in die Eiermilch tauchen und mit Corn Flakes panieren.

Öl auf 190°C erhitzen. Wurstbällchen jeweils in kleinen Mengen goldbraun braten und im Ofen warmhalten.

Auf eine Servierplatte geben und zusammen mit der Kreolensauce servieren.

4 PORTIONEN

* Chorizo-Wurst ist eine stark gewürzte spanische Wurst. Sie ist auf den meisten spanischen Fleischmärkten oder auf Bestellung beim Fleischer zu haben.

GARNELEN COCKTAIL

1	Zitrone
1	Selleriestange
1	kleine Zwiebel
1 l	Wasser
250 ml	Weißwein
1 Teel.	Salz
1	Bouquet garni *
24	große Garnelen, ohne Schale und Darm
4	Romagna-Salatblätter, geputzt
4	Zitronenviertel

SAUCE

125 ml	Chilisoße
80 ml	Tomatenketchup
80 ml	fertigen Meerrettich
2 Eßl.	Zitronensaft
1 Teel.	Worcestersauce

Zitrone halbieren. Sellerie und Zwiebel grob würfeln. Wasser in einen großen Kochtopf geben und Wein, Salz und Bouquet garni hinzugeben. Aufkochen lassen, dann Hitze reduzieren, Garnelen hinzufügen und 8 Minuten köcheln lassen. Abgießen, abkühlen lassen und kalt stellen.

Die Zutaten der Sauce mischen.

Salatblätter in vier Sektgläser oder auf gekühlte Teller legen und je zwei Eßlöffel Sauce auf ein Blatt geben. Jeweils kreisförmig sechs Garnelen in ein Sektglas bzw. auf einen Teller legen.

Mit einem Zitronenviertel garnieren.

4 PORTIONEN

* Bouquet garni: Thymian, Majoran, Pfefferkörner, Lorbeerblätter und Petersilie. Alles in Käseleinen zusammenbinden.

Garnelen-Cocktail

Mozzarella- & Zucchinistäbchen

MOZZARELLA-STÄBCHEN

110 g	Mehl
½ Teel.	Backpulver
⅛ Teel.	Natron
¾ Teel.	Salz
1 Prise	weißer Pfeffer
250 ml	Bier
1 l	Distelöl
1	Eiweiß
454 g	harter Mozarellakäse, in Stäbchen geschnitten

Die trockenen Zutaten in eine Rührschüssel zusammensieben. Das Bier langsam hinzufügen und kräftig durchschlagen. 1½ Stunde stehen lassen.

Öl auf 190°C erhitzen.

Eiweiß in den Teig schlagen. Die Käsestäbchen hineintauchen und gut abtropfen lassen.

Mit einem gelochten Löffel die Käsestäbchen in das heiße Öl tauchen. 2½ -3 Minuten braten, oder bis sie goldbraun sind. Sofort servieren. Zwiebel-Dip (siehe Seite 34) paßt gut dazu.

6 PORTIONEN

ZUCCHINI-STÄBCHEN

2	Zucchini
90 g	Paniermehl
1 Teel.	Salz
je ½ Teel.	Pfeffer, Paprika, Oreganoblätter, Thymianblätter, Basilikumblätter, Zwiebelpulver, Knoblauchpulver
2	Eier
125 ml	Milch
40 g	Mehl
1 l	Distelöl
375 ml	Ranch-Dip (siehe Seite 34)

Zucchini waschen, säubern und in Stäbchen schneiden. Gewürze mit dem Paniermehl vermischen.

Eier mit Milch verrühren. Mehl in eine kleine Rührschüssel geben, die Stäbchen mit Mehl bestäuben, in die Eier-Milch-Mischung tauchen und im Paniermehl wenden.

Öl auf 190°C erhitzen. Die Stäbchen in jeweils kleinen Mengen im Öl braten. Mit Ranch-Dip servieren.

6 PORTIONEN

KÄSE - BUCHWEIZEN LINGUINI

1 Portion	Buchweizennudeln (siehe Seite 428)
40 g	Gorgonzolakäse
230 g	Mascarponekäse
40 g	geriebener Romanokäse
125 ml	entrahmte Sahne

Den Nudelteig wie angegeben verarbeiten, Linguini schneiden und in einem großen Topf mit gesalzenem Wasser al dente kochen. Abgießen.

Den Käse mit der Sahne verrühren. Die heißen Nudeln in der Käsesauce schwenken. Servieren.

6 PORTIONEN

PARTY-GEMÜSEPLATTE UND DIPS

1	Brokkoli
1	Blumenkohl
3	große Möhren
1	kleine Zucchini
500 ml	Cocktailtomaten
150 g	Pilze

Das Gemüse waschen, putzen und in mundgerechte Happen schneiden. Auf eine große Servierplatte legen, abdecken, und während der Dip-Zubereitung kalt stellen.

Diese Dips passen auch sehr gut zu Kartoffelchips, Salzstangen oder Kräckern.

Party-Gemüseplatte

ZWIEBEL-DIP

230 g	Frischkäse
250 ml	saure Sahne
1 Beutel	Instantzwiebelsuppe
2 Eßl.	gehackter Schnittlauch
1 Teel.	Chilipulver
1 Teel.	Worcestersauce

Käse und Zutaten cremig rühren, abdecken und kalt stellen.

ERGIBT 500 ml

MEXICALI-DIP

230 g	Frischkäse
125 ml	saure Sahne
2 Eßl.	feingehackte, grüne Paprikaschoten
2 Eßl.	feingehackte, rote Paprikaschoten
1 Teel.	feingehackte Jalapeño-Schoten
1 Teel.	Chilipulver
1 Teel.	Worcestersauce
½ Teel.	Salz

Käse mit den Zutaten gut vermischen. Abdecken und kalt stellen.

ERGIBT 375 ml

RANCH-DIP

230 g	Frischkäse
60 ml	Buttermilch
60 ml	Mayonnaise
2 Eßl.	feingehackter Schnittlauch
1 Eßl.	Zitronensaft
¼ Teel.	Salz
1 Prise	weißer Pfeffer

Käse mit den Zutaten cremig rühren, abdecken und kalt stellen.

ERGIBT 375 ml

MUSCHEL-DIP

450 g	Frischkäse
250 ml	zerkleinerte Muscheln (aus der Dose)
2 Tropfen	scharfe Pfeffersoße
¼ Teel.	Salz
2 Teel.	gehackte Zwiebeln
1 Teel.	Zitronensaft

Käse mit den Zutaten gut vermischen, abdecken und kalt stellen.

ERGIBT 750 ml

PISTAZIEN-THUNFISCH-BISSEN

16	Scheiben Pumpernickel
250 ml	gekochter Thunfisch
2 Teel.	Dijonsenf
60 ml	Mayonnaise
60 g	Butter
1 Eßl.	feingehackter Schnittlauch
125 ml	geschälte, gehackte Pistazienkerne
2	feingehackte, hartgekochte Eier

Alle Brotkrusten entfernen.

In einer kleinen Schüssel Thunfisch, Senf und Mayonnaise vermengen.

Butter mit dem Schnittlauch cremig rühren und das Brot damit dünn bestreichen. Die Ränder in den Nüssen rollen. Scheiben auf ein Backblech legen, die Scheibenmitte mit Thunfisch füllen und mit den Eiern bestreuen.

Die Bissen auf eine Servierplatte legen und servieren.

4 PORTIONEN

COQUILLE ST. JACQUES

1 kg	große Jakobsmuscheln
225 g	Küstengarnelen
60 g	Butter
75 g	Pilze, in Scheiben geschnitten
3 Eßl.	Mehl
125 ml	Sahne
125 ml	Hühnerbrühe (siehe Seite 77)
125 ml	Weißwein
½ Teel.	Salz
½ Teel.	weißer Pfeffer
500 ml	Kartoffelpüree, heiß
230 g	geriebener Gruyèrekäse

Die Jakobsmuscheln waschen und mit Küchenpapier trockentupfen. Garnelen unter fließendem Wasser abspülen und zur Seite stellen.

Butter in einer großen Bratpfanne erhitzen und darin Pilze dünsten. Mehl hineinstreuen und zwei Minuten bei niedriger Temperatur kochen. Sahne, Hühnerbrühe und Wein hinzugießen. Köcheln lassen, bis die Sauce dick wird. Die Gewürze hineinstreuen.

Jakobsmuscheln und Garnelen hinzugeben und 10 Minuten kochen.

Kartoffelpüree um die großen Jakobsmuschelschalen spritzen, Schalen mit der Mischung füllen und mit Käse bestreuen.

10 Minuten im vorgeheizten Ofen bei 190°C backen.

Sofort servieren.

4 PORTIONEN

Coquilles St. Jacques

PASTETEN

Wenn Hackfleisch sich etwas wünschen könnte, so würde es wünschen, zur Pastete zu werden. Als die edelste Zubereitung allen Hackfleisches bekannt, bringen Pasteten eine besondere Spannung auf den Tisch. Sie lassen den Gast sofort wissen, daß man sich um ihn kümmert; denn eine Pastete ist ja schließlich nicht so leicht zuzubereiten, oder? Nicht so mit den Pasteten, die Sie in *Einfach Köstlich Kochen 2* finden.

Ob als Appetithappen, als kleines Hauptgericht oder bei einem Büffett serviert -- eine gute Pastete wird immer diejenigen anziehen, die Qualität und die feineren Dinge im Leben genießen. Servieren Sie zu einem besonderen Anlaß das „Hühnerfleisch mit Reis in Teig". Es garantiert für den Erfolg der Veranstaltung.

Pasteten sind Gerichte, die zu jeder Zeit und bei jeder Gelegenheit am Platze sind. Sie sind die Vorspeise zu einem besonderen Abendessen, wo „das Beste nur den Anfang darstellt." Sie eignen sich aber auch als Hauptgericht, wie in unserer „Tourtière". Ja, es gibt sogar Pasteten als Dessert, z.B. die „Schokoladen Rocky Road Terrine" (siehe Seite 542). Pasteten passen großartig, wenn es ein Spiel im Fernsehen gibt und niemand kochen will (man probiere den kalten Kalbfleischkäse) Oder, wenn sich Frauen am Nachmittag zu einem kleinen Imbiß treffen, so ist eine sehr spezielle heiße Pastete wie „Französisches Kalbfleisch & Basilikum-Mousse" am richtigen Platz. Folglich darf man ein Abendessen beginnen und sogar abschließen, indem man nichts als Pasteten reicht.

Die beste Bemerkung, die man über Pasteten machen kann, ist, daß sie relativ kostengünstig vorzubereiten und daher auch für das schmale Budget geeignet sind. In den meisten Fällen nimmt die Vorbereitung wenig Zeit in Anspruch, so daß man mehr Zeit mit den Gästen verbringen und das gesparte Geld für die Gäste ausgeben kann.

Auf diesen Seiten bieten wir nur zehn Pasteten an, aber sie gehören zu den allerbesten. Eine Pastete sollte in bezug auf Geschmack, Substanz und Eßvergnügen Bände sprechen. Genau das tun diese zehn, und zwar lautstark! Wagen Sie den Schritt und entdecken Sie Geschmack wie nie zuvor an *Einfach Köstlich Kochen 2*.

Hühnerfleisch und Reis in Teig

KALTER KALBFLEISCHKÄSE

675 g	mageres Kalbfleisch, zweimal durch den Fleischwolf gedreht
1 Teel.	Salz
je ½ Teel.	weißer Pfeffer, Paprika, Thymian, Oregano und Basilikum
1 Eßl.	Chilipulver
2 Eßl.	Worcestersauce
60 ml	gemahlene, gesalzene Kräcker
1	Ei, geschlagen
75 g	feingewürfelte grüne Paprikaschoten
65 g	feingewürfelte Zwiebel
100 g	feingewürfelter Sellerie
180 g	feingewürfelte Möhren
125 ml	Chilisoße
60 ml	Barbecuesauce

Kalbfleisch, Gewürze, Worcestersauce, Kräcker, Ei, Gemüse und Chilisoße vermischen. In eine 28 cm große Kastenform löffeln. Die Barbecuesauce daraufstreichen.

1¼ Stunden lang im auf 180° vorgeheizten Ofen backen.

Aus dem Ofen nehmen, abkühlen lassen, aus der Form stürzen und kalt stellen. Kalt servieren.

6 PORTIONEN

JOHNNYS TOURTIERE QUEBECOISE

3 Eßl.	Butter
2	feingewürfelte Zwiebeln
3	feingewürfelte Knoblauchzehen
500 ml	enthäutete, entkernte und gewürfelte Tomaten
345 g	mageres Schweinehackfleisch
345 g	feingewürfeltes Rindfleisch
250 ml	Rinderbrühe (siehe Seite 85)
2	Lorbeerblätter
je ¼ Teel.	Piment, Zimt, Muskatnuß
1 Teel.	Salz
½ Teel.	Pfeffer
30 g	feines Paniermehl
1 Portion	Doppelter Pie-Teig
3 Eßl.	Milch
1	Ei

Die Butter in einer großen Bratpfanne erhitzen und Zwiebel und Knoblauch schwitzen lassen. Tomaten dazugeben und 3 Minuten zugedeckt erhitzen. Das Schweinefleisch zufügen und ausgiebig braten. Rindfleisch, Brühe, Lorbeerblätter und Gewürze hinzufügen. Zudecken und 30 Minuten köcheln. Den Deckel entfernen und weiter ziehen lassen, bis die Flüssigkeit weitgehend verdampft ist. Paniermehl einrühren. Die Mischung auf Zimmertemperatur abkühlen lassen.

Den Backofen auf 200° vorheizen.

Den Teig ausrollen und in zwei Hälften teilen. Eine 25 cm große Pie-Form mit dem einen Teil auslegen, dann mit der Mischung füllen und mit dem restlichen Teig bedecken. Die Kanten zusammendrücken und oben ein 2,5 cm großes Loch ausschneiden. Einen Schornstein aus Alufolie anfertigen und in die Öffnung stecken.

Milch mit Ei mischen und die Pastete damit bestreichen.

10 Minuten lang backen, dann die Hitze auf 180° zurückschalten und weitere 25 Minuten backen lassen. Die Pastete vor dem Anschneiden 20 Minuten stehen lassen oder kalt stellen und dann servieren.

8 PORTIONEN

Kalter Kalbfleischkäse

Johnnys Tourtiere Quebecoise

Französiches Kalbfleisch & Basilikum-Mousse

HÜHNERFLEISCH UND REIS IN TEIG

Dieses Gericht erfordert etwas Vorbereitung, ist jedoch der Mühe wert. Sie werden es genießen.

1 Portion	Feinschmeckerkruste (siehe Seite 455)
900 g	Hühnerfleisch
2 Teel.	Salz
3 Eßl.	gehackte Petersilie
115 g	Butter
1	große, feingehackte Zwiebel
137 g	Reis
500 ml	Hühnerbrühe (siehe Seite 77)
½ Teel.	Majoran
½ Teel.	Thymian
180 ml	Hähnchen Velouté (siehe Seite 105)
115 g	gekochte, gehackte Pilze
3	hartgekochte, gehackte Eier
1	Eigelb
2 Eßl.	entrahmte Sahne

Hühnerfleisch in circa 2 cm große Stücke schneiden und mit Salz und einem Eßlöffel Petersilie bestreuen. Kalt stellen.

Die Hälfte der Butter in einem Kochtopf erhitzen. Ein Viertel der Zwiebel weichdünsten, bis sie zart ist. Den Reis und die Hühnerbrühe dazugeben. Den Reis kochen, bis er weich ist. Abkühlen lassen.

In einem zweiten Kochtopf die restliche Butter erhitzen und die übrigen Zwiebeln dünsten. Abkühlen lassen. Gekochten Reis, gebratene Zwiebel, restliche Petersilie, Pilze, gehacktes Ei, Kräuter und Velouté zusammenmischen. Die Hälfte des Teigs in ein Rechteck ausrollen. Ein Viertel der Reismischung auf den Teig legen, aber dabei einen 2 cm breiten Rand freilassen. Den Reis mit Streifen Hühnerfleisch bedecken und weitere Schichten von Reis und Hühnerfleisch abwechselnd aufeinander legen.

Das Verfahren sollte beim Abschluß 4 Reisschichten und 3 Schichten Hühnerfleisch ergeben.

Den restlichen Teig ein bißchen größer als die erste Masse ausrollen. Eigelb mit Sahne vermischen und die unteren Schichtränder damit bestreichen. Das zweite Stück Teig darauf legen. Die Ränder fest andrücken und gut bestreichen, um sie dicht zu machen. Eventuell überflüssigen Teig wegschneiden. Mit der Eimischung bestreichen.

Eine Öffnung genau in der Mitte des Teiges ausschneiden, um dem Dampf einen Ausgang zu lassen. Mit dem restlichen Teig verzieren. Noch ein letztes Mal mit Ei bestreichen. Im auf 200°C vorgeheizten Ofen 20 Minuten backen. Mit Alufolie abdecken und weitere 15 Minuten backen. Aus dem Ofen nehmen und heiß, warm oder kalt servieren.

8 PORTIONEN

FRANZÖSISCHES KALBFLEISCH & BASILIKUM-MOUSSE

675 g	mageres Kalbfleisch, zweimal durch den Fleischwolf gedreht
1 Teel.	Salz
¼ Teel.	weißer Pfeffer
2 Teel.	frisch gehackte Basilikumblätter
3	Eiweiß
180 ml	entrahmte Sahne
60 ml	Sherry

Kalbfleisch, Salz, Pfeffer, Basilikumblätter und Eiweiß im Mixer vermischen. Auf niedriger Stufe weiterrühren und die Sahne und den Sherry dazugeben.

Den Backofen auf 180°C vorheizen.

Die Mischung löffelweise in eine gefettete Kranzform oder 23 cm große Kastenform geben. Mit Wachspapier abdecken und in eine zweite Pfanne stellen, die 2,5 cm Wasser enthält. 45 Minuten lang backen. Aus dem Ofen nehmen und 10 Minuten lang stehen lassen.

Aus der Form stürzen und mit Wildpilzen in Sherrysauce reichen. (siehe Seite 105).

6 PORTIONEN

Hühnerfleisch und Reis in Teig

PASTETE IN TEIG

1 Portion	Feinschmeckerpastetenteig (Rezept folgt)
120 g	geriebener Cheddarkäse
4	Eier
2 Eßl.	Butter
115 g	Pilze, in Scheiben geschnitten
1	feingehackte Zwiebel
1	feingehackte Knoblauchzehe
565 g	mageres Hackfleisch, vom Kalb
565 g	mageres Hackfleisch, vom Schwein
450 g	rohes Wurstbrät, durch den Fleischwolf gedreht
1 Eßl.	Salz
je ½ Teel.	Pfeffer, Thymian, Majoran
4	blanchierte Möhren, in lange, schmale Streifen geschnitten
6	hartgekochte Eier

Den Teig mit 60 g Käse mischen. Ein Ei hinzufügen und einen sehr geschmeidigen Teig kneten.

Eine 32 x 10 cm große Kastenform mit Alufolie auslegen. Die Folie leicht mit Fett bestreichen. ⅔ des Teiges ausrollen und damit die Form auslegen, wobei der Teig über die Ränder herausragen soll. Kalt stellen.

Die Butter zerlassen und Zwiebel, Pilze und Knoblauch weichdünsten. In eine große Rührschüssel geben. Kalbfleisch, Schweinefleisch, Wurstbrät und Gewürze dazugeben, gut durchrühren.

3 Eier schlagen und 60 ml beiseite stellen. Den Rest in das Fleischgemisch geben und die Kastenform damit zur Hälfte füllen. Die Möhren und Eier darauf verteilen und das übrige Fleischgemisch dazugeben. Den restlichen Käse hinzufügen.

Den Teig ausrollen, die Kastenform damit zudecken, und die Ränder abdichten. Mit übriggebliebenem Teig verzieren. Mit dem letzten geschlagenen Ei bestreichen. Im 180°C heißen Ofen 2 Stunden backen, oder bis der Teig braun wird. Aus der Form nehmen. Die Folie entfernen. Entweder heiß servieren, oder abkühlen lassen und kalt reichen.

FEINSCHMECKER-PASTETENTEIG

110 g	gesiebtes Mehl
¼ Teel.	Salz
1 Teel.	Backpulver
50 g	Backfett
60 ml	heißes Wasser
56 g	Butter
1 Teel.	Zitronensaft
1	geschlagenes Eigelb

Mehl, Salz und Backpulver zusammensieben. Backfett einschneiden. Das heiße Wasser mit Butter und Zitronensaft mischen und dann mit dem Eigelb verquirlen. Die Flüssigkeit in die trockenen Zutaten einarbeiten. Kalt stellen und bei Bedarf verwenden.

Pastete in Teig

Mousse au Jambon

DREIERLEI-FLEISCH-PASTETE

450 g	Hühnerfleisch
565 g	fettes Schweinefleisch, ohne Knochen
565 g	Kalbfleisch, ohne Knochen
3 Eßl.	Sherry
1	Ei
1 Teel.	Salz
½ Teel.	Pfeffer
½ Teel.	Paprika
1 Teel.	Thymian
1 Teel.	Basilikum
225 g	Scheiben durchwachsener Speck

Das Fleisch in einem kalten Mixer verarbeiten, bis es sehr fein ist. In eine Schüssel legen und mit Sherry, Ei, Kräutern und Salz vermengen.

Eine 23 cm große Kastenform mit Alufolie auslegen. Die Folie mit Fett bestreichen und mit Speckscheiben auslegen. Mit der Mousselinmischung füllen. Mit gefettetem Wachspapier bedecken.

In ein Wasserbad stellen und im auf 130°C vorgeheizten Backofen 3 Stunden lang backen. Aus dem Ofen nehmen, 30 Minuten fest werden lassen. Über Nacht kalt stellen.

Stürzen und den Speck entfernen. Überflüssiges Fett abwischen. In Scheiben schneiden und servieren.

6 PORTIONEN

MOUSSE AU JAMBON

2 Eßl.	aromafreie Gelatine
160 ml	Wasser
310 ml	heiße Béchamelsauce (siehe Seite 112)
1 Teel.	Dijonsenf
½ Teel.	Worcestersauce
500 ml	gekochtes Gehacktes vom Schwein
60 ml	feingehackte Zwiebel
125 ml	Mayonnaise
125 ml	Schlagsahne, steifgeschlagen

Gelatine im Wasser einweichen. Mit Senf und Worcestersauce in die Béchamelsauce einrühren. Abkühlen lassen.

Schinken, Zwiebel, Mayonnaise und Schlagsahne unterheben. In eine geölte, 2 l große Form gießen. Die Mousse in den Kühlschrank stellen, bis sie fest wird. Stürzen und servieren.

8 PORTIONEN

LAMM- UND KALBFLEISCH TERRINE

80 ml	Distelöl
1	kleingehackte Zwiebel
3	feingehackte Knoblauchzehen
675 g	mageres Lammfleisch, ohne Knochen
675 g	mageres Kalbfleisch, ohne Knochen
450 g	Scheiben durchwachsener Speck
80 ml	Sherry
je 2 Teel.	Thymian, Rosmarin, Salbei, Oregano
1 Eßl.	Salz
½ Teel.	Pfeffer
23 g	gewürztes Paniermehl
2	Lorbeerblätter
3	Eier

Das Öl in einer Bratpfanne erhitzen. Zwiebel und Knoblauch weichdünsten. In eine große Schüssel geben.

Lammfleisch, Kalbfleisch und die Hälfte des Specks im Mixer verarbeiten, bis das Gemisch sehr sämig ist. Zwiebel einrühren. Die restlichen Zutaten dazugeben und gründlich durchrühren.

Eine 23 cm große Kastenform mit Fett bestreichen. Mit dem restlichen Speck auslegen. Die Mousselinmischung löffelweise in die Pfanne geben. Die Lorbeerblätter darauflegen.

Wachspapier einfetten und mit der gefetteten Seite nach unten auf die Pastete legen. Ins Wasserbad stellen und 2 Stunden lang bei 180°C im vorgeheizten Ofen backen. Aus dem Ofen nehmen und 30 Minuten abkühlen lassen.

Vor dem Gebrauch ein bis vier Tage lang im Kühlschrank aufbewahren. Aus der Form stürzen und den Speckbelag entfernen. Überflüssiges Fett abwischen. Servieren.

6 PORTIONEN

Hühnerleberpastete

HÜHNERLEBER-PASTETE

2 Eßl.	aromafreie Gelatine
250 ml	kalte Tomaten-, Rinder- oder Hühnerbouillon
80 g	Butter
450 g	Hühnerleber
3 Eßl.	feingehackte Zwiebel
½ Teel.	Salz
1 Eßl.	Dijonsenf
½ Teel.	Piment
½ Teel.	Knoblauchpulver
½ Teel.	Pfeffer
60 ml	Madeira
125 ml	Schlagsahne

Gelatine in Bouillon auflösen, zum Kochen bringen und vom Herd nehmen. Die Hälfte der Flüssigkeit in eine Kastenform gießen und abkühlen lassen. Die gekühlte Sülze nach Belieben verzieren.

Die Butter in einem Kochtopf zergehen lassen. Hühnerleber und Zwiebel hinzufügen, 7 Minuten dünsten. In den Mixer geben. Die restliche Bouillon und die anderen Zutaten dazugeben und verarbeiten, bis das Gemisch geschmeidig wird. Die Mischung löffelweise in die Kastenform geben und 6-8 Stunden mit Frischhaltefolie bedeckt kalt stellen.

Zum Stürzen die Form kurz in heißes Wasser tauchen und mit dem Messer rings um die Seiten fahren. Servieren.

8 PORTIONEN

HÜHNERPASTETE MIT KRABBEN

510 g	Hühnerfleisch, ohne Knochen
225 g	Schinken
340 g	durchwachsener Speck
1	kleine, feingehackte Zwiebel
675 g	Krabben, ohne Schale und Darm
88 g	feines Paniermehl
180 ml	entrahmte Sahne
2 Eßl.	gehackte Petersilie
1 Teel.	Salz
½ Teel.	weißer Pfeffer
60 ml	weißer, süßer Wermut

Hühnerfleisch, Schinken, 115 g Speck und Zwiebel im Mixer zerkleinern.

Krabben, Paniermehl, Sahne und Gewürze unter den Wermut mischen.

Eine 2 l große Kastenform oder eine andere Form mit der Hälfte des übriggebliebenen Specks auslegen. Die Form mit der Mischung füllen.

Mit dem übrigen Speck bedecken. Mit Folie bedecken und in einen weiteren Topf stellen, der 2,5 cm Wasser enthält.

Bei 190°C im vorgeheizten Ofen 3 Stunden backen. Das Fett abgießen. Abkühlen lassen, dann kalt stellen. Aus der Form stürzen, den Speck entfernen und die Pastete servieren. Sauce Béarnaise (siehe Seite 108) paßt vortrefflich dazu.

8 PORTIONEN

Hühnerpastete mit Krabben

GEGRILLTES

Haben Sie sich immer schon gewundert, warum ein Mann, der sonst keine Ahnung vom Kochen hat, plötzlich ein Experte wird, wenn es um den Gartengrill geht? Warum werden Gerichte über offener Flamme anscheinend so viel schmackhafter? Nun, auf den nächsten Seiten werden Sie die Antwort zu diesen verwirrenden Fragen finden. In diesem Kapitel von *Einfach Köstlich Kochen 2* haben wir die Grillkunst für Sie verfeinert. Kein Mann ist dem anderen überlegen: es könnte nur sein, daß er die einfachen Regeln des Grillens gelernt hat. Um das beste Resultat für Sie und Ihre Gäste zu sichern, sollten diese Regeln immer befolgt werden.

Verwenden Sie die besten Zutaten. Diese erste Regel aller Kochkunst bezieht sich nicht nur auf die Speisenzutaten, sondern auf jede Komponente des Grillens einschließlich Holzkohle. Holzkohlen von Mesquite, Hickory, Erlen und Apfelbäumen eignen sich bestens zum Grillen und sind dem Holz auf Ölbasis vorzuziehen. Holzkohle produziert einen milden Rauchgeschmack und eignet sich vorzüglich für Lamm, Schalentiere und Fisch. Um dem Fleisch von Rind, Schwein und Wild einen stärkeren Rauchgeschmack zu verleihen, verwendet man Holzstückchen aus demselben Holz wie die Kohle. Vor dem Benutzen die Holzstückchen eine halbe Stunde oder länger im Wasser tränken, sie dann gleichmäßig über die Holzkohle plazieren. Für die schnellere Zubereitung gibt Ihnen diese Kombination genügend Rauch für den genau richtigen Geschmack.

Ein abgedeckter Grill garantiert, daß der Rauchgeschmack das Grillgut durchtränkt, ehe er mit der Luft abzieht. Befolgen Sie Ihr Rezept und beginnen Sie das Feuer wenigstens 40 Minuten vor dem Grillen. Nur einen gut gesäuberten und geölten Grill benutzen, und die Zutaten auf Zimmertemperatur erwärmen. Benutzen Sie ein heißes Feuer, um das Fleisch zu versiegeln, und legen Sie das Fleisch dann auf einen kühleren Teil des Grills. Fettige Fleischstücke sollten über eine Abtropfschale plaziert werden, die direkt in die Kohlen gelegt wird. Fisch und Schalentiere auf den kühleren Stellen des Grills grillen, da dieses Grillgut nicht versiegelt wird.

Durch Befolgung dieser einfachen Regeln werden Sie durch weit bessere Ergebnisse beschenkt als der Wochenend-Chef sich je vorstellen konnte.

Es gibt viele Grill-Rezepte in diesem Buch, aber die speziellen in diesem Kapitel sind ein sicheres „Feuer" zu den Herzen Ihrer Gäste. Diese Rezepte werden Sie zu einem Sieger der Grill-Meister machen. In *Einfach Köstlich Kosten 2* können Sie unter solch exquisiten Gerichten wie „Roter Schnappbarsch in Himbeersauce" oder „Feinschmeckersteaks" für einen herzhafteren Appetit wählen. Sie werden die „Schwertfischspieße" hervorragend finden und sich am „New York's Folly" erfreuen. Was Sie auch wählen, Sie werden viel Spaß haben, fantastische Erinnerungen und ausgezeichnetes Essen, das jederzeit *einfach köstlich* ist.

Meeresfrüchtespieß Pazifik & rheinländische Rippchen

GAS GRILL

LACHSSTEAK DIABLE

310 ml	Weißwein
60 ml	gehackte, grüne Zwiebeln
310 ml	Demi-Glace (siehe Seite 123)
1 Teel.	Worcestersauce
½ Teel.	Senfpulver
6 x 300 g	Lachssteaks (2,5 cm dick)
2 Eßl.	Olivenöl

Den Wein und die grünen Zwiebeln in einem kleinen Topf kochen, bis ⅓ Wein verkocht ist. Die verbleibenden Zutaten hinzufügen und fünf Minuten köcheln lassen. Die Sauce durch ein Sieb streichen und warm stellen.

Die Steaks mit Öl bestreichen und dann bei mittlerer Kohlenhitze zehn Minuten grillen. Mit Sauce bedecken und servieren.

6 PORTIONEN

ROTER SCHNAPPBARSCH IN HIMBEERSAUCE

450 g	Himbeeren
2 Teel.	Stärkemehl
1 Eßl.	Zitronensaft
2 Eßl.	Honig
4 x 170 g	Rote Schnappbarschfilets
3 Eßl.	Olivenöl
½ Teel.	Salz
½ Teel.	weißer Pfeffer

Die Himbeeren im Mixer pürieren, durch ein feines Sieb in einen Topf streichen und die Masse aufkochen lassen. Stärke und Zitronensaft miteinander verrühren und zusammen mit dem Honig in die Sauce schlagen. Köcheln, bis die Sauce dick wird.

Die Filets mit Öl bestreichen und leicht mit Salz und Pfeffer würzen. Bei mittlerer Hitze 5-6 Minuten von jeder Seite grillen. Häufig mit Sauce bestreichen.

Mit der verbleibenden Sauce servieren.

4 PORTIONEN

TERIYAKI RÜCKENRIPPCHEN

4 x 340 g	dänische Rückenrippchen
je 1 Teel.	Pfeffer, Salz, Paprika, Chilipulver, Zwiebelpulver, Thymianblätter, Knoblauchpulver, Basilikum, Oreganoblätter
125 ml	Wasser
60 ml	Sojasoße
3 Eßl.	Olivenöl
60 ml	Sherry
2 Teel.	gemahlener Ingwer
2	feingehackte Knoblauchzehen
½ Teel.	Salz
3 Eßl.	Honig

Das Fett von den Rippchen entfernen, diese dann auf ein flaches Backblech legen.

Die Gewürze miteinander vermengen und die Rippchen damit bestreuen. Das Wasser seitlich der Rippchen zugießen. Abdecken und im vorgeheizten Ofen bei 180°C 1¼ Stunden backen. Die Rippchen herausnehmen, abkühlen und abtropfen lassen. Die Rückenhaut entfernen.

Die verbleibenden Zutaten zu einer Sauce vermengen.

Die Rippchen sieben Minuten von jeder Seite über mittlerer Hitze grillen, und mehrmals mit der Sauce bestreichen.

4 PORTIONEN

Roter Schnappbarsch in Himbeersauce

Gegrillte Hühnerbrust Kal Bi

GEGRILLTE HÜHNERBRUST KAL BI

6 x 170 g	knochenlose, enthäutete Hühnerbrust
80 ml	Sojasoße
3 Eßl.	Sesamöl
3 Eßl.	Sherry
125 ml	feingehackte Schalotten
2	feingehackte Knoblauchzehen
2 Teel.	feingehackter, frischer Ingwer
3 Eßl.	brauner Zucker

Die Hühnerbrust flach drücken und in eine flache Schale legen.

Zutaten zu einer Marinade vermengen und über das Hühnerfleisch gießen. Drei Stunden ziehen lassen. Das Fleisch abtropfen lassen. Marinade zur Seite stellen.

Das Hühnerfleisch über mittlerer Hitze 5-6 Minuten von jeder Seite grillen und häufig mit der Marinade bestreichen.

6 PORTIONEN

RINDERBRATEN ROTISSERIE

2 kg	Rinderbraten aus der Hüfte
6	Knoblauchzehen
250 ml	Olivenöl
125 ml	Rotwein
125 g	Zwiebelscheiben
1	Lorbeerblatt
1 Eßl.	Zucker
1 Teel.	Knoblauchpulver
1 Eßl.	Worcestersauce
1 Eßl.	Sojasoße
4 Tropfen	scharfe Pfeffersoße
60 ml	Zitronensaft

Zwölf schmale, gleichmäßige Einschnitte in den Braten machen. Die Knoblauchzehen halbieren und in die Einschnitte stecken. Den Braten in einen flachen Brattopf legen.

Restliche Zutaten vermengen, in einen Topf geben und zum Kochen bringen. Vom Herd nehmen und abkühlen lassen. Diese Marinade über den Braten gießen. Acht Stunden ziehen lassen.

Den Braten mit dem Rotisseriespieß durchstechen und bei mittelschwacher Temperatur 1½- 2 Stunden garen. Oft mit der Marinade bestreichen.

Zerlegen und servieren.

8 PORTIONEN

Meeresfrüchtespieße in Aprikosen

MEERESFRÜCHTE-SPIESSE IN APRIKOSEN

454 g	Lachs, in große Würfel geschnitten
225g	große Garnelen, ohne Schale und Darm
225 g	Jakobsmuscheln
2 Eßl.	Olivenöl
190 g	getrocknete Aprikosen
250 ml	Wasser
2 Eßl.	Zucker
2 Teel.	Dijonsenf
60 ml	Apfelsaft

Lachs, Garnelen und Jakobsmuscheln abwechselnd auf wassergetränkte Bambusspieße aufspießen.

In einem Topf Aprikosen im Wasser fünf Minuten kochen und im Mixer pürieren. Das Wasser beseite stellen.

Zucker und Senf ins Wasser einrühren, über die Aprikosen geben und vermengen.

Apfelsaft in den Topf geben, erhitzen, jedoch nicht kochen.

Die Spieße mit Öl bestreichen und über mittlerer Hitze 5 Minuten von jeder Seite grillen. Häufig mit der Sauce bestreichen. Vor dem Servieren nochmals mit Sauce bestreichen.

4 PORTIONEN

Asiatische gegrillte Rippen

ASIATISCHE GEGRILLTE RIPPCHEN

Sauce:	
125 ml	Hoisin Sauce *
3 Eßl.	Orangensaft
3 Eßl.	Sherry
1 Teel.	geschälter, feingehackter, frischer Ingwer
1	feingehackte Knoblauchzehe
½ Teel.	chinesische 5-Gewürzmischung
2 Eßl.	Sojasoße
2 Eßl.	roter Weinessig
1 Eßl.	Dijonsenf
1 Eßl.	Chilipaste

Rippchen:	
1 kg	Schweinerückenrippchen
1 Eßl.	Salz
1 Teel.	chinesische 5-Gewürzmischung
1 Teel.	Pfeffer

Sauce:

Die Zutaten in einer Rührschüssel vermischen, bedecken und in den Kühlschrank stellen.

Rippchen:

Die Rippchen in 5 Knochenstücke schneiden. Gewürze vermischen und die Rippchen damit bestreuen. Im vorgeheizten Ofen bei 180°C ½ Stunde braten.

Die Rippchen 15 Minuten über mittlerer Hitze grillen und dabei häufig mit Sauce bestreichen. Vor dem Servieren nochmals mit Sauce bestreichen.

4 PORTIONEN

* Erhältlich in asiatischen Geschäften oder in der orientalischen Lebensmittelabteilung des Supermarkts.

GEGRILLTE ZUCCHINI

450 g	Zucchini
125 ml	Olivenöl
je ½ Teel.	Knoblauchpulver, Zwiebelpulver, Thymianblätter, Basilikum, Pfeffer, Salz

Zucchini waschen und die Enden abschneiden. 3-5 Minuten in kochendem Salzwasser blanchieren. Abkühlen lassen, der Länge nach halbieren und in eine flache Schale legen.

Die Zutaten vermengen und über die Zucchini gießen. Eine Stunde ziehen lassen.

Die Zucchini 10-15 Minuten grillen. Während dieser Zeit oft wenden und mit Marinade bestreichen.

4 PORTIONEN

BACALHAU

60 ml	Zitronensaft
160 ml	Olivenöl
1 Eßl.	gehackter Knoblauch
1 Teel.	Salz
2 Teel.	Worcestersauce
je ½ Teel.	Thymian, Basilikum, Oregano
4 x 170 g	Dorschfilet oder Steaks

Zitronensaft, Öl, Knoblauch, Salz, Worcestersauce und Gewürze vermischen.

Den Dorsch in eine flache Schale legen und mit der Marinade begießen. Abdecken und vier Stunden kalt stellen. Abtropfen lassen und die Marinade aufbewahren.

Den Fisch 10 Minuten pro 2,5 cm Dicke grillen und häufig mit der Marinade bestreichen. Sofort servieren.

4 PORTIONEN

GEGRILLTER HÜHNERSALAT

2 Teel.	feingehackte Knoblauchzehen
1 Teel.	Salz
1 Teel.	gemahlener, schwarzer Pfeffer
2 Eßl.	Rotwein
1 Eßl.	Zitronensaft
80 ml	Olivenöl
1 Teel.	Worcestersauce
je 1 Teel.	getrocknete Blätter von Thymian, Basilikum, Salbei, Oregano, Rosmarin
1	rote Paprikaschote
1	gelbe Paprikaschote
1	grüne Paprikaschote
2	rote Zwiebeln
1	große Zucchini
4 x 115 g	knochenlose, enthäutete Hühnerbrust

In einer Rührschüssel Knoblauch, Salz, Pfeffer, Wein, Zitronensaft, Öl, Worcestersauce und Gewürze mischen.

Paprikaschoten vierteln und weiße Haut und Kerne entfernen. Zwiebel und Zucchini in große Scheiben schneiden. Gemüse in eine flache Schale geben und mit der Hälfte der Marinade begießen. Die restliche Marinade über das Hühnerfleisch geben. Beides 2 Stunden marinieren.

Das Hühnerfleisch über mittlerer Hitze fünf Minuten grillen, wenden und zusätzliche fünf Minuten grillen.

Das Gemüse mit dem Fleisch sechs Minuten grillen. Zusammen servieren.

4 PORTIONEN

Gegrillter Hühnersalat

Feinschmeckersteaks (T-bone)

FEINSCHMECKER-STEAKS (T-BONE)

4 x 340 g	T-bone Steaks
1 Teel.	gehackte Zwiebeln
190 g	rotes Johannisbeergelee
125 ml	Portwein
2 Eßl.	roter Weinessig
1 Teel.	abgeriebene Orangenschale
1 Teel.	abgeriebene Zitronenschale
1 Teel.	Senfpulver
1 Prise	Cayennepfeffer

Fett von den Steaks entfernen. Alle Zutaten in einem Topf vermischen und bis zur Hälfte reduzieren.

Die Steaks wie gewünscht grillen. Oft mit der Sauce bestreichen. Servieren.

4 PORTIONEN

SPANISCHE PINCHO-MORUNO

675 g	Rinderlende
2 Teel.	Zucker
1 Teel.	schwarzer Pfeffer
1 Teel.	feingehackter Knoblauch
1 Teel.	Zwiebelpulver
125 ml	Knoblauchessig
125 ml	Rotwein
250 ml	Olivenöl
je ½ Teel.	gehacktes Basilikum, getrocknete Thymianblätter, getrocknete Majoranblätter
1 Teel.	Salz

Die Lende von Fett befreien und in 2,5 cm große Würfel schneiden. Das Fleisch auf Bambusspieße stecken und diese in eine flache Schale legen.

Die Zutaten zu einer Marinade vermengen und über das Fleisch gießen. Abdecken und 6-8 Stunden im Kühlschrank marinieren. Abtropfen lassen. Die Marinade aufbewahren.

Die Spieße über mittlerer Hitze wie gewünscht grillen und oft mit Marinade bestreichen.

4 PORTIONEN

HONIG-KNOBLAUCH-JOGHURT LAMMKOTELETTS

8 x 90 g	Lammkoteletts
2	feingehackte Knoblauchzehen
3 Eßl.	flüssiger Honig
60 ml	Joghurt
1 Teel.	gemahlener, schwarzer Pfeffer

Fett von den Koteletts entfernen. Fleisch in eine flache Schale legen.

Knoblauch, Honig, Joghurt und Pfeffer zu einer Marinade mischen und über das Fleisch gießen. Acht Stunden marinieren lassen.

Die Koteletts über mittlerer Hitze 3 Minuten von jeder Seite grillen und dabei mit der Marinade bestreichen. Servieren.

4 PORTIONEN

GERÄUCHERTE KOTELETTS

4 x 170 g	geräucherte Schweine- oder Kalbskoteletts
125 ml	weiße Weinsoße
60 ml	dunkle Sojasoße
2 Eßl.	Olivenöl
½ Teel.	Worcestersauce
½ Teel.	scharfes , englisches Senfpulver
je ¼ Teel.	gemahlener Zimt, Piment, Gewürznelken
2 Teel.	brauner Zucker

Fett von den Koteletts schneiden. Fleisch in eine flache Schale legen.

Zutaten zu einer Marinade vermischen und über das Fleisch gießen. Abdecken und 2 Stunden im Kühlschrank marinieren. Abtropfen lassen. Die Marinade aufbewahren.

Die Koteletts über niedriger Hitze 6 Minuten von jeder Seite grillen und häufig mit der Marinade bestreichen.

4 PORTIONEN

GEGRILLTE LAMMKOTELETTS MIT GLATTER PETERSILIE

12 x 60 g	Lammkoteletts
1 Eßl.	Chilipulver
je ½ Teel.	Oreganoblätter, Thymianblätter, Basilikumblätter, Zwiebelpulver, Knoblauchpulver, Salz, weißer Pfeffer, schwarzer Pfeffer
¼ Teel.	Cayennepfeffer
110 g	Butter
4	feingehackte Knoblauchzehen
125 ml	frisch gehackte glatte Petersilie
1 Teel.	Dijonsenf
1 Teel.	abgeriebene Zitronenschale
2 Eßl.	Olivenöl

Fett von den Koteletts entfernen.

Die Gewürze vermengen und das Fleisch damit bestreuen. Zudecken und eine Stunde kalt stellen.

Butter mit Knoblauch, glatter Petersilie, Senf und Zitronenschale vermengen, auf ein Blatt Wachspapier streichen und in Zigarrenform rollen. Eine Stunde gefrieren lassen.

Die Koteletts mit Öl bestreichen und 3 Minuten von jeder Seite grillen.

Die Butter in dicke Scheiben schneiden und eine Scheibe jeweils zu 2 Koteletts reichen. Sofort servieren.

6 PORTIONEN

Honig-Knoblauch-Joghurt-Lammkoteletts

Geräucherte Koteletts

GEGRILLTE LAMMKEULE

2 kg	Lammkeule
2 Teel.	feingehackte Knoblauchzehe
1	feingewürfelte Zwiebel
1	feingewürfelte Möhre
1	feingewürfelte Selleriestange
1 Teel.	Salz
1 Teel.	gemahlener, schwarzer Pfeffer
2 Eßl.	Rotwein
1 Eßl.	Zitronensaft
80 ml	Olivenöl
je 1 Teel.	getrocknete Blätter Thymian, Basilikum, Salbei, Oregano, Rosmarin

Den Knochen vom Fleischer entfernen lassen. Fleisch flachdrücken und überschüssiges Fett abschneiden.

Fleisch mit Knoblauch, Zwiebel, Möhre, Sellerie, Salz und Pfeffer bestreichen, rollen, fest zusammenbinden und in eine flache Kasserolle legen.

Die restlichen Zutaten vermengen und über das Fleisch gießen. Acht Stunden oder über Nacht marinieren lassen.

Das Fleisch 50 Minuten bei niedriger Hitze grillen. Alle 8-10 Minuten wenden und mit Marinade bestreichen. Tranchieren und servieren.

6 PORTIONEN

HÜHNERBRUST SPEZIAL GEGRILLT

4 x 170 g	knochenlose, enthäutete Hühnerbrust
80 ml	Papayasaft
80 ml	Distelöl
2 Teel.	Salz
½ Teel.	Knoblauchpulver
½ Teel.	gemahlener, schwarzer Pfeffer
1 Eßl.	frisch gehackte Minze
250 ml	saure Sahne
1 Eßl.	Currypulver
1 Eßl.	Zitronensaft
¼ Teel.	Zucker

Hühnerfleisch in eine flache Schale geben. Papayasaft, Öl, 1Teelöffel Salz, Knoblauchpulver, schwarzen Pfeffer und Minze vermischen und die Marinade über das Fleisch gießen. Vier Stunden marinieren lassen.

Die restlichen Zutaten vermengen und kalt stellen, während das Fleisch mariniert. Das Hühnerfleisch sieben bis acht Minuten über mittlerer Hitze von jeder Seite grillen. Mehrmals mit der sauren Sahnesauce bestreichen. Servieren.

4 PORTIONEN

GEGRILLTER HUMMER

4 x 450 g	Hummer
145 g	Butter
2 Eßl.	Zitronensaft
1 Teel.	geriebene Zitronenschale
2 Teel.	gehackte glatte Petersilie
½ Teel.	Basilikumblätter

Die Hummer längs am Rücken einschneiden und sac und Darm entfernen. Das Fleisch von der Schale lösen, die Scheren knacken.

Butter in einer Pfanne erhitzen und die restlichen Zutaten dazugeben .

Die Hummer mit Butter bestreichen und 15-20 Minuten braten. Häufig bestreichen und wenden.

Die restliche Butter zu den Hummern servieren, um das Fleisch darin einzutauchen.

4 PORTIONEN

Gegrillte Lammkoteletts mit Cilantro

Meeresfrüchtespieß Pazifik

MEERESFRÜCHTE-SPIESS PAZIFIK

454 g	Lachs
225 g	große Garnelen
225 g	große Jakobsmuscheln
30 g	Mehl
2	gelbe Paprikaschoten
16	große Pilze
16	Cocktailtomaten
60 ml	Olivenöl
60 ml	Zitronensaft
60 ml	weißer Wermut
1	feingehackte Knoblauchzehe
je 1 Teel.	Thymian, Basilikum, Kerbel, Oregano, Majoran, Salz
½ Teel.	gemahlener, schwarzer Pfeffer
½ Teel.	gemahlener Kümmel
1 Teel.	Worcestersauce
3 Tropfen	scharfe Pfeffersoße

Acht große Bambusspieße 30 Minuten im Wasser einweichen.

Lachs würfeln. Die Garnelen von Schale und Darm befreien. Die Jakobsmuscheln mit dem Mehl bestäuben.

Die gelben Paprikaschoten in große Würfel schneiden. Die Pilzhüte waschen.

Die Meeresfrüchte abwechselnd mit den Paprikaschoten, Pilzen und Tomaten aufspießen.

Öl und die restlichen Zutaten vermengen. Die Spieße fünf Minuten von jeder Seite grillen und ständig mit der Marinade bestreichen. Vor dem Servieren nochmals bestreichen.

4 PORTIONEN

GEGRILLTER THUNFISCH

6 x 250 g	Thunfischsteaks
2 Teel.	feingehackte Knoblauchzehen
2 Eßl.	Rotwein
1 Eßl.	Zitronensaft
80 ml	Olivenöl
1 Teel.	Worcestersauce
1 Teel.	Salz
1 Teel.	gemahlener, schwarzer Pfeffer
je 1 Teel.	getrocknete Blätter von Thymian, Basilikum, Salbei, Oregano, Rosmarin

SAUCE:	
250 ml	Tomatenketchup
170 g	Melasse
1	feingehackte, mittelgroße Zwiebel
50 g	brauner Zucker, zusammengepreßt
2 Eßl.	Zitronensaft
1 Eßl.	Chilipulver
je 1 Teel.	Salz, Thymian-, Oregano- und Basilikumblätter
je ½ Teel.	Paprika, Zwiebelpulver, Knoblauchpulver
¼ Teel.	scharfe Pfeffersoße

Thunfisch waschen, trockentupfen und in eine flasche Schale legen. In einer kleinen Rührschüssel Knoblauch, Wein, Zitronensaft, Öl, Worcestersauce und Gewürze vermengen. Die Marinade über den Fisch gießen. 4 Stunden marinieren lassen.

SAUCE:

Alle Zutaten in einer Rührschüssel mischen.

Den Fisch fünf bis sechs Minuten von jeder Seite grillen (je nach Dicke) und regelmäßig mit der Barbecuesauce bestreichen. Vor dem Servieren noch ein letztes Mal bestreichen.

6 PORTIONEN

Gegrillte Rumpsteaks New York

GEGRILLTES GEMÜSE MIT HONIG-KNOBLAUCH-RANCH-SAUCE

SAUCE:	
1	Knoblauchzehe
2	Eigelb
1 Teel.	Senfpulver
1 Prise	Cayennepfeffer
190 ml	Olivenöl
2 Teel.	Honig
1½ Eßl.	Zitronensaft
60 ml	Buttermilch
40 g	frisch geriebener Parmesankäse
1 Eßl.	feingehackter Schnittlauch
½ Teel.	gemahlener, schwarzer Pfeffer
GEMÜSE:	
4	Möhren (mittlere Größe)
2	große Zucchini
2 Eßl.	Olivenöl
2 Eßl.	flüssiger Honig
1 Teel.	Basilikum
1 Eßl.	geröstete Sesamkörner (wahlweise)
16	Cocktailtomaten

SAUCE:

Knoblauch, Eigelb, Senf und Cayennepfeffer in einen Mixer geben. Bei laufendem Gerät das Öl langsam hinzufügen, bis die Mischung die Konsistenz von Mayonnaise erreicht. Honig, Zitronensaft, Buttermilch, Käse, Schnittlauch und Pfeffer hineingeben.

GEMÜSE:

Möhren putzen. Das Gemüse in dicke, längliche Stücke schneiden. Öl, Honig und Basilikum vermischen. Die Marinade über das Gemüse gießen und 30 Minuten ziehen lassen. Das Gemüse 8 Minuten grillen, auf eine Servierplatte geben, mit Sesamkörnern bestreuen und mit den Cocktailtomaten verzieren. Die Schale mit der Sauce in die Plattenmitte legen.

4 PORTIONEN

Gegrilltes Gemüse mit Honig-Knoblauch-Ranch-Sauce

GEGRILLTE RUMPSTEAKS NEW YORK

125 ml	roter Weinessig
1 Eßl.	Worcestersauce
je 1 Teel.	Basilikumblätter, Thymianblätter, Oreganoblätter
125 ml	Tomatenketchup
2	feingehackte Knoblauchzehen
½ Teel.	flüssige Räucherwürze
1 Eßl.	Zucker
6 x 225 g	Rumpsteaks

In einem Topf alle Zutaten mit Ausnahme der Steaks vermischen.

Fett von den Steaks entfernen. Schmale Knorpelstreifen abschneiden. Dies verhindert das Wellen des Fleisches beim Braten. Marinade über die Steaks gießen, zudecken und 6 Stunden im Kühlschrank marienieren.

Die Steaks über mittlerer Hitze wunschgemäß grillen. Oft mit Marinade bestreichen.

6 PORTIONEN

SÜSS-SAUER GEGRILLTE LOTTE

1,3 kg	Lottefilets
125 ml	Olivenöl
60 ml	Estragonessig
2 Teel.	Worcestersauce
½ Teel.	gemahlener Ingwer
1 Eßl.	brauner Zucker
2 Eßl.	Sherry
3 Eßl.	Sojasoße
½ Teel.	Knoblauchpulver

Die Fischfilets auf ein flaches Backblech legen.

Die Zutaten zu einer Marinade vermengen und über den Fisch gießen. Zudecken und eine Stunde im Kühlschrank marinieren. Abtropfen lassen. Marinade aufbewahren.

Den Fisch zehn Minuten bei mittlerer Hitze grillen und mit der Marinade bestreichen. Den gegrillten Fisch auf eine Servierplatte legen und vor dem Servieren nochmals mit der Marinade bestreichen.

6 PORTIONEN

Honig-Zitronen-Schweinesteaks

EXOTISCHE GARNELEN KEBABS

675 g	Garnelen
80 ml	Sojasoße
80 ml	Olivenöl
80 ml	Sherry
je ½ Teel.	Zwiebelpulver, Knoblauchpulver, gemahlener Ingwer, Pfeffer

Die Garnelen von Schale und Darm befreien. Auf Bambusspieße stecken und in eine flache Schale legen.

Die Zutaten vermengen und über die Garnelen gießen. 30 Minuten marinieren lassen.

Über heißen Holzkohlen drei bis fünf Minuten von jeder Seite grillen.

4 PORTIONEN

HONIG-ZITRONEN SCHWEINE-STEAKS

125 ml	gehackte glatte Petersilie
1 Eßl.	Olivenöl
1 Eßl.	Honig
1 Eßl.	Zitronensaft
1 Teel.	gemahlener, schwarzer Pfeffer
1 Teel.	geriebene Zitronenschale
4 x 170 g	Schweinesteaks

Glatte Petersilie, Öl, Honig, Zitronensaft und Pfeffer in einer kleinen Rührschüssel vermengen.

Die Schweinesteaks bei mittlerer Hitze vier Minuten grillen, wenden und mit der Sauce bestreichen. Nochmals vier Minuten grillen. Das gegrillte Fleisch mit der restlichen Sauce bedecken. Servieren.

4 PORTIONEN

RHEINLÄNDISCHE RIPPCHEN

2 kg	Schweineseiten oder Rückenrippchen
2 Teel.	Salz
375 ml	Rinderbrühe (siehe Seite 85)
60 ml	Ketchup
2 Eßl.	brauner Zucker
3 Eßl.	Rotwein
¼ Teel.	gemahlener Piment
¼ Teel.	Kümmelkörner
2 Eßl.	Worcestersauce
1 Prise	Cayennepfeffer
1 Teel.	geriebene Zitronenschale
1 Eßl.	Stärkemehl
2 Eßl.	kaltes Wasser

Fett von den Rippchen entfernen und diese auf ein flaches Backblech legen. Mit Salz bestreuen und zwei Stunden im vorgeheizten Ofen bei 160°C braten.

In einem Topf die restlichen Zutaten mit Ausnahme von Stärke und Wasser vermengen und aufkochen. Stärke mit dem Wasser verrühren und zur Sauce geben. Köcheln lassen, bis die Sauce dick wird.

Die Rippchen auf einen Holzkohlegrill legen und zehn Minuten von jeder Seite grillen. Häufig mit der Sauce bestreichen. Servieren.

6 PORTIONEN

Rheinländische Rippchen

Gegrillte Rippchen vom Küchenchef

GEGRILLTE HÜHNERBRUST

6 x 170 g	knochenlose, enthäutete Hühnerbrust
125 ml	Olivenöl
3 Eßl.	Estragonessig
1 Eßl.	Zitronensaft
1 Teel.	Knoblauchsalz
½ Teel.	gehackte glatte Petersilie

Hühnerbrust in eine große flache Schale legen.

Alle Zutaten miteinander vermischen, die Marinade über das Fleisch gießen. Abdecken und zwei Stunden kalt stellen. Abtropfen lassen und die Marinade verwahren.

Die Hühnerbrust sieben bis acht Minuten von jeder Seite (je nach Dicke) grillen. Mit der Marinade bestreichen. Servieren.

6 PORTIONEN

SCHWERTFISCH SPIESSE

900 g	Schwertfisch
3 Eßl.	Knoblauchessig
80 ml	Olivenöl
1 Teel.	geriebene Zitronenschale
je ½ Teel.	Zwiebelpulver, Knoblauchpulver, Oregano
1 Teel.	zerdrückte Lorbeerblätter
1 Eßl.	gehackte glatte Petersilie
1 Teel.	Salz

Den Schwertfisch in 2,5 cm dicke Würfel schneiden, auf Bambusspieße stecken und in eine flache Schale legen.

Die Zutaten vermischen und über den Fisch gießen. Abdecken und zwei Stunden im Kühlschrank marinieren lassen.

Den Fisch zehn Minuten bei mittlerer Hitze grillen, wenden und oft mit Marinade bestreichen.

6 PORTIONEN

GEGRILLTE RIPPCHEN VOM KÜCHENCHEF

RIPPCHEN:	
6 x 340 g	dänische Rückenrippchen
3 Eßl.	Olivenöl
je 1 Teel.	Salz, gemahlener schwarzer Pfeffer, Paprika, Chilipulver

SAUCE:	
3 Eßl.	Olivenöl
2 Eßl.	feingehackte Zwiebeln
2 Eßl.	feingehackte, grüne Paprikaschote
2 Eßl.	feingehackter Stangensellerie
1	feingehackte Knoblauchzehe
60 ml	Weißwein
¼ Teel.	schwarzer Pfeffer
½ Teel.	Oreganoblätter
½ Teel.	gemahlener Kümmel
3 Eßl.	brauner Zucker
310 ml	Tomatenmark
½ Teel.	Hickory Rauchsalz

RIPPCHEN:

Rippchen in eine flache Schale legen, mit Öl bestreichen und mit den Gewürzen bestreuen. Im vorgeheizten Ofen bei 160°C zwei Stunden braten.

SAUCE:

In der Zwischenzeit das Öl in einer Pfanne erhitzen. Zwiebeln, grüne Paprikaschoten, Sellerie und Knoblauch hinzufügen und weichdünsten. Restliche Zutaten zugeben. Die Sauce aufkochen, Hitze reduzieren und 20 Minuten köcheln lassen.

Die Rippchen aus dem Ofen nehmen, von der Haut befreien und portionieren. Die Rippchen sechs bis acht Minuten bei mittlerer Hitze von jeder Seite grillen.

Während des Grillens das Fleisch kräftig mit der Sauce bestreichen und unmittelbar vor dem Servieren nochmals wiederholen.

6 PORTIONEN

BÜFFELBURGER

BURGER:	
450 g	mageres, durchgedrehtes Büffelfleisch
120 g	durchgedrehtes Schweinefleisch, fett
1	Ei
2 Eßl.	feines Paniermehl
2 Eßl.	feingehackte Zwiebel
1 Eßl.	Dijonsenf
1 Teel.	Worcestersauce

SAUCE:	
3 Eßl.	Öl
30 g	feingehackte Zwiebeln
40 g	feingehackte, grüne Paprikaschoten
50 g	feingehackter Stangensellerie
750 ml	gepellte, entkernte, gehackte Tomaten
1 Eßl.	Hickory Rauchsalz
3 Eßl.	Weinessig
½ Teel.	scharfer Senf
80 ml	Tomatenmark
je ½ Teel.	Basilikum, Thymian, Oregano, Bohnenkraut, Paprika, Knoblauchpulver, Pfeffer
50 g	brauner Zucker

BURGER:

Alle Zutaten in eine große Rührschüssel geben und gründlich mischen. Flache Frikadellen formen, auf ein mit Wachspapier ausgelegtes Backblech legen. Mit Wachspapier abdecken und bis zum Gebrauch in den Kühlschrank stellen.

SAUCE:

Öl im Topf erhitzen, das Gemüse hinzufügen und gar dünsten. Die restlichen Gewürze hineingeben, die Temperatur reduzieren und köcheln, bis die Menge auf ⅓ reduziert ist. Die flachen Frikadellen bei mittlerer Hitze grillen. Häufig mit Sauce bestreichen. Heiß und mit zusätzlicher Sauce auf Brötchen servieren.

4 PORTIONEN

LIMONEN-KALBSKOTELETTS MIT TOMATEN-SALSA

KOTELETTS:	
4 x 170 g	Kalbskoteletts
3 Eßl.	Limonensaft
2 Eßl.	Olivenöl
2 Eßl.	saure Sahne
2 Teel.	Zucker
¼ Teel.	Salz
½ Teel.	zerdrückte, rote Chilischoten

SALSA:	
4	große, gepellte, entkernte, gewürfelte Tomaten
1	feingewürfelte, kleine Zwiebel
2	feingewürfelte Jalapeño-Schoten
60 ml	frisch gehackte, glatte Petersilie
2 Eßl.	Limonensaft
½ Teel.	Salz
¼ Teel.	gemahlener, schwarzer Pfeffer

KOTELETTS:

Fett von den Koteletts entfernen.

Die Zutaten mischen und über das Fleisch gießen. Drei Stunden marinieren lassen. Die Koteletts fünf Minuten von jeder Seite bei mittlerer Hitze grillen und mit Marinade bestreichen.

SALSA:

Die Zutaten in eine Rührschüssel geben, zudecken und drei Stunden marinieren lassen.

Die Koteletts auf einen Servierteller legen und mit Salsa bedecken. Servieren.

4 PORTIONEN

Limonen-Kalbskoteletts mit Tomaten-Salsa

Gegrillte Rippchen nach Cajun-Art

STEAK UND HUMMER

Ein immerwährendes Lieblingsgericht ohne den gesalzenen Restaurantpreis.

4 x 115 g	Lendenfilets
4	Scheiben durchwachsener Speck
4 x 115 g	Hummerschwänze
80 ml	zerlassene Butter
je ½ Teel.	Zwiebelpulver, Kümmelkörner, Koriandersamen, Thymianblätter, Oreganoblätter, Basilikum, Kerbel, Paprika
1 Teel.	Knoblauchpulver
1 Eßl.	Chilipulver
3 Eßl.	Steinsalz
250 ml	Sauce Béarnaise (siehe Seite 108)

Die Filets mit einer Speckscheibe umwickeln, mit einem Zahnstocher feststecken.

Die Hummer durch die Mitte halbieren. Das Fleisch aus der Schale ziehen und auf die Schale legen. Mit etwas Butter bestreichen. Im vorgeheizten Ofen bei 200°C 15-20 Minuten braten, oder bis sie gut durchgebraten sind.

Während die Hummer braten, Zutaten vermischen, Filets damit bestreuen und von jeder Seite 7 Minuten braten (für medium Steaks). Eine kürzere Bratzeit für englisch, eine längere für gut durchgebraten.

Die Steaks mit Sauce Bérnaise und die Hummer mit der restlichen heißen Butter servieren. Kleine Hummer-Butterschalen eignen sich vorzüglich, um die Butter sehr heiß zu halten.

4 PORTIONEN

Steak und Hummer

GEGRILLTE RIPPCHEN NACH CAJUN-ART

Sauce:	
250 ml	Tomatenketchup
170 g	Melasse
1	feingehackte, mittelgroße Zwiebel
50 g	brauner Zucker, zusammengepreßt
2 Eßl.	Zitronensaft
1 Eßl.	Chilipulver
je 1 Teel.	Salz, Thymianblätter, Oreganoblätter, Basilikumblätter
je ½ Teel.	Pakrika, Zwiebelpulver, Knoblauchpulver
¼ Teel.	scharfe Pfeffersoße

Rippchen:	
1 kg	dänische oder Schweinerückenrippchen
je ½ Teel.	Salz, Paprika, Thymianblätter, Oreganoblätter, weißer und schwarzer Pfeffer, Cayennepfeffer, Zwiebelpulver, Knoblauchpulver
1 Eßl.	Chilipulver

SAUCE:

Alle Zutaten im Mixer gründlich verrühren, dann in eine Rührschüssel umgießen und zur Seite stellen.

RIPPCHEN:

Die Rippchen in 5 Knochenstücke schneiden.

Die Gewürze vermengen, auf die Rippchen streuen und ins Fleisch einreiben. Eine Stunde kalt stellen. Die Rippchen ½ Stunde im vorgeheizten Ofen bei 180°C backen. Rippchen anschließend 15 Minuten bei mittlerer Hitze grillen und oft mit der Sauce bestreichen. Vor dem Servieren ein letztes Mal mit der Sauce bestreichen.

8 PORTIONEN

LOTTE IN PFIRSICH

6 x 170 g	Lottefilets
2 Eßl.	Olivenöl
2 Teel.	Basilikumblätter
450 g	Pfirsichscheiben
250 ml	Wasser
2 Eßl.	Zucker
2 Teel.	Dijonsenf
1 Teel.	Stärkemehl
1 Eßl.	Zitronensaft
1 Eßl.	Apfelsaft

Filets mit Öl bestreichen und mit Basilikum bestreuen.

Pfirsiche fünf Minuten in einem Topf kochen, in den Mixer geben und pürieren. Das Wasser zur Seite stellen. Zucker und Senf ins Wasser rühren. Stärke mit Zitronensaft verrühren und zum Wasser geben. Kochen lassen, bis die Flüssigkeit dick wird. Die Sauce mit den Pfirsichen verrühren

Apfelsaft in den Topf geben und erhitzen, jedoch nicht aufkochen.

Die Lottestücke zehn Minuten grillen und mit der Sauce bestreichen. Direkt vor dem Servieren nochmals mit Sauce bestreichen.

6 PORTIONEN

KALBSSTEAKS MIT FRÜCHTEN

6 x 170 g	Kalbssteaks
2 Eßl.	Olivenöl
1 Eßl.	Basilikum
60 g	Zucker
60 ml	Wasser
¼ Teel.	gemahlener Zimt
2	Gewürznelken
1 Eßl.	abgeriebene Zitronenschale
1 Eßl.	abgeriebene Orangenschale
250 ml	frische Erdbeeren, geschnitten
230 g	frische Pfirsiche, geschnitten
250 ml	frische Blaubeeren
2 Teel.	Zitronensaft

Fett von den Steaks entfernen, diese mit Öl bestreichen und mit Basilikum bestreuen. Bei mittlerer Hitze wie gewünscht grillen.

Zucker, Wasser, Zimt, Gewürznelken, Zitronen- und Orangenschale in einem kleinen Topf vermengen und aufkochen. Köcheln lassen, bis der Sirup dick wird.

Die restlichen Zutaten in einer Rührschüssel mischen, den Sirup hinzugeben und die Sauce über die Steaks löffeln. Servieren.

6 PORTIONEN

GEGRILLTER HONIG-LACHS

3 Eßl.	Butter
3 Eßl.	Öl
1	feingehackte, mittelgroße Zwiebel
1	feingehackte Knoblauchzehe
160 ml	Tomatenketchup
160 ml	flüssiger Honig
60 ml	Apfelweinessig
1 Eßl.	Worcestersauce
je ½ Teel.	Thymianblätter, Oreganoblätter, Basilikumblätter, Paprika, Pfeffer, Chilipulver, Salz
½ Teel.	flüssige Räucherwürze
4 x 170 g	grätenfreie Lachsfilets, 2,5 cm dick

Butter und 2 Eßlöffel Öl in einem Topf erhitzen, Zwiebel und Knoblauch hinzufügen und weichdünsten.

Ketchup, Honig, Essig, Worcestersauce, Gewürze und die Räucherwürze hinzugeben. Köcheln, bis die Sauce dick und glasig wird. Abkühlen lassen.

Den Lachs mit dem restlichen Öl bestreichen. Fünf Minuten von jeder Seite bei mittlerer Hitze grillen und oft mit der Sauce bestreichen. Vor dem Servieren nochmals mit Sauce bestreichen.

4 PORTIONEN

Lotte in Pfirsich

Lachs mit Cilantro Pesto

QUAGLIE ALLA TOSCANO (GEGRILLTE WACHTELN)

12	Wachteln
125 ml	Olivenöl
3 Eßl.	Weißweinessig
1 Teel.	Knoblauchpulver
½ Teel.	gemahlener, schwarzer Pfeffer
2 Teel.	gehackte glatte Petersilie
je ½ Teel.	frischer Rosmarin, Estragon, Oregano, Thymian, Basilikum, gehackt

Die Wachteln halbieren und in eine flache Schale legen.

Die gesamten Zutaten in einer Rührschüssel mischen. Die Marinade über die Wachteln gießen. Bei Zimmertemperatur zwei Stunden ziehen lassen. Abtropfen lassen. Die Marinade aufbewahren.

Die Wachteln 10-15 Minuten bei mittlerer Hitze grillen und oft mit der Marinade bestreichen. Servieren.

6 PORTIONEN

LACHS MIT CILANTRO PESTO

SAUCE:	
375 ml	frische glatte Petersilie, gehackt, zusammengedrückt
6	feingehackte Knoblauchzehen
80 ml	geröstete Piniennüsse
80 g	geriebener Parmesankäse
1 Teel.	Salz
½ Teel.	Pfeffer
180 ml	Olivenöl

FISCH:	
4 x 170 g	Lachsfilets
2 Eßl.	Olivenöl
½ Teel.	Salz
½ Teel.	weißer Pfeffer

SAUCE:

In einem Mixer alle Zutaten mit Ausnahme des Öls vermengen und gut mischen. Das Öl langsam hinzugeben, bis eine dicke mayonnaisenartige Sauce entsteht. Zur Seite stellen, bis sie benötigt wird.

FISCH:

Die Fischfilets mit Öl bestreichen und mit Salz und Pfeffer würzen. Von jeder Seite fünf bis sechs Minuten bei mittlerer Hitze grillen. Jedes Filet mit einem Klecks Sauce krönen. Servieren.

4 PORTIONEN

Gegrillte Paprikaschoten mit Makadamia Pesto

Okeys Lammrücken

OKEYS LAMMRÜCKEN

4	Lammrückensteaks
60 ml	Olivenöl
60 ml	Zitronensaft
60 ml	weißer Wermutwein
je 1 Teel.	Thymian, Basilikum, Kerbel, Oregano, Majoran, Salz
½ Teel.	gemahlener, schwarzer Pfeffer
½ Teel.	gemahlener Kümmel
1 Teel.	Worcestersauce
3 Tropfen	scharfe Pfeffersoße

Überflüssiges Fett vom Lammfleisch abschneiden. Fleisch in eine flache Schale legen.

Alle Zutaten mischen und das Fleisch damit begießen. Acht Stunden marinieren lassen.

Das Fleisch fünf Minuten von jeder Seite bei starker Hitze grillen. Ein Fleischthermometer in ein Steak einstechen, dieses dann auf einen kühleren Teil des Grills legen. Den Grill zudecken. Wenn das Thermometer 66°C anzeigt, ist eine mittlere Garstufe erreicht. Andere Garstufen werden durch längere Grillzeiten erzielt. Fleisch mit der Marinade bestreichen.

4 PORTIONEN

NEW YORKS FOLLY

4 x 225 g	Rumpsteaks
125 ml	Rotwein
2 Eßl.	Zitronensaft
2	feingehackte Knoblauchzehen
60 ml	Olivenöl
je 1 Teel.	Thymianblätter, Basilikumblätter, Oregano, Paprika, Zwiebelpulver
2 Teel.	gemahlener, schwarzer Pfeffer
½ Teel. ¼ Teel.	Salz oder Hickory-Rauchsalz

Fett von den Steaks entfernen. Die Knorpelstreifen an den Fetträndern abschneiden, um ein Wellen des Fleisches während des Grillens zu verhindern. Steaks in eine flache Schale legen.

Restliche Zutaten mischen und über die Steaks gießen. Zudecken und sechs bis acht Stunden im Kühlschrank marinieren lassen.

Steaks abtropfen lassen. Marinade verwahren.

Die Steaks bei mittlerer Hitze auf dem Holzkohlegrill nach Wunsch grillen. Mehrmals mit Marinade bestreichen.

4 PORTIONEN

GEGRILLTE PAPRIKASCHOTEN MIT MAKADAMIA PESTO

2	rote Paprikaschoten
2	grüne Paprikaschoten
2	gelbe Paprikaschoten
190 ml	Olivenöl
250 ml	frisch gehacktes Basilikum
2	feingehackte Knoblauchzehen
250 ml	gehackte, geröstete und gesalzene Makadamianüsse
30 g	frisch geriebener Parmesankäse

Die Paprikaschoten auf ein Backblech legen und im vorgeheizten Ofen bei 200°C braten, bis die Haut aufplatzt. Die Schoten aus dem Ofen nehmen und in einer Papiertüte 20 Minuten abkühlen lassen.

Die Schoten aus dem Beutel nehmen, enthäuten und vierteln. Die Samen entfernen.

In einem Mixer 60 ml des Öls mit Basilikum, Knoblauch, Nüssen und Käse vermischen. Bei laufendem Gerät das restliche Öl langsam hinzufügen.

Die geviertelten Paprikaschoten sechs Minuten bei mittlere Hitze grillen. Auf eine Servierplatte geben und mit der Sauce dekorieren.

6 PORTIONEN

LACHSSTEAKS MIT PINIEN-BUTTER

4 x 170 g	Lachssteaks
60 ml	Olivenöl
2 Eßl.	Rotwein
2 Eßl.	Zitronensaft
2 Eßl.	feingehackter Schnittlauch
1	feingehackte Knoblauchzehe
2 Eßl.	gehackte, glatte Petersilie
55 g	Butter
60 ml	feingehackte Piniennüsse

Den Lachs waschen, trockentupfen und in eine flache Schale legen.

In einer kleinen Rührschüssel Öl, Wein, Zitronensaft, Schnittlauch, Knoblauch und glatte Petersilie mischen. Die Marinade über die Steaks gießen, diese abdecken und drei Stunden im Kühlschrank marinieren lassen.

Butter und Piniennüsse vermengen. Die Masse löffelweise auf Wachspapier häufen und eine Rolle formen. Drei Stunden im Kühlschrank lagern.

Den Lachs fünf Minuten von jeder Seite grillen und mit Marinade bestreichen. Auf eine Servierplatte legen, die Butterrolle in dicke Scheiben schneiden und jeweils eine Scheibe auf ein Steak legen.

4 PORTIONEN

GERÄUCHERTE HICKORY KARTOFFELN

675 g	frische Kartoffeln
125 l	Olivenöl
1 Eßl.	Hickory-Rauchsalz

Die Kartoffeln waschen, bürsten und in einem großen Topf mit gesalzenem Wasser garkochen (aber noch fest). Das Wasser abgießen und die Kartoffeln auf Zimmertemperatur abkühlen lassen und in 6 mm dicke Scheiben schneiden. Diese auf ein Backblech legen.

Kartoffeln mit Öl bestreichen und salzen.

Die Scheiben auf beiden Seiten drei Minuten lang bei hoher Hitze grillen. Servieren.

4 PORTIONEN

FEUERSTEAKS

6 x 300 g	Rumpsteaks
1 Teel.	Knoblauchpulver
2 Teel.	schwarzer Pfeffer
je ½ Teel.	Cayennepfeffer, Oreganoblätter, Thymianblätter, zerdrückter Rosmarin, Basilikumblätter, Zwiebelpulver, Salz

Fett von den Steaks entfernen. Die Knorpelstreifen an den Rändern abschneiden, um ein Wellen des Fleisches während des Grillens zu verhindern.

Die Gewürze vermischen und ins Fleisch reiben. Die Steaks 30 Minuten ziehen lassen.

Die Steaks bei mittlerer Hitze nach Wunsch grillen.

6 PORTIONEN

Lachssteaks mit Pinienbutter

Feuersteaks

SUPPEN

Das Merkmal eines guten Kochs besteht nicht darin, wie elegant eine Mahlzeit dank seiner Arbeit aussieht, sondern wie gut die Mahlzeit zubereitet wurde. Nichts bringt dies besser zum Ausdruck als eine köstliche Suppe.

Der uralte Ausdruck „alle Gaben der Natur auf einem Löffel" fällt einem dann ein, wenn eine herzhafte Suppe gereicht wird. Man könnte es nicht besser ausdrücken, denn während das Fleisch, das Gemüse und die Gewürze köcheln, gibt allein schon der Duft dem Zuschauer ein Gefühl des Wohlbehagens. Schließlich wußte die Mutter ja schon immer, daß eine Schüssel selbstgemachte Hühnersuppe Wunder wirkt. Vielleicht wußte sie nicht, daß durch das langsame Kochen die ganzen Nährstoffe aus dem Fleisch und Gemüse in die Brühe versetzt werden. Sie wußte nur, daß die Suppe kräftig war, und das war ihr wichtig.

Heutzutage steht die Suppe immer noch an erster Stelle im Herzen der meisten Köche, denn sie wissen, daß die Zeit, die sie für die Zubereitung der Suppe in der Küche verbringen, meistens die schönste ist. Eine ganze Mahlzeit kann zubereitet werden, um innerhalb einer einzigen Stunde verzehrt zu werden. Obgleich eine Suppe vielleicht nur ein paar Minuten an Vorbereitung in Anspruch nimmt, sind oft mehrere Stunden notwendig, um den köstlichenVorgang abzuschließen. Mittlerweile geht der Duft der Suppe durch das ganze Haus wie die Königin aller Düfte.

Ob die Suppe als Vorspeise oder als Hauptgericht gedacht ist, die in diesem Kapitel vorgestellten Suppen sind vom Feinsten; sie sind sowohl internationaler als auch regionaler Herkunft, aber was den Geschmack anbelangt, sind alle einmalig! Ihre Suppen werden genau so unvergeßlich bleiben wie irgendein anderes Gericht, und das sollten sie auch.

Mit Ausnahme der Haifischflosse und des Alligatorfleisches sind alle Zutaten im örtlichen Supermarkt zu finden. Man soll auf jeden Fall darauf achten, die frischsten und feinsten verfügbaren Zutaten zu gebrauchen. Die Suppe ist kein Gericht, das Qualitätskompromisse verträgt. Wenn keine Appetithappen serviert werden, ist die Suppe der Auftakt für die weitere Mahlzeit. Eine minderwertige Suppe läßt vermuten, daß die folgenden Gänge vielleicht auch von derselben geringeren Qualtität sein könnten. Derjenige, der an der Suppe spart, wird es auch bei den anderen Gerichten der Mahlzeit so machen.

Ob das Menü eine Püree-, Creme-, Fischcreme- , Fisch- oder Bouillonsuppe verlangt, alle wird man auf den folgenden Seiten dieses Kapitels finden. Wenn man sich bei der Zubereitung der Suppe liebevoll Zeit läßt und eins von unseren Rezepten anwendet, wird die „soup du jour" wie immer *einfach köstlich* sein.

Seemannssuppe

POTAGES DOYEN

75 g	rohes Hühnerfleisch, zweimal durch den Fleischwolf gedreht
1 Teel.	geriebene Zwiebel
je ¼ Teel.	Pfeffer, Basilikum, Thymian, Paprika
½ Teel.	Salz
1	Eiweiß
30 ml	Schlagsahne
1,5 l	Hühnerbrühe (siehe Seite 77)
75 g	Butter
40 g	Mehl
500 ml	entrahmte Sahne
1 Teel.	Salz
¼ Teel.	weißer Pfeffer
340 g	gewürfeltes, gekochtes Hühnerfleisch
300 g	blanchierte Erbsen

Gehacktes vom Huhn, Zwiebel, Gewürze, Eiweiß und Sahne in einer Rührschüssel zusammenmischen. Durch ein feines Sieb pressen und in kleine Bällchen rollen.

500 ml Brühe zum Kochen bringen, Bällchen hineingeben, die Hitze zurückschalten, und 10 Minuten ziehen lassen. Klöße herausnehmen.

Butter in einem großen Kochtopf erhitzen, Mehl einrühren und bei kleiner Hitze 2 Minuten lang kochen.

Sahne, Salz, Pfeffer und die restliche Brühe hinzufügen und weitere 10 Minuten köcheln lassen.

Die Suppe auf zwei kleinere Töpfe verteilen. In den einen das gekochte, gewürfelte Hühnerfleisch geben, in den anderen 150 g Erbsen. Je 5 Minuten ziehen lassen, dann gesondert im Mixer pürieren, und schließlich wieder in die Kochtöpfe zurückgießen. Weitere 5 Minuten ziehen lassen.

Eine kleine Untertasse in eine Servierschüssel stellen, die Hühnersuppe auf die eine Seite der Untertasse löffeln, und die Erbsensuppe auf die andere. Die Untertasse zügig entfernen. Mit den Fleischklößen und den restlichen Erbsen bestreuen und sofort servieren.

6 PORTIONEN

Potages Doyen

MINESTRONE MILANESE

3 Eßl.	Butter
2	feingehackte Knoblauchzehen
65 g	Zwiebel, in Scheiben geschnitten
100 g	gewürfelter Sellerie
75 g	gewürfelte grüne Paprikaschoten
40 g	Pilze
125 ml	gewürfelte Zucchini
3	geschälte, gewürfelte mittelgroße Kartoffeln
500 ml	enthäutete, entkernte, gewürfelte Tomaten
1,25 l	Hühnerbrühe (siehe Seite 77)
450 g	gewürfeltes, gekochtes Hühnerfleisch
2 Teel.	Worcestersoße
1 Teel.	Basilikum
½ Teel.	Thymian
½ Teel.	Oregano
1 Teel.	Salz
500 ml	gekochte Penne-Nudeln
115 g	frisch geriebener Parmesankäse

Die Butter in einer großen Pfanne erhitzen. Knoblauch, Zwiebel, Sellerie, Paprikaschoten, Pilze und Zucchini dazugeben. Alles dünsten, bis es zart wird.

Kartoffeln und Tomaten hinzufügen und weitere 5 Minuten dünsten.

Die Hühnerbrühe zugießen, gewürfeltes Hühnerfleisch, Worcestersoße, Basilikum, Thymian, Oregano und Salz zugeben. 15-20 Minuten leicht kochen (oder bis die Kartoffeln gar, jedoch noch fest sind).

Nudeln und Käse einrühren. Noch 2 Minuten kochen. Servieren.

8 PORTIONEN

Minestrone Milanese

Fischcremesuppe Bretonne mit Krabben

FISCHBRÜHE ODER -BOUILLON

2 kg	Fischabfälle und -gräten
1	gewürfelte Zwiebel
3	große, gewürfelte Möhren
3	gewürfelte Selleriestangen
1	Bouquet garni (siehe Wörterverzeichnis)
3 l	Wasser

Fischabfälle und -gräten in einen großen Topf oder flachen Bratentopf tun. Gemüse, Kräutermischung und Wasser dazugeben.

Behutsam erhitzen, ohne zu kochen. 2 Stunden lang köcheln lassen. Eventuell entstehenden Schaum an der Oberfläche abschöpfen.

Durch ein feines Sieb gießen und dann ein zweites Mal durch Käseleinen gießen.

Bei Bedarf verwenden.

ERGIBT 2 LITER

FISCHCREMESUPPE BRETONNE MIT KRABBEN

3 Eßl.	geraspelte Zwiebel
3 Eßl.	geraspelter Stangensellerie
3 Eßl.	geraspelte Möhre
4 Eßl.	kleingewürfelte, rote Paprikaschote
20 g	Pilze, in dünne Scheiben geschnitten
115 g	Butter
450 g	Krabben, ohne Schale und Darm
625 ml	Fischbrühe (vorangegangenes Rezept) oder Hühnerbrühe (siehe Seite 77)
125 ml	Sherry
4 Eßl.	Mehl
250 ml	Creme fraiche
250 ml	gekochte Krevetten

Zwiebel, Sellerie, Möhre, Paprikaschote, Pilze in 4 Eßlöffel Butter in einem großen Topf weichdünsten. Die gepellten Krabben dazugeben und weitere 5 Minuten dünsten.

Brühe dazugießen und 15 Minuten kochen lassen.

Im Mixer pürieren und in den Topf zurückgießen. Sherry hinzufügen, 5 Minuten köcheln lassen.

Die restliche Butter in einem kleinen Kochtopf erhitzen, Mehl dazugeben und 2 Minuten bei schwacher Hitze kochen. Die Sahne einquirlen und köcheln lassen, bis die Masse sehr dick wird. Dann in die Suppe schlagen und weitere 5 Minuten köcheln lassen.

Die Suppe löffelweise in Schalen füllen und mit den Krevetten garnieren. Sofort auftragen.

6 PORTIONEN

VELOUTÉ À LA CHAMPENOISE

240 g	geschälte, gewürfelte Kartoffeln
300 g	gewürfelter Stangensellerie
115 g	Butter
55 g	Mehl
1,5 l	Hühnerbrühe (siehe Rezept auf dieser Seite)
1½ Teel.	Salz
½ Teel.	weißer Pfeffer
190 ml	kleingewürfelter Schinken
90 g	blanchierte, sehr klein gewürfelte Möhren
100 g	blanchierter, sehr klein gewürfelter Stangensellerie

Kartoffeln in einen kleinen mit Wasser gefüllten Kochtopf legen und gar kochen. Dann im Mixer pürieren.

Den gewürfelten Sellerie in einen kleinen mit Wasser gefüllten Kochtopf legen und gar kochen. Dann ebenfalls im Mixer pürieren.

Butter in einem Kochtopf zerlassen, das Mehl hinzufügen und unter Rühren 2 Minuten bei schwacher Hitze kochen.

Hühnerbrühe, Salz und Pfeffer dazugeben und einrühren. 30 Minuten lang köcheln lassen, oder bis die Suppe dick wird.

Die Suppe auf zwei kleinere Töpfe verteilen. In den einen das Kartoffelpüree einmischen, in den anderen das Selleriepüree. Beide 10 Minuten köcheln lassen.

Eine kleine Untertasse in eine Servierschüssel stellen, die Kartoffelsuppe auf die eine Seite der Untertasse löffeln, und die Selleriesuppe auf die andere. Die Untertasse schnell entfernen. Mit Schinken, Möhren und Sellerie bestreuen und sofort servieren.

6 PORTIONEN

ARTISCHOCKEN-SUPPE

4	Artischocken
1 l	Hühnerbrühe (siehe Rezept auf dieser Seite)
3 Eßl.	Butter
3 Eßl.	Mehl
500 ml	Milch

Stiele der Artischocken entfernen. Die unteren Blätter entfernen und das obere Ende abschneiden. Die Artischocken in siedendem Wasser kochen, bis sie zart werden. Mit kaltem Wasser abschrecken. Abtropfen lassen und die Blätter ausbreiten. Mit den Fingern die Artischocken aufmachen und mit einem Löffel den Bart auskratzen und entfernen.

Die Hühnerbrühe in einem großen Topf erhitzen. Die Artischocken dazugeben und eine Stunde köcheln lassen. Die Artischocken in den Mixer geben und pürieren. Das Püree in die Suppe zurückgeben. Weiterköcheln lassen.

Butter in einem kleinen Kochtopf erhitzen, Mehl hinzufügen und 2 Minuten bei schwacher Hitze kochen. Beides in die Suppe schlagen. Milch zugießen und die Suppe köcheln lassen, bis sie dick wird. Abschmecken und nach Bedarf mit Gewürzen verfeinern. Heiß servieren.

4 PORTIONEN

HÜHNERBRÜHE ODER -BOUILLON

1 kg	fleischige Hühnerknochen
2,5 l	kaltes Wasser
2	grob gehackte Selleriestangen
2	grob gehackte, große Möhren
1	grob gehackte Zwiebel
1	Bouquet garni (siehe Wörterverzeichnis)
1 Teel.	Salz

Knochen in einen großen Topf oder flachen Bratentopf tun. Wasser und die restlichen Zutaten dazugeben; zum Kochen bringen. 3-4 Stunden ohne Deckel köcheln lassen. Dabei Schaum und Fett abschöpfen.

Fleisch entfernen (aufbewahren und bei Bedarf verwenden). Knochen, Bouquet garni und Gemüse entfernen. Brühe durch Käseleinen oder ein feines Sieb gießen.

Brühe abkühlen lassen und etwaiges Fett von der Oberfläche entfernen.

Die Brühe vor dem Servieren 24 Stunden kühlen. Für Suppen und Saucen oder bei Bedarf verwenden.

ERGIBT 1,5 LITER

Velouté à la Champenoise

Tom Kar Gai

FRANKO-KANADISCHE ERBSENSUPPE

Diese Suppe ist sehr ergiebig, also sollte man übrigbleibende Portionen einfrieren.

450 g	Kichererbsen
1	Schinkenknochen
4 l	Wasser
3	kleingewürfelter Porree
3	kleingewürfelte Selleriestangen
2	kleingewürfelte Möhren
225 g	kleingewürfelter Schinken
	Salz, falls erwünscht
½ Teel.	weißer Pfeffer

Die Kichererbsen über Nacht oder 8 Stunden lang in Wasser einweichen. Mit Schinkenknochen in einen großen Topf geben und mit Wasser bedecken. Zum Kochen bringen, dann auf geringer Hitze halten und das Gemüse dazugeben. 3½-4 Stunden lang köcheln lassen.

Den Knochen entfernen, den Schinken hinzufügen und weitere 15 Minuten köcheln lassen. Abschmecken und sehr heiß servieren.

10 PORTIONEN

TOM KAR GAI

1 Teel.	feingehackte Ingwerwurzel
3 Eßl.	Butter
3 Eßl.	Mehl
1 l	Hühnerbrühe (siehe Seite 77)
500 ml	entrahmte Sahne
450 g	gewürfeltes, gekochtes Hühnerfleisch
125 ml	Kokosmilch
2 Eßl.	gehackte glatte Petersilie (Koriander)
	Limonenscheiben für die Garnierung

Ingwerwurzel in Butter in einem Kochtopf dünsten, das Mehl einrühren und 2 Minuten kochen.

Hühnerbrühe dazugießen und kochen, bis die Suppe anfängt, dick zu werden. Sahne, Hühnerfleisch und Kokosmilch hinzufügen und weitere 20 Minuten bei geringer Hitze kochen.

Glatte Petersilie einrühren und servieren. Mit Limonenscheiben garnieren.

6 PORTIONEN

LE POT AU FEU

Der traditionelle französische Eintopf. Ist er eine Mahlzeit oder eine Suppe? -- Warum nicht beides zugleich?

450 g	Rindersuppenknochen
60 ml	Öl
1 kg	Rindfleisch, egal welches Stück
4	Möhren
2	weiße Rüben
2	Porreestangen
2	spanische Zwiebeln
3	Selleriestangen
1	Pastinak (Petersilienwurzel)
1 Teel.	Salz
1	Bouquet garni (siehe Wörterverzeichnis)

Knochen in einem Brattopf im auf 200°C vorgeheizten Ofen anbräunen.

Öl in einem großen Topf erhitzen, den Braten auf jeder Seite im Öl rasch anbraten. Knochen in den Topf mit dem Braten geben. Braten mit 3-4 l Wasser bedecken.

Gemüse schälen und grob würfeln, zugeben. Salz und Bouquet garni hinzufügen.

Hitze zurückschalten und 3½ – 4 Stunden leicht kochen. Etwaigen Schaum, der eventuell zur Oberfläche steigt, abschöpfen, um die Brühe klar zu halten.

Fleisch und Gemüse entfernen, warmhalten.

Brühe durch ein Sieb gießen. Braten tranchieren und mit dem Gemüse servieren. Brühe darübergießen.

8 PORTIONEN

Frankokanadische Erbsensuppe

BISQUE D'ECREVISSES CARDINAL

2 kg	Langusten
2,5 l	Wasser
4 Eßl.	Butter
1	kleingewürfelte mittlere Zwiebel
1	feingehackte Knoblauchzehe
1	kleingewürfelte Selleriestange
4 Eßl.	Mehl
250 ml	enthäutete, entkernte, gewürfelte Tomaten
80 ml	Tomatenmark
80 ml	Sherry
½ Teel.	Salz
¼ Teel.	Pfeffer
250 ml	Schlagsahne

Die Langusten in einen großen Topf legen und mit Wasser bedecken. Zum Kochen bringen und 30 Minuten kochen lassen. Die Langusten herausnehmen und abkühlen lassen. Schwanzfleisch herausnehmen und beiseite stellen. Die Schalen zurück ins Wasser legen.

Langustenschalen ziehen lassen, bis das Wasser bis auf 1 l verdampft ist. Die Brühe durch ein Sieb gießen und aufbewahren. Die Schalen wegtun.

Butter in einem großen Kochtopf erhitzen. Zwiebel, Knoblauch und Sellerie weichdünsten. Mit Mehl bestreuen und noch 2 Minuten bei schwacher Hitze kochen.

Gemüse mit der Langustenbrühe aufgießen. Tomaten, Tomatenmark, Langustenschwänze, Sherry, Salz und Pfeffer hinzufügen. 15 Minuten köcheln lassen. Die Suppe in einen Mixer geben und pürieren. In den Topf zurückgießen und weitere 5 Minuten köcheln lassen.

Sahne einrühren und noch weitere 10 Minuten leicht kochen. Sehr heiß servieren.

4 PORTIONEN

Fenchelcreme

KÜMMELSUPPE

2 Eßl.	Butter
1	kleingewürfelte spanische Zwiebel
1	kleingewürfelte mittlere Möhre
2	kleingewürfelte Selleriestangen
2 Eßl.	Mehl
1 Teel.	Kümmelkörner
1,25 l	Rinderbrühe (siehe Seite 85)
120 g	gekochte Makkaroni

Butter in einem großen Kochtopf erhitzen. Gemüse dazugeben und dünsten, bis es zart ist. Mit Mehl und Kümmel bestreuen. Kochen, bis das Gemüse und Mehl angebräunt sind.

Die Brühe zugießen und köcheln lassen, bis die Suppe dick wird. Die Makkaroni einrühren und weitere 5 Minuten leicht kochen lassen. Heiß servieren.

4 PORTIONEN

FENCHELCREME

625 g	feingehackter Fenchel
1 l	Hühnerbrühe (siehe Seite 77)
3 Eßl.	Butter
3 Eßl.	Mehl
500 ml	Sahne

Fenchel in einen großen Kochtopf geben und mit der Hühnerbrühe bedecken. 30 Minuten köcheln lassen. Durch ein Sieb abgießen, dabei Brühe und Fenchel gesondert aufbewahren.

Fenchel im Mixer pürieren oder durch den Fleischwolf drehen, dann in die Brühe zurückgeben.

Butter in einem kleinen Kochtopf erhitzen, Mehl hinzufügen und 2 Minuten bei schwacher Hitze kochen. Sahne einrühren und zu einer gedickten Sauce kochen.

Sauce in die Suppe einquirlen. Wieder aufkochen, bis die Suppe sehr heiß wird.

6 PORTIONEN

SEEMANNSSUPPE

150 g	Hühnerfleisch, zweimal durch den Wolf gedreht
1 Teel.	geriebene Zwiebel
je ¼ Teel.	Pfeffer, Basilikum, Thymian, Paprika
½ Teel.	Salz
1	Eiweiß
30 ml	Schlagsahne
1,5 l	Fischbrühe (siehe Seite 76) oder Hühnerbrühe (siehe Seite 77)
1 Eßl.	Butter
190 ml	gewürfeltes Hummerfleisch
230 g	Krabben, ohne Schale und Darm
40 g	junge Champignons
250 ml	gekochter Langkornreis

Fleisch, Zwiebel, Gewürze, Eiweiß und Sahne in einer großen Rührschüssel mischen. Durch ein feines Sieb streichen, kleine Bällchen formen.

500 ml der Brühe zum Kochen bringen, Fleischbällchen in die Brühe geben, Hitze zurückschalten und 10 Minuten ziehen lassen. Die Fleischklöße aus der Brühe nehmen.

Butter erhitzen, Meeresfrüchte und Champignons darin dünsten. Hühnerfleisch und restliche Brühe hinzufügen, Hitze zurückschalten und 10 Minuten leicht kochen lassen. Servieren.

6 PORTIONEN

BRUNNENKRESSE-SUPPE

Eine würzige Wintersuppe

280 g	Brunnenkresse, gewaschen und kleingeschnitten
4 Eßl.	Butter
30 g	Zwiebel, gerieben
3 Eßl.	Mehl
750 ml	Hühnerbrühe (siehe Seite 77)
500 ml	Schlagsahne
½ Teel.	Salz
¼ Teel.	Pfeffer
1 Prise	Cayennepfeffer

Brunnenkresse und Zwiebel in der Butter dünsten. Mit Mehl bestreuen und 2 Minuten bei schwacher Hitze kochen.

Brühe, Sahne und Gewürze dazugeben. 30 Minuten köcheln lassen. Sehr heiß servieren.

6 PORTIONEN

CONSOMMÉ ANJOU

150 g	Rehfleisch, zweimal durch den Fleischwolf gedreht
1 Teel.	geraspelte Zwiebel
je ¼ Teel.	Pfeffer, Basilikum, Thymian, Paprika
½ Teel.	Salz
1	Eiweiß
30 ml	Schlagsahne
1,5 l	Wildbretbrühe (siehe Seite 85)
375 ml	Spargelspitzen
250 ml	gekochter Langkornreis

Fleisch, Zwiebel, Gewürze, Eiweiß und Sahne in einer Rührschüssel mischen. Durch ein feines Sieb pressen und kleine Bällchen formen

500 ml der Brühe zum Kochen bringen, Fleischbällchen in die Brühe geben, Hitze zurückschalten und 10 Minuten ziehen lassen. Fleischklöße aus der Brühe nehmen.

Die restliche Brühe in einem flachen Bratentopf oder großen Topf erhitzen, Spargelspitzen, Reis und Fleischklöße dazugeben, 10 Minuten ziehen lassen, servieren.

6 PORTIONEN

Seemannssuppe

TACOSUPPE

900 g	mageres Gehacktes vom Rind
3 Eßl.	Distelöl
2	Jalapeño-Schoten, entkernt, gewürfelt
1	spanische Zwiebel, gewürfelt
500 ml	Tomaten, enthäutet, entkernt, gewürfelt
750 ml	Rinderbrühe (siehe Seite 85)
500 ml	Gemüsesaftmischung
1 Eßl.	Kümmel
1 Eßl.	Chilipulver
1 Teel.	Salz
170 g	geriebener Cheddarkäse
	Tortillachips

Das Rindfleisch in einem flachen Bratentopf oder großen Topf in Öl braten. Jalapeño-Schoten und Zwiebel dazugeben, weichdünsten.

Tomaten, Brühe, Saft und Gewürze hinzufügen. Zum Kochen bringen. Hitze zurückschalten und 15 Minuten köcheln lassen.

Die Suppe in Schalen gießen, mit Tortillas und Käse garnieren, servieren.

6 PORTIONEN

GEBACKENE-BOHNEN-SUPPE

225 g	weiße Bohnen
2 l	Hühnerbrühe (siehe Seite 77)
500 ml	Tomatensaft
125 g	gewürfelter, durchwachsener Speck
1	kleingewürfelte, spanische Zwiebel
2	kleingewürfelte Selleriestangen
2	kleingewürfelte Möhren
60 ml	Tomatenmark
1 Eßl.	Chilipulver
1 Teel.	Salz
¼ Teel.	schwarzer Pfeffer

Bohnen 6-8 Stunden in kaltem Wasser einweichen. Wasser abgießen. Bohnen in einen großen Topf tun, mit Hühnerbrühe bedecken und 2½ Stunden bei geringer Hitze kochen lassen. Den Tomatensaft hinzufügen.

Speck in einer Bratpfanne anbraten. Zwiebel, Sellerie und Möhren dazugeben und weiter dünsten, bis alles zart wird. Überflüssiges Fett abgießen, dann den Speck und das Gemüse in die Suppe geben.

Tomatenmark und Gewürze einrühren. Eine weitere Stunde köcheln lassen. Sehr heiß servieren.

8 PORTIONEN

KÄSE- UND HÜHNER-TORTELLINI IN BRÜHE

½ Portion	Nudelteig (siehe Seite 426)
225 g	kleingewürfeltes, gekochtes Hühnerfleisch
225 g	Ricottakäse (Hüttenkäse)
1	Ei
½ Teel.	Basilikum
¼ Teel.	Muskatnuß
¼ Teel.	Salz
¼ Teel.	Pfeffer
2 l	heiße, kräftige Hühnerbrühe (siehe Seite 77)

Den Teig den Anweisungen entsprechend verarbeiten, zu dünnen Blättern ausrollen. Mit einer 7,5 cm ø Ausstechform runde Teigscheiben ausschneiden. Mit einem feuchten Tuch bedecken und beiseite stellen.

Hühnerfleisch, Ricottakäse, Ei und Gewürze in einer Rührschüssel mischen. Einen Teelöffel Füllung auf jede Teigscheibe legen. Ränder mit etwas Wasser befeuchten. Die Teigscheibe falten. Die Ränder zudrücken, um sie abzudichten. Ränder um die Fülllung biegen und zusammenkneifen. Die Hälfte der Brühe in einen großen Topf gießen, zum Kochen bringen, und die gefüllten Teigstücke 2 Minuten lang kochen oder, bis sie oben schwimmen.

Tortellini löffelweise gleichmäßig auf die Suppentassen verteilen. Die übrige heiße Hühnerbrühe darüber gießen. Servieren.

4 PORTIONEN

Käse-& Hühner-Tortellini in Brühe

Tacosuppe

Gulaschsuppe

RINDER- ODER WILDBRETBRÜHE

1 kg	Rinder- oder Kalbsknochen mit Fleischresten**
60 ml	Olivenöl
2,5 l	kaltes Wasser
2	grobgehackte Selleriestangen
2	grobgehackte große Möhren
1	grobgehackte Zwiebel
1	Bouquet garni (siehe Wörterverzeichnis)
1 Teel.	Salz

Die Knochen in einen Brattopf legen und Öl hinzugeben. In einem auf 180°C vorgeheizten Backofen 1 Stunde braten, bis die Knochen gut braun geworden sind. In einen flachen Bratentopf oder großen Topf geben.

Das Wasser und die restlichen Zutaten hinzufügen; zum Kochen bringen. Ohne Deckel 3-4 Stunden lang bei leichter Hitze kochen lassen. Dabei Schaum und Fett abschöpfen, die eventuell zur Oberfläche kommen.

Fleisch entfernen und zur Seite stellen (bei Bedarf verwenden). Knochen, Bouquet garni und Gemüse entfernen. Wenn abgekühlt, durch Käseleinen oder ein feines Sieb passieren.

Die Brühe abkühlen lassen und etwaiges Fett von der Oberfläche entfernen.

Die Brühe abkühlen und 24 Stunden ziehen lassen, bevor sie weiterverarbeitet wird. Für Suppen und Saucen oder bei Bedarf verwenden.

1,5 LITER

**Für Kalbsbrühe die Knochen nicht braun backen.

KOMMENTAR: Um Wildbretbrühe zuzubereiten, die Rinder- oder Kalbsknochen durch Reh- oder Elchknochen ersetzen.

Altbekannte Buchstabensuppe

GULASCHSUPPE

225 g	gekochter Rinderbraten
120 g	gekochter Schweinebraten
120 g	geräucherter Schinken
3 Eßl.	Butter
3 Eßl.	Ol
1	gewürfelte spanische Zwiebel
1	gewürfelte Selleriestange
1	gewürfelte rote Paprikaschote
3 Eßl.	Mehl
500 ml	enthäutete, entkernte, gewürfelte Tomaten
1,5 l	kräftige Rinderbrühe (siehe Rezept auf dieser Seite)
1 Teel.	Kümmel

Fleisch in Scheiben schneiden, dann schnitzeln.

Butter und Öl in einem großen Kochtopf erhitzen. Gemüse hinzufügen und dünsten, bis es zart wird. Mit Mehl bestreuen und 5 Minuten kochen, oder aber bis das Mehl karamelisiert.

Tomaten und Brühe einrühren. Fleisch dazugeben und 90 Minuten bei schwacher Hitze kochen lassen. Mit Kümmel bestreuen und weitere 5 Minuten ziehen lassen. Sehr heiß servieren.

8 PORTIONEN

ALTBEKANNTE BUCHSTABENSUPPE

2 Eßl.	Distelöl
1	kleingewürfelte Zwiebel
2	kleingewürfelte , geschälte Möhren
3	kleingewürfelte Selleriestangen
300 g	gekochtes Rindfleisch, gewürfelt
1½ l	Rinderbrühe (siehe Rezept auf dieser Seite)
500 ml	Tomaten, enthäutet und entkernt
½ Teel.	Salz
¼ Teel.	Pfeffer
80 ml	Buchstabennudeln

Öl in einem großen Topf oder großen, flachen Bratentopf erhitzen.

Gemüse hinzugeben und weichdünsten.

Rindfleisch, Brühe, Tomaten, Salz und Pfeffer hinzufügen. Zum Kochen bringen. Die Nudeln dazugeben. Zudecken und die Hitze reduzieren. 10 Minuten köcheln lassen.

Sehr heiß servieren.

6 PORTIONEN

Hühnercreme mit zwei Oliven

Potages À L'Andalouse

HÜHNERCREME MIT ZWEI OLIVEN

3 Eßl.	Butter
3 Eßl.	Mehl
625 ml	Hühnerbrühe (siehe Seite 77)
500 ml	entrahmte Sahne
450 g	gewürfeltes, gekochtes Hühnerfleisch
40 g	gefüllte Oliven, in Scheiben geschnitten
40 g	entkernte schwarze Oliven, in Scheiben geschnitten

Butter in einem 3 l Kochtopf erhitzen. Mit dem Mehl bestreuen und 10 Minuten bei schwacher Hitze kochen. Die Hühnerbrühe zugießen und 10 Minuten köcheln lassen. Sahne und Hühnerfleisch hinzufügen und weitere 10 Minuten leicht kochen. Oliven einrühren und eine weitere Minute köcheln lassen.

Entweder sehr heiß oder sehr kalt auftragen. Falls man die Suppe kalt serviert, zusätzlich noch 2 Eßlöffel Sahne pro Portion kurz vor dem Servieren einrühren.

6 PORTIONEN

POTAGES À L'ANDALOUSE

1 l	enthäutete, entkernte, gewürfelte Tomaten
1	kleingewürfelte Zwiebel
2	Lorbeerblätter
2	Gewürznelken
2	Zweigchen Petersilie
2	Zweigchen Majoran
1	Selleriestange
6	Pfefferkörner
2 Teel.	Zucker
1 Teel.	Worcestersoße
¼ Teel.	Salz
¼ Teel.	weißer Pfeffer
1 Prise	Muskatnuß
250 ml	gekochter Langkornreis
3 Eßl.	kleingewürfelte, rote Paprikaschote
3 Eßl.	kleingewürfelte, gelbe Paprikaschote
3 Eßl.	kleingewürfelte, grüne Paprikaschote

Tomaten, Zwiebel, Lorbeerblätter, Gewürznelken, Petersilie, Majoran, Sellerie, Pfefferkörner und Zucker 30 Minuten lang köcheln lassen. Durch ein Sieb streichen, die Gewürze hinzufügen und in den Topf zurückgeben. Noch weitere 5 Minuten leicht kochen lassen.

Den Reis einrühren und 3 Minuten köcheln lassen.

In Suppentassen geben und mit den gewürfelten Paprikaschoten garnieren.

4 PORTIONEN

BROKKOLI-& CHEDDARKÄSE-SUPPE

60 g	Butter
30 g	Mehl
750 ml	Hühnerbrühe (siehe Seite 77)
750 ml	Milch
½ Teel.	Salz
½ Teel.	weißer Pfeffer
200 g	Brokkoliröschen, blanchiert
340 g	scharfer Cheddarkäse, gerieben

Die Butter in einem großen Topf oder flachen Bratentopf erhitzen, das Mehl dazugeben und die Hitze zurückschalten. 2 Minuten lang kochen.

Brühe, Milch, Salz und Pfeffer hinzufügen. Zum Kochen bringen. Die Hitze noch einmal zurückschalten und 10 Minuten köcheln lassen.

Brokkoli und Käse einrühren. Weitere 5 Minuten leicht kochen lassen.

Die Suppe sofort servieren.

6 PORTIONEN

CONSOMMÉ ADÈLE

150 g	Hühnerfleisch, zweimal durch den Fleischwolf gedreht
1 Teel.	geriebene Zwiebel
je ¼ Teel.	Pfeffer, Basilikum, Thymian, Paprika
½ Teel.	Salz
1	Eiweiß
30 ml	Schlagsahne
1,5 l	Hühnerbrühe (siehe Seite 77)
110 g	Erbsen
2	geschälte, kleingewürfelte Möhren

Fleisch, Zwiebel, Gewürze, Eiweiß und Sahne in einer großen Rührschüssel mischen. Durch ein feines Sieb passieren und zu kleinen Bällchen rollen.

½ l der Brühe zum Kochen bringen, die Bällchen in die Brühe geben, die Hitze zurückschalten und 10 Minuten ziehen lassen. Fleischklöße herausnehmen.

Die übrige Brühe zum Kochen bringen, dann die Hitze zurückschalten, Erbsen und Möhren dazugeben und 10 Minuten köcheln lassen. Fleischklöße hinzufügen und noch weitere 5 Minuten leicht kochen lassen. Die Suppe sehr heiß servieren.

4 PORTIONEN

MEERESFRÜCHTE GUMBO

60 ml	Distelöl
1	spanische Zwiebel, gewürfelt
2	grüne Paprikaschoten, gewürfelt
3	Selleriestangen, gewürfelt
225 g	scharfe italienische Wurst, in Scheiben geschnitten
3 Eßl.	Mehl
500 ml	Tomaten, enthäutet, entkernt, gehackt
750 ml	Wasser oder Fischbrühe
230 g	ungekochter Reis
2 Teel.	Salz
je ½ Teel.	Oreganoblätter, Thymianblätter, Paprika, schwarzer Pfeffer, Knoblauchpulver, Zwiebelpulver, Chilipulver
500 ml	Okra, in Scheiben geschnitten
225 g	Krabben, ohne Schale und Darm
225 g	Krebsfleisch
225 g	Hummerfleisch
225 g	Muscheln
2 Eßl.	gumbo filé*

Das Öl in einem großen flachen Bratentopf erhitzen. Zwiebel, Paprikaschoten, Sellerie und Wurst dazugeben. Kochen lassen, bis die Wurst gar ist. Mehl hinzufügen und 3 Minuten kochen.

Tomaten, Wasser, Reis, Gewürze und Okra in die Mischung geben und 30 Minuten köcheln lassen.

Meeresfrüchte dazugeben und weitere 15 Minuten unter geringer Hitze kochen lassen. Gumbo filé einrühren und servieren.

6 PORTIONEN

* Gumbo filé ist ein Kraut, das aus gemahlenen Sassafrasblättern hergestellt wird und in den Spezialitätenabteilungen der meisten Supermärkte erhältlich ist. Es enthält ein besonderes Bindemittel, das dem Aroma und dem Aussehen von Gumbo ganz eigen ist.

Meeresfrüchte Gumbo

Brokkoli- & Cheddarkäsesuppe

Potages Crème de Volaille Supreme

CONSOMMÉ CHERBRUG

170 ml	Schinken, zweimal durch den Fleischwolf gedreht
1 Teel.	geriebene Zwiebel
je ¼ Teel.	Pfeffer, Basilikum, Thymian, Paprika
½ Teel.	Salz
1	Eiweiß
30 ml	Schlagsahne
1,75 l	Rinderbrühe (siehe Seite 85)
6	Eier
250 ml	Madeira
80 g	geputzte Pilze, in Scheiben geschnitten
2 Eßl.	Trüffel, in lange, schmale Streifen geschnitten

Schinken, Zwiebel, Gewürze, Eiweiß und Sahne in einer großen Rührschüssel mischen. Durch ein feines Sieb passieren und zu kleinen Bällchen rollen.

½ l der Brühe zum Kochen bringen, Bällchen in die Brühe geben, Hitze zurückschalten und 10 Minuten ziehen lassen. Fleischklöße herausnehmen. Eier in einer Pochierpfanne pochieren, bis das Eiweiß gar ist, nicht jedoch das Eigelb.

Während die Eier pochiert werden, die restliche Brühe mit Wein, Fleischklößen und Pilzen erhitzen. 10 Minuten köcheln lassen.

Je ein verlorenes Ei in eine Servierschale legen, mit der Suppe bedecken und mit Trüffeln garnieren. Sofort servieren.

6 PORTIONEN

POTAGES CRÈME DE VOLAILLE SUPREME

½ Portion	Blätterteig (siehe Seite 689)
1	Ei
75 g	Butter
40 g	Mehl
1 l	Hühnerbrühe (siehe Seite 77)
340 g	gekochtes, gewürfeltes Hühnerfleisch
500 ml	Schlagsahne
1 Teel.	Salz
¼ Teel.	weißer Pfeffer
6	Zweige Petersilie

Blätterteig laut Anweisung ausrollen, in verschiedene, winzige Formen schneiden und auf ein Backblech legen. Das Ei schaumig rühren und den Teig damit bestreichen. 10 Minuten in dem auf 180°C vorgeheizten Backofen backen.

Butter in einem großen Kochtopf erhitzen und Mehl hinzufügen. 2 Minuten bei schwacher Hitze kochen. Hühnerbrühe und gekochtes Hühnerfleisch dazugeben. 15 Minuten bei geringer Hitze kochen lassen.

Sahne, Salz und Pfeffer in die Suppe schlagen und weitere 10 Minuten köcheln lassen.

Die Suppe in Schalen geben, mit dem Blätterteiggebäck und einem Zweig Petersilie verzieren.

6 PORTIONEN

CILANTRO MÖHRENSUPPE

6	große Möhren
1 l	Wasser
60 g	geriebene Zwiebel
4 Eßl.	Butter
3 Eßl.	Mehl
750 ml	Hühnerbrühe (siehe Seite 77)
500 ml	entrahmte Sahne
1 Teel.	Salz
¼ Teel.	weißer Pfeffer
1 Prise	Cayennepfeffer
2 Eßl.	glatte Petersilie (Koriander)

Die Möhren schälen, hacken und in Wasser kochen, bis sie zart sind. Wasser abgießen und Möhren im Mixer pürieren.

Zwiebel in Butter dünsten, mit Mehl besprenkeln und 2 Minuten bei schwacher Hitze kochen. Hühnerbrühe, Sahne und Möhrenpüree zugeben. 3 Minuten köcheln lassen. Gewürze einrühren und weitere 5 Minuten leicht kochen lassen. Mit glatter Petersilie bestreuen und servieren.

6 PORTIONEN

Cilantro Möhrensuppe

GEMÜSEBRÜHE ODER -BOUILLON

110 g	Butter
2	Zwiebeln
6	geschälte, gewürfelte Möhren
4	gewürfelte Selleriestangen
1	feingehackte Knoblauchzehe
450 g	enthäutete, entkernte, gewürfelte Tomaten
1	Bouquet garni (siehe Wörterverzeichnis)
3 l	Wasser

Butter in einem großen Topf oder flachen Bratentopf erhitzen. Zwiebeln, Möhren und Sellerie dazugeben und weichdünsten.

Knoblauch, Tomaten, Bouquet garni und Wasser hinzufügen. Ohne Deckel köcheln lassen, bis die Flüssigkeit um die Hälfte verdampft ist. Durch Käseleinen abgießen, bei Bedarf verwenden.

2 LITER

LA GRATINÉE LYONNAISE SOUPE

110 g	Butter
3	große Zwiebeln, in Scheiben geschnitten
1 Teel.	Zucker
1,5 l	Kalbs- oder Rinderbrühe (siehe Seite 85)
je ½ Teel.	Thymianblätter, Oreganoblätter, Salz
½ Teel.	Worcestersoße
1 Eßl.	Sojasoße
6	Toastscheiben
230 g	geriebener Gruyérekäse

Butter in einem großen Topf oder flachen Bratentopf erhitzen.

Zwiebeln und Zucker hinzufügen, die Hitzezufuhr verringern und sautieren, bis die Zwiebeln karamelisieren.

Brühe, Gewürze, Worcester- und Sojasoße dazugießen. 15 Minuten köcheln lassen.

Die Suppe in Zwiebelsuppentassen geben und eine Toastscheibe darauf legen. Mit Käse bestreuen.

Die Suppe im vorgeheizten Backofen grillen, bis der Käse goldbraun wird.

Sofort servieren.

6 PORTIONEN

CONSOMMÉ ROYALE

2	Eier
4	Eigelb
250 ml	Hühnerbrühe (siehe Seite 77)
je 1 Prise	Salz, weißer Pferrer, Cayennepfeffer, Muskatnuß
2 Eßl.	Möhrenpüree
2 Eßl.	Spargelpüree
2 Eßl.	Tomatenmark
1,5 l	Rinder- oder Wildbretbrühe (siehe Seite 85) oder Hühnerbrühe (siehe Seite 77)

Eier und Eigelb schlagen, Brühe und Gewürze dazugeben. Auf drei Schalen verteilen.

Das Möhrenpüree in die eine Schale, das Spargelpüree in die zweite, und Tomatenmark in die dritte einrühren.

In drei kleine Kochtöpfe gießen, diese in einen großen Topf stellen, der zur Hälfte mit heißem Wasser gefüllt ist, und in dem auf 180°C vorgeheizten Backofen backen, bis alles sehr fest wird. Dem Ofen entnehmen und abkühlen lassen, dann kalt stellen, um es fest werden zu lassen.

Dann in Quadrate, Karos, Herzen oder sonstige Formen schneiden.

Kraftbrühe erhitzen, die Royalformen dazugeben, 5 Minuten köcheln lassen und servieren.

6 PORTIONEN

La Gratinée Lyonnaise Soupe

Consommé Royale

Wor Won Ton Suppe

SUPPE MIT SAUERAMPFER, SALAT & KERBEL

115 g	Sauerampfer
1	sehr kleiner Kopfsalat
1 Eßl.	Kerbel
2 Eßl.	Butter
1,25 l	kalte Hühnerbrühe (siehe Seite 77)
2	Eigelb
250 ml	Croutons

Sauerampfer, Salat und Kerbel waschen und verlesen. Fein hacken.

Butter in einem großen Kochtopf erhitzen, Gemüse dazugeben und weichdünsten. Die ganze Hühnerbrühe bis auf 125 ml dazugießen. Die Suppe eine halbe Stunde köcheln lassen.

Eigelb in einer kleinen Rührschüssel mit der kalten Brühe verrühren. Langsam unter Rühren etwas von der heißen Brühe dazugeben, bis eine dickige Sauce entsteht.

Die Suppe vom Herd nehmen. Die Sauce langsam in die Suppe einrühren. Sofort servieren.

6 PORTIONEN

POTAGE ALLIGATOR AU SHERRY

2 Eßl.	Butter
2 Eßl.	Distelöl
450 g	gewürfeltes Alligatorfleisch
1	kleingewürfelte Zwiebel
2	kleingewürfelte Möhren
2	kleingewürfelte Selleriestangen
2,5 l	Hühnerbrühe (siehe Seite 77)
500 ml	gekochter Reis
125 ml	Sherry (Creme)

Butter und Öl in einem großen Topf erhitzen, das Alligatorfleisch darin braun anbraten, herausnehmen und beiseite stellen.

Gemüse in den Topf geben und weichdünsten. Fleisch in den Topf zurücklegen. Hühnerbrühe zugießen, die Hitze zurückschalten und 1½ Stunden ohne Deckel schwach kochen. Etwaige Verunreinigungen abschöpfen, die eventuell zur Oberfläche der Suppe steigen könnten.

Gekochten Reis und Sherry hinzufügen und noch 15 Minuten länger köcheln lassen. Servieren.

8 PORTIONEN

* Alligatorfleisch dürfte schwer zu bekommen sein. Versuchen Sie, es beim Fleischer oder bei einer Meeresfrüchtehandlung zu bestellen.

WOR WON TON SUPPE

115 g	kleine Krabben, ohne Schale und Darm
115 g	mageres Schweinefleisch, gehackt
3	grüne Zwiebeln, gehackt
2 Eßl.	Sojasoße
1	Knoblauchzehe, zerdrückt
¼ Teel.	5-Gewürzmischung
½ Teel.	Salz
110 g	„Won Ton"-Teigblätter
1,5 l	Hühnerbrühe (siehe Seite 77)
3 Stück	Schnittlauch, gehackt
1	mittlere Zwiebel, in Scheiben geschnitten
100 g	Brokkoliröschen
80 g	junge Champignons
90 g	Möhren, geschält, in Scheiben geschnitten
115 g	Garnelen, ohne Schale und Darm

Kleine Krabben, Schweinefleisch, grüne Zwiebeln, Sojasoße, Knoblauch, Gewürzmischung und Salz in den Mixer geben und eine Minute lang verarbeiten.

Ein wenig von dieser Mischung auf einen „Won Ton"-Teigblatt legen. Mit Wasser bestreichen und zu einem Dreieck falten. Die drei Ecken zusammenziehen und zusammendrücken, um sie dicht zu machen. Das Verfahren wiederholen, bis das ganze Gemisch aufgebraucht ist.

Brühe in einen großen Topf gießen und zum Kochen bringen. Die Won Tons hinzufügen und 6 Minuten kochen. Die restlichen Zutaten dazugeben und weitere 5 Minuten köcheln lassen.

Sofort servieren.

6 PORTIONEN

SCHWARZE BOHNENSUPPE

250 ml	trockene schwarze Bohnen
115 g	durchwachsener Speck, gewürfelt
2	Zwiebeln, kleingewürfelt
1	Möhre, kleingewürfelt
1 l	Hühnerbrühe (siehe Seite 77)
je ½ Teel.	Majoranblätter, Thymianblätter, Salz, Pfeffer, Paprika
1 Prise	Cayennepfeffer
½ Teel.	Worcestersauce
1	Lorbeerblatt
80 ml	Sherry
125 ml	saure Sahne
30 g	rote Zwiebel, kleingewürfelt

Bohnen 8 Stunden lang/ über Nacht in Wasser einweichen.

Den Speck in einem großen Topf oder flachen Brattopf braten. Gemüse hinzufügen, weichdünsten. Bohnen, Hühnerbrühe, Gewürze, Worcestersoße und Lorbeerblatt dazugeben. Zudecken und 1½ Stunden unter geringer Hitzezufuhr kochen. Das Lorbeerblatt entfernen und wegwerfen.

Die Suppe in kleinen Mengen in einem Mixer pürieren. In den Topf zurückgießen und aufkochen lassen. Sherry hinzufügen.

In Suppentassen geben und mit saurer Sahne krönen. Mit roter Zwiebel garnieren.

6 PORTIONEN

LA CREME MINESTRA DI DUE COLORI

Zweifarbige italienische Suppe

250 ml	Milch
1½ Eßl.	Butter
¼ Teel.	Salz
⅛ Teel.	Muskatnuß
170 g	Mehl
1	Ei
1	Eigelb
30 g	frisch geriebener Parmesankäse
120 g	gewaschener, verlesener Spinat
2 l	Hühnerbrühe (siehe Seite 77)

Milch in einem Kochtopf erhitzen. Butter, Salz und Muskatnuß dazugeben. Mehl langsam untermengen und das Gemisch zu einem lockeren Brei anrühren. Vom Herd entfernen, zunächst das Ei, dann das Eigelb einquirlen. Parmesankäse einrühren und dann den Brei zweiteilen.

Spinat dünsten, gut abtropfen lassen und im Mixer pürieren. Spinat in den einen Teil des Breis einrühren.

Hühnerbrühe zum Sieden bringen. Den grünen und den gelben Brei löffelweise in die Brühe geben. Kochen, bis die Klöße schwimmen, und dann sehr heiß servieren.

6 PORTIONEN

SAN SI YU CHI (HAIFISCH-FLOSSENSUPPE)

Haifischfleisch hat während der letzten paar Jahren in der westlichen Welt an Beliebtheit gewonnen. Hier führen wir die klassische chinesische Version dieser hochberühmten chinesischen Suppe vor. Haifischflossen sind in orientalischen Lebensmittelgeschäften erhältlich.

170 g	Haifischflossen, getrocknet
1	feingehackte Knoblauchzehe
15 g	feingehackte Ingwerwurzel
1 l	Fischbrühe (siehe Seite 76)
170 g	Hühnerfleisch
750 ml	Bambussprossen
2 Tropfen	Sesamöl
1 Eßl.	Sojasoße

Haifischflossen in kaltem Wasser 12-20 Stunden einweichen. Dann in einen Topf geben und Knoblauch und Ingwer hinzufügen. Zum Kochen bringen, die Hitze zurückschalten und 3½ – 4 Stunden köcheln lassen. Wasser abgießen und die Flossen mit kaltem Wasser abspülen. Das Fleisch von den Flossen entfernen und 1½ – 2 Stunden dünsten. Flossen in sehr dünne Streifen schneiden.

Brühe in einen großen Topf gießen, Flossen dazugeben, und zum Kochen bringen.

Hühnerfleisch ebenfalls in dünne Streifen schneiden, mit den Bambussprossen in die Suppe geben. 10 Minuten lang kochen.

Öl und Sojasoße einrühren. Sofort servieren.

6 PORTIONEN

Schwarze Bohnensuppe

SPARGEL- & BRIÉSUPPE

75 g	Butter
225 g	Spargel, geschält und blanchiert
30 g	Mehl
750 ml	Hühnerbrühe (siehe Seite 77)
125 ml	süßer Weißwein
250 ml	Creme fraiche
110 g	Brie, ohne Rinde

Butter in einem Kochtopf erhitzen. Spargel dazugeben und dünsten, bis er zart ist.

Mehl einrühren, die Hitze zurückschalten und 2 Minuten kochen.

Brühe, Wein und Sahne dazugeben. Zum Kochen bringen, Hitze zurückschalten und 10 Minuten köcheln lassen.

Suppe in einen Mixer geben und pürieren. Wieder in den Topf zurückgeben und aufkochen lassen.

Käse einrühren und 5 Minuten köcheln lassen.

Sehr heiß servieren.

4 PORTIONEN

MORGENROT

1,5 l	Hühnerbrühe (siehe Seite 77)
170 g	Tapioka
125 ml	Tomatenmark
450 g	gekochtes Hühnerfleisch, in lange, schmale Streifen geschnitten

Brühe in einem 2 l großen Kochtopf erhitzen. Tapioka zugeben und 30-40 Minuten köcheln lassen.

Tomatenmark in die Suppe schlagen, Hühnerfleisch hinzufügen und weitere 5 Minuten bei schwacher Hitze kochen lassen. Servieren.

6 PORTIONEN

LE WATERZOIE (BELGISCHE HÜHNERSUPPE)

Diese Suppe stellt noch eine andere Version der ganzen Mahlzeit in einem einzigen Topf dar.

1 x 2 kg	ganzes Huhn
1	Zitrone
2,5 l	kalte Hühnerbrühe (siehe Seite 77)
1	Zwiebel, mit einer Gewürznelke versehen
2	gewürfelte Selleriestangen
2	gewürfelte Möhren
1	Bouquet garni (siehe Wörterverzeichnis)
500 ml	Weißwein
360 g	geschälte und gewürfelte Kartoffeln

Huhn mit der Zitrone einreiben, in einen großen Topf legen und mit Hühnerbrühe bedecken.

Zwiebel, Sellerie, Möhren und Bouquet garni zugeben, zudecken und zum Kochen bringen. Hitze zurückschalten. Etwaige Verunreinigungen abschöpfen, die während des 2½-4 Stunden langen Köchelns eventuell zur Oberfläche der Brühe steigen. Bouquet garni entfernen.

Huhn herausnehmen und heiß aufbewahren. Wein und Kartoffeln in die Brühe geben und weitere 30 Minuten schwach kochen lassen, oder bis die Kartoffeln gar sind.

Das Huhn tranchieren, in große Servierschalen legen, mit der Brühe und dem Gemüse bedecken. Servieren.

6 PORTIONEN

Le Waterzoie (Belgische Hühnersuppe)

Spargel- & Briésuppe

Sopa de Quimgomba (Südamerikanische Gemüsesuppe)

Hühnernudelsuppe Bauernart

SOPA DE QUIMGOMBA (SÜDAMERIKANISCHE GEMÜSESUPPE)

3 Eßl.	Butter
1	kleingewürfelte Zwiebel
2	kleingewürfelte Selleriestangen
2	kleingewürfelte Möhren
3 Eßl.	Mehl
500 ml	Okra , in Scheiben geschnitten
1 l	Gemüsebrühe (siehe Seite 92)
500 ml	enthäutete, entkernte, gewürfelte Tomaten
je ¼ Teel.	Oregano, Thymian, Basilikum, Knoblauchpulver, Zwiebelpulver
1 Teel.	Salz
½ Teel.	schwarzer Pfeffer

Butter in einem großen Kochtopf erhitzen. Zwiebel, Sellerie und Möhren dazugeben und weichdünsten. Mit Mehl bestreuen und 2 Minuten kochen.

Okra und Gemüsebrühe hinzufügen, 30 Minuten köcheln lassen. Tomaten und Gewürze einrühren und weitere 15 Minuten auf kleiner Flamme kochen. Sehr heiß servieren.

6 PORTIONEN

HÜHNER-NUDELSUPPE BAUERNART

2 kg	Hühnerfleisch, in Stücke geschnitten
3 l	Wasser
4	Selleriestangen, gewürfelt
4	Möhren, geschält, gewürfelt
2	mittlere Zwiebeln, gewürfelt
250 ml	Tomaten, enthäutet, entkernt, gewürfelt
1 Eßl.	Salz
1	Lorbeerblatt
500 ml	flache Eiernudeln

Das Huhn in einen großen Topf oder flachen Brattopf legen und Wasser zugießen. Sellerie, Möhren und Zwiebeln hinzufügen. Zum Kochen bringen, Hitze runterschalten und mit geschlossenem Deckel 8 Stunden schwach kochen lassen.

Hühnerstücke herausnehmen und das Fleisch von den Knochen lösen. Die Knochen zur Seite legen, das Fleisch würfeln und wieder in die Suppe geben.

Die restlichen Zutaten dazugeben. Erneut zum Kochen bringen, Hitze reduzieren und noch 15 Minuten länger bei geringer Hitze kochen. Lorbeerblatt entfernen und wegwerfen. Die Suppe sehr heiß reichen.

6 PORTIONEN

MISOSHIRU

Japanische Thunfisch-Gemüsesuppe

1,5 l	Fisch- oder Hühnerbrühe
18	Silberzwiebeln
1	Porree, in lange, schmale Streifen geschnitten
1	weiße Rübe, gewürfelt
500 ml	Bambussprossen
250 ml	gewürfeltes, festes Tofu
170 g	geriebener getrockneter Thunfisch*

Brühe in einen großen Topf gießen. Zwiebel, Lauch und weiße Rübe hinzufügen, zum Kochen bringen. Kochen lassen, bis die Rübe zart wird. Bambussprossen, Tofu und Thunfisch dazugeben. 5 Minuten köcheln lassen. Sehr heiß servieren.

6 PORTIONEN

*Getrockneter Thunfisch sollte in orientalischen Lebensmittelgeschäften erhältlich sein.

SAUCEN

Den Koch, der in Großküchen für die Herstellung ausgezeichneter Saucen verantwortlich ist, nennt man „Saucier". Er/sie weiß, daß sein/ihr Produkt meist das erste ist, das der Kunde probiert. Daher bemühen sie sich, verschiedene Glanzstücke für den feinen Geschmack herzustellen.

Eine gute Sauce muß Eigengeschmack haben, darf jedoch nicht zu intensiv sein und die anderen Bestandteile des Gerichtes überdecken. Sie soll komplementieren, was sie begleitet. Eine gute Sauce muß von Grund auf hergestellt werden. Sie wird niemals gut, wenn sie aus einer kleinen Tüte kommt und nur heißes Wasser hinzugefügt wird. Es gibt keine guten Fertigsaucen; man kann damit nur schlechtes Essen verstecken.

Sauciers produzieren mit Saucen die kreativsten Gerichte. Aus einer Hollandaise wird mit Himbeeren eine Köstlichkeit wie bei den „Tournedos Dianna Lynn". Eine Sauce kann in verschiedenen Variationen eingesetzt werden, wie es bei den fünf Grundsaucen der Fall ist. Wenn Sie diese fünf Saucen beherrschen, können Sie Ihre Reise in die kulinarischen Künste antreten. Es ist bekannt, daß Kulturen nicht immer ihren Herrschern folgen, sondern vielmehr ihren Künstlern.

Die fünf Saucen eines künstlerischen Sauciers sind: Hollandaise, Espagnole, Velouté, Tomaten and Béchamel. Von ihnen haben jegliche Saucen ihren Anfang. Sie brauchen nur auf die Seiten von *Einfach Köstlich Kochen 2* zu schauen. Sie werden auch wissen wollen, wie Fruchtsaucen hergestellt werden, die Bestandteil vieler aufregender Gerichte von Appetithappen bis Desserts sind. Auch solche Saucen sind in diesem Kapitel zu finden.

Mit einer Sauce können sie ein Lieblingsgericht nehmen und in einen neuen Hit verwandeln. Zum Beispiel: servieren Sie Loganbeersauce mit Apfeltorte und die Gesichter Ihrer Familie werden erstrahlen.

Wie wäre es mit einer Pralinensauce über Möhrenkuchen - etwas Ausgefallenes. Mit *Einfach Köstlich Kochen* wird jede Sauce zu einem Loblied.

Espagnole Sauce

PRALINENSAUCE

115 g	Butter
335 g	dunkelbrauner Zucker
125 ml	Schlagsahne
1 Eßl.	Zitronensaft
60 ml	gehackte Pekannüsse
1 Teel.	Vanilleextrakt

Butter im Wasserbad zerlassen und den Zucker einrühren. Die Sahne hineinschlagen bis alles gut gemischt ist. Zitronensaft hineingießen und 45 Minuten über dem Wasser köcheln lassen. Gelegentlich rühren.

Den Topf vom Herd nehmen. Nüsse und Vanille dazugeben. Heiß nach Bedarf verwenden.

ERGIBT 500 ml

AILLOLI

2	Knoblauchzehen, zur Paste zerdrückt
2	Eigelb
½ Teel.	Salz
1 Prise	Pfeffer
½ Teel.	Dijonsenf
250 ml	Olivenöl
4 Teel.	Weinessig

Im Mixer Knoblauch, Eigelb, Salz, Pfeffer und Senf cremig rühren. Bei laufendem Mixer das Öl in einem langsamen, dünnen Strahl hinzufügen. Essig zugeben.

Die Sauce in eine Servierschüssel gießen oder nach Bedarf verwenden.

ERGIBT 375 ml

ZIMTBUTTER

4 Eßl.	Butter
1 Eßl.	Zucker
1½ Teel.	gemahlener Zimt

Zutaten miteinander gut vermischen. Nach Bedarf verwenden.

ERGIBT 90 ml

SEKTSAUCE

3 Eßl.	Butter
3 Eßl.	Mehl
125 ml	Hühnerbrühe (siehe Seite 77)
125 ml	Creme fraiche
125 ml	Sekt

Butter schmelzen. Mehl hinzugeben und bei niedriger Wärmezufuhr zu einer Paste rühren.

Hühnerbrühe, Sahne und Sekt hineingießen und die Zutaten gut miteinander verrühren.

10 Minuten bei mittlerer Temperatur köcheln lassen.

ERGIBT 430 ml

Pralinensauce

Ailloli

Wildpilze in Sherrysauce

APRIKOSEN- ODER PFIRSICHSAUCE

190 g	getrocknete Aprikosen
250 ml	Wasser
2 Eßl.	Zucker
1 Teel.	Stärkemehl
1 Eßl.	Zitronensaft
60 ml	Apfelsaft

Die Aprikosen fünf Minuten im Wasser kochen. Die Aprikosen in den Mixer geben und pürieren.

Zucker in das Aprikosenwasser rühren. Stärkemehl mit dem Zitronensaft vermengen und zum Aprikosenwasser geben. Köcheln lassen, bis die Sauce dick wird. Die Sauce über die Aprikosen gießen und gut verrühren.

Sauce in den Topf zurückgießen und Apfelsaft einrühren, erhitzen, jedoch nicht kochen.

Nach Bedarf verwenden.

ERGIBT 310 ml

WILDPILZE IN SHERRYSAUCE

500 ml	Espagnole Sauce (siehe Seite 111)
250 ml	Sherry
115 g	Wildpilze*
2 Eßl.	Butter
1 Eßl.	Mehl

Espagnole Sauce mit dem Sherry verrühren. Aufkochen und auf die Hälfte reduzieren.

Die Pilze bei hoher Temperatur in der Butter dünsten und mit Mehl bestreuen. Temperatur reduzieren und zwei Minuten kochen. Pilze in die Sauce geben. Fünf Minuten köcheln lassen.

* Shiitakepilze, Austernpilze, Speisemorcheln, Pfifferlinge oder Porcini (Trüffel) verwenden.

ERGIBT 750 ml

SENFSAUCE

2 Eßl.	Butter
2 Eßl.	Mehl
250 ml	Milch
¼ Teel.	Salz
¼ Teel.	weißer Pfeffer
1 Prise	Muskat
60 ml	Schlagsahne
2 Eßl.	Zitronensaft
1 Teel.	Senf
1 Teel.	Dijonsenf

Butter in einem Topf schmelzen, Mehl hinzugeben und zu einer Mehlschwitze verrühren. Zwei Minuten kochen lassen (niedrige Temperatur).

Unter Rühren die Milch hineingießen und köcheln lassen, bis die Sauce dick wird. Salz, Pfeffer und Muskat hinzufügen und zusätzlich zwei Minuten köcheln.

Sahne, Zitronensaft und Senf hineinrühren. Die Sauce nach Bedarf verwenden.

ERGIBT 440 ml

Velouté

VELOUTÉ

115 g	Butter
60 g	Mehl
1 l	Hühnerbrühe (siehe Seite 77)

Butter in einem Topf schmelzen, Mehl hineingeben und zwei Minuten schwach kochen lassen (niedrige Temperatur).

Unter Rühren die Hühnerbrühe eingießen. 30 Minuten köcheln lassen, oder bis die Sauce dick wird.

ERGIBT 1 LITER

Sabayon

SABAYON

6	Eigelb
170 g	Zucker
310 ml	Sherry (Creme)
1 Teel.	Zitronensaft
1 Prise	Muskatnuß

Eigelb und Zucker cremig rühren und ins Wasserbad geben. Den Sherry langsam einrühren und kochen, bis die Masse dickt. Durch zu langes Kochen stockt das Eigelb. Zitronensaft und Muskat unterrühren.

Sofort über Obst, gefrorenen Nachtisch oder in Sektgläser gießen.

ERGIBT 625 ml

TOMATENSAUCE

60 g	Butter
2	fein gehackte Knoblauchzehen
2	gewürfelte Möhren
1	gewürfelte Zwiebel
2	gewürfelte Selleriestangen
1,5 kg	enthäutete, entkernte und gehackte Tomaten
3	Lorbeerblätter
1 Teel.	Thymianblätter
1 Teel.	Oreganoblätter
1 Eßl.	Salz
1 Teel.	Pfeffer

Butter in einem großen Kochtopf schmelzen und Knoblauch, Möhren, Zwiebeln und Sellerie weichdünsten. Tomaten und Gewürze hinzugeben. Temperatur reduzieren und drei Stunden köcheln lassen.

Die Sauce seihen und zurück in den Topf geben. Bis zur gewünschten Dicke weiter kochen lassen.

ERGIBT 1 LITER

KIWI-PAPAYA SAUCE

6	geschälte, gehackte Kiwifrüchte
500 ml	Papayafleisch
60 g	Zucker
1½ Eßl.	Stärkemehl
80 ml	Apfelsaft

Kiwifrüchte und Papayafleisch im Mixer pürieren und durch ein Sieb in einen kleinen Topf passieren. Zucker hinzufügen, Stärkemehl mit Apfelsaft verrühren und zu den Früchten geben. Köcheln lassen, bis die Sauce dick wird.

Über Obst, Eis, Soufflés oder nach Belieben verwenden. Eignet sich ausgezeichnet zu einem Schokoladen-Dessert.

ERGIBT 750 ml

KIRSCHBRANDY SAUCE

310 ml	(Bing) Kirschen, frisch oder Konserve, entsteint
60 ml	Kirschbrandy
3 Eßl.	Kirschenflüssigkeit oder Apfelsaft
1 Eßl.	Zitronensaft
2 Eßl.	Zucker

Kirschen im Kirschbrandy bei schwacher Temperatur erhitzen, sehr weich kochen. Durch ein Sieb passieren und die Masse zurück in den Topf geben. Die restlichen Zutaten einrühren und köcheln lassen, bis die Sauce dick wird.

Heiß oder kalt über Obst, Sorbet, Eis, Crépes, Schokoladennudeln oder mit Soufflé servieren.

ERGIBT 375 ml

ORANGEN-BRANDY-SAUCE

2 Teel.	Stärkemehl
115 g	Zucker
375 ml	Orangensaft
125 ml	Grand Marnier
2 Teel.	geriebene Orangenschale
1½ Eßl.	Butter

Stärkemehl mit Zucker vermengen. Orangensaft und Likör aufkochen. Zucker hinzufügen. Die Temperatur reduzieren und köcheln lassen, bis die Sauce dickt. Topf vom Herd nehmen. Orangenschale und Butter einrühren.

Heiß über Eis, Sorbets, Crépes und Soufflés servieren.

ERGIBT 560 ml

ERDBEER-COULIS

500 ml	gewaschene und entstielte Erdbeeren
80 ml	Apfelsaft
3 Eßl.	Zucker

Erdbeeren, Apfelsaft und Zucker in einen Mixer geben und pürieren. Püree in einen Topf geben und köcheln lassen, bis die Masse dick wird. Durch ein Sieb passieren und die Sauce in eine Servierschale geben.

Über frischen Früchten, Crêpes, Eis, Sorbets, Schokoladennudeln oder mit Soufflés servieren.

ERGIBT 500 ml

HIMBEERSAUCE

675 g	frische Himbeeren
57 g	Zucker
1 Eßl.	Zitronensaft
2 Teel.	Stärkemehl

Himbeeren im Mixer pürieren und durch ein Sieb drücken, um die Körner zu entfernen. Masse in einen Topf geben. Zucker hineinrühren und aufkochen, köcheln lassen.

Stärkemehl mit Zitronensaft vermengen und zur Sauce geben. Köcheln lassen, bis die Sauce dick wird.

ERGIBT 500 ml

Himbeersauce

APRIKOSEN-HIMBEERSAUCE

340 g	abgezogene, entsteinte Aprikosen
450 g	frische Himbeeren
125 ml	Apfelsaft
2 Eßl.	Zitronensaft
60 g	Zucker

Aprikosen und Himbeeren in einen Mixer geben und pürieren. Die Masse durch ein Sieb passieren (entfernen der Körner) und in einen Topf geben.

Die restlichen Zutaten vermischen und köcheln lassen, bis die Masse dick wird.

Die Sauce über Obst, Kuchen, Eis oder Auflauf servieren.

ERGIBT 750 ml

SAUCE BÉARNAISE

3 Eßl.	Weißwein
1 Eßl.	getrocknete Estragonblätter
1 Teel.	Zitronensaft
115 g	Butter
3	Eigelb
1 Teel.	frisch gehackter Estragon

Wein, Estragon und Zitronensaft in einen kleinen Topf geben. Bei hoher Temperatur auf zwei Eßlöffel reduzieren, dann durch ein Sieb abgießen.

Butter in einem weiteren, kleinen Topf erhitzen, bis sie fast kocht.

Eigelb im Mixer schaumig rühren. Bei laufendem Mixer die Butter in einem langsamen, dünnen Strahl hineingeben.

Bei langsam laufenden Mixer die reduzierte Weinmischung hineingießen und rühren, bis alles gut vermengt ist. Sauce in eine Servierschale geben und den frischen Erstragon unterrühren.

ERGIBT 180 ml

HIMBEER-HOLLANDAISE

250 g	Himbeeren
115 g	Butter
2	Eigelb

Beeren im Mixer pürieren und durch ein Sieb streichen. Körner und Fleisch werden nicht mehr benötigt. In einem Topf den Saft langsam köcheln, auf zwei Eßlöffel reduzieren. Abkühlen lassen.

Saft und Eigelb mit dem Schneebesen verrühren. Butter schmelzen, warmhalten. Eigelb bei niedriger Wassertemperatur im Wasserbad unter ständigem Schlagen kochen, bis die Masse dick wird. Von der Kochstelle nehmen. Die warme Butter unterschlagen, bis sich eine gute kremige Sauce bildet. Nicht noch einmal erhitzen. Die Sauce nach Bedarf verwenden.

JARDINIERE SAUCE

250 ml	Espagnole Sauce (siehe Seite 111)
2 Eßl.	feingewürfelte, blanchierte Möhren
2 Eßl.	feingewürfelte, blanchierte Zucchini
2 Eßl.	feingewürfelter, blanchierter Stangensellerie
2 Eßl.	feingewürfelte, rote Paprikaschoten
je 1 Teel.	Petersilie, Kerbel, Schnittlauch

Zutaten in einen kleinen Topf geben. Aufkochen, Temperatur reduzieren und fünf Minuten köcheln lassen.

Sauce nach Bedarf verwenden.

ERGIBT 375 ml

Jardinere Sauce

Aprikosen-Himbeersauce

Marinara Sauce

ESPAGNOLE SAUCE

2 kg	Rinder- oder Kalbsknochen
1	gewürfelte Zwiebel
4	gewürfelte Möhren
3	gewürfelte Selleriestangen
3	Lorbeerblätter
3	feingehackte Knoblauchzehen
2 Teel.	Salz
60 g	Mehl
3 l	Wasser
1	Bouquet garni (siehe Wörterverzeichnis)
250 ml	Tomatenpüree
180 ml	gehackter Lauch
3	Petersilienzweige

Den Ofen auf 230°C vorheizen.

Die Knochen, Zwiebel, Möhren, Sellerie, Lorbeerblätter, Knoblauch und Salz in einen Bratentopf geben.

45-50 Minuten anschmoren, bis die Knochen schön braun sind. Darauf achten, daß sie nicht anbrennen. Die Knochen mit Mehl bestreuen und weitere 15 Minuten braten.

Die Zutaten in einen Kochtopf umfüllen. Den Bratentopf mit etwas Wasser ausspülen und das Bratfett in den Topf geben. Die restlichen Zutaten hinzufügen. Aufkochen.

Temperatur reduzieren und drei bis vier Stunden köcheln lassen, bis die Sauce zur Hälfte reduziert ist. Alle Unreinheiten von der Oberfläche abschöpfen. Die Sauce durch ein Sieb abgießen, die Knochen etc. entnehmen. Sauce nochmals durch ein Käseleinen seihen und dann zurück in den Topf geben.

Bis zur gewünschten Konsistenz weiter kochen und nach Bedarf verwenden.

ERGIBT 1,5 LITER

Mornaysauce

MARINARA SAUCE

3	rote Cascabel-Chilischoten
50 g	gehackte schwarze Oliven
2 Eßl.	Kapern
80 ml	Olivenöl
1	feingewürfelte Zwiebel
2	feingehackte Knoblauchzehen
675 g	enthäutete, entkernte und gehackte Tomaten
2 Teel.	Oreganoblätter

Samen entfernen, Chilischoten würfeln und mit Oliven, Kapern und der Hälfte des Öls vermengen. Eine Stunde marinieren lassen.

Das restliche Öl in einem Topf erhitzen. Zwiebeln und Knoblauch darin weichdünsten.

Marinade abtropfen lassen und zu den Zwiebeln geben. Tomaten und Oregano hinzufügen. Temperatur reduzieren (mittlere Stufe) und weiter kochen, bis die Sauce dick wird. Mit einem Nudelgericht servieren.

ERGIBT 750 ml

MORNAYSAUCE

3 Eßl.	Butter
3 Eßl.	Mehl
310 ml	Hühnerbrühe (siehe Seite 77)
310 ml	entrahmte Sahne
60 g	frisch geriebener Parmesankäse

Butter in einem Topf erhitzen. Mehl hinzugeben und zwei Minuten bei geringer Hitze kochen lassen.

Hühnerbrühe und Sahne hineinrühren. Temperatur reduzieren und köcheln lassen, bis die Sauce dick wird. Käse hinzugeben und zwei weitere Minuten köcheln.

Sauce nach Bedarf verwenden.

ERGIBT 750 ml

MADEIRASAUCE

500 ml	Espagnole Sauce (siehe Seite 111)
250 ml	Sherry

Die Espagnole Sauce mit dem Sherry vermengen. Aufkochen lassen und kochend zur Hälfte reduzieren.

ERGIBT 375 ml

KNOBLAUCH-BUTTER

1	gehackte Knoblauchzehe
75 g	Butter
je ½ Teel.	Schnittlauch, Petersilie, Kerbel,Basilikum, Schalotten
1 Eßl.	Pernod

Zutaten in einen Mixer geben und verrühren, bis die Butter cremig ist. Nach Bedarf verwenden.

ERGIBT 125 ml

BÉCHAMELSAUCE

2 Eßl.	Butter
2 Eßl.	Mehl
250 ml	Milch
¼ Teel.	Salz
¼ Teel.	weißer Pfeffer
1 Prise	Muskat

Butter in einem Topf zerlassen. Mehl hinzugeben und zu einer Mehlschwitze rühren. Zwei Minuten bei niedriger Temperatur kochen.

Unter Rühren Milch hinzugießen und köcheln lassen, bis die Sauce dick wird. Gewürze hineinstreuen und zwei weitere Minuten köcheln.

ERGIBT 310 ml

LANGUSTEN- ODER KRABBENBUTTER

60 ml	gekochtes Langusten- oder Krabbenfleisch
60 g	Butter

Beide Zutaten in einen Küchenmixer geben und cremig rühren. Nach Bedarf verwenden.

ERGIBT 125 ml

Béchamelsauce

KAFFEE-MINZE-SAUCE

60 g	Zucker
4	Eigelb
500 ml	abgekochte Milch
2 Eßl.	starker Kaffee
½ Teel.	Minzextrakt

Zucker und Eigelb schaumig und hell schlagen. Milch hineinrühren und die Masse ins Wasserbad geben. Ständig rühren, bis die Sauce dick wird. Den Topf von der Kochstelle nehmen und Kaffee und Extrakt hinzufügen.

Heiß über Eis, Aufläufen oder Beeren servieren.

ERGIBT 500 ml

KAFFEE-SCHOKOLADEN-SAUCE

250 ml	kochendes Wasser
2 Teel.	instant Kaffeepulver
2 Eßl.	Zucker
4	Eigelb
80 ml	Schlagsahne
1½ Teel.	Stärkemehl
2 Eßl.	Milch
60 g	Schokoladenstückchen

Instantkaffee in kochendem Wasser auflösen. Kaffee ins Wasserbad geben. Zucker dazugeben und unter Rühren auflösen. Eigelb einzeln hineinschlagen, Sahne dazugießen und zwei Minuten kochen.

Stärkemehl mit der Milch vermischen und mit den Schokoladenstückchen in die Sauce mengen. Vorsichtig kochen lassen, bis die Sauce dick wird. Den Topf von der Kochstelle nehmen. Die Sauce nach Bedarf verwenden.

ERGIBT 500 ml

Kaffee-Minze-Sauce

Hollandaise

KARAMEL-SAHNE-SAUCE

80 g	Karamelstückchen
80 g	Puderzucker
60 ml	kochendes Wasser
250 ml	Schlagsahne
1	Eiweiß
1 Teel.	Vanilleextrakt

Karamel im Wasserbad schmelzen. Zucker und Wasser hinzugeben. Den Topf von der Kochstelle nehmen und abkühlen lassen.

Sahne schlagen und unter den Karamel rühren. Eiweiß schlagen und mit dem Vanilleextrakt unter die Sauce heben.

Sauce nach Bedarf verwenden.

ERGIBT 500 ml

MALTAISESAUCE

115 g	Butter
2	Eigelb
2 Teel.	Zitronensaft
¼ Teel.	Cayennepfeffer
3 Eßl.	frisch gepreßter Orangensaft
1 Teel.	geriebene Orangenschale

Butter erhitzen.

Die Eigelb in ein Wasserbad mit niedriger Wassertemperatur geben.

Zitronensaft langsam hinzufügen. Darauf achten, daß beide Zutaten gut miteinander vermengt sind.

Topf von der Kochstelle nehmen. Langsam die heiße Butter hineinschlagen.

Cayennepfeffer, Orangensaft und gerieben Schale unterrühren und gut verrühren. Die Sauce zu Fisch, Meeresfrüchten oder Gemüse servieren.

ERGIBT 250 ml

VERONIQUE

250 ml	Fischbrühe (siehe Seite 76)
60 ml	Weißwein
4 Teel.	grüne Zwiebeln
1 Teel.	Stärkemehl
1 Eßl.	kaltes Wasser
125 ml	Schlagsahne
¼ Teel.	Salz
¼ Teel.	Pfeffer
1	Eigelb
16	grüne, kernlose Weintrauben

Fischbrühe, Wein und Zwiebeln in einen Topf geben. Aufkochen und auf die Hälfte des Volumens reduzieren. Durch ein Sieb abgießen und die Flüssigkeit wieder in den Topf geben.

Stärkemehl mit dem kalten Wasser vermischen und in die Sauce geben. Diese nochmals erwärmen und die Sahne unterschlagen. Salz und Pfeffer hinzufügen.

Eigelb mit etwas abgekühlter Sauce vermengen und in die Sauce geben. Den Topf von der Kochstelle nehmen.

Die Weintrauben in die Sauce rühren. Nach Bedarf verwenden.

ERGIBT 250 ml

HOLLANDAISE

115 g	Butter
2	Eigelb
2 Teel.	Zitronensaft
1 Prise	Cayennepfeffer

Butter stark erhitzen.

Eigelb in ein Wasserbad mit schwach erhitztem Wasser geben. Langsam den Zitronensaft hinzufügen. Darauf achten, daß beide Zutaten gut miteinander vermischt sind.

Topf von der Kochstelle nehmen und langsam die heiße Butter einschlagen.

Mit Cayennepfeffer würzen. Sauce sofort verwenden.

ERGIBT 180 ml

SCHOKOLADEN-HIMBEER-SAUCE

450 g	frische Himbeeren
2 Eßl.	Zitronensaft
3 Eßl.	Zucker
80 g	geriebene, halbbittere Schokolade
1 Teel.	Butter

Himbeeren im Mixer pürieren. Masse durch ein Sieb passieren (zum Entfernen der Körner) und in einen kleinen Topf geben.

Zitronensaft und Zucker hinzufügen. Aufkochen. Temperatur reduzieren und köchelnd auf 250 ml reduzieren. Die Scholololade einrühren. Den Topf von der Kochstelle nehmen und die Butter in die Sauce schlagen.

Sauce nach Bedarf verwenden.

ERGIBT 375 ml

GUACAMOLE

2	Avocados
1	gepellte, entkernte und gehackte Tomate
1	rote, gehackte Zwiebel
3 Eßl.	gehackte, glatte Petersilie
2 Eßl.	Limonensaft
1 Teel.	Worcestersauce
¼ Teel.	Salz

Avocados schälen, entsteinen und mit den restlichen Zutaten in einen Mixer geben. Sauce cremig rühren.

ERGIBT 500 ml

SALSA

450 g	enthäutete, entkernte Tomaten
1	spanische Zwiebel
3	zerdrückte Knoblauchzehen
1	Bund gehackte, glatte Petersilie
2	Jalapeño-Schoten
1	grüne Paprikaschote
2 Eßl.	Limonensaft
½ Teel.	Salz

Tomaten hacken, Zwiebel zerkleinern und zusammen mit dem Knoblauch und der glatten Petersilie in eine Rührschüssel geben.

Den Samen der Jalapeño-Schoten entfernen, diese fein würfeln und zu den Tomaten geben.

Den Samen der Paprikaschoten entfernen, das Innere säubern, fein würfeln und mit dem Limonensaft zu den Tomaten geben. Salzen.

30 Minuten vor dem Servieren kühlen.

ERGIBT 1 LITER

Salsa & Guacamole

Zitronensauce

ZITRONENSAUCE

2 Teel.	Stärkemehl
170 g	Zucker
430 ml	kochendes Wasser
60 ml	Zitonensaft
1 Eßl.	geriebene Zitronenschale
2 Eßl.	Butter

Stärkemehl mit dem Zucker vermischen und in das kochende Wasser schlagen. Köcheln lassen, bis die Sauce dick wird. Saft und Schale hineingeben. Köcheln, bis die Sauce wieder dickt.

Den Topf von der Kochstelle nehmen. Butter in die Sauce einschlagen. Heiß oder kalt zu Obst, Sorbets, Crêpes und Kuchen servieren.

ERGIBT 430 ml

GRAND MARNIER SCHOKOLADEN SAUCE

60 g	geriebene, halbbittere Schokolade
3 Eßl.	Butter
3	Eigelb
3 Eßl.	Zucker
60 ml	entrahmte Sahne
80 ml	Grand Manier
1 Teel.	geriebene Orangenschale

Schokolade im Wasserbad schmelzen, Butter hinzufügen und rühren, bis sie geschmolzen ist. Eigelb nacheinander hineinschlagen, dann den Zucker hinzufügen. Sahne unterschlagen und kochen lassen, bis die Sauce dickt. Likör und Orangenschale hineingeben. Den Topf von der Kochstelle nehmen. Sauce nach Bedarf verwenden.

ERGIBT 375 ml

Sauce mit Tomatenstücke

SAUCE MIT TOMATENSTÜCKEN (TOMATENSAUCE II)

2 Eßl.	Olivenöl
2	fein gehackte Knoblauchzehen
1	gewürfelte, grüne Paprikaschote
1	gewürfelte Zwiebel
2	gewürfelte Selleriestangen
120 g	Pilzscheiben
1 Teel.	Salz
½ Teel.	Pfeffer
1 Teel.	Basilikumblätter
½ Teel.	Oreganoblätter
½ Teel.	Thymianblätter
½ Teel.	Paprika
¼ Teel.	Cayennepfeffer
1,35 kg	enthäutete, entkernte und gehackte Tomaten

Öl in einem Topf erhitzen und darin Knoblauch, Paprikaschote, Zwiebel, Sellerie und Pilze weichdünsten. Gewürze und Tomaten hineingeben. Drei Stunden köcheln lassen, oder bis die gewünschte Konsistenz erreicht ist.

ERGIBT 1 - 1,5 LITER

COURT-BOUILLON

4 l	Wasser
1 Eßl.	grüne Pfefferkörner
1 Eßl.	Salz
1	geschnittene Zwiebel
2	gehackte Möhren
1	gehackte Selleriestange
1	halbierte Zitrone
250 ml	Weißwein
1	Bouquet garni (siehe Wörterverzeichnis)

Alle Zutaten in einen Topf geben. Aufkochen und 30 Minuten kochen lassen.

Die Suppe durch ein Käseleinen gießen. Die Flüssigkeit aufbewahren, das Bouquet entfernen.

Die Brühe kann zum Kochen von Fisch und Schalentieren verwendet werden.

ERGIBT 4 LITER

FRANGIPANE FLAN-CREME

1	Ei
3	Eigelb
115 g	Zucker
1 Eßl.	Mehl
310 ml	Milch
75 g	gemahlene Mandeln
1 Eßl.	Butter
2 Teel.	Orangenextrakt
1 Teel.	Rumextrakt

Ei, Eigelb, Zucker und Mehl sahnig rühren. Milch und Mandeln in einen Topf geben. Aufkochen. Den Topf von der Kochstelle nehmen und zehn Minuten ziehen lassen.

Mandeln aus der Milch sieben und mit den Eiern vermengen. Die Masse ins Wasserbad geben und kochen, bis die Creme dick wird.

Den Topf von der Kochstelle nehmen. Butter und Extrakt einrühren.

Die Creme kann kalt als Kuchenfüllung verwendet werden und heiß oder kalt über Obst und gefrorenem Dessert serviert werden.

ERGIBT 750 ml

BEERENSAUCE

450 g	gewaschene, entstielte Erdbeeren
225 g	gewaschene, entstielte Himbeeren
225 g	gewaschene, entstielte Brombeeren
230 g	Zucker
2 Teel.	Zitronensaft
1 Teel.	geriebene Zitronenschale

Beeren in einen Mixer geben und pürieren. Püree durch ein feines Sieb passieren und in einen Topf geben. Zucker unter Rühren auflösen. Zitronensaft und -schale hinzufügen. Aufkochen, Temperatur reduzieren und köcheln lassen, bis die Sauce auf 500 ml reduziert ist.

Die Sauce auf Crêpes, Eis oder Bananennudeln servieren.

ERGIBT 500 ml

MARCHAND DE VINS SAUCE

2 Eßl.	Butter
125 ml	gewürfelter Schinken
125 ml	gewürfelte Pilze
125 ml	grüne Zwiebeln
375 ml	Demi-Glace (siehe Seite 123)
125 ml	Sherry
60 ml	Creme fraiche - wahlweise

Butter in einem Topf zerlassen und Schinken, Pilze und grüne Zwiebeln darin dünsten.

Demi-Glace und Sherry hinzugeben. Temperatur reduzieren. Sauce köcheln lassen, bis sie zur Hälfte reduziert ist.

Sahne hinzugießen und falls erforderlich weitere zwei Minuten kochen.

ERGIBT 430 ml

COUNTRY SAUCE

55 g	Butter
3 Eßl.	Mehl
250 ml	Milch
250 ml	Hühnerbrühe (siehe Seite 77)
½ Teel.	Salz
¼ Teel.	gemahlener, schwarzer Pfeffer

Butter in einem Topf erhitzen, Mehl hinzugeben und zwei Minuten bei niedriger Temperatur kochen lassen. Milch, Brühe, Salz und Pfeffer hineinschlagen. Temperatur reduzieren und köcheln lassen, bis die Sauce sämig ist.

ERGIBT 500 ml

Marchand de Vins Sauce

Country Sauce

Ananas-Mango-Sauce

ANANAS-MANGO-SAUCE

250 ml	kleingeschnetzelte, abgetropfte Ananas, Saft aufbewahren
250 ml	Mangofleisch
60 g	Zucker
1½ Eßl.	Stärkemehl

Ananas und Mango im Mixer pürieren. Masse durch ein Sieb passieren und in einen Topf geben. Zucker dazugeben.

Stärkemehl mit 60 ml des aufbewahrten Ananassaftes vermengen und zum Obst geben. Abdecken und bei niedriger Temperatur kochen, bis die Sauce dick wird.

Heiß oder kalt über Obst, Eis oder Schokoladenspeisen servieren.

ERGIBT 560 ml

LOGANBEER- ODER BROMBEERSAUCE

900 g	frische Beeren
1½ Eßl.	Stärkemehl
1 Eßl.	Apfelsaft
57 g	Zucker

Die Beeren im Mixer pürieren, durch ein Sieb passieren und in einen kleinen Topf geben. Stärkemehl, Apfelsaft und Zucker in die Beeren rühren. Die Masse bei niedriger Temperatur kochen, bis sie dick wird.

Heiß oder kalt über Obst, Eis, Crêpes, Aufläufen oder wie vorgeschrieben verwenden.

ERGIBT 500 ml

CREME ANGLAISE

170 g	Zucker
6	Eigelb
500 ml	abgekochte Milch
¼ Teel.	Vanilleextrakt

Im oberen Topf eines Wasserbads Eigelb und Zucker schaumig und hell rühren. Langsam Milch hineinschlagen und unter ständigem Rühren kochen, bis die Masse dick wird.

Den Topf von der Kochstelle nehmen. Vanille dazugeben. Die Creme heiß oder kalt mit Obst, Eissorbets, Schokoladenspeisen, Schwimmenden Inseln, weißen Schokoladennudeln oder wie gewünscht verwenden.

ERGIBT 500 ml

KREOLENSAUCE

3 Eßl.	Distelöl
3	fein gewürfelte Zwiebeln
2	fein gewürfelte, grüne Paprikaschoten
3	gewürfelte Selleriestangen
20	enthäutete, entkernte, gehackte Tomaten
2 Teel.	Salz
2 Teel.	Paprika
1 Teel.	Knoblauchpulver
1 Teel.	Zwiebelpulver
1 Teel.	Cayennepfeffer
½ Teel.	weißer Pfeffer
½ Teel.	schwarzer Pfeffer
1 Teel.	Basilikumblätter
½ Teel.	Oreganoblätter
½ Teel.	Thymianblätter
6	gewürfelte, grüne Zwiebeln
1	Bund gehackte Petersilie

Öl in einem großen Topf erhitzen und darin Zwiebeln, Sellerie und Paprikaschote weichdünsten. Die Tomaten und Gewürze hinzugeben und köcheln, bis die gewünschte Konsistenz erreicht ist (etwa 4 Stunden).

Die grünen Zwiebeln und Petersilie hinzufügen und weitere 15 Minuten kochen. Servieren.

ERGIBT 1-1,5 LITER

AHORN-WALNUSS-SAUCE

2	Eigelb
125 ml	Ahornsirup
125 ml	Sahne, geschlagen
60 ml	Walnußstücke

Eigelb schlagen. Sirup dazugeben. Die Masse ins Wasserbad geben und kochen, bis sie dick wird. Den Topf von der Kochstelle nehmen. Abkühlen lassen.

Sahne und Nüsse unterrühren. Sauce nach Bedarf verwenden.

ERGIBT 375 ml

KRÄUTERBUTTER

60 g	Butter
je ½ Teel.	Schnittlauch, Petersilie, Kerbel, Estragon, Schalotten
1 Eßl.	Schlagsahne

Zutaten in einen Mixer geben und zu einer geschmeidigen Masse verarbeiten.

ERGIBT 90 ml

Kreolensauce

Schokoladensauce

Kalifornische Sauce

SCHOKOLADEN SAUCE

80 g	halbbittere Schokolade
230 g	Zucker
125 ml	Wasser
½ Teel.	Salz
1 Teel.	Vanilleextrakt
3 Eßl.	Butter

Schokolade im Wasserbad schmelzen.

In einem Topf Zucker, Wasser, Salz und Vanille erhitzen und die Flüssigkeit auf 180 ml oder zur Volumenhälfte reduzieren. Die Schokolade hineinrühren. Den Topf von der Kochstelle nehmen.

Die Butter hineinschlagen. Sauce nach Bedarf verwenden.

ERGIBT 430 ml

DEMI-GLACE

750 ml	Espagnole Sauce (siehe Seite 111)
310 ml	braune Rinderbrühe (siehe Seite 85)
60 ml	Sherry

Espagnole Sauce und die Rinderbrühe verrühren. Brühe langsam kochen lassen, bis sie auf ⅓ reduziert ist.

Sherry hineingießen. Nach Bedarf verwenden.

ERGIBT 430 ml

REMOULADEN SAUCE

2 Eßl.	Senf
2 Eßl.	Paprika
2 Eßl.	Sahnemeerrettich
500 ml	Olivenöl
125 ml	Estragonessig
2 Teel.	Worcestersauce
1 Teel.	scharfe Pfeffersoße
2 Teel.	Salz
2 Eßl.	gehackte Petersilie
115 g	feingewürfelte, rote Paprikaschoten
115 g	feingewürfelte, grüne Paprikaschoten
125 ml	feingewürfelte, grüne Zwiebeln
125 ml	feingewürfelte Gewürzgurken

Senf, Paprika und Meerrettich im Mixer verrühren. Das Öl bei laufendem Mixer langsam eingießen.

Die restlichen Zutaten dazugeben und zu einer cremigen Sauce verarbeiten.

Die Zutatenmengen können für kleinere Portionen halbiert werden.

ERGIBT 1 LITER

KALIFORNISCHE SAUCE

3 Eßl.	Olivenöl
3 Eßl.	Mehl
160 ml	Hühnerbrühe (siehe Seite 77)
160 ml	entrahmte Sahne
80 ml	Tomatenketchup
2 Teel.	Worcestersauce
1 Teel.	Paprika
3 Tropfen	scharfe Pfeffersoße
1 Eßl.	Zitronensaft

Öl in einem Topf erhitzen und Mehl hinzufügen. Zwei Minuten bei niedriger Temperatur kochen lassen.

Brühe und Sahne hineinschlagen und köcheln lassen, bis die Sauce dick wird.

Die restlichen Zutaten mit dem Schneebesen einrühren und zwei zusätzliche Minuten köcheln lassen.

Den Topf von der Kochstelle nehmen. Die Sauce nach Bedarf verwenden.

ERGIBT 500 ml

SALATE

Was für eine wunderbare Sache doch ein gut zubereiteter Salat ist. In bezug auf die Möglichkeit, den Appetit anzuregen und die Geschmacksknospen mit dieser Frische aufjubeln zu lassen, übertrifft der Salat jedes andere Gericht auf der Speisekarte.

Der Salat, an den man sich erinnert, braucht nicht immer derjenige mit vielen Zutaten zu sein. Allzuoft stellen Salate eine Vermengung von nicht definierbaren Bestandteilen dar, die den Speisenden veranlassen, sich zu fragen, was er denn eigentlich gerade verzehrt hat. Ein guter Salat muß dem Gaumen den Eindruck der Kühle und Erfrischung zuteil werden lassen. Er muß den Speisenden auf die darauf folgenden Gänge vorbereiten und dabei gespannte Erwartung und Enthusiasmus für alle neuen Geschmackseindrücke hinterlassen.

Es scheint überflüssig, zu sagen, daß man bei der Zubereitung eines Salats nur die frischesten und feinsten Zutaten verwenden soll. Nirgends zeigen minderwertige Produkte ihre Häßlichkeit schneller, als in den Gerichten, die frisch sein sollten. Ein verwelktes Blatt, ein verschrumpeltes Gemüse oder ein luftgetrocknetes Stück sich bräunenden Obsts läßt auf Verachtung des zu servierenden Gerichts wie auch auf eine unbekümmerte Einstellung zum Speisenden schließen. Eine solche Haltung ist in den kulinarischen Künsten nicht angebracht, und erst recht nicht in „grand manger" (das Spezialgebiet „kalte Küche"), wo die Salatzubereitung einen wesentlichen Teil darstellt.

In *Einfach Köstlich Kochen 2* haben wir Salate in neue Höhen entführt. Dieses Kapitel schließt eine reiche Auswahl an Salaten ein, die jedem Geschmack entsprechen. Es gibt Rezepte für heiße, kalte und gefrorene Salate. Einige Salate dürften auf einem Grillfest im Hinterhof oder bei einem Familienpicknick gereicht werden. Andere werden sich auf dem Menü Ihrer feierlichen, eleganten Abendgesellschaften befinden. Wir haben auch multikuturelle Salate vorgestellt, die einem jeden erlauben, die exquisite Küche anderer Länder zu probieren, ohne sein eigenes Haus verlassen zu müssen. Von populären, bistro-artigen Sorten zu althergebrachten Salaten, die seit vielen Jahren zum Standardmenü guter Restaurants in aller Welt gehören, egal, welchen Geschmack man hat, wird man in diesem Kapitel genau den richtigen Salat finden. Für Ihre Gäste ist die größte Anziehungskraft unserer Salate die, daß sie immer *einfach köstlich* sind.

Ein Salat in bunter Vielfalt

ROTE JOHANNISBEER-SAUCE

250 ml	Mayonnaise
3 Eßl.	rote Johannisbeerkonfitüre
2 Eßl.	Puderzucker
1 Teel.	geriebene Orangenschale

Alle Zutaten in einer kleinen Rührschüssel vermischen.

Nach Bedarf oder auf Wunsch verwenden.

ERGIBT 310 ml

MAYONNAISE

½ Teel.	Senf
½ Teel.	Zucker
⅛ Teel.	Cayennepfeffer
1	Eigelb
1 Eßl.	Zitronensaft
170 ml	Olivenöl

Senf, Zucker und Pfeffer mischen.

Eigelb gründlich damit verquirlen, Zitronensaft zugießen, und gut durchrühren.

Das Öl tropfenweise langsam in die Sauce schlagen, bis diese sehr dick wird.

ERGIBT 250 ml

SUZETTE SAUCE

225 g	Frischkäse
190 g	rote Johannisbeerkonfitüre
3 Eßl.	Orangensaft
1 Teel.	geriebene Orangenschale
250 ml	steifgeschlagene Schlagsahne
3 Eßl.	gehackte Pistazien

Frischkäse mit dem Mixer sahnig rühren. Konfitüre, Saft und Orangenschale unter Rühren unter den Käse mengen.

Dann Schlagsahne und Pistazien unterheben.

Nach Bedarf oder auf Wunsch anwenden.

ERGIBT 750 ml

Himbeercremesauce, Mayonnaise, Suzette Sauce & Rote Johannisbeersauce

ITALIENISCHER MEERESFRÜCHTE-SALAT

2	Knoblauchzehen, zum Brei gestoßen
2	Eigelb
½ Teel.	Salz
1 Prise	Pfeffer
½ Teel.	Dijonsenf
250 ml	Olivenöl
4 Teel.	Weinessig
16	Cocktailtomaten
1	rote Paprikaschote, in lange, schmale Streifen geschnitten
1	gelbe Paprikaschote, in lange, schmale Streifen geschnitten
1	grüne Paprikaschote, in lange, schmale Streifen geschnitten
1	spanische Zwiebel, in Scheiben geschnitten
250 ml	gewürfeltes, gekochtes Hummerfleisch
250 ml	gekochte Jakobsmuscheln
230 g	gekochte Garnelen

Knoblauch, Eigelb, Salz, Pfeffer und Senf in einem Mixer cremig pürieren.

Ohne die Maschine auszuschalten, das Öl in einem ununterbrochenen Strom ganz langsam zugießen. Den Essig hinzufügen und zusammenmischen.

Die restlichen Zutaten in einer großen Rührschüssel untermischen. Die Sauce darübergeben und den Salat gut mischen, um alles mit der Sauce zu bedecken. Kalt servieren.

6 PORTIONEN

Italienischer Meeresfrüchtesalat

HIMBEERCREME-SAUCE

250 ml	Himbeeren
60 ml	Himbeeressig
2 Eßl.	Zucker
125 ml	Distelöl
80 ml	Creme fraiche

Die Beeren waschen und entstielen. Durch ein Sieb pressen, und in einer Schüssel auffangen.

Essig und Zucker einrühren. Öl einquirlen.

Sahne kurz vor dem Servieren mit der Sauce verquirlen.

430 ml

INSALADA PRIMAVERA

100 g	Brokkoliröschen
100 g	Blumenkohlröschen
1	große Möhre, in lange, schmale Streifen geschnitten
1	Selleriestange, in lange, schmale Streifen geschnitten
1	rote Paprikaschote, in lange, schmale Streifen geschnitten
250 ml	enthäutete, entkernte, gehackte Tomaten
4	gehackte grüne Zwiebeln
230 g	gekochte Rotini
375 ml	Mayonnaise
je 1½ Teel.	Basilikum , Thymian, Oregano, Salz, Pfeffer
115 g	geriebener Cheddarkäse

Das Gemüse mit den Rotini vermischen.

Mayonnaise, Gewürze und Käse gut durchrühren. Gründlich mit dem restlichen Salat vermischen. Servieren.

8 PORTIONEN

Pfirsich-Mandelsalat

Klassisch-Griechischer Salat

PFIRSICH-MANDELSALAT

300 g	Spinat, gewaschen und verlesen
8	große Pilze, in Scheiben geschnitten
115 g	geriebener Gruyèrekäse
250 ml	blaue, kernlose Weintrauben
340 g	frische Pfirsichscheiben
30 g	geröstete Mandeln
250 ml	Mayonnaise
125 ml	Orangensaftkonzentrat
¼ Teel.	gemahlener Zimt

Den Spinat in mundgerechte Stücke zupfen und auf gekühlte Servierteller legen. Pilze, Käse, Weintrauben, Pfirsichscheiben und Mandeln darauf geben.

Mayonnaise, Saft und Zimt in einer Rührschüssel verrühren. Gesondert mit dem Salat servieren.

4 PORTIONEN

KLASSISCH-GRIECHISCHER SALAT

4	große Tomaten, gehackt
1	spanische Zwiebel, gehackt
1	kleine Salatgurke, geschält und gehackt
2	grüne Paprikaschoten, gehackt
24	Pilze, geviertelt
24	schwarze Oliven
115 g	Fetakäse
125 ml	Olivenöl
2 Eßl.	Zitronensaft
2 Eßl.	weißer Weinessig
1 Eßl.	Oreganoblätter
1 Teel.	Salz
½ Teel.	gemahlener schwarzer Pfeffer

Gemüse, Oliven und Käse in einer großen Rührschüssel vermengen.

Die restlichen Zutaten in einer kleinen Rührschüssel verrühren. Über den Salat gießen und den Salat gut mischen, damit alles mit Sauce bedeckt wird. Sofort servieren.

4 PORTIONEN

NOCH EIN BOHNENSALAT

450 g	grüne Bohnen, längs geschnitten
115 g	durchwachsener Speck
1	spanische Zwiebel
3	enthäutete, entkernte, gehackte Tomaten
125 ml	Olivenöl
3 Eßl.	Essig
2 Eßl.	Zitronensaft
½ Teel.	Salz
¼ Teel.	schwarzer Pfeffer
60 g	frisch geriebener Parmesankäse
2	fein gehackte, hartgekochte Eier

Bohnen in kochendem, gesalzenem Wasser 5 Minuten lang blanchieren. Mit kaltem Wasser abschrecken. Abtropfen lassen, in eine große Rührschüssel legen.

Speck würfeln und knusprig braten. Fett abgießen und den Speck beiseite stellen.

Zwiebel in Würfel schneiden und mit den Tomaten unter die Bohnen mischen.

Öl, Essig, Zitrone, Salz und Pfeffer vermischen. Über den Salat geben und 1 Stunde marinieren.

Mit Käse, Ei und Speck bestreuen und servieren.

6-8 PORTIONEN

HUMMERSALAT A LA LIECHTENSTEIN

60 g	junge Champignons
1 Eßl.	Butter
450 g	gekochtes und gewürfeltes Hummerfleisch
80 ml	kaltgepreßtes Olivenöl, erste Pressung
3 Eßl.	Zitronensaft
½ Teel.	Senfpulver
je ¼ Teel.	Salz, Pfeffer, Paprika
250 ml	Schlagsahne
4	krause Salatblätter
1	rote Zwiebel, in Ringe geschnitten

Champignons waschen und entstielen.

Butter in einer Bratpfanne erhitzen und die Champignons darin dünsten.

Das gekochte Hummerfleisch in eine Rührschüssel geben.

Zitronensaft, Senf und Gewürze in das Öl einrühren. Sahne schlagen und unter die Salatsauce heben. Diese über das Hummerfleisch gießen.

Abkühlen lassen. Salatblätter auf kalte Teller legen. Das Hummerfleisch auf den Salat löffeln, mit gebratenen Champignons und Zwiebelringen garnieren. Servieren.

4 PORTIONEN

GEFRORENER OBST-FLIP

225 g	weicher Frischkäse
250 ml	Mayonnaise
30 g	Puderzucker
1X80g Pkg.	Kirschgelatine
125 ml	kochendes Wasser
250 ml	Tangerinenspalten
230 g	gewürfelte Birnen
250 ml	kleingeschnetzelte Ananas
230 g	gewürfelte Pfirsiche
250 ml	Schlagsahne

Frischkäse zusammen mit Mayonnaise und Puderzucker cremig rühren.

Gelatine mit dem Wasser verrühren und unter das Käsegemisch ziehen.

Obst einrühren.

Sahne schlagen und in den Salat einrühren.

Mischung in eine Backform gießen. Zudecken und einfrieren.

Um den Obst-Flip aus der Form zu stürzen, die Form in sehr heißes Wasser tauchen. Auf eine Servierplatte stürzen. Servieren.

6-8 PORTIONEN

OMAS KARTOFFELSALAT

8	große Kartoffeln
115 g	durchwachsener Speck
1 Eßl.	Distelöl
2 Eßl.	Essig
3	gehackte grüne Zwiebeln
5	gewürfelte Radieschen
2	gewürfelte Selleriestangen
250 ml	Mayonnaise
1 Eßl.	Senf
3	gehackte, hartgekochte Eier
1 Teel.	Salz
½ Teel.	weißer Pfeffer

Kartoffeln schälen und in Würfel schneiden. In einen Topf siedendes Wasser legen und gar kochen. Wasser abgießen, und die Kartoffeln unter kaltem Wasser abspülen, um sie abzukühlen.

Speck würfeln und knusprig braten. Fett abgießen und Speck beiseite stellen.

Kartoffeln in eine große Rührschüssel geben und mit Öl und Essig besprenkeln.

Zwiebeln, Radieschen und Sellerie unterrühren.

Mayonnaise, Senf, Eier, Salz und Pfeffer in einer kleinen Rührschüssel vermischen. Mit dem Speck unter die Kartoffeln geben.

Nach Bedarf servieren.

6 PORTIONEN

Omas Kartoffelsalat

Gefrorener Obst-Flip

Krebs- & Hühnersalat in Tomaten

KREBS- & HÜHNERSALAT IN TOMATEN

125 g	gekochtes Krebsfleisch
125 g	gekochtes Hühnerfleisch
3	gehackte grüne Zwiebeln
1	kleingewürfelte Selleriestange
40 g	kleingewürfelte, grüne Paprikaschote
40 g	kleingewürfelte, rote Paprikaschote
250 ml	Joghurt, natur
1 Eßl.	Zitronensaft
½ Teel.	Salz
¼ Teel.	frisch gemahlener, schwarzer Pfeffer
1 Teel.	Zucker
1 Teel.	Dill
1 Teel.	Basilikum
6	große Tomaten
500 ml	Alfalfasprossen
6	Endiviensalatblätter
1 Eßl.	gehackte glatte Petersilie

Fleisch in kleine Würfel schneiden und in eine Rührschüssel geben. Mit gewürfeltem Gemüse vermengen.

Joghurt, Zitronensaft und Gewürze verrühren.

Tomaten am Stielende aufschneiden und das Tomatenfleisch herauslöffeln. Die Oberteile in Würfel schneiden und zusammen mit dem Tomatenfleisch unter das Krebsfleisch geben.

Die Hälfte der Sauce in den Salat gießen und damit gut verrühren. Die hohlen Tomaten mit dem Salat füllen.

Alfalfasprossen und Endiviensalatblätter auf gekühlte Teller legen und zu Nestern formen.

Je eine Tomate in ein Nest stecken und über jede etwas Sauce löffeln. Mit glatter Petersilie bestreuen, servieren.

6 PORTIONEN

INSALADA D'INDIVIA

1 Kopf	Endiviensalat
80 ml	Olivenöl
1	feingehackte Knoblauchzehe
2 Eßl.	Zitronensaft
2 Teel.	frische, gehackte Minze
¼ Teel.	Salz
⅛ Teel.	Pfeffer
2	gehackte, hartgekochte Eier
80 ml	knusprig gebratene Speckstückchen
40 g	frisch geriebener Romanokäse

Den Salat gründlich waschen, verlesen und in mundgerechte Stücke hacken, in eine Servierschüssel tun.

Öl, Knoblauch, Zitronensaft und Gewürze vermischen.Über den Salat geben. Mit Ei, Speck und Käse bestreuen und sofort servieren.

4 PORTIONEN

ORANGEN-MANDELSALAT

300 g	Spinat, gewaschen und verlesen
8	große Pilze, in Scheiben geschnitten
115 g	geriebener Gruyèrekäse
250 ml	blaue kernlose Weintrauben
250 ml	Mandarinenspalten aus der Dose, ohne Saft
30 g	geröstete Mandeln
250 ml	Mayonnaise
60 ml	Saft von den Mandarinen
60 ml	Orangensaftkonzentrat
¼ Teel.	Zimt

Den Spinat in mundgerechte Stücke zerreißen und auf gekühlte Servierteller legen. Pilze, Käse, Weintrauben, Mandarinenspalten und Mandeln darübergeben.

Mayonnaise, Saft und Zimt in einer Schüssel verrühren. Gesondert mit dem Salat servieren.

4 PORTIONEN

Orangen-Mandelsalat

Ein Salat in bunter Vielfalt

EIN SALAT IN BUNTER VIELFALT

1 Kopf	Kopfsalat
1 Kopf	kleiner Radicchio
2	Chicorée
1	große Möhre
1	rote Paprikaschote, in lange, schmale Streifen geschnitten
16	gelbe und orange Kapuzinerblüten
8	rote und weiße Rosenknospen oder -blütenblätter
1	zerdrückte Knoblauchzehe
80 ml	kaltgepreßtes Olivenöl, erste Pressung
2 Eßl.	Zitronensaft
¼ Teel.	Salz
¼ Teel.	schwarzer Pfeffer
1 Eßl.	gehackter Schnittlauch
1 Teel.	frisch gehackter Thymian

Salat, Radicchio und Chicorée waschen, verlesen und abtrocknen. In einer großen Schüssel mischen.

Möhre schälen und in dünne sternförmige Scheiben schneiden. Mit der Paprikaschote auf den Salat streuen.

Die Blumen und Rosenblüten rings um den Salat legen.

Knoblauch, Olivenöl, Zitronensaft und Gewürze durchrühren. Die Vinaigrette gesondert zum Salat reichen.

4-6 PORTIONEN

THUNFISCHSALAT NIÇOISE

180 ml	Olivenöl
60 ml	Essig
je ½ Teel.	Pfeffer, Senfpulver
1 Teel.	Salz
2 Eßl.	Zitronensaft
8	geschälte, gekochte, gewürfelte Kartoffeln mittlerer Größe
1	feingewürfelte grüne Zwiebeln
225 g	blanchierte, schräg geschnittene grüne Bohnen
4	Salatblätter
4	Tomaten
4	hartgekochte Eier
480 g	Thunfisch aus der Dose, ohne Flüssigkeit
12	entkernte, schwarze Oliven
8	Sardellenfilets
1 Eßl.	frische Basilikumblätter

Öl, Essig, Pfeffer, Senf, Zitronensaft und Salz verrühren.

Eine Hälfte der Sauce über die Kartoffeln geben. Eine Stunde lang kalt stellen.

Grüne Zwiebeln und Bohnen mit ¼ der Sauce anmachen.

Die Bohnen mit den Kartoffeln vermischen.

Salatblätter auf gekühlte Teller legen. Die Salatmischung gleichmäßig darauf verteilen.

Gleiche Portionen Tomaten, Ei, Thunfisch, Oliven und Sardellen auf jeden Salat geben. Restliche Sauce über den Salat gießen. Mit Basilikum bestreuen und servieren.

4 PORTIONEN

Thunfischsalat Niçoise

WarmerKohlrabisalat

WARMER KOHLRABISALAT

560 g	Kohlrabiblätter
80 g	Pilze, in Scheiben geschnitten
80 ml	kaltgepreßtes Olivenöl, erste Pressung
3 Eßl.	Zitronensaft
2 Eßl.	Essig
2 Teel.	Dijonsenf
1 Teel.	Worcestersauce
¼ Teel.	Salz
¼ Teel.	frischer, gemahlener schwarzer Pfeffer
125 ml	gebratene Speckstückchen
60 g	frisch geriebener Parmesankäse
2	hartgekochte, feingehackte Eier

Kohlrabiblätter waschen, verlesen und in eine Rühr- oder Salatschüssel geben. Mit den Champignons bestreuen.

Öl in einem Kochtopf erhitzen, Zitronensaft, Essig, Senf, Worcestersauce, Salz und Pfeffer ins Öl schlagen. 2 Minuten erhitzen und auf den Kohlrabi gießen.

Mit Speck, Käse und Eiern bestreuen und sofort servieren.

4 PORTIONEN

SALADE ASTORIA

1	gelbe Pampelmusenspalten
1	rosa Pampelmusenspalten
3	geschälte, entkernte (Bartlett)-Birnen, in lange, schmale Streifen geschnitten
1	grüne Paprikaschote, in lange, schmale Streifen geschnitten
1	rote Paprikaschote, in lange, schmale Streifen geschnitten
125 ml	Haselnußsplitter
125 ml	kaltgepreßtes Olivenöl, erste Pressung
3 Eßl.	Zitronensaft
1 Teel.	Basilikum
¼ Teel.	Salz
⅛ Teel.	Pfeffer
4	krause Endiviensalatblätter

Pampelmusen, Birnen, Paprikaschoten und Haselnüsse vermengen.

Öl, Zitronensaft und Gewürze verrühren.

Salatblätter auf gekühlte Teller legen, das Salatgemisch daraufgeben, und die Vinaigrette darübergießen. Servieren.

4 PORTIONEN

Salade Astoria

BLAUSCHIMMEL-KÄSESAUCE

30 g	Blauschimmelkäse
375 ml	Mayonnaise
1 Eßl.	Zitronensaft
½ Teel.	Salz
¼ Teel.	weißer Pfeffer

Käse im Wasserbad schmelzen. Von der Kochstelle nehmen.

In eine Rührschüssel geben. Mit Mayonnaise, Zitronensaft und Gewürzen vermengen.

Kalt stellen, nach Bedarf anwenden. Auf Wunsch zusätzlichen Blauschimmelkäse vor dem Servieren in die Sauce bröckeln.

ERGIBT 500 ml

HONIG-PFEFFERKORN-SAUCE

375 ml	Distelöl
60 ml	Zitronensaft
60 ml	weißer Essig
je 1 Teel.	Salz, Zucker, Paprika
2 Teel.	rosa Pfefferkörner
2 Teel.	grüne Pfefferkörner
60 ml	flüssiger Honig

Alle Zutaten gründlich durchrühren. Kalt stellen. Nach Bedarf verwenden.

ERGIBT 560 ml

SCHWARZE PFEFFER-RANCHSAUCE

250 ml	Mayonnaise
125 ml	Buttermilch
3 Eßl.	feingehackter Schnittlauch
1 Teel.	gemahlener schwarzer Pfeffer
1 Eßl.	Zitronensaft
¼ Teel.	Salz

Mayonnaise und Buttermilch vermengen. Die übrigen Zutaten einrühren. Kalt stellen. Nach Bedarf verwenden.

ERGIBT 500 ml

THOUSAND ISLAND DRESSING

250 ml	Mayonnaise
80 ml	Chilisoße
80 ml	Tomatenketchup
60 ml	süße Gurken-Relish
½ Teel.	Dijonsenf
½ Teel.	Basilikumblätter
½ Teel.	Worcestersauce
3 Tropfen	scharfe Pfeffersoße
1 Eßl.	rotes Pimiento
2	fein gehackte, hartgekochte Eier

Alle Zutaten gründlich durchrühren. Kalt stelllen. Nach Bedarf verwenden.

ERGIBT 500 ml

Thousand Island Dressing, Italienische Sauce, Blauschimmelkäsesauce, Honig-Pfefferkorn-Sauce, schwarze Pfeffer-Ranchsauce

Gartensalat nach Bauernart

ITALIENISCHE SAUCE

375 ml	Olivenöl
1	feingehackte Knoblauchzehe
3 Eßl.	feingehackte Zwiebel
2 Eßl.	feingehacktes rotes Pimiento
2 Eßl.	Zucker
2 Teel.	Worcestersauce
je 1 Teel.	Salz, Senfpulver, Paprika
je ½ Teel.	Thymianblätter, Basilikumblätter, Oreganoblätter, Majoranblätter, Kerbel
60 ml	Zitronensaft
60 ml	weißer Essig

Alle Zutaten gründlich verrühren. Kalt stellen. Nach Bedarf verwenden.

ERGIBT 560 ml

GARTENSALAT NACH BAUERNART

1 Kopf	Kopfsalat
1	Bund grüne Zwiebeln
3	Selleriestangen
4	große Radieschen
40 g	gesäuberte Pilze, in Scheiben geschnitten
1	rote Paprikaschote
1	kleine Salatgurke
1	kleiner Radicchio
150 g	Brokkoliröschen
150 g	Blumenkohlröschen
24	Cocktailtomaten

Salat waschen und in mundgerechte Stücke reißen. In eine große Servierschüssel legen.

Grüne Zwiebeln, Sellerie, Radieschen, Pilze, Paprikaschoten, Salatgurke und Radicchio in grobe Würfel schneiden und zum Salat geben.

Das übrige Gemüse unterheben. Mit einer oder mehreren der folgenden Saucen reichen: italienische Sauce, schwarze Pfeffer-Ranchsauce, Blauschimmelkäsesauce, Thousand Island Dressing und Honig-Pfefferkorn-Sauce. (siehe vorhergehende Seite).

6 PORTIONEN

PAMELA KRYSTALS SALAT

120 g	weiße Schokolade
225 g	weicher Frischkäse
1X80 g Pkg	Erdbeergelatine
125 ml	entrahmte Sahne
500 ml	Schlagsahne
55 g	Puderzucker
500 ml	Erdbeeren, in Scheiben geschnitten
	ganze Erdbeeren als Garnierung

Schokolade im Wasserbad schmelzen.

Frischkäse cremig rühren.

Schokolade unter den Käse ziehen.

Gelatine in die entrahmte Sahne geben, unter ständigem Rühren abkochen, bis sich die Gelatine auflöst. Abkühlen lassen. Unter das Käsegemisch heben. Kalt stellen aber nicht fest werden lassen.

Schlagsahne steif schlagen. Puderzucker unterrühren.

Die Beeren waschen und entstielen, dann in Scheiben schneiden und unter das Käsegemisch heben. Salat in eine Backform gießen. Ohne Deckel einfrieren.

Um den Salat aus der Form zu stürzen, die Form kurz in heißes Wasser tauchen. Auf eine Servierplatte stürzen. Mit Erdbeeren garnieren. Servieren.

6 PORTIONEN

HAB' EIN HERZ SALAT

225 g	weicher Frischkäse
250 ml	Mayonnaise
30 g	Puderzucker
¼ Teel.	flüssige rote Lebensmittelfarbe
250 ml	kochendes Wasser
1 Eßl.	Gelatine, ohne Aroma
160 ml	Zimtherzchen-Bonbons
500 ml	Schlagsahne
500 ml	kleine Marshmallows

Frischkäse, Mayonnaise, Puderzucker und Lebensmittelfarbe cremig rühren.

Gelatine und die Hälfte der Bonbons im siedenden Wasser auflösen. Abkühlen lassen. Ins Käsegemisch einrühren. Kalt stellen, aber nicht fest werden lassen.

Sahne schlagen und mit den Marshmallows in die Käsemischung einrühren. In eine herzförmige Form gießen und zugedeckt einfrieren.

Um den Salat aus der Form zu stürzen, die Form in heißes Wasser tauchen. Auf eine Servierplatte stürzen. Mit den restlichen Bonbons und Marshmallows verzieren. Servieren.

6-8 PORTIONEN

MEERESFRÜCHTE-SALAT

4	sehr große Tomaten
115 g	Krabben, gekocht, ohne Schale und Darm
115 g	gekochtes Hummerfleisch
115 g	gekochtes Krebsfleisch
115 g	kleine, gekochte Jakobsmuscheln
2	gehackte grüne Zwiebeln
3 Eßl.	kleingewürfelte rote Paprikaschote
3 Eßl.	kleingewürfelter Stangensellerie
250 ml	schwarze Pfefferranchsauce (siehe Seite 138)
500 ml	Alfalfasprossen

Von den Tomaten einen Deckel abschneiden, das Tomatenfleisch herauslöffeln, und beiseite stellen.

Meeresfrüchte, Gemüse und Sauce in einer Rührschüssel mischen.

Die hohlen Tomaten mit dem Meeresfrüchtegemisch füllen.

Die Sprossen auf vier gekühlte Servierteller legen, mit einer Tomate krönen. Servieren.

4 PORTIONEN

KREBS & ORZO-NUDELSALAT

450 g	gekochtes Krebsfleisch
3	enthäutete, entkernte, gehackte Tomaten
1	geschälte, kleingewürfelte Möhre
1	kleingewürfelte rote Paprikaschote
1	kleingewürfelte grüne Paprikaschote
3	gehackte grüne Zwiebeln
1 l	gekochte und abgekühlte Orzonudeln*
125 ml	Mayonnaise
3 Eßl.	Chilisoße
1 Eßl.	Zitronensaft
1 Teel.	Salz
½ Teel.	weißer Pfeffer
3 Tropfen	scharfe Pfeffersoße

Krebsfleisch, Tomaten, Möhren, Paprikaschoten, grüne Zwiebeln und Orzonudeln in einer großen Schüssel vermischen.

Mayonnaise, Chilisoße, Zitronensaft, Salz, Pfeffer und scharfe Pfeffersoße in einer kleinen Rührschüssel verrühren. Über den Salat gießen, mischen, und alles mit der Sauce bedecken. Servieren.

6 PORTIONEN

*Orzo ist eine Art Nudel, die fast die Form eines Reiskorns hat und in der Teigwarenabteilung des Supermarkts zu finden ist.

Krebs & Orzonudelsalat

Hab' ein Herz-Salat

Russischer Salat

Cremiger Ranch-Caesar-Salat

CREMIGER RANCH-CAESAR-SALAT

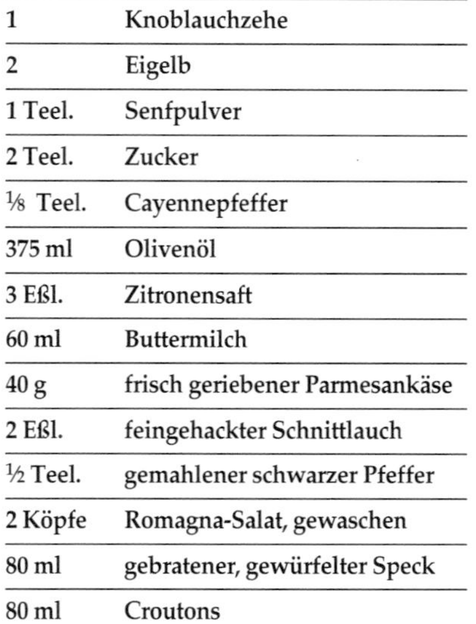

1	Knoblauchzehe
2	Eigelb
1 Teel.	Senfpulver
2 Teel.	Zucker
⅛ Teel.	Cayennepfeffer
375 ml	Olivenöl
3 Eßl.	Zitronensaft
60 ml	Buttermilch
40 g	frisch geriebener Parmesankäse
2 Eßl.	feingehackter Schnittlauch
½ Teel.	gemahlener schwarzer Pfeffer
2 Köpfe	Romagna-Salat, gewaschen
80 ml	gebratener, gewürfelter Speck
80 ml	Croutons

Knoblauch, Eigelb, Senf, Zucker und Cayennepfeffer in einen Mixer geben. Während die Maschine weiterläuft, das Öl sehr langsam als dünnen, ununterbrochenen Strahl dazugeben, bis die Mischung etwa die Dicke von Mayonnaise erreicht.

Zitronensaft, Buttermilch, Käse, Schnittlauch und Pfeffer einrühren.

Den Salat in mundgerechte Stücke schneiden und in eine große Schüssel tun. Den Salat mit der Sauce bedecken und mischen.

Den Salat auf gekühlten Tellern reichen und mit Speck und Croutons garnieren.

6 PORTIONEN

SALAT AIDA

1 Kopf	krauser Endiviensalat
8	marinierte Artischocken, in lange, schmale Streifen geschnitten
4	Tomaten, in Stücke geschnitten
1	grüne Paprikaschote, in lange, schmale Streifen geschnitten
1	rote Paprikaschote, in lange, schmale Streifen geschnitten
3	gehackte, hartgekochte Eier
125 ml	kaltgepreßtes Olivenöl, erste Pressung
3 Eßl.	roter Weinessig
je 1 Teel.	Basilikum, Estragon
¼ Teel.	Salz
¼ Teel.	gemahlener schwarzer Pfeffer

Salat waschen, verlesen und in Stücke schneiden. In eine Salatschüssel geben. Artischocken, Tomaten, Paprikaschoten und Eier rings um den Salat anordnen.

Öl, Essig und Gewürze durchrühren, über den Salat gießen. Servieren.

6 PORTIONEN

RUSSISCHER SALAT

225 g	gekochtes, gewürfeltes Hummerfleisch
225 g	gekochtes, gewürfeltes Hühnerfleisch, ohne Knochen
75 g	blanchierte Erbsen
90 g	kleingewürfelte, blanchierte Möhren
80 g	blanchierte, schräg geschnittene grüne Bohnen
3	geschälte, gewürfelte, blanchierte Kartoffeln
1	geschälte, gewürfelte, blanchierte weiße Rübe
375 ml	Mayonnaise
1 Eßl.	Zitronensaft
je ½ Teel.	Salz, Pfeffer, Paprika
6-8	gewaschene Romagna-Salatblätter

Hummerfleisch, Hühnerfleisch und Gemüse in einer Rührschüssel vermischen.

Mayonnaise mit Zitronensaft und Gewürzen verrühren. In den Salat einrühren. 30 Minuten kalt stellen.

Eine Salatschüssel mit den Romagna-Salatblättern auslegen. Den gemischten Salat löffelweise in die Mitte der Blätter geben. Servieren.

6 PORTIONEN

Knoblauch-Caesar-Salat mit gegrilltem Hühnerfleisch

SALADE DIVINE

2	blanchierte Artischocken, in lange, schmale Streifen geschnitten
2	Selleriestangen, in lange, schmale Streifen geschnitten
28 g	kleingewürfelte Trüffel
750 ml	blanchierte Spargelspitzen
80 ml	kaltgepreßtes Olivenöl, erste Pressung
3 Eßl.	Zitronensaft
je 1 ml	Salz, Pfeffer, Basilikum, Kerbel
125 ml	Mayonnaise
250 ml	Schlagsahne, geschlagen
60 ml	Eiswein oder süßer Sherry
1 Kopf	Kopfsalat
225 g	gekochte Krvetten

Artischocken, Sellerie, Trüffel und Spargel vermischen.

Öl mit Zitronensaft und Gewürzen verrühren und über den gemischten Salat gießen, 2 Stunden im Kühlschrank marinieren lassen. Marinade abgießen.

Mayonnaise mit Schlagsahne und Sherry verrühren.

Salat waschen und verlesen. Die Salatblätter auf gekühlte Teller legen. Gemischten Salat dazugeben.

60 ml der Mayonnaise-Sauce auf den Salat geben.

Kevetten darauf streuen und servieren.

6 PORTIONEN

KNOBLAUCH-CAESAR-SALAT MIT GEGRILLTEM HÜHNERFLEISCH

4 X 115 g	Hühnerbrust, ohne Haut und Knochen
115 g	gewürfelter durchwachsener Speck
1	Knoblauchzehe
2	Eigelb
1 Teel.	Senfpulver
2 Teel.	Zucker
⅛ Teel.	Cayennepfeffer
375 ml	Olivenöl
3 Eßl.	Zitronensaft
1 Eßl.	gehackte Petersilie
je ¼ Teel.	Thymian, Basilikum, Oregano, Salz, Pfeffer
40 g	frisch geriebener Parmesankäse
1 Kopf	Romagna-Salat, gewaschen
12	Cocktailtomaten

Hühnerbrust von beiden Seiten jeweils 6 Minuten lang grillen, oder bis sie durchgegart sind.

Speck braten, bis er kross wird, Fett abgießen und das Fleisch abkühlen lassen.

Während das Hühnerfleisch brät, Knoblauch, Eigelb, Senf, Zucker und Cayennepfeffer in den Mixer geben. Unter langsamer Betätigung der Maschine das Öl als dünnen, ununterbrochenen Strahl dazugeben, bis die Mischung etwa die Dicke von Mayonnaise erreicht.

Zitronensaft und Gewürze einrühren.

Den Salat in mundgerechte Stücke schneiden und in eine große Schüssel tun. Den Salat mit der Sauce begießen und anmachen.

Auf gekühlte Servierteller legen.

Das Hühnerfleisch in lange, schmale Streifen schneiden und auf den Salat legen. Mit Käse, Tomaten und Speck bestreuen.

4 PORTIONEN

* Anmerkung: Hühnerfleisch durch gekochte Garnelen ohne Schale und Darm ersetzen, um Caesar-Salat mit Garnelen zuzubereiten.

ORIGINAL-FRANZÖSISCHE SAUCE

375 ml	Olivenöl
60 ml	Zitronensaft
60 ml	Essig
1 Eßl.	geraspelte Zwiebel
1 Teel.	Salz
½ Teel.	Pfeffer

Alle Zutaten gründlich mischen.

ERGIBT 500 ml

HEISSER SPINATSALAT

225 g	durchwachsener Speck
300 g	Spinat
115 g	Pilze
40 g	frisch geriebener Parmesankäse
2	fein gehackte, hartgekochte Eier
Sauce:	
4 Teel.	Dijonsenf
2 Teel.	Zucker
60 ml	weißer Weinessig
2 Teel.	Worcestersauce
1 Teel.	gewürztes Salz
125 ml	Olivenöl
2	gehackte grüne Zwiebeln

Speck in Würfel schneiden und knusprig braten. Fett abgießen, aber aufbewahren und beiseite stellen.

Spinat waschen und Blätter verlesen. In mundgerechte Stücke schneiden und auf Servierteller legen. Speck, Pilze, Käse und Eier darauflegen.

3 Eßlöffel Speckfett in einem Kochtopf erhitzen. Senf und Zucker hinzufügen und zum Kochen bringen.

Essig, Worcestersauce und Salz damit verquirlen.

Unter ständigem Rühren das Öl langsam dazugeben. Grüne Zwiebeln einrühren. Sauce über den gemischten Salat gießen und sofort servieren.

4 PORTIONEN

Heißer Spinatsalat

Salade Crispi

GENGHIS KHAN SALAT

250 ml	Bulgurweizen (geschroteter Weizen)
250 ml	kleingewürfelte Zucchini
3	enthäutete, entkernte, gehackte Tomaten
6	feingehackte grüne Zwiebeln
4 Eßl.	gehackte Petersilie
1	kleingewürfelte Selleriestange
1	kleingewürfelte rote Paprikaschote
1	feingehackte Knoblauchzehe
4 Eßl.	gehackte, frische Minze
1 Eßl.	Basilikum
60 ml	kaltgepreßtes Olivenöl, erste Pressung
1 Teel.	Salz
125 ml	Zitronensaft

Weizen eine Stunde in kaltem Wasser einweichen. Gut abtropfen lassen. Weizen, Gemüse und Knoblauch in eine Rührschüssel geben und gründlich durchrühren.

Minze, Basilikum, Öl, Salz und Zitronensaft verrühren. Auf den Salat geben, 2½ Stunden Kalt stellen. Servieren.

KOMMENTAR; Dieser Salat hält sich nicht über Nacht. Er sollte nach der Kühlung unverzüglich serviert werden.

8 PORTIONEN

JENNY K SALAT

450 g	kleingewürfeltes, gekochtes Hühnerfleisch
300 g	geschälte, entkernte Äpfel, in lange, schmale Streifen geschnitten
120 g	junge Champignons
450 g	blanchierte Spargelspitzen
375 ml	Mayonnaise
30 g	Puderzucker
1 Teel.	Currypulver
170 g	Brunnenkresse

Hühnerfleisch, Äpfel und Gemüse in eine Rührschüssel geben.

Mayonnaise, Zucker und Currypulver verrühren.

Die Kresse waschen und verlesen. Den gemischten Salat auf kalte Teller legen, ringsherum mit Kresse garnieren. Servieren.

8 PORTIONEN

SALADE CRISPI

8	krause Endiviensalatblätter
2	geschälte Avocados
1	rosa Pampelmusenstücke
2	Orangenstücke
500 ml	entsteinte Kirschen
125 ml	Piniennüsse
250 ml	Mayonnaise
30 g	Puderzucker
½ Teel.	gemahlener Zimt
25 g	geröstete, geraspelte Kokosnuß

Endiviensalat auf gekühlte Salatteller legen.

Avocados halbieren. 6 mm vom dünneren Ende des Avocados beginnend, die Avocadohälften der Länge nach zum dicken Ende hin einschneiden, damit Fächer entstehen. Avocadofächer ausbreiten.

Obst und Piniennüsse vermischen. Mayonnaise mit Zucker und Zimt verrühren. Gründlich mit dem Obst vermengen.

Obstsalat auf die Teller verteilen. Auf jeden einen Avocadofächer legen. Mit Kokosnuß bestreuen. Servieren.

4 PORTIONEN

Genghis Khan Salat

TNRK SALAT

6	große Navelorangen
120 g	Frischkäse
2 Eßl.	Mayonnaise
30 g	Puderzucker
1X80 g Pkg.	Tangerinengelatine
375 ml	entrahmte Sahne
3	große, geschälte, entkernte, gewürfelte Äpfel
1	Selleriestange, in lange, schmale Streifen geschnitten
1	geschälte Möhre, in lange, schmale Streifen geschnitten
500 ml	kernlose, grüne Weintrauben, halbiert
250 ml	Mayonnaise
1 Kopf	Kopfsalat
40 g	geröstete Mandelsplitter

Orangen aushöhlen, Fruchtfleisch und Saft in eine kleine Rührschüssel geben. Diese beiseite stellen.

Die hohlen Orangen 3 Minuten lang in kochendem Wasser blanchieren. Dann das Wasser abgießen und die Orangen kalt stellen.

Frischkäse, Zucker und 30 ml Mayonnaise verquirlen. Orangenfruchtfleisch und -saft damit vermengen.

Sahne abkochen und Gelatine in der Sahne auflösen. Abkühlen lassen und in die Käsemischung rühren. Mischung löffelweise in die hohlen Orangen geben. Mit Wachspapier abdecken und einfrieren.

Äpfel, Sellerie, Möhren, Weintrauben und die restliche Mayonnaise zusammenmischen.

Salat waschen, verlesen, und in kleinen Blättern reißen. Auf gekühlte Teller legen. Das Apfelsalatgemisch hinzugeben und mit Mandeln oben bestreuen. Eine Orange in die Mitte des Tellers stellen. Servieren.

6 PORTIONEN

TNRK Salat

ROSEANNES ROASTBEEF ORZO-SALAT

450 g	gekochtes , gewürfeltes Roastbeef
3	enthäutete, entkernte, gehackte Tomaten
1	geschälte, kleingewürfelte Möhre
1	rote, kleingewürfelte Paprikaschote
1	grüne, kleingewürfelte Paprikaschote
3	gehackte, grüne Zwiebeln
1 l	gekühlte, gekochte Orzonudeln*
125 ml	Mayonnaise
3 Eßl.	Chilisoße
1 Eßl.	Zitronensaft
je ½ Teel.	Zwiebelpulver, Knoblauchpulver
1 Teel.	Chilipulver
3 Tropfen	scharfe Pfeffersoße
6	große, krause Salatblätter
	Petersilienzweige

Roastbeef, Gemüse und Orzonudeln in einer Rührschüssel vermengen.

Mayonnaise, Chilisoße, Zitronensaft, Gewürze und scharfe Pfeffersoße verrühren. Über das Salatgemisch gießen und mischen.

Salatblätter auf gekühlte Teller legen, gemischten Salat darauf geben, und mit Petersilie garnieren. Servieren.

6 PORTIONEN

*Orzo ist eine Art getrocknete Nudel, die fast die Form eines Reiskorns hat und in der Teigwarenabteilung des Supermarkts zu finden ist.

Roseannes Roastbeef Orzo-Salat

Eine Art Nudelsalat

EINE ART NUDELSALAT

300 g	Brokkoliröschen
2	gehackte grüne Zwiebeln
1	rote, gewürfelte Paprikaschote
1	grüne, gewürfelte Paprikaschote
2	enthäutete, entkernte, gewürfelte Tomaten
230 g	gekochte vielfarbige Rotini
60 g	Zucker
1 Teel.	Senfpulver
1 Teel.	Paprika
½ Teel.	Selleriesamen
½ Teel.	Salz
110 g	Honig
2 Eßl.	Essig
2 Eßl.	Zitronensaft
160 ml	Distelöl

Brokkoli blanchieren und mit kaltem Wasser abschrecken. Abtropfen lassen und in eine Rührschüssel geben.

Gemüse und Rotini mit Brokkoli vermischen.

Zucker, Gewürze, Honig, Essig, Zitronensaft und Öl verrühren. Auf den Salat gießen. Vor dem Servieren eine Stunde kalt stellen.

6-8 PORTIONEN

RINDFLEISCH-SALAT PARISER ART

450 g	gekochtes, mageres Roastbeef
3	gekochte, gewürfelte, große Kartoffeln
1	rote Zwiebel, in Scheiben geschnitten
125 ml	Olivenöl
3 Eßl.	Knoblauchessig
2 Eßl.	Zitronensaft
je ½ Teel.	Salz, Pfeffer, Oregano, Thymian
je ¼ Teel.	Basilikum, Knoblauchpulver, Zwiebelpulver
6-8	Salatblätter
2	geviertelte Tomaten
2	geviertelte, hartgekochte Eier

Roastbeef in dünne Scheiben schneiden und in eine Schüssel legen. Kartoffeln und Zwiebel darin mischen.

Öl, Essig, Zitronensaft und Gewürze verrühren und über das Roastbeef geben. Eine Stunde im Kühlschrank marinieren.

Salatblätter auf einer Platte anrichten, das Salatgemisch darauf löffeln. Mit Tomaten und Ei garnieren. Sehr kalt servieren.

6-8 PORTIONEN

APFELSALAT

6	große Äpfel
340 g	Zucker
1 l	Wasser
225 g	Krevetten
1	kleingewürfelte Selleriestange
2	gehackte, grüne Zwiebeln
35 g	rote, kleingewürfelte Paprikaschote
40 g	grüne, kleingewürfelte Paprikaschote
250 ml	Mayonnaise
6	krause Endiviensalatblätter
1 Eßl.	gehackte Petersilie

Die Äpfel schälen und vom Kerngehäuse befreien. Zucker in das Wasser rühren. Wasser in einem Kochtopf erhitzen. Äpfel im Zuckersirup pochieren, bis sie zart sind. Herausnehmen und abkühlen lassen.

Während die Äpfel abkühlen, Krevetten, Sellerie, grüne Zwiebeln, Paprikaschoten und Mayonnaise verrühren.

Die entkernten Äpfel mit der Krabbenmischung füllen. Je ein Salatblatt auf gekühlten Teller legen. Mit der restlichen Krabbenmischung kleine Nester formen. Einen Apfel daraufsetzen und mit Petersilie bestreuen. Servieren.

6 PORTIONEN

BOMBAY SALAT

12	krause Endiviensalatblätter
450 g	Garnelen, ohne Schale und Darm
750 ml	gekochter Langkornreis
1	rote, kleingewürfelte Paprikaschote
1	grüne, kleingewürfelte Paprikaschote
4	gehackte grüne Zwiebeln
500 ml	enthäutete, entkernte, gehackte Tomaten
2	kleingewürfelte Selleriestangen
125 ml	kaltgepreßtes Olivenöl, erste Pressung
4 Eßl.	Zitronensaft
½ Teel.	Salz
1 Teel.	Currypulver
¼ Teel.	schwarzer Pfeffer
2 Eßl.	gehackte Petersilie

Salatblätter auf eine große Servierplatte legen. Garnelen am Rand der Platte um die Blätter arrangieren.

Reis mit dem Gemüse vermischen.

Öl, Zitronensaft, Salz, Curry und Pfeffer verrühren. Über den Reis gießen und gründlich durchrühren.

Reis ins Zentrum des Garnelenrings legen. Mit Petersilie bestreuen und servieren.

6 PORTIONEN

SALADE A L' EGYPTIEN

115 g	Hühnerleber
2 Eßl.	Butter
115 g	gekochter Schinken, in lange, schmale Streifen geschnitten
1	blanchierte Artischocke, in lange, schmale Streifen geschnitten
80 g	Pilze, in Scheiben geschnitten
180 g	blanchierte Erbsen
1	rote Paprikaschote, in lange, schmale Streifen geschnitten
4	gehackte grüne Zwiebeln
1 l	gekochter Langkornreis
125 ml	Distelöl
3 Eßl.	Zitronensaft
je ¼ Teel.	Salz, Pfeffer, Knoblauchpulver, Basilikum, Zwiebelpulver, Thymian
1 Teel.	Worcestersauce
8	Romagna-Salatblätter, gewaschen und verlesen
3	Tomaten, geviertelt

Hühnerleber in der Butter braten und auf ein Papiertuch legen, damit überflüssiges Fett absorbiert wird. Abkühlen lassen.

Mit Schinken, Gemüse und Reis mischen.

Öl, Zitronensaft, Gewürze und Worcestersauce verrühren und unter den Salat mischen.

Eine Salatschüssel mit den Romagna-Salatblättern auslegen und mit dem gemischten Salat füllen. Mit Tomatenvierteln garnieren. Servieren.

8 PORTIONEN

Salade à l'Egyptien

Kirschsalat

KIRSCHSALAT

750 ml	frische, entsteinte und halbierte Kirschen
130 g	Walnußstücke
200 g	grobgewürfelter Stangensellerie
250 ml	Mayonnaise
30 g	Puderzucker
1 Teel.	weißer Vanilleextrakt

Kirschen, Walnüsse und Sellerie in einer Schüssel mischen.

Mayonnaise mit Zucker und Vanille verrühren.

Auf die Kirschen gießen und gründlich vermischen. Eine Stunde kalt stellen. Servieren.

4 PORTIONEN

KÜCHENCHEF SALAT

115 g	Schinken
115 g	Putenfleisch
115 g	Roastbeef
115 g	Cheddarkäse
1 Portion	Gartensalat nach Bauernart (siehe Seite 139)
4	hartgekochte Eier, in Scheiben geschnitten
12	Cocktailtomaten

Schinken, Putenfleisch, Roastbeef und Käse in lange, schmale Streifen schneiden.

Den Salat auf 4 gekühlte Teller verteilen.

Je 1 Ei, 3 Tomaten und gleiche Teile Fleisch auf den Salat geben.

Mit Sauce nach Wahl anrichten.

4 PORTIONEN

Küchenchef Salat

SALADE CHAMBERRY

6	große Tomaten
250 ml	Honig-Vinaigrette (das Rezept folgt)
225 g	gekochtes, gewürfeltes Hummerfleisch
115 g	geräucherter Lachs, in lange, schmale Streifen geschnitten
2	blanchierte, feingeschnittene Artischocken
115 g	blanchierte, schräg geschnittene grüne Bohnen
3 Eßl.	gewürfelte Gewürzgurken
250 ml	Mayonnaise
½ Kopf	gehackter Kopfsalat

Von den Tomaten einen Deckel abschneiden. Tomaten vorsichtig aushöhlen und 1 Stunde in der Vinaigrette marinieren.

Während die Tomaten marinieren, Hummer, Lachs, Artischocken, Bohnen und Gewürzgurke mischen und mit der Mayonnaise binden.

Tomaten aus der Marinade nehmen und mit dem Salatgemisch füllen.

Salat auf gekühlten Tellern zu Nestern formen und eine Tomate auf jedes Nest setzen. Den Salat mit der Marinade begießen. Servieren.

HONIG-VINAIGRETTE

180 ml	Distelöl
3 Eßl.	Zitronensaft
85 g	Honig
je ¼ Teel.	Basilikum, Thymian, Knoblauchpulver, Oregano, Zwiebelpulver, Salz, schwarzer Pfeffer, Kerbel

Alle Zutaten gründlich durchrühren.

6 PORTIONEN

SALADE DAME CHARMANTE

1	Honigmelone
170 g	gekochtes, gewürfeltes Hühnerfleisch
2	enthäutete, entkernte und gehackte Tomaten
2	Tangerinenspalten
250 ml	Mayonnaise
2 Eßl.	Ketchup
2 Eßl.	Orangensaft
1	feingeschnittene, süße, rote Paprikaschote

Melone halbieren. Kerne und Fasern herauslöffeln. Fruchtfleisch herausnehmen und in Würfel schneiden. Die ausgehöhlten Melonen beiseite stellen. Das gewürfelte Fruchtfleisch mit Hühnerfleisch, Tomaten und Tangerinen mischen.

Mayonnaise mit Ketchup und Orangensaft verrühren. Den Salat mit der Mayonnaise binden. Die ausgehöhlten Melonen mit der Salatmischung füllen. Mit roter Paprikaschote bestreuen und servieren.

2 PORTIONEN

INSALADA DELLE 24 ORE

½ Kopf	Kopfsalat
½ Kopf	Kopfsalat
30 g	schwarze Trüffel, in Scheiben geschnitten
2	Eigelb
80 ml	Olivenöl
2	Sardellenfilets
½ Teel.	Dijonsenf
3 Eßl.	Essig
2 Eßl.	Zitronensaft
3 Eßl.	schwarzer Kaviar
12	gelbe und orange Kapuzinerblüten

Salate vermischen. Mit gehackten Trüffeln bestreuen. Eigelb in einen Mixer geben und auf hoher Stufe das Öl langsam zugießen, so daß eine dicke Mayonnaise entsteht. Sardellen, Senf, Essig und Zitronensaft einrühren.

Sauce auf den Salat gießen und mischen. Salat auf gut gekühlte Teller geben. Mit Kaviar bestreuen und mit Blumen verzieren. Servieren.

4 PORTIONEN

KLASSISCHER CAESARSALAT

1 Teel.	Salz
1	feingehackte Knoblauchzehe
3	Sardellenfilets
½ Teel.	Senfpulver
1 Eßl.	Zitronensaft
¼ Teel.	Worcestersauce
3 Tropfen	scharfe Pfeffersoße
1 Eßl.	roter Weinessig
½ Teel.	gemahlener, schwarzer Pfeffer
60 ml	Olivenöl
1	Eigelb
1 Kopf	Romagna-Salat, gewaschen
1	hartgekochtes, fein gehacktes Ei
40 g	frisch geriebener Parmesankäse
80 ml	gewürfelter, gebratener Speck
125 ml	Croutons

Den Boden einer großen Holzschüssel gut mit Salz einreiben. Knoblauch und Sardellenfilets in die Schüssel geben und mit zwei Gabeln zerdrücken.

Senf, Zitronensaft, Essig, Pfeffer, Öl, Worcestersauce und scharfe Pfeffersoße hinzufügen und gut durchrühren. Eigelb dazugeben und gründlich verrühren.

Salat in mundgerechte Stücke zerschneiden und mit der Sauce anmachen.

Salat auf gekühlten Tellern servieren. Mit Ei, Käse, Speck und Croutons garnieren. Sofort servieren.

4 PORTIONEN

Klassischer Caesarsalat

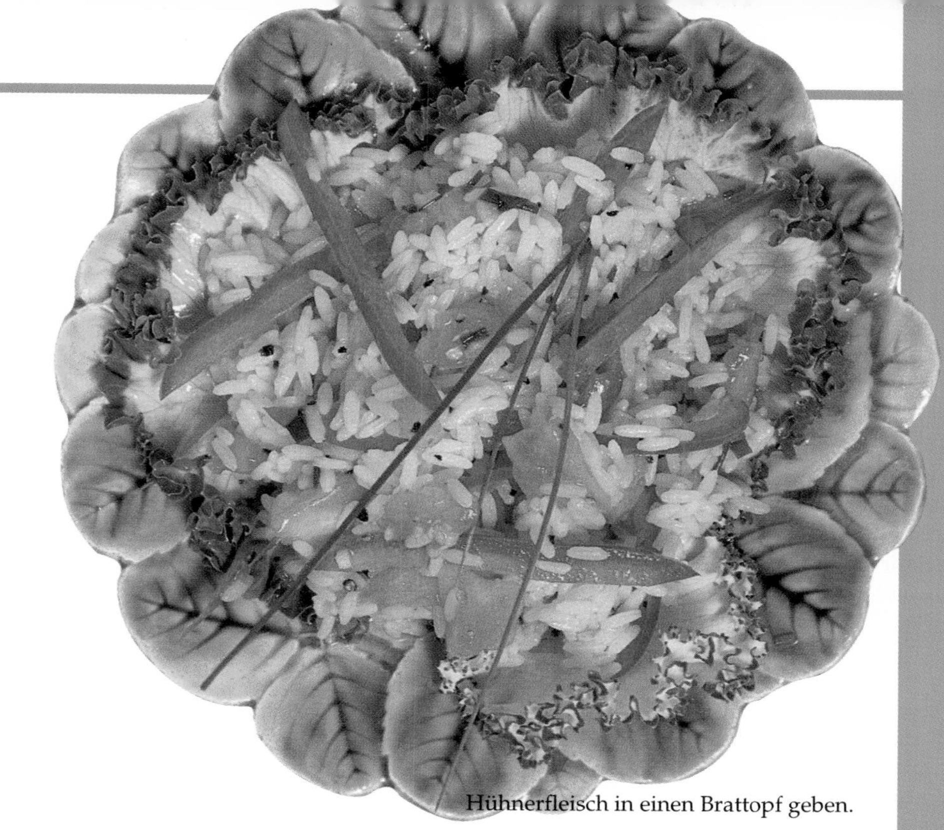

Ensalada Andaluza

ENSALADA ANDALUZA

1	rote Paprikaschote
500 ml	enthäutete, entkernte und gewürfelte Tomaten
750 ml	gekochter Langkornreis, abgekühlt
3 Eßl.	gehackter Schnittlauch
80 ml	Distelöl
2 Eßl.	Zitronensaft
2 Eßl.	Essig
1 Teel.	feingehackte Knoblauchzehe
½Teel.	Salz
½ Teel.	frisch gemahlener, schwarzer Pfeffer
4	Salatblätter

Die rote Paprikaschote entstielen, säubern und Samen entfernen. Schote in kleine Würfel schneiden.

Paprikaschote, Tomaten, Reis und Schnittlauch in einer Rührschüssel vermengen.

Öl mit den restlichen Zutaten, aber ohne Salatblätter, verquirlen, und über den Reis gießen. 2 Stunden im Kühlschrank marinieren.

Die gewaschenen Salatblätter auf gekühlte Teller legen. Den gemischten Salat darauf geben. Servieren.

4 PORTIONEN

WARMER GEFLÜGELSALAT

450 g	Hühnerbrust, ohne Knochen
je ⅛ Teel.	Oregano, Basilikum, Thymian, Salz, Pfeffer, Paprika, Zwiebelpulver, Knoblauchpulver
1 Kopf	Romagna-Salat
1	feingehackte Knoblauchzehe
1	Eigelb
80 ml	Olivenöl
3 Eßl.	Zitronensaft
je ¼ Teel.	Basilikum,Thymian, Pfeffer, Salz, Senfpulver
½ Teel.	Worcestersauce
250 ml	Brotcroutons
60 g	gebratener, zerbröckelter Speck
115 g	geriebener Cheddarkäse

Hühnerfleisch in einen Brattopf geben.

Die ersten Gewürze mischen und die Hühnerbrust damit bestreuen. Von beiden Seiten jeweils 6 Minuten im Ofen grillen, oder bis das Fleisch durchgegart ist. Aus dem Ofen nehmen und heiß stellen.

Während das Hühnerfleisch grillt, den Salat schneiden, waschen und gründlich abtrocknen. Knoblauch und Eigelb in einen Mixer geben. Auf mittlerer Stufe verrühren und das Öl langsam dazugießen, damit sich eine Mayonnaise bildet. Zitronensaft, Worcestersauce und restliche Gewürze hinzufügen.

Romagna-Salat mit dieser Sauce anmachen und auf gekühlte Teller geben. Mit Croutons, Speck und Käse bestreuen.

Das Hühnerfleisch in lange, schmale Streifen schneiden und auf den Salat geben. Sofort servieren.

4 PORTIONEN

MEERESFRÜCHTE

Mit den heutigen Supermarktangeboten an frischem Fisch und Meeresfrüchten kann Ihre Speisenauswahl jeden Tag anders sein. So zahlreich und vielfältig ist die Auswahl an Fisch, daß Sie an jedem Tag eines Jahres ein anderes Menü zubereiten könnten, ohne je ein Rezept zu wiederholen. Sie müssen nur Ihrer Kreativität freien Lauf lassen.

Genau das haben wir für Sie in *Einfach Köstlich Kochen 2* getan. Egal, ob Sie Lust auf Fisch oder Schalentiere haben, die Rezepte in diesem Kapitel werden Ihre Ansprüche befriedigen.

Fisch erfüllt die hohen Ansprüche der modernen Familie an gesunde Ernährung. Fisch übertrifft auch den Nährwert vieler Fleischsorten. Delikate und leichte Menüs sind besser, wenn sie aus Fisch und Meeresfrüchten zubereitet werden. Ein Gericht wie z.B. „Roter Schnappbarsch in Haselnuß" erfüllt nicht nur moderne Ernährungsansprüche, sondern auch die Ansprüche der „haute cuisine". Mit frischen Meeresfrüchten muß man nie Kompromisse eingehen.

Nicht nur Lachs und Seezunge bringen hohen Genuß, sondern alle Fischarten. Schnappbarsch und Barsch sind genausogut wie ihre teuren Brüder. Presiwertere Fische liefern die gleichen Ergebnisse, ohne die hohen Preise. Lachs kann in vielen Rezepten durch preiswerteren Fisch ersetzt werden, und Ihnen wird dennoch das gleiche Lob zuteil werden.

In diesem Kapitel wird Ihre Begeisterung für Meeresfrüchte wachsen. Mit täglich neuen Rezepten kommt bei Ihrem „Fang des Tages" keine Langeweile auf. Wir stellen Ihnen solch interessante Gerichte wie „Gamberi Piccanti"(scharfe Garnelen) oder „Mako-Hai in Makadamianuß" vor. Jeder kennt die Lotte, aber mit einem italienischen Namen klingt dieser Fisch exotischer: so wird aus „Lotte mit Tomaten" „Rana Pescatrice al Forno".

Je frischer der Fisch, desto besser. Wenn Sie ihn selber fangen, werden Sie ihn sogar noch mehr genießen. Fangen Sie daher hier die frischen Rezepte und genießen Sie Meeresfrüchte und Fisch, die *einfach köstlich* sind.

Thunfisch in Rotwein & krabbengefüllte Forelle

Aprikosen-Himbeer-Garnelen

HAI IN TOMATEN-INGWER-SAUCE

450 g	grätenfreier Hai
3 Eßl.	Olivenöl
2 Eßl.	Sojasoße
2 Eßl.	Sherry
1	feingehackte Knoblauchzehe
1 Teel.	feingehackter Ingwer
6	getrocknete chinesiche Pilze, (1 Stunde in warmem Wasser eingeweicht)
2 Eßl.	Tomatenmark

Hai in dünne Streifen schneiden.

Einen Teelöffel Öl mit Sojasoße, Sherry, Knoblauch und Ingwer vermengen und über den Hai gießen. Zwei Stunden marinieren.

Pilze in Scheiben schneiden.

Das restliche Öl in einem Topf erhitzen. Den Hai (nicht abgetropft) zügig mit den Pilzen braten. Tomatenmark unterrühren und eine weitere Minute braten. Servieren.

4 PORTIONEN

APRIKOSEN-HIMBEER-GARNELEN

345 g	abgezogene, entsteinte Aprikosen
450 g	frische Himbeeren
125 ml	Apfelsaft
2 Eßl.	Zitronensaft
60 g	Zucker
1 l	Court-Bouillon (siehe Seite 117)
1 kg	große Garnelen, ohne Schale und Darm

Aprikosen und Himbeeren im Mixer pürieren. Masse durch ein Sieb passieren (zum Entfernen der Körner) und in einen Topf geben.

Apfelsaft, Zitronensaft und Zucker hineingießen und zu einer dicken Sauce köcheln lassen.

Während die Sauce kocht, die Fleischbrühe aufkochen und Garnelen dazugeben. Temperatur reduzieren und 15 Minuten köcheln lassen.

Garnelen auf eine große Servierplatte legen und die Sauce dazu servieren.

6 PORTIONEN

Gefüllte Seezunge mit Krebsen

GEFÜLLTE SEEZUNGE MIT KREBSEN

60 g	Butter
2	gehackte, grüne Zwiebeln
½ Teel.	frisch gehacktes Basilikum
1 Eßl.	gehackte Petersilie
½ Teel.	Salz
¼ Teel.	weißer Pfeffer
125 ml	Sahne
225 g	gekochtes Krebsfleisch
4 Teel.	Zitronensaft
90 g	gewürztes Paniermehl
6 x 170 g	Seezungenfilets
Sauce:	
3 Eßl.	Butter
3 Eßl.	Mehl
250 ml	Hühnerbrühe (siehe Seite 77)
60 ml	Sahne
60 g	geriebener Cheddarkäse

Butter in einem kleinen Topf erhitzen und Zwiebeln, Basilikum, Petersilie, Salz, Pfeffer, Sahne, Krebsfleisch und Zitronensaft hinzufügen. Die Masse in eine Rührschüssel geben und das Paniermehl unterrühren.

Fisch auf ein gefettetes Backblech legen, die Füllung darauf verteilen und 25 Minuten im vorgeheizten Ofen bei 190°C backen.

Sauce:

Während der Fisch backt, die Butter in einem kleinen Topf erhitzen und das Mehl einrühren. Temperatur reduzieren und zwei Minuten kochen lassen. Brühe und Sahne dazugeben. Die Sauce köcheln, bis sie dick wird. Käse hinzufügen. Fisch auf eine Servierplatte legen und mit reichlich Sauce bedecken. Servieren.

6 PORTIONEN

SOGLIOLA AL LIMONE (SEEZUNGE IN ZITRONENBUTTER)

60 g	ungesalzene Butter
1 Eßl.	Zitronensaft
1 Eßl.	gehackte Petersilie
4 x 170 g	Seezungenfilets oder Meeresbarsch
1 Eßl.	Olivenöl

Butter cremig rühren und Zitronensaft und Petersilie unterrühren. Masse auf einen Bogen Wachspapier legen, eine Rolle formen und eine Stunde in den Kühlschrank stellen.

Seezungenfilets mit Öl bestreichen und 7½ - 8 Minuten (mittlere Temperatur) braten. Filets auf eine Servierplatte legen. Ein dickes Stück Butter auf jedes Filet legen. Servieren.

4 PORTIONEN

MAKO-HAI IN MAKADAMIANUSS

6 x 170 g	Mako-Hai oder Schwertfischsteaks
125 ml	gemahlene Makadamianüsse
30 g	frisch gemahlener Parmesankäse
90 g	feines Paniermehl
60 ml	zerlassene Butter

Mako-Hai waschen und trocknen.

In einer kleinen Rührschüssel Nüsse, Käse und Paniermehl vermengen.

Fischsteaks in die zerlassene Butter tauchen, gründlich in der Paniermehlmischung wenden und in eine kleine Kastenform (Kasserolle) legen. 15 Minuten im vorgeheizten Ofen bei 180°C backen, oder bis der Hai goldbraun ist.

Mit Aprikosen-Himbeer-Sauce sofort servieren. (siehe Seite 108).

6 PORTIONEN

POCHIERTE FLUSSBARSCH MOUSSELINE

1 l	Wasser
500 ml	Weißwein
1	gehackte Zwiebel
1	gehackte, große Möhre
1	gehackte Selleriestange
1	Bouquet garni *
6 x 170 g	Flußbarschfilets
3	Eigelb
1 Eßl.	Wasser
1 Eßl.	Zitronensaft
180 ml	zerlassene Butter
125 ml	Schlagsahne
je ¼ Tel.	Salz und Pfeffer
1 Prise	Cayennepfeffer

In einem großen Topf das Wasser mit Wein, Zwiebel, Möhre, Sellerie und Bouquet garni aufkochen. Weiterkochen, bis die Flüssigkeit um die Hälfte reduziert ist. Temperatur reduzieren. Fisch in die Flüssigkeit geben und 10 Minuten köcheln lassen.

Während der Fisch pochiert, Eigelb mit einem Eßlöffel Wasser und dem Zitronensaft verrühren. Die Masse in ein Wasserbad geben und ständig rühren, bis die Eier dickflüssig werden.(nicht zu lange kochen). Topf von der Kochstelle nehmen.

Butter hineinschlagen, bis die Sauce glatt und dickflüssig wird. Sahne schlagen und unterheben.

Den pochierten Fisch auf eine Servierplatte legen, Sauce darübergeben und servieren.

6 PORTIONEN

* Das Bouquet garni für dieses Rezept besteht aus:1 Lorbeerblatt, 8 Stiele Petersilie, 2 Stiele Thymian, 6 Pfefferkörnern und 1 kleinen, gehackten Lauch. Alles in einem Käseleinen fest zusammenbinden.

Sogliola al Limone "Seezunge in Zitronenbutter"

Mako-Hai in Makadamianuß

GAMBERI PICCANTI

675 g	Garnelen
60 ml	Olivenöl
1 Teel.	Salz
je ½ Teel.	Knoblauchpulver, Zwiebelpulver, Cayennepfeffer, Oregano, Thymian, Basilikum, weißer Pfeffer, schwarzer Pfeffer

Garnelen pellen, Darm entfernen und der Länge nach so aufspießen, daß sie sich während des Grillens nicht aufrollen. Mit Öl bestreichen und auf ein Backblech legen.

Kräuter und Gewürze vermengen und damit Garnelen reichlich würzen. Auf einem Holzkohlegrill (mittlere Kohlenhitze) oder im Ofengrill 2½ - 3 Minuten von jeder Seite grillen. Sofort servieren.

4 PORTIONEN

BIER-GETRÄNKTER HAI

675 g	grätenfreier Hai
2	Eier
170 g	Mehl
125 ml	eiskaltes Bier
1 Teel.	Backpulver
750 ml	Distelöl

Den Hai in 2,5 cm dicke Streifen schneiden. Eier, 110 g Mehl, Bier und Backpulver verschlagen.

Öl auf 190°C erhitzen.

Hai mit dem restlichen Mehl bestreuen, in den Teig tauchen und in kleinen Portionen goldbraun fritieren. Warmstellen.

Wenn alle Haistreifen fritiert sind, den Fisch mit Remouladensauce servieren (siehe Seite 123).

6 PORTIONEN

POCHIERTER LACHS GRIBICHE

1 l	Wasser
250 ml	Weißwein
1	Zitrone
1	Selleriestange
1	gehackte Zwiebel
1	gehackte Möhre
1¼ Teel.	Salz
1	Bouquet garni *
6 x 170 g	Lachfilets
3	hartgekochte Eier
½ Teel.	Dijonsenf
¼ Teel.	Senfpulver
250 ml	Olivenöl
60 ml	Weißweinessig
1	feingehackte Knoblauchzehe
je 1 Teel.	frisch gehackter Estragon, Basilikum, Kerbel, Majoran
2 Teel.	frisch gehackte Petersilie
8	Kapern

Wasser und Wein in einer großen, flachen Pfanne aufkochen. Die Zitrone halbieren und den Saft ins Wasser auspressen. Dann Zitrone, Sellerie, Zwiebel, Möhre, 1 Teelöffel Salz und Bouquet garni ins Wasser geben und kochen, bis die Brühe zur Hälfte reduziert ist.

Temperatur reduzieren. Lachs 10-12 Minuten in der köchelnden Brühe pochieren.

In der Zwischenzeit Eigelb und Eiweiß trennen. Eiweiß zur Seite stellen. Eigelb, Senf und restliches Salz in einen Mixer geben und vermischen.

Bei laufendem Mixer löffelweise das Öl in einem langen Strahl sehr langsam hineingießen. Wenn die Sauce dickflüssig wird, den Essig in derselben Weise zugeben. Sauce muß dickflüssig bleiben. Restliche Zutaten untermischen.

Das Eiweiß in lange, schmale Streifen schneiden.

Den pochierten Fisch auf Servierteller legen. Einen Klecks Sauce auf den Fisch geben, mit Eiweiß bestreuen und servieren.

6 PORTIONEN

* Das Bouquet garni für dieses Rezept: Petersilie, Lorbeerblatt, Thymian, Kerbel und 5 Pfefferkörner. Alles in einem Käseleinen fest zusammenbinden.

Gamberi Piccanti

HAIFISCHSTEAK MARCHAND DE VINS

80 g	Butter
160 ml	gehackte grüne Zwiebel
250 ml	Rotwein
125 ml	Sherry (Creme)
¼ Teel.	zerstoßener Rosmarin
¼ Teel.	Majoran
4 Eßl.	gehackte Petersilie
2 Eßl.	Mehl
125 ml	Rinderbrühe (siehe Seite 85)
1 Eßl.	Zitronensaft
6 x 170 g	Haifischsteaks, 2,5 cm dick

Zwei Eßlöffel Butter in einem Topf erhitzen. Die grünen Zwiebeln drei Minuten dünsten. Wein, Sherry und Kräuter hinzufügen und aufkochen lassen. Temperatur reduzieren. Die Flüssigkeit köchelnd auf 160 ml reduzieren und durch ein feines Sieb abgießen.

In einem zweiten Topf zwei Eßlöffel Butter erhitzen, Mehl hinzugeben und bei niedriger Temperatur acht Minuten kochen, oder bis das Mehl haselnußbraun ist. Die gesiebte Sauce, Rinderbrühe und Zitronensaft angießen. Zusätzlich sieben Minuten köcheln lassen. Die restliche Petersilie hineinstreuen.

Restliche Butter erhitzen, Steaks damit bestreichen und von jeder Seite fünf Minuten braten. Fisch auf Servierteller legen, Sauce darübergießen und servieren.

6 PORTIONEN

Thunfischsteak mit Zitronenpfeffer

THUNFISCHSTEAK MIT ZITRONEN-PFEPPER

4 x 170 g	Thunfischsteaks, 2,5 cm dick
60 ml	Zitronenpfeffer
2 Eßl.	Distelöl
2 Eßl.	Butter
250 ml	Wildpilze in Sherrysauce (siehe Seite 105)
80 ml	saure Sahne

Jedes Steak in Zitronenpfeffer wenden.

Öl und Butter in einer großen Pfanne erhitzen und den Thunfisch fünf Minuten von jeder Seite braten.

Während die Steaks braten, Sauce in einem Topf erhitzen und saure Sahne unterrühren.

Die fertigen Steaks auf Servierteller legen, mit der Sauce begießen und servieren.

4 PORTIONEN

ROTER SCHNAPPBARSCH IN HASELNUSS

180 ml	gemahlene Haselnüsse
20 g	feines Paniermehl
30 g	Romanokäse
60 ml	Milch
1	Ei
4 x 170 g	Rote Schnappbarschfilets
3 Eßl.	Butter
30 g	Mehl
3 Eßl.	Distelöl

Haselnüsse, Paniermehl und Käse vermischen. Milch und Ei verquirlen. Fisch mit Mehl bestäuben, in die Milch tauchen und gründlich in der Nußmischung wenden.

In einer großen Pfanne Butter und Öl erhitzen. Die Filets fünf Minuten von jeder Seite (je nach Dicke) bei mittlerer Temperatur braten.

Steaks mit Himbeer-Hollandaise Sauce (siehe Seite 108) servieren.

4 PORTIONEN

Jakobsmuscheln „Cajun-Art" in Chili-Pfeffer-Mayonnaise

Lotte in rosagrüner Pfefferkornsauce

JAKOBSMUSCHELN „CAJUN-ART" IN CHILI-PFEFFER-MAYONNAISE

MAYONNAISE:	
2	Eigelb
250 ml	Distelöl
1 Eßl.	Zitronensaft
¼ Teel.	Salz
1 Eßl.	Chilipulver
3 Tropfen	scharfe Pfeffersoße

Die Eigelb in einen Mixer geben. Bei laufendem Mixer Öl sehr langsam hinzufügen, bis die Sauce dickflüssig wird.

Zitronensaft, Salz, Chilipulver und Pfeffersoße dazugeben. Mixer abschalten. Sauce in eine Schüssel gießen und mit den Jakobsmuscheln servieren.

JAKOBSMUSCHELN :	
450 g	große Jakobsmuscheln
je ½ Teel.	Oreganoblätter, Thymianblätter, Basilikum, Cayennepfeffer, schwarzer Pfeffer, Zwiebelpulver, Knoblauchpulver
je 1 Teel.	Paprika, Salz, Chilipulver
170 g	Mehl
180 ml	Milch
500 ml	Distelöl

Jakobsmuscheln waschen und trockentupfen.

Das Mehl mit den Gewürzen vermischen. Die Jakobsmuscheln in die Milch tauchen und mit dem gewürzten Mehl bestäuben.

Öl in einer großen Pfanne auf 190°C erhitzen. Jakobsmuscheln in kleinen Mengen drei bis vier Minuten fritieren, oder bis sie goldbraun sind. Sofort mit der Mayonnaise servieren.

4 PORTIONEN

LOTTE IN ROSAGRÜNER PFEFFERKORN-SAUCE

2 Eßl.	Butter
2 Eßl.	Mehl
125 ml	Fischbrühe (siehe Seite 76) oder Hühnerbrühe (siehe Seite 77)
125 ml	entrahmte Sahne
3 Eßl.	Weinbrand
1 Eßl.	rosa Pfefferkörner
1 Eßl.	grüne Pfefferkörner
1 Eßl.	gehackte, grüne Zwiebeln
1 Eßl.	gehackte Petersilie
4 x 170 g	Lottefilets
2 Eßl.	Butter, zerlassen
½ Teel.	Salz
¼ Teel.	weißer Pfeffer

Butter in einem Topf erhitzen, Mehl hinzugeben und zwei Minuten bei niedriger Temperatur kochen. Fischbrühe, Sahne und Weinbrand angießen und köcheln lassen, bis die Sauce dickflüssig wird. Pfefferkörner, grüne Zwiebeln und Petersilie dazugeben. In der Zwischenzeit Filets mit der zerlassenen Butter bestreichen und mit Salz und Pfeffer würzen. 10 Minuten im vorgeheizten Ofen bei 190°C backen. Den Fisch auf eine Servierplatte legen und Sauce darübergießen. Sofort servieren.

4 PORTIONEN

ASIATISCHER LACHS

4 x 170 g	Lachsfilets
125 ml	Joghurt
2 Teel.	Mehl
1 Eßl.	Currypulver
2 Eßl.	feines Paniermehl
2 Eßl.	Wasser

Lachs in eine kleine Kastenform (Kasserolle) legen.

In einer kleinen Rührschüssel Joghurt, Mehl und Currypulver mischen und Lachs damit bestreichen. Paniermehl darüberstreuen. Das Wasser an der Seite dazugeben.

Filets im vorgeheizten Ofen 15 Minuten bei 180°C braten.

Lachs mit Reispilaf servieren.

4 PORTIONEN

POMPANO MONTMORENCY

310 ml	(Bing) Kirschen, frisch oder Konserve, entkernt
60 ml	Kirschbrandy
3 Eßl.	Kirschsaft oder Apfelsaft
1 Eßl.	Zitronensaft
2 Eßl.	Zucker
6 x 170 g	Pompanofilets
2 Eßl.	zerlassene Butter

Kirschen im Kirschbrandy bei niedriger Temperatur kochen, bis sie sehr weich sind. Die Masse durch ein Sieb passieren und in einen Topf geben.

Kirschsaft, Zitronensaft und Zucker hinzufügen und köcheln, bis die Sauce dickflüssig wird.

Fisch auf ein Backblech legen und mit Butter bestreichen. Filets acht Minuten im vorgeheizten Ofen bei 180°C braten.

Fisch auf eine Servierplatte legen, Sauce darübergeben und servieren.

6 PORTIONEN

GEGRILLTE HAI- ODER THUNFISCH STEAKS

2	feingehackte Knoblauchzehen
1	feingehackte, spanische Zwiebel
2 Eßl.	Butter
2 Eßl.	Olivenöl
170 g	brauner Zucker
2 Teel.	Worcestersauce
je ½ Teel.	Thymianblätter, Oreganoblätter, Kerbel, Kümmel, Paprika, schwarzer Pfeffer, weißer Pfeffer
1 Eßl.	Chilipulver
1 Teel.	Salz
500 ml	Tomatenketchup
2 Teel.	Zitronensaft
6 x 170 g	Hai -oder Thunfischsteaks, 2,5 cm dick
2 Eßl.	zerlassene Butter

Knoblauch und Zwiebel in Olivenöl dünsten. Zucker, Worcestersauce, Gewürze, Ketchup und Zitronensaft vermengen und hinzufügen. Temperatur reduzieren und 15-20 Minuten köcheln lassen, gelegentlich umrühren.

Fisch mit Butter bestreichen und fünf Minuten von jeder Seite grillen (mittlere Hitze). Häufig mit der Sauce bestreichen. Vor dem Servieren die Steaks nochmals mit der Sauce bestreichen.

6 PORTIONEN

Gegrilltes Haifischsteak

Pompano Montmorency

FLUSSBARSCH MEUNIÈRE

6 x 175 g	Flußbarschfilets
115 g	Butter
1 Eßl.	Zitronensaft
2 Eßl.	frisch gehackte Petersilie

Filets auf ein Backblech legen.

Butter in einem kleinen Topf erhitzen, Filets damit bestreichen und bei 190°C 10 Minuten im vorgeheizten Ofen braten.

Während die Filets braten, die restliche Butter bei schwacher Temperatur weiter kochen, bis sie hazelnußbraun ist. Zitronensaft und Petersilie hinzugeben.

Den Fisch aus dem Ofen nehmen, auf Servierteller legen und mit der Buttersauce begießen.

6 PORTIONEN

COQUILLE ST. JACQUES ALFONSO XII

3 Eßl.	Butter
450 g	Jakobsmuscheln
170 g	gewürfelte, trockene Feigen
1	feingewürfelte, rote Paprikaschote
3 Eßl.	Mehl
500 ml	Fischbrühe (siehe Seite 76) oder Hühnerbrühe (siehe Seite 77)
250 ml	Bananenscheiben
375 ml	Sauce Béamaise (siehe Seite 108)

Butter in einer großen Bratpfanne erhitzen und Jakobsmuscheln, Feigen und Paprikaschote weichdünsten. Mit Mehl bestreuen und zwei weitere Minuten dünsten. Fischbrühe angießen und köcheln lassen, bis die Masse dick wird. Bananenscheiben zufügen.

Mischung in vier Coquille-Schalen füllen und Sauce Béarnaise daraufgeben.

Muscheln fünf bis sechs Minuten im vorgeheizten Ofen bei 250°C braten, oder bis sie goldbraun sind. Mit Reis sofort servieren.

4 PORTIONEN

KALIFORNISCHE THUNFISCH- & HAIFISCHSPIESSE

450g	groß gewürfelter Thunfisch
450g	groß gewürfelter Haifisch
125 ml	Aprikosennektar
1 Eßl.	Zitronensaft
1 Eßl.	Limonensaft
60 ml	Olivenöl
1 Eßl.	Worcestersauce
½ Teel.	Salz
½ Teel.	Thymianblätter
1 Eßl.	gehackte, glatte Petersilie
2	grüne Paprikaschoten, grob gewürfelt
1	gelbe Paprikaschote, grob gewürfelt
12	Pilze
12	Cocktailtomaten
1	spanische Zwiebel, grob gewürfelt
1	Zucchini, in dicke Scheiben geschnitten

Fisch in 2 cm große Würfel schneiden und in eine Schale geben.

Aprikosen, Zitronsaft, Limonensaft, Öl, Worcestersauce, Salz, Thymian und glatte Petersilie vermengen und die Marinade über den Fisch geben. Fisch 12 Stunden oder über Nacht in den Kühlschrank stellen und marinieren.

Fisch, Paprikaschoten, Pilze, Tomaten, Zwiebeln und Zucchini abwechselnd auf Bambusspieße stecken. Spieße bei mittlerer Temperatur acht bis zehn Minuten im Ofen grillen und mit Marinade bestreichen. Servieren.

6 PORTIONEN

Kalifornische Thunfisch- & Haifischspieße

THUNFISCH IN CURRY

675 g	Thunfisch
2 Eßl.	Zwiebeln
10 g	Paniermehl
1	Ei
je ½ Teel.	Cayenne, Kurkuma, Ingwerpulver, schwarzer Pfeffer, Basilikum, Thymianblätter, Oregano, Paprika
1 Teel.	Salz
1	feingehackte Knoblauchzehe
3 Eßl.	Distelöl
2 Eßl.	Butter
2 Eßl.	Mehl
1 Teel.	Currypulver
375 ml	Hühnerbrühe (siehe Seite 77)
180 ml	entrahmte Sahne

Thunfisch im Mixer grob zerkleinern. Zwiebeln, Paniermehl, Ei, Gewürze und Knoblauch hinzugeben. Alles zu einer feinen Masse verarbeiten. Aus dem Mixer nehmen und kleine Bällchen formen.

Öl in einer großen Pfanne erhitzen und die Bällchen darin bräunen. Überschüssiges Öl abtropfen lassen und Bällchen in eine Kastenform (Kasserolle) legen.

Butter in einem Topf erhitzen. Mehl und Currypulver einrühren und zwei Minuten bei niedriger Temperatur kochen. Brühe und Sahne angießen und fünf Minuten köcheln. Sauce über die Bällchen geben.

Kastenform abdecken und 25 Minuten im vorgeheizten Ofen bei 180°C braten. Mit Reis servieren.

6 PORTIONEN

Orientalische Jakobsmuscheln

ORIENTALISCHE JAKOBSMUSCHELN

125 ml	Sojasoße
60 ml	Austernsoße
60 ml	Sherry
1 Eßl.	Worcestersauce
450 g	große Jakobsmuscheln
30 g	Mehl
3 Eßl.	Distelöl
2	grobgehackte Knoblauchzehen
1 Eßl.	Ingwerwurzel, in feine Streifen geschnitten
2	getrocknete, rote Chilischoten

In einer Rührschüssel Sojasoße, Austernsoße, Sherry und Worcestersauce vermischen.

Jakobsmuscheln waschen, trockentupfen und mit Mehl bestäuben.

Öl in einem Topf oder einer großen Pfanne erhitzen und Knoblauch, Ingwer und Chilischoten 30 Sekunden dünsten. Jakobsmuscheln hinzugeben und zwei Minuten kochen, dann die Sauce angießen. Temperatur reduzieren und solange weiterkochen, bis die Flüssigkeit größtenteils verkocht ist. Sofort servieren.

4 PORTIONEN

SEEZUNGE ALMANDINE

4 x 175 g	Seezungenfilets
90 ml	Milch
40 g	Mehl
75 g	Butter
2 Eßl.	frische Petersilie
2 Eßl.	Zitronensaft
40 g	geröstete Mandelscheiben

Seezungenfilets in Milch tauchen und mit Mehl bestäuben.

Butter in einer großen Bratpfanne erhitzen und die Filets 2½ Minuten von jeder Seite braten. Fisch auf eine Warmhalteplatte legen.

Petersilie, Zitronensaft und Mandeln in die Pfanne geben und eine Minute kochen. Sauce über die Filets gießen und sofort servieren.

4 PORTIONEN

Garnelen, Jakobsmuscheln & Heilbutt Souvlakia

GARNELEN, JAKOBSMUSCHELN UND HEILBUTT SOUVLAKIA

225 g	große Garnelen, ohne Schale und Darm
225 g	große Jakobsmuscheln
225 g	grobgewürfelter Heilbutt
80 ml	Olivenöl
3 Eßl.	Zitronensaft
1	feingehackte Knoblauchzehe
¼ Teel.	Salz
¼ Teel.	Pfeffer
2 Teel.	Oregano

Meeresfrüchte und Heilbutt abwechselnd aufspießen. Spieße auf ein flaches Backblech legen.

Öl mit Zitronensaft, Knoblauch und den Gewürzen vermengen und über die Spieße geben. Vier bis sechs Stunden marinieren.

Spieße 10 Minuten bei mittlerer Temperatur braten, dabei öfter wenden und mit Marinade bestreichen. Mit Reis heiß servieren.

4 PORTIONEN

BARSCH- UND HUMMERMOUSSE VERONIQUE

2 Eßl.	aromafreie Gelatine
60 ml	Weißwein
180 ml	Fischbrühe (siehe Seite 76) oder Hühnerbrühre (siehe Seite 77)
60 ml	Mayonnaise
½ Teel.	Salz
½ Teel.	Paprika
½ Teel.	weißer Pfeffer
2 Teel.	geriebene Zitronenschale
430 ml	weich gekochter Barsch
180 ml	Creme fraiche
80 ml	feingemahlene, gesalzene Kräcker
250 ml	feingehacktes, gekochtes Hummerfleisch
375 ml	Veronique Sauce (siehe Seite 114)

Gelatine im Wein aufweichen und Brühe hinzufügen, aufkochen und auf Zimmertemperatur abkühlen lassen.

In einer Rührschüssel Mayonnaise, Salz, Paprika, Pfeffer und Zitronenschale verrühren und ⅔ der Brühe zufügen. Barsch, Sahne und Kekse dazugeben.

In einer zweiten Schüssel Hummer mit der restlichen Brühe vermengen. Die Hälfte der Masse in sechs Formen füllen (250 ml).

Hummermischung auf das Barschfleisch streichen. Dann das restliche Barschfleisch auf die Hummermischung geben.

Fünf bis sechs Stunden oder über Nacht kalt stellen. Aus den Formen stürzen und auf eine Servierplatte legen, mit Veronique Sauce begießen und servieren.

6 PORTIONEN

Barsch-& Hummermousse Veronique

GEKÜHLTE KRABBEN AILLOLI

1 kg	kleine Krabben
1 l	Court-Bouillon (siehe Seite 117)
2	Knoblauchzehen, pastenartig zerdrückt
2	Eigelb
½ Teel.	Salz
1 Prise	Pfeffer
½ Teel.	Dijonsenf
250 ml	Olivenöl
4 Teel.	Weinessig

Krabben 15 Minuten in der köchelnden Fleischbrühe garen, abgießen und in eine Rührschüssel geben. Kalt stellen.

Knoblauch, Eigelb, Salz, Pfeffer und Senf im Mixer vermengen.

Bei laufendem Mixer das Öl in einem langsamen, dünnen Strahl einrühren. Essig hinzufügen.

Den Dip in eine Servierschüssel geben, in die Mitte einer Servierplatte stellen und die gekühlten Krabben ringförmig darum anrichten.

6 PORTIONEN

HUMMER MORNAY

450 g	Hummerfleisch
60 g	Butter
30 g	Mehl
250 ml	Fischbrühe (siehe Seite 76) oder Hühnerbrühe (siehe Seite 77)
250 ml	entrahmte Sahne
½ Teel.	weißer Pfeffer
60 g	frisch geriebener Parmesankäse

Hummerfleisch würfeln.

Butter in einem kleinen Topf erhitzen. Hummer darin dünsten und zur Seite stellen.

Mehl in den Topf geben und Temperatur reduzieren. 2 Minuten kochen lassen.

Brühe, Sahne und Pfeffer hinzugeben, köcheln lassen, bis die Sauce dick wird.

Käse und Hummer in die Sauce geben und weitere fünf Minuten kochen.

Dazu Reispilaf servieren.

4 PORTIONEN

GARNELEN DIJON

60 ml	Öl
30 g	Mehl
1	feingewürfelte, spanische Zwiebel
2	feingewürfelte, grüne Paprikaschoten
3	feingewürfelte Selleriestangen
500 ml	gepellte, entkernte und gehackte Tomaten
2 Teel.	Salz
je 1 Teel.	Oreganoblätter, Thymianblätter, Basilikumblätter
2 Eßl.	fertiger Dijonsenf
375 ml	Fischbrühe (siehe Seite 76) oder Hühnerbrühe (siehe Seite 77)
1 Eßl.	brauner Zucker
675 g	Garnelen, ohne Schale und Darm
60 ml	gehackte, grüne Zwiebeln
3 Eßl.	gehackte Petersilie

Öl in einer großen Pfanne oder in einem Bräter erhitzen und das Mehl hinzufügen. Temperatur reduzieren und zu einer hellbraunen Mehlschwitze kochen. Zwiebeln, Pfeffer und Sellerie dazugeben. Unter ständigem Rühren weichdünsten.

Tomaten, Gewürze, Senf, Brühe und Zucker hinzugeben. Den Topf zudecken und 20 Minuten köcheln lassen.

Die Garnelen hineingeben. Weitere 10 Minuten unbedeckt köcheln lassen. Die grüne Zwiebel und Petersilie einrühren, über gekochtem Reis sofort servieren.

4 PORTIONEN

Gekühlte Krabben Ailloli

Garnelen Dijon

KOKOSNUSS-BIER-GARNELEN MIT JALAPEÑO-MARMELADE

60 g	Mehl
¼ Teel.	Backpulver
¼ Teel.	Natron
½ Teel.	Salz
125 ml	Bier
500 ml	Pflanzenöl
1	Eiweiß
450 g	große Garnelen, ohne Schale und Darm
20 g	Kokosflocken
250 ml	Jalapeñomarmelade*

Trockene Zutaten in eine Rührschüssel zusammensieben, langsam das Bier hinzugeben und schaumig rühren. Eine Stunde ruhen lassen.

Öl auf 190°C erhitzen.

Eiweiß schlagen und in den Teig rühren. Garnelen in den Kokosflocken rollen, dann in den Teig tauchen und 2½-3 Minuten im Öl braten, oder bis sie goldbraun sind. Marmelade dazu reichen. Sofort servieren.

* Unsere Jalapeñomarmelade dazu reichen (siehe Seite 701) oder drei entkernte, entstielte, gehackte Jalapeño-Schoten mit 250 ml Zitronen- oder Orangenmarmelade vermischen.

4 PORTIONEN

Kokosnuß-Bier Garnelen mit Jalapeñomarmelade

LACHS NADINE IM TEIG

120 g	Garnelen, ohne Schale und Darm
120 g	Jakobsmuscheln
2 Eßl.	Butter
1 Portion	Blätterteig (siehe Seite 689)
4 x 120 g	Lachsfilets
120 g	Frischkäse
2 Eßl.	rote Pfefferkörner
250 ml	Wildpilze in Sherrysauce (siehe Seite 105)

Garnelen und Jakobsmuscheln in Butter dünsten, abtropfen und abkühlen lassen.

Teig ausrollen und in vier gleichgroße Stücke schneiden. Ein Lachsfilet und jeweils die gleiche Portion Garnelen, Jakobsmuscheln und Käse auf jedes Teigstück legen. Mit den roten Pfefferkörnern bestreuen.

Teig vorsichtig um die Filets legen, Seiten zusammendrücken und mit dem restlichen Teig dekorieren.

Die Filets mit der gefalteten Seite nach unten auf ein Backblech legen und im auf 220°C vorgeheizten Ofen 20 Minuten backen, oder bis der Teig goldbraun ist. Wildpilze in Sherrysauce dazu reichen.

4 PORTIONEN

Lachs Nadine im Teig

FLUSSBARSCH GRAND MARNIER

125 g	getrocknete Aprikosen
250 ml	Wasser
1 Eßl.	Zucker
1 Teel.	Stärkemehl
60 ml	Grand Marnier
4 x 170 g	Flußbarschfilets
2 Eßl.	zerlassene Butter
$\frac{1}{2}$ Teel.	Salz
$\frac{1}{2}$ Teel.	weißer Pfeffer

Aprikosen im Wasser weich kochen, herausnehmen und zur Seite stellen.

Zucker zur Flüssigkeit geben. Stärkemehl mit Grand Marnier verrühren. Alles mit den Aprikosen im Mixer pürieren. Warm stellen.

Filets waschen und trockentupfen. Butter in einer Pfanne erhitzen. Filets langsam $2\frac{1}{2}$-3 Minuten von jeder Seite braten, mit Salz und Pfeffer würzen und auf eine Servierplatte legen. Vor dem Servieren mit Sauce bedecken.

4 PORTIONEN

LACHS IN BIRNENMOST MIT INGWERKEKSEN

750 ml	Birnenmost
4 x 170 g	Lachsfilets
3 Eßl.	Butter
60 ml	feingemahlene Ingwerkekse
125 ml	Creme fraiche

500 ml Most in einem großen flachen Topf erhitzen. Temperatur reduzieren. Lachs hineingeben und 12-15 Minuten pochieren. Butter in einem Topf erhitzen, Ingwerkekse zugeben und zwei Minuten kochen. Den restlichen Most und die Sahne dazugeben und köcheln, bis die Masse dickflüssig wird.

Lachs auf eine Servierplatte legen, Sauce darübergeben und servieren.

4 PORTIONEN

Flußbarsch Grand Marnier

GESCHWENKTE MEERESFRÜCHTE, GEGRILLT

2	feingehackte Knoblauchzehen
1	feingehackte spanische Zwiebel
2 Eßl.	Butter
2 Eßl.	Olivenöl
170 g	brauner Zucker
2 Teel.	Worcestersauce
je ½ Teel.	Thymianblätter, Oreganoblätter, Kerbel, Kümmel, Paprika, schwarzer Pfeffer, weißer Pfeffer
1 Eßl.	Chilipulver
1 Teel.	Salz
500 ml	Tomatenketchup
2 Teel.	Zitronensaft
225 g	gewürfeltes Hummerfleisch
225 g	große Garnelen, ohne Schale und Darm
225 g	große Jakobsmuscheln
2 Eßl.	Butter
2 Eßl.	Distelöl

IKnoblauch und Zwiebeln in Butter und Öl dünsten. Zucker, Worcestersauce, Gewürze, Ketchup und Zitronensaft vermischen und in den Topf geben. Temperatur reduzieren. 15-20 Minuten köcheln lassen, gelegentlich rühren.

Meeresfrüchte in einer großen Bratpfanne in Butter und Öl braten. Sauce dazugeben und 10 Minuten köcheln. Reis oder Nudeln dazu servieren.

6 PORTIONEN

Lachs Dianna Lynn

LACHS DIANNA LYNN

4 x 170 g	Lachsfilets
3	Eigelb
1 Teel.	kaltes Wasser
1 Prise	Cayennepfeffer
2 Eßl.	frischer Zitronensaft
125 ml	zerlassene Butter
150 g	gekochte Küstenkrabben
110 g	frisches Pfirsichfleisch

Lachs grillen oder pochieren. 10 Minuten pro 2,5 cm Dicke.

Eigelb, kaltes Wasser, Pfeffer und Zitronensaft mischen, ins Wasserbad stellen und über schwach kochendem Wasser unter ständigem Rühren dick einkochen.

Topf von der Kochstelle nehmen. Butter langsam in jeweils kleinen Mengen hineinschlagen. Wenn sich eine dickflüssige Hollandaise bildet, Krabben und Pfirsichfleisch hineingeben.

Den gekochten Lachs auf eine Servierplatte legen, Sauce darübergeben. Gemüse nach Wahl dazu servieren.

4 PORTIONEN

KOKOSNUSS-THUNFISCH

675 g	grobgewürfelter, frischer Thunfisch
je 1 Teel.	Salz, Paprika, Pfeffer
80 g	Butter
1	gewürfelte, spanische Zwiebel
1	feingehackte Knoblauchzehe
3 Eßl.	Mehl
180 ml	abgebrühte, geriebene Mandeln
1 Teel.	zerdrückte, rote Chilischoten
½ Teel.	Thymianblätter
1	Lorbeerblatt
60 ml	Zitronensaft
85 g	Honig
500 ml	Kokosnußmilch
100 g	geraspelte frische Kokosnuß

Thunfischstücke mit Salz, Paprika und Pfeffer bestreuen.

Butter in einer großen Bratpfanne erhitzen. Zwiebel, Knoblauch und Thunfisch braun braten. Mit Mehl bestäuben und zwei Minuten kochen. Die restlichen Zutaten hinzufügen, zudecken. Temperatur reduzieren und 30 Minuten köcheln lassen.

Mit Reispilaf servieren.

6 PORTIONEN

GEFÜLLTER, GEBACKENER LACHS II

2 kg	Lachs
2 Eßl.	Olivenöl
115 g	gekochter Schinken, gewürfelt
1	gewürfelte Zwiebel
1	gewürfelte Selleriestange
2	geschälte, gewürfelte Möhren
90 g	gewürztes Paniermehl
230 g	Krevetten
1 Teel.	Paprika
¼ Teel.	Pfeffer
125 ml	Weißwein

Ofen auf 190°C vorheizen.

Lachs sehr gründlich waschen und säubern. Öl im Schmortopf erhitzen und Schinken, Zwiebeln, Sellerie und Möhren weichdünsten. Abkühlen lassen.

Paniermehl mit Krevetten, Gewürzen und Wein mischen und zum gebratenen Schinken geben. Füllung in den Fischbauch geben. Mit einem Faden zubinden. Fisch in einer abgedeckten, gefetteten Pfanne 40-45 Minuten braten. Schneiden und servieren.

8 PORTIONEN

MEERESFRÜCHTE-SPIESSE IN HONIGSENF

454 g und	große Garnelen, ohne Schale Darm
454 g	große Jakobsmuscheln
125 ml	Distelöl
60 ml	gehackte Petersilie
2 Eßl.	Zitronensaft
2 Eßl.	flüssiger Honig
½ Teel.	gemahlener, schwarzer Pfeffer
2	feingehackte Knoblauchzehen
2 Teel.	Dijonsenf

Garnelen und Jakobsmuscheln auf Bambusspieße (vorher in Wasser getränkt) abwechselnd aufspießen und in eine flache Kastenform (Kasserolle) legen.

Die restlichen Zutaten im Mixer 30 Sekunden miteinander vermischen, über die Spieße gießen und eine Stunde zugedeckt im Kühlschrank marinieren.

Spieße bei mittlerer Hitze von jeder Seite fünf Minuten grillen. Ständig mit Marinade bestreichen. Vor dem Servieren nochmals mit Marinade bestreichen.

6 PORTIONEN

SCHWERTFISCH KHARIA

375 g	Schwertfisch
3 Eßl.	Olivenöl
1	Knoblauchzehe
2 Teel.	geschälter Ingwer, in Scheiben geschnitten
1	rote Paprikaschote, in dünne Scheiben geschnitten
1	grüne Paprikaschote, in dünne Scheiben geschnitten
1	kleine Zwiebel, in dünne Scheiben geschnitten
2 Eßl.	Mehl
2 Eßl.	Sojasoße
1 Teel.	Worcestersauce
90 ml	Gewürztraminer
190 ml	Hühnerbrühe (siehe Seite 77)
1	Ei

Fisch in Streifen schneiden.

Öl in einer großen Bratpfanne erhitzen und den Fisch gut durchbraten. Herausnehmen und zur Seite stellen.

Knoblauch, Ingwer, Paprikaschoten und Zwiebel weichdünsten. Knoblauchzehe entfernen. Mehl in die Pfanne streuen und zwei Minuten bei niedriger Temperatur kochen. Sojasoße, Worcestersauce, Wein und Brühe angießen und köcheln, bis die Sauce dick wird.

Fisch dazugeben und fünf Minuten köcheln lassen.

Ei mit etwas Sauce schlagen und langsam dazugeben. Eine Minute köcheln, jedoch nicht kochen lassen. Vom Herd nehmen und mit Reis oder Nudeln servieren.

4 PORTIONEN

Schwertfisch Kharia

Meeresfrüchtespieße in Honigsenf

KRABBEN FRIKASSEE

2 Eßl.	Butter
2 Eßl.	feingehackte Zwiebel
2 Eßl.	feingehackte, grüne Paprikaschote
2 Eßl.	feingehackte, rote Paprikaschote
1	feingehackte Knoblauchzehe
2 Eßl.	Mehl
375 ml	zerdrückte Tomaten
je ¼ Teel.	Pfeffer, Paprika, Basilikum, Kerbel, Majoran
1 Eßl.	gehackte Petersilie
1 Teel.	Salz
¼Teel.	scharfe Pfeffersoße
½ Teel.	Worcestersauce
450 g	Garnelen, ohne Schale und Darm
625 ml	gekochter Langkornreis

Butter in einer großen Pfanne erhitzen, Gemüse darin weichdünsten, mit Mehl bestreuen und zwei Minuten bei niedriger Temperatur kochen.

Tomaten, Gewürze, scharfe Pfeffersoße und Worcestersauce hinzugeben, abdecken und 15 Minuten köcheln lassen.

Krabben einrühren und weitere 10 Minuten köcheln.

Reis auf eine Servierplatte geben, Krabben darauflegen, Sauce hinzugeben und sofort servieren.

4 PORTIONEN

LACHS ROSÉ

4 x 170 g	Lachsfilets
750 ml	Roséwein
3 Eßl.	Butter
3 Eßl.	Mehl
125 ml	Creme fraiche
3 Eßl.	gehackte Schalotte
1 Eßl.	gehacktes, frisches Basilikum

Lachs waschen und trocknen. 500 ml Rosé in einen großen Topf geben, aufkochen. Temperatur reduzieren und köcheln lassen. Lachs im Wein 10-12 Minuten pochieren.

Butter im Topf erhitzen, Mehl einrühren und zwei Minuten schwach kochen. Den restlichen Roséwein und Sahne angießen. Köcheln lassen, bis die Sauce dick wird. Schalotte und Basilikum unterrühren.

Lachs auf eine Servierplatte legen und Sauce daraufgeben. Servieren.

4 PORTIONEN

LACHS OSCAR

4 x 170 g	Lachsfilets
2 Eßl.	zerlassene Butter
225 g	gekochtes Krebsfleisch
12	Spargelspitzen
250 ml	Sauce Béarnaise (siehe Seite 108)

Lachsfilets auf ein Backblech legen und mit zerlassener Butter bestreichen.

Filets im auf 180°C vorgeheizten Ofen 10-12 Minuten backen.

Lachs herausnehmen. Ofen auf Grillen umstellen.

Jedes Filet mit 30 g Krebsfleisch, 4 Spargelspitzen und Sauce Béarnaise belegen. Drei bis vier Minuten im Ofen grillen, oder bis die Sauce golden ist. Sofort servieren.

4 PORTIONEN

Lachs Rosé

Lachs Oscar

THUNFISCH EINTOPF MIT ROTWEIN

4 Eßl.	Distelöl
8	Scheiben durchwachsener Speck
20	junge Champignons
20	Silberzwiebeln
3	gewürfelte Selleriestangen
3	gewürfelte Möhren
30 g	Mehl
250 ml	gepellte, entkernte, gehackte Tomaten
500 ml	Rotwein
250 ml	Rinderbrühe (siehe Seite 85)
2 Teel.	Worcestersauce
1 Eßl.	Sojasoße
½ Teel.	Dijonsenf
¼ Teel.	Salz
¼ Teel.	gemahlene, schwarze Pfefferkörner
675 g	grätenfreier, grobgewürfelter, frischer Thunfisch

Speck würfeln und in einem großen Kochtopf braten. Öl und Gemüse hinzugeben und drei Minuten dünsten. Mit Mehl bestreuen und drei Minuten kochen. Restliche Zutaten bis auf den Thunfisch hinzugeben. Zudecken und 20 Minuten köcheln lassen.

Thunfisch hinzugeben, zudecken und weitere 30 Minuten köcheln. Mit Reis oder über Nudeln servieren.

6 PORTIONEN

HUMMER OH MY

¼ Teel.	Salz
¼	gemahlener, schwarzer Pfeffer
3 Eßl.	Sojasoße
3 Eßl.	Sherry
1 Teel.	feingehackte, grüne Zwiebeln
¼ Teel.	Knoblauchpulver
¼ Teel.	gemahlener Ingwer oder chinesische 5-Gewürzmischung
2 Teel.	brauner Zucker
450 g	Hummerfleisch
2 Eßl.	Sesamöl
1 Eßl.	Wasser
1 Teel.	Stärkemehl

Salz, Pfeffer, Sojasoße, Sherry, grüne Zwiebeln, Knoblauch, Ingwer und Zucker vermischen.

Hummerfleisch grob würfeln.

Öl in einer großen Pfanne oder im Wok erhitzen und den Hummer zügig drei Minuten braten. Sauce hinzugeben und Temperatur reduzieren.

Wasser mit Stärkemehl vermengen und zum Hummer geben. Köcheln lassen, bis die Sauce bindet. Mit Bombay-Reis (Seite 709) sofort servieren.

4 PORTIONEN

KALIFORNISCHE KREBS-ÜBERRASCHUNG

3 Eßl.	Olivenöl
3 Eßl.	Mehl
160 ml	Hühnerbrühe (siehe Seite 77)
160 ml	entrahmte Sahne
80 ml	Tomatenketchup
2 Teel.	Worcestersauce
1 Teel.	Paprika
3 Tropfen	scharfe Pfeffersoße
1 Eßl.	Zitronensaft
800 g	entschalte Krebsscheren
750 ml	Spanischer Reis (siehe Seite 749)

Öl in einem Topf erhitzen, Mehl hinzugeben und zwei Minuten schwach kochen.

Brühe und Sahne angießen und köcheln lassen, bis eine dicke Sauce entsteht. Ketchup, Worcestersauce, Paprika, Pfeffersoße und Zitronensaft unterrühren und weitere zwei Minuten köcheln. Krebsfleisch dazugeben, weitere 10 Minuten köcheln.

Reis auf Servierteller geben, mit Krebsmischung bedecken und servieren.

6 PORTIONEN

Thunfisch-Eintopf mit Rotwein

Chef K. gegrillte Garnelen

CHEF K. GEGRILLTE GARNELEN

3 Eßl.	Butter
3 Eßl.	Öl
1	feingehackte Zwiebel
1	feingehackte Knoblauchzehe
160 ml	Tomatenketchup
160 ml	Orangenbrandy
125 ml	Apfelessig
125 ml	Orangensaft
125 ml	Orangensaftkonzentrat
80 ml	leichte Melasse
1 Eßl.	Worcestersauce
je ½ Teel.	Thymianblätter, Basilikumblätter, Kerbel, Oreganoblätter, Knoblauchpulver, gemahlener, schwarzer Pfeffer, weißer Pfeffer, Paprika, Salz
¼ Teel.	scharfe Pfeffersoße
½ Teel.	flüssige Räucherwürze
1 kg	sehr große Garnelen oder Hummerkrabben
1 Portion	Court-Bouillon (siehe Seite 117)
3 Eßl.	zerlassene Butter

Butter und Öl in einem Topf erhitzen, Zwiebeln und Knoblauch weichdünsten.

Ketchup, Brandy, Essig, Orangensaft, Konzentrat, Melasse, Worcestersauce, Gewürze, scharfe Pfeffersoße und Räucherwürze einrühren und aufkochen. Temperatur reduzieren, köcheln, bis die Sauce dick wird. Abkühlen lassen.

Garnelen schälen und Darm entfernen. Court-Bouillon aufkochen und köchelnd die Garnelen darin garen. Garnelen mit der Grillsauce vermengen. Servieren.

Als Variante Garnelen mit zerlassener Butter bestreichen und 10 Minuten grillen (mittlere Hitze). Regelmäßig mit der Sauce bestreichen.

6 PORTIONEN

Portwein & Himbeer-Flußbarsch

TERIYAKI LACHS

55 g	brauner Zucker
1 Teel.	gemahlener Ingwer
250 ml	Rinderbrühe (siehe Seite 85)
80 ml	Sojasoße
2 Eßl.	Stärkemehl
60 ml	Weißwein
4 x 170 g	Lachssteaks, 2,5 cm dick

Zucker und Ingwer in der Brühe auflösen und mit der Sojasoße in einen Topf geben. Aufkochen. Stärkemehl mit Wein vermischen und in die Brühe geben. Köcheln, bis die Sauce dick wird. Abkühlen lassen.

Lachs in eine flache Schale legen, Sauce daraufgeben und eine Stunde im Kühlschrank marinieren lassen.

Steaks 10 Minuten auf einem Holzkohlegrill (mittlere Hitze) oder im Ofen grillen. Einmal wenden. Während des Grillens mehrmals mit Sauce bestreichen.

4 PORTIONEN

CHAMPIGNON FORELLE

6 x 225 g	Forellen
70 g	Butter
130 g	Champignons, in feine Scheiben geschnitten
2 Eßl.	feingehackter Schnittlauch
80 g	frisches Paniermehl
2 Eßl.	gehackte Petersilie
je 1 Teel.	Basilikum, Kerbel, Salz
½ Teel.	gemahlener, schwarzer Pfeffer
190 g	kleine, gekochte Krabben
60 ml	Creme fraiche

Forellen waschen und trockentupfen.

Drei Eßlöffel Butter in einer Bratpfanne erhitzen und Champignons dünsten, bis der Saft verdunstet ist.

In einer Rührschüssel Champignons mit den restlichen Zutaten vermengen und den Forellenbauch damit füllen.

Forellen in eine kleine Kasserolle geben, mit der restlichen Butter bestreichen. Im vorgeheizten Ofen bei 190°C 20 Minuten braten. Servieren.

6 PORTIONEN

PORTWEIN & HIMBEER-FLUSSBARSCH

190 g	rote Johannisbeerkonfitüre
60 ml	Portwein
2 Teel.	Zitronensaft
375 ml	Himbeeren
2 Teel.	Stärkemehl
¼ Teel.	gemahlener, schwarzer Pfeffer
4 x 170 g	Flußbarschfilets
1 Eßl.	zerlassene Butter

Johannisbeerkonfitüre in einen kleinen Topf geben, Portwein und Zitronensaft hinzufügen und köcheln lassen.

Himbeeren durch einen Sieb passieren (zum Entfernen der Körner), zur Sauce geben und aufkochen.

Stärkemehl mit einem Teelöffel Wasser vermengen, zur Sauce geben und köcheln, bis die Sauce dick wird. Vom Herd nehmen. Schwarzen Pfeffer unterrühren.

Flußbarsch mit Butter bestreichen. Im auf 180°C vorgeheizten Ofen acht Minuten braten.

Fisch auf eine Servierplatte legen, Sauce darübergeben und servieren.

4 PORTIONEN

Teriyaki Lachs

GARNELEN NEW ORLEANS

1 Eßl.	Distelöl
3	feingewürfelte Zwiebeln
2	feingewürfelte, grüne Paprikaschoten
3	feingewürfelte Selleriestangen
20	gepellte, entkernte und gehackte Tomaten
2 Teel.	Salz
2 Teel.	Paprika
je 1 Teel.	Knoblauchpulver, Zwiebelpulver, Cayennepfeffer, Basilikumblätter
je ½ Teel.	weißer Pfeffer, schwarzer Pfeffer, Oreganoblätter, Thymianblätter
2 Teel.	Worcestersauce
¼ Teel.	scharfe Pfeffersoße
1	Bund gehackte Petersilie
1 kg	große Garnelen oder Hummerkrabben
1 Portion	Court-Bouillon (siehe Seite 117)
1 Portion	Reis Matriciana (siehe Seite 757)

Öl in einem großen Kochtopf erhitzen. Zwiebeln, Sellerie und grüne Paprikaschoten weichdünsten. Tomaten, Gewürze, Worcestersauce und scharfe Pfeffersoße dazugeben und köcheln, bis die gewünschte Dicke erreicht ist (ca. 4 Stunden).

Grüne Zwiebeln und Petersilie zugeben, weitere 15 Minuten köcheln.

Während die Sauce die letzte halbe Stunde kocht, die Brühe aufkochen. Garnelen pellen und Darm entfernen. Garnelen vorsichtig in der Brühe garkochen (ca. 12 Minuten).

Reis auf einen Servierteller geben, viel Sauce daraufgeben und Garnelen darauflegen.

6 PORTIONEN

Garnelen New Orleans

SEEZUNGENFILET FLORENTINER ART „FILETTI DI SOGLIOLA ALLA FIORENTINA"

4 x 170 g	Seezungenfilet
750 ml	Fischbrühe
280 g	frischer, gehackter Spinat
3 Eßl.	trockener Weißwein
250 ml	gekochtes Krabbenfleisch
310 ml	Mornaysauce (siehe Seite 111)
30 g	frisch geriebener Parmesankäse
30 g	frisch geriebener Romanokäse
3 Eßl.	entkernte, geschnittene, schwarze Oliven
60 ml	gepellte, entkernte, gehackte Tomaten

Filets waschen und trockentupfen. Fischbrühe in einen großen Topf geben, aufkochen. Temperatur reduzieren. Filets vorsichtig in der Brühe fünf bis sechs Minuten pochieren. Herausnehmen und zur Seite stellen.

Spinat dünsten, abtropfen lassen und in eine Kasserolle geben. Filets darauflegen, mit Wein beträufeln und Krabbenfleisch darauflegen.

Mit Mornaysauce begießen und mit Käse bestreuen.

10 Minuten im auf 200°C vorgeheizten Ofen backen. Mit Oliven und Tomaten garnieren und sofort servieren.

4 PORTIONEN

Lachs- & Krabbentorte

LACHS-UND KRABBENTORTE

½ Portion	Pie-Teig (siehe Seite 616)
250 ml	feingewürfelter, gekochter Lachs
250 ml	feingewürfelte, gekochte Krabben
500 ml	Velouté Sauce (siehe Seite 105)
je ¼ Teel.	Salz, Pfeffer, Muskat
1 Eßl.	Petersilie
1 Eßl.	geriebene Zwiebel
3	Eier, getrennt

Teig ausrollen und in eine 23 cm ø tiefe Tortenform geben.

Lachs, Krabben und Velouté in einer Rührschüssel vermengen, Gewürze und Zwiebeln dazugeben.

Eigelb schlagen und unter die Mischung rühren. Eiweiß steif schlagen und ebenfalls unterrühren.

Mischung in die Tortenform geben. 25-30 Minuten im vorgeheizten Ofen bei 200°C backen, oder bis die Mischung steigt und goldbraun ist. Sofort servieren.

6 PORTIONEN

GEGRILLTER SCHWERTFISCH IN ZITRONEN-LIMONADE

190 ml	Zitronenlimonadenkonzentrat
60 ml	Ketchup
3 Eßl.	brauner Zucker
3 Eßl.	weißer Essig
¼ Teel.	gemahlener Ingwer
1 Teel.	Sojasoße
je ¼ Teel.	Paprika, Chilipulver, Knoblauchpulver, Zwiebelpulver,Thymian, Basilikum, Oregano, Salz, Pfeffer
1 kg	Schwertfisch, in Stücke geschnitten
60 g	Mehl
60 ml	Distelöl

Limonadenkonzentrat, Ketchup, Zucker, Essig, Ingwer, Sojasoße und Gewürze in einer Rührschüssel vermischen.

Schwertfisch im Mehl wenden. Öl in einem großen Kochtopf erhitzen und den Fisch bräunen. Öl abtropfen. Sauce über den Fisch gießen und 15 Minuten zugedeckt bei niedriger Temperatur kochen.

4 PORTIONEN

GOURMET KATZENWELS

8 x 115 g	Katzenwelsfilets
2	Eier
60 ml	Milch
60 g	Mehl
60 g	Paniermehl
1 Eßl.	Paprika
je 1 Teel.	Oregano, Thymian, Salbei, Knoblauchpulver, Zwiebelpulver, schwarzen Pfeffer, Majoran, Chilipulver
500 ml	Distelöl
3 Eßl.	Butter
3 Eßl.	Mehl
125 ml	Hühnerbrühe (siehe Seite 77)
125 ml	Creme fraiche
125 ml	Sekt

Katzenwels waschen und trockentupfen.

Eier mit Milch in einer Rührschüssel verrühren. Mehl in eine zweite und Paniermehl in eine dritte Schüssel geben. Gewürze mit dem Paniermehl mischen.

Fisch im Mehl wenden, in die Eier-Milch tauchen und im Paniermehl wenden.

Öl auf 160°C erhitzen. Den Fisch jeweils in kleinen Portionen goldbraun und gut durchbraten. Die Bratzeit richtet sich nach der Größe der Fischstücke. Warm stellen, bis alle Stücke gebraten sind.

Butter in einem Topf zerlassen, restliches Mehl einstreuen und schwach kochend eine Mehlschwitze herstellen.

Hühnerbrühe, Sahne und Sekt angießen und 10 Minuten köcheln lassen (mittlere Temperatur).

Katzenwels auf Teller legen, mit der Sauce bedecken und servieren.

4 PORTIONEN

MEERESBARSCH-RÖLLCHEN

6 x 120 g	Meeresbarschfilet
250 ml	grüne, kernlose Weintrauben
170 g	rindenloser Briekäse
250 ml	Krevetten
2	Eier
80 ml	Milch
80 ml	gemahlene Piniennüsse
45 g	feines, gewürztes Paniermehl
40 g	frisch geriebener Romanokäse
60 g	Mehl
80 ml	Distelöl

Barsch zwischen zwei Blätter Wachspapier legen und mit einem Fleischhammer flach klopfen.

Weintrauben halbieren, einige davon mit 30 g Käse und einigen Krevetten auf den Fisch legen. Den Barsch mit der Füllung nach innen aufrollen. Fischrolle auf ein Backblech geben und eine Stunde kalt stellen.

Eier mit Milch verrühren. Nüsse mit Paniermehl und Käse vermengen. Den gerollten Fisch im Mehl wenden, in Ei tauchen, dann im Paniermehl wenden.

Öl in einer großen Bratpfanne erhitzen. Barsch von jeder Seite goldbraun braten. Mit Brombeerbrandy-Sauce (siehe Kalbfleischbraten mit Brombeerbrandy-Sauce, Seite 214) servieren.

6 PORTIONEN

Meeresbarschröllchen

Gourmet Katzenwels

Geräucherter kanadischer Dorsch mit Kräuterzitronenbutter

GERÄUCHERTER KANADISCHER DORSCH

250 ml	Weißwein (Riesling)
500 ml	Wasser
10	schwarze Pfefferkörner
1	Lorbeerblatt
1	Zweig Petersilie
je ½ Teel.	Thymian, Basilikum, Majoran
1	kleine, gewürfelte, spanische Zwiebel
2	geschälte, gewürfelte Möhren
2	gewürfelte Selleriestangen
1	Zitrone, halbiert
4 x 170 g	Dorschfilet

Wasser und Wein in einen großen Suppentopf geben.

Pfefferkörner, Lorbeerblatt, Petersilie und Kräuter in einem Käseleinen zusammenbinden und in den Topf geben. Gemüse und Zitrone zufügen. Aufkochen, Temperatur reduzieren und 10 Minuten köcheln lassen.

Filets vorsichtig in den Topf geben und 15 Minuten langsam köcheln. Fischfilets auf Servierteller geben. Sofort mit Kräuterzitronenbutter (Rezept folgt), frisch gedämpften Möhren, Brokkoli und Reispilaf servieren.

4 PORTIONEN

KRÄUTER-ZITRONEN-BUTTER

225 g	weiche Butter
je ½ Teel.	Basilikum, Thymian, Oregano, Majoran
1 Eßl.	abgeriebene Zitronenschale
3 Eßl.	Zitronensaft

Zutaten miteinander vermischen, auf Wachspapier ausbreiten, eine Rolle formen und eine Stunde in den Kühlschrank legen. Papier entfernen, Rolle in Scheiben schneiden. Zwei Butterscheiben auf jedes Fischfilet legen.

KRABBENGEFÜLLTE FORELLE

6 x 225 g	Forelle
2 Eßl.	gehackter Schnittlauch
80 g	frisches Paniermehl
2 Eßl.	gehackte Petersilie
je 1 Teel.	Basilikum, Kerbel, Salz
½ Teel.	gemahlener, schwarzer Pfeffer
190 g	kleine, gekochte Krabben
60 ml	Creme fraiche
3 Eßl.	zerlassene Butter

Forelle waschen und trockentupfen.

Die restlichen Zutaten in einer Rührschüssel gründlich mischen und den Forellenbauch damit füllen.

Forelle in eine kleine Kasserolle legen, mit Butter bestreichen und 20 Minuten im vorgeheizten Ofen bei 190°C braten. Servieren.

6 PORTIONEN

Krabbengefüllte Forelle

ROTER SCHNAPPBARSCH AUFLAUF MIT BÉARNAISE

675 g	Rotes Schnappbarsch-Filet
170 g	Butter
1	kleine, feingewürfelte Zwiebel
35 g	feingewürfelte, rote Paprikaschote
35 g	feingewürfelte, gelbe Paprikaschote
35 g	feingewürfelte, grüne Paprikaschote
675 ml	gekochter Langkornreis
3 Eßl.	Weißwein
1 Eßl.	getrocknete Estragonblätter
1 Teel.	Zitronensaft
3	Eigelb
1 Teel.	frisch gehackter Estragon

Fischfilet in große Würfel schneiden.

Drei Eßlöffel Butter in einer großen Bratpfanne erhitzen und den Fisch darin dünsten, herausnehmen und zur Seite stellen. Zwiebel und Paprikaschoten in die Pfanne geben und weichdünsten. Reis einrühren und acht Minuten kochen. Alles in eine gefettete Auflaufform legen, den Fisch darauflegen und mit Wachspapier abdecken. Im vorgeheizten Ofen bei 180°C 15 Minuten backen.

Während der Fisch backt, den Wein, Estragon und Zitronensaft in einer kleinen Rührschüssel verrühren. Durch Kochen die Menge auf zwei Eßlöffel reduzieren und durch ein Sieb abgießen.

Butter in einem anderen kleinen Topf zerlassen und fast aufkochen.

Im Mixer die Eigelb miteinander verrühren. Während der Mixer läuft, die Butter in einem langsamen Strahl hinzugießen.

Bei laufendem Mixer die reduzierte Weinflüssigkeit dazugeben, gut verrühren und in eine Servierschüssel füllen. Frischen Estragon unterrühren.

Wachspapier entfernen und Sauce über den Fisch geben. Ofentemperatur auf 230°C erhöhen und den Fisch 10 Minuten braten, oder bis die Sauce goldbraun ist.

6 PORTIONEN

CASINO AUSTERN

36	Austern
6	Scheiben gewürfelter, durchwachsener Speck
1	feingewürfelte Zwiebel
35 g	feingewürfelte, grüne Paprikaschoten
50 g	feingewürfelter Stangensellerie
1 Eßl.	Zitronensaft
1 Teel.	Salz
¼ Teel.	Pfeffer
1 Teel.	Worcestersauce
5 Tropfen	scharfe Pfeffersoße
125 ml	geriebener Provolonekäse

Austern öffnen und auf ein Backblech legen.

Speck in einer Pfanne braten. Das Fett bis auf zwei Teelöffel abgießen. Zwiebeln, Paprikaschoten und Sellerie weichdünsten. Die restlichen Zutaten hinzugeben und fünf Minuten kochen.

Gleiche Mengen der Mischung auf die Austern geben und 10 Minuten im vorgeheizten Ofen bei 180°C backen. Mit Käse bestreuen, weitere fünf Minuten backen, oder bis sie goldbraun sind. Sehr heiß servieren. Dieses Rezept eignet sich auch hervorragend für Muscheln.

6 PORTIONEN

Casino Austern

Lachs Vol au Vent

LACHS VOL AU VENT

1 Portion	Blätterteig (siehe Seite 689)
2	Eier, geschlagen
675 g	Lachsfilet
55 g	Butter
2 Eßl.	Mehl
250 ml	Milch
¼ Teel.	Salz
¼ Teel.	weißer Pfeffer
1 Teel.	Basilikum
2 Eßl.	feingewürfelter, roter Pimiento

Teig wie vorgeschrieben ausrollen. 6 Kreise von 10 cm und 6 Kreise von 7,5 cm mit einem Loch von 5 cm in der Mitte ausstechen. Die Kreise in 10 cm ø auf ein Backblech legen, mit Ei bestreichen, die 7,5 cm Kreise darauf legen und ebenfalls mit Ei bestreichen. Fünf Minuten im Ofen bei 215°C backen. Temperatur auf 180°C reduzieren und weitere 20-25 Minuten backen. Herausnehmen und abkühlen lassen. Die Teigmitte zur Seite legen.

Lachs in kleine Stücke würfeln. Zwei Eßlöffel Butter in einer Pfanne erhitzen und den Lachs dünsten.

Die restliche Butter in einer Pfanne schmelzen, Mehl dazugeben, zu einer Mehlschwitze verrühren und zwei Minuten köcheln.

Milch einrühren und köcheln, bis die Sauce dickflüssig wird. Gewürze und Pimiento zugeben und zwei weitere Minuten köcheln. Lachs hineingeben und fünf Minuten köcheln.

Lachs in die Teigkreise löffeln, mit der Teigmitte dekorieren und servieren.

6 PORTIONEN

PISZTRANG — FORELLE IN WEISSWEIN-MAYONNAISE

4 Eßl.	Weißwein
3	Eigelb
125 ml	Öl
4 x 225 g	Forellen, (ausgenommen)
3 Eßl.	Butter
1 Eßl.	Zitronensaft

Wein in einem Topf auf zwei Eßlöffel reduzieren. Eigelb im Mixer gut verrühren. Bei laufendem Mixer Öl in einem langsamen, dünnen Strahl hinzugeben. Den Wein bei langsam laufendem Mixer zugeben und gut vermischen. Mayonnaise in eine Sauciere geben.

Forelle in Butter und Zitronensaft vier bis sechs Minuten von jeder Seite dünsten (mittlere Temperatur). Mit der Mayonnaise servieren.

4 PORTIONEN

Zuppa Di Pesce

Lachs Jambalaya

LACHS JAMBALAYA

2 Eßl.	Distelöl
2 Eßl.	Butter
225 g	Andouille-Wurst (siehe Wörterverzeichnis)
60 g	gewürfelte Zwiebeln
2	gehackte Knoblauchzehen
3 Eßl.	gehackte Petersilie
225 g	gewürfelte, grüne Paprikaschote
2	gewürfelte Selleriestangen
500 ml	gepellte, entkernte, gehackte Tomaten
1 Teel.	Salz
je ½ Teel.	weißer Pfeffer, schwarzer Pfeffer, Oreganoblätter, Basilikum, Thymianblätter, Knoblauchpulver, Zwiebelpulver, Chilipulver
2 Teel.	Worcestersauce
5 Tropfen	scharfe Pfeffersoße
375 ml	Wasser
230 g	rohen Langkornreis
670 g	grobgewürfelter, grätenfreier Lachs
500 ml	gekochte Langustenschwänze

Wurst in Öl und Butter in einem großen Kochtopf braten. Gemüse zugeben und weichdünsten.

Die restlichen Zutaten (außer Lachs und Langustenschwänzen) hinzufügen. Temperatur reduzieren, zudecken und 40 Minuten köcheln lassen. Den Fisch hinzugeben und weitere 15 Minuten kochen. Sofort servieren.

6 PORTIONEN

ZUPPA DI PESCE

2 Eßl.	Olivenöl
120 g	halbierte Pilze
1	gewürfelte, mittlere Zwiebel
2	gewürfelte Möhren
2	gewürfelte Selleriestangen
1 l	Fischbrühe (siehe Seite 76)
375 ml	gepellte, entkernte und gehackte Tomaten,
225 g	grobgewürfelter Roter Schnappbarsch
225 g	grobgewürfeltes Hummerfleisch
225 g	Garnelen, ohne Schale und Darm
225 g	Jakobsmuscheln
16	gewaschene Miesmuscheln, ohne Bart
16	gewaschene, gebürstete Muscheln
125 ml	Weißwein
½ Teel.	Salz
1 Teel.	frisch gehacktes Basilikum

Öl in einem großen Kochtopf erhitzen. Gemüse dazugeben und weichdünsten.

Tomaten und Brühe hinzufügen und fünf Minuten köcheln.

Die restlichen Zutaten einrühren und 15 Minuten vorsichtig köcheln. Sofort servieren.

4 PORTIONEN

Lachs nach Großherzogenart

LACHS NACH GROSSHERZOGEN ART

4 x 170 g	Lachsfilets, 2,5 cm dick
70 g	Butter
750 ml	Hühnerbrühe
3 Eßl.	Mehl
125 ml	Creme fraiche
60 ml	Langustenbutter (siehe Seite 112)
250 ml	gekochte Langustenschwänze
250 ml	blanchierte Spargelspitzen
40 g	frisch geriebener Parmesankäse
4	große Trüffelscheiben

Lachsfilets waschen, trockentupfen und auf ein Backblech legen. Zwei Eßlöffel Butter schmelzen, den Fisch damit bestreichen und 10 Minuten im vorgeheizten Ofen bei 180°C braten.

Hühnerbrühe aufkochen und die Flüssigkeit auf 375 ml reduzieren.

Die restliche Butter in einem Topf erhitzen, Mehl hinzugeben und bei niedriger Temperatur zwei Minuten kochen. Die reduzierte Brühe und Sahne angießen und köcheln, bis die Sauce dick wird. Langustenbutter, Langustenschwänze und Spargelspitzen einrühren und drei Minuten köcheln. Den Käse hinzufügen.

Lachsfilet auf Servierteller legen, Sauce daraufgeben und mit Trüffelscheiben belegen.

4 PORTIONEN

JAKOBSMUSCHELN IN EIERTEIG

140 g	Mehl
2	getrennte Eier
190 ml	Bier
je ¼ Teel.	Thymian, Cayenne, Salz, Pfeffer, Basilikum
750 ml	Distelöl
1 kg	große Jakobsmuscheln
500 ml	Remouladensauce (siehe Seite 123)

110 g Mehl und die Eigelb in einer Rührschüssel vermengen. Genügend Bier für einen flüssigen Teig eingießen. Gewürze zugeben. Teig eine Stunde ruhen lassen.

Eiweiß steif schlagen und unterheben.

Öl auf 180°C erhitzen.

Jakobsmuscheln mit dem restlichen Mehl bestäuben, in den Teig tauchen und in kleinen Mengen goldbraun braten. Während des Bratens die fertigen Jakobsmuscheln warm stellen.

Mit Remouladensauce servieren.

6 PORTIONEN

GESCHWENKTER FLUSSBARSCH MIT KLEMENTINEN SAUCE

6 x 170 g	Flußbarschfilets
3 Eßl.	Öl
	Salz und Pfeffer
80 ml	Tangerinen- oder Orangensaft-konzentrat
125 ml	Hühnerbrühe (siehe Seite 77)
60 ml	Schlagsahne
1 Teel.	Butter
¼ Teel.	gemahlener, schwarzer Pfeffer
1 Teel.	Limonensaft

Öl in einem großen Topf erhitzen. Filets sechs bis acht Minuten braten, mit Salz und Pfeffer würzen und warm stellen.

Tangerinensaft in einen Topf mit Hühnerbrühe geben, aufkochen, Temperatur reduzieren. Sahne hinzufügen und köcheln, bis die Sauce so dick wird, daß sie am Löffel haftet. Topf von der Kochstelle nehmen. Butter, Pfeffer und Limonensaft in die Sauce schlagen.

Filets auf eine Servierplatte legen, Sauce darübergeben und servieren.

6 PORTIONEN

Jakobsmuscheln in Eierteig

GARNELEN CHASSEUR

450 g und	große Garnelen, ohne Schale Darm
55 g	Butter
1 Eßl.	Distelöl
115 g	geschnittene Champignons
1 Teel.	feingehackte, grüne Zwiebeln
3 Eßl.	Weinbrand
90 ml	Weißwein
310 ml	Demi-Glace (siehe Seite 123)
2 Eßl.	Tomatenmark
1 Teel.	frisch gehackte Petersilie
750 ml	gedämpfter Reis

Garnelen waschen und abtropfen lassen.

Einen Eßlöffel Butter mit Öl in einem kleinen Topf erhitzen und Champignons mit den Zwiebeln dünsten. Weinbrand und Wein dazugeben und kochen, bis die Mischung zur Hälfte reduziert ist. Demi-Glace und Tomatenmark einrühren und aufkochen. Temperatur reduzieren und fünf Minuten köcheln. Petersilie dazugeben.

Die restliche Butter in einer Pfanne erhitzen und die Garnelen darin dünsten. Sauce über die Garnelen geben. Reis auf Serviertellern anrichten, Garnelen und Sauce darübergeben und servieren.

4 PORTIONEN

THUNFISCH UND REIS

55 g	Butter
680 g	grätenfreier, gewürfelter Thunfisch
225 g	geschnittene Champignons
30 g	feingewürfelte Zwiebeln
3 Eßl.	Mehl
375 ml	Hühnerbrühe (siehe Seite 77)
125 ml	entrahmte Sahne
60 ml	Sherry
40 g	geröstete, geschnittene Mandeln
500 ml	gekochter Langkornreis
	Petersilienzweige

Butter in einem großen Kochtopf erhitzen, Thunfisch dazugeben und bräunen. Thunfisch entnehmen und zur Seite stellen.

Champignons und Zwiebeln in den Topf geben und weichdünsten. Mit Mehl bestreuen und zwei Minuten bei niedriger Temperatur kochen. Brühe, Sahne und Sherry angießen. Drei Minuten köcheln lassen.

Thunfisch in die Sauce legen und weitere 35 Minuten köcheln. Mandeln in den Reis rühren und den Reis ringförmig auf einer Servierplatte anrichten. Thunfisch in die Mittte geben und mit Petersilie garnieren.

4 PORTIONEN

MEERESFRÜCHTE À L'ÉTOUFFÉE

75 g	Butter
95 g	gewürfelte Zwiebeln
1	gewürfelte, grüne Paprikaschote
500 ml	gepellte, entkernte, gewürfelte Tomaten
je 1 Teel.	Salz, Pfeffer, Paprika
je ½ Teel.	Oreganoblätter, Thymianblätter, Cayennepfeffer, Knoblauchpulver, Zwiebelpulver, Chilipulver
1 Teel.	Worcestersauce
5 Tropfen	scharfe Pfeffersoße
60 ml	gehackte, grüne Zwiebeln
2 Eßl.	gehackte Petersilie
454 g	Garnelen, ohne Schale und Darm
225 g	Krebsfleisch
115 g	Hummerfleisch
1 l	gedämpfter Reis

Butter in einem Topf schmelzen und Zwiebeln mit Paprikaschoten darin weichdünsten. Tomaten, Gewürze, Worcestersauce und scharfe Pfeffersoße hinzugeben. Temperatur reduzieren und alles 30 Minuten köcheln.

Gehackte Zwiebeln, Petersilie und Meeresfrüchte einrühren, zudecken und 15 Minuten köcheln lassen.

Reis auf Servierteller geben, die Meeresfrüchte darauf anrichten und servieren.

6 PORTIONEN

Meeresfrüchte à l'Étouffée

Garnelen Chasseur

MEERESBARSCH MIT ERDBEEREN IN ITALIENISCHER WEINCREME

6 x 120 g	Meeresbarschfilet
1 Eßl.	Olivenöl
je ¼ Teel.	Basilikum, Salz, Pfeffer, Paprika
6	Eigelb
115 g	Zucker
125 ml	Marsalawein oder süßen Sherry
375 ml	geschnittene Erdbeeren

Barsch mit Öl bestreichen und mit den Gewürzen bestreuen. Im Ofen 3-5 Minuten von jeder Seite braten und warm stellen.

Eigelb mit dem Zucker schaumig und hell schlagen und in ein Wasserbad mit kochendem Wasser geben. Sherry langsam eingießen. Ständig schlagen, bis die Mischung dick und schaumig ist. Von der Kochstelle nehmen und die Erdbeeren unterrühren.

Barsch auf eine Servierplatte legen und die Hälfte der Sauce darübergießen. Die restliche Sauce getrennt servieren.

6 PORTIONEN

SEEBARSCH FINOCCHIO

675 g	grätenloses Seebarschfilet
750 ml	Hühnerbrühe (siehe Seite 77)
80 g	Butter
375 g	feingehackter Fenchel
1	Möhren, in feine Streifen geschnitten
1	rote Paprikaschote, in feine Streifen geschnitten
3 Eßl.	Mehl
190 ml	entrahmte Sahne
1 Portion	Risotto Alla Certosian (siehe Seite 740)

Barsch in große Stücke würfeln.

Brühe in einem großen Kochtopf erhitzen. Barsch 10 Minuten sanft pochieren, herausnehmen und zur Seite legen. Brühe durch ein Sieb abgießen, zurück in den Topf geben. Aufkochen und auf 375 ml reduzieren.

Butter in einem Topf erhitzen, Gemüse weichdünsten, mit Mehl bestreuen und 2 Minuten bei niedriger Temperatur kochen. Brühe und Sahne angießen und schwach kochen, bis die Sauce dickflüssig wird. Den Barsch dazugeben und weitere 5 Minuten kochen.

Risotto ringförmig auf einem Servierteller anrichten, den Barsch in die Mitte legen und servieren.

4 PORTIONEN

RANA PESCATRICE AL FORNO

750 g	Lotteschwänze, ohne Haut
2 Eßl.	Olivenöl
1	feingewürfelte, kleine Zwiebel
1	feingewürfelte Selleriestange
80 g	geschnittene Pilze
1 Eßl.	Mehl
250 ml	entkernte, gepellte und gewürfelte Tomaten
125 ml	Fischbrühe (siehe Seite 76) oder Hühnerbrühe (siehe Seite 77)
½ Teel.	Basilikumblätter

Lotte in eine große Auflaufform legen. Öl in einer großen Bratpfanne erhitzen und Zwiebeln, Sellerie und Pilze weichdünsten. Mit Mehl bestreuen, Temperatur reduzieren und 2 Minuten kochen.

Tomaten, Brühe und Basilikum hinzugeben, 5 Minuten schwach kochen und über den Fisch gießen. Die Auflaufform bedecken und im vorgeheizten Ofen 30 Minuten bei 180°C braten.

4 PORTIONEN

Seebarsch Finocchio

Rana Pescatrice Al Forno

RIND- UND KALBFLEISCH

Wie in allen anderen Kapiteln dieses Buches, so zeigen wir Ihnen auch hier einige der einfallsreichsten Rezepte. Mit *Einfach Köstlich Kochen 2* wird es beim Kochen nie langweilig. Ob Cajun, orientalische, deutsche oder eine andere Küche gewählt wird, der Leser wird immer eine großen Auswahl an Rezepten haben. Die schöpferische Anwendung von Rezepten wie „Paupiettes De Veau" (Kalbsvögelchen) oder „Rinderrippen Diable" läßt beim Gast stets den Wunsch aufkommen, regelmäßig zurückzukehren.

Benutzen Sie nur das beste Fleisch und gehen Sie bei der Qualität keine Kompromisse ein. Schließlich müssen Sie es ja auch selbst essen. Um die besten Resultate zu erzielen, schneiden Sie überflüssiges Fett weg und folgen Sie den Anweisungen bei der Zubereitung. Benutzen Sie immer nur die feinsten Zutaten, denn das macht den wesentlichen Unterschied aus. Bevorzugen Sie gut abgehangenes Fleisch (21-30 Tage). Dies bekommen sie gewöhnlich nicht im Supermarkt, kaufen Sie deshalb bei einem guten und zuverlässigen Fleischer. Das ist der erste Schritt bei der Zubereitung eines Rezeptes.

Gegrilltes Fleisch sollte erst dann gesalzen und gewürzt werden, wenn Sie mit der Zubereitung fast fertig sind. Wenn Sie diesen Schritt zu früh unternehmen, trocknet das Fleisch aus. Sie sollten möglichst versuchen, das Salzen zu vermeiden, und stattdessen, Kräuter und Gewürze verwenden. Dadurch wird die Qualität erheblich verbessert.

Behutsames, langsames Braten ist dem schnellen Überhitzen des Fleisches auf jeden Fall vorzuziehen. Probieren Sie einmal, das Fleisch zu schmoren, zu grillen, anzubraten oder zu kochen. Wenn man bei der Art der Zubereitung kreativer wäre, bräuchte man nicht so viele Abwechslungen in der Kost, sondern könnte alle Ernährungsziele durch kulinarische Kreativität erreichen.

Das ist es auch, was wir Ihnen in *Einfach Köstlich Kochen 2* vorstellen. Ob Sie den „Eintopf mit Tomaten und Kalbfleisch", gegrillte „Kalifornische Kebabs" oder den „Kalbsbraten mit Brombeerbrandy-Sauce" wählen, Ihre Kreativität wird Ihnen viele Komplimente einbringen.

In Frankreich spricht man von „les plaisírs de la bonne table", wenn das Gericht gemundet hat, besonders dann, wenn es sich um Zubereitungen aus diesem Buch handelt. Im Deutschen sagt man wie immer, daß es *„einfach köstlich"* geschmeckt hat.

Rinderbraten

Toms Steak Lasagne

TOMS STEAK LASAGNE

1 Portion	Nudelteig (siehe Seite 426)
450 g	Hüftsteak, in dünne Streifen geschnitten
3 Eßl.	Olivenöl
1	spanische Zwiebel, in Scheiben geschnitten
1	rote Paprikaschote, in Scheiben geschnitten
1	grüne Paprikaschote, in Scheiben geschnitten
3	gewürfelte Selleriestangen
2	feingehackte Knoblauchzehen
500 ml	enthäutete, entkernte, gewürfelte Tomaten
je ½ Teel.	Oreganoblätter, Thymianblätter, Basilikum, Majoran, Kerbel, Paprika, Pfeffer, Zwiebelpulver, Knoblauchpulver
1 Teel.	Salz
2 Teel.	Chilipulver
230 g	Ricottakäse
170 g	geriebener Cheddarkäse
2	Eier
1	gehackte grüne Zwiebel
170 g	harter Mozzarellakäse, gerieben

Den Teig nach Anweisung verarbeiten. Teig zu Lasagnenudeln schneiden, beiseite stellen.

Steak in einer großen Bratpfanne in Öl braten. Zwiebel, Paprikaschoten, Sellerie und Knoblauch dazugeben und weichdünsten. Tomaten und Gewürze hinzufügen, zudecken und 30 Minuten schwach kochen lassen.

Ricottakäse, Cheddar, Eier und grüne Zwiebel vermischen.

Lasagnenudeln, Steaksauce und Käsegemisch abwechselnd in eine große, gefettete Auflaufform geben, wobei die Steaksauce die oberste Schicht bilden soll. Mozzarellakäse darüberstreuen.

Im vorgeheizten Ofen bei 190°C 50-60 Minuten backen, oder bis der Käse goldbraun wird. Sofort servieren.

6 PORTIONEN

GEGRILLTES HONIG-KALBSSTEAK

3 Eßl.	Butter
3 Eßl.	Öl
1	feingehackte, mittelgroße Zwiebel
1	feingehackte Knoblauchzehe
160 ml	Tomatenketchup
160 ml	flüssiger Honig
60 ml	Apfelessig
1 Eßl.	Worcestersauce
je ½ Teel.	Thymianblätter, Oreganoblätter, Basilikumblätter, Paprika, Pfeffer, Chilipulver, Salz
½ Teel.	flüssige Räucherwürze
4 x 170 g	Kalbssteaks aus der Keule

Butter und 2 Eßlöffel Öl in einem Kochtopf erhitzen. Zwiebel und Knoblauch in den Topf geben und weichdünsten.

Ketchup, Honig, Essig, Worcestersauce, Gewürze und Räucherwürze hinzufügen. Leicht kochen lassen, bis die Sauce dick und glänzend wird. Abkühlen lassen.

Die Steaks mit dem restlichen Öl bestreichen, und jede Seite jeweils 6 Minuten über mittelheißen Kohlen grillen. Dabei mehrmals mit der Sauce bestreichen. Noch ein letztes Mal vor dem Servieren bestreichen.

4 PORTIONEN

Gegrilltes Honig-Kalbssteak

ROTWEINEINTOPF

675 g	mageres Kalbfleisch, ohne Knochen
70 g	Butter
1	feingehackte Knoblauchzehe
3 Eßl.	Mehl
1 Eßl.	gehackte frische Petersilie
60 ml	Rotwein
250 ml	enthäutete, entkernte, gehackte Tomaten
125 ml	Kalbsbrühe (siehe Seite 85) oder Hühnerbrühe (siehe Seite 77)
je ½ Teel.	Salz, Pfeffer, Paprika
1 Teel.	Oregano
2 Teel.	Kapern
2 Teel.	abgeriebene Zitronenschale

Kalbfleisch in grobe Würfel schneiden. Butter in einem großen Kochtopf erhitzen. Kalbfleisch und Knoblauch dazugeben und garen, bis das Fleisch braun wird. Mit Mehl bestreuen und noch 3 Minuten bei schwacher Hitze weitergaren.

Die übrigen Zutaten hinzufügen. Zudecken und 30 Minuten köcheln lassen.

Mit Reis servieren.

6 PORTIONEN

GEPFEFFERTE KALBSKOTELETTS

6 x 180 g	Kalbskoteletts
60 ml	zerdrückte, schwarze Pfefferkörner
55 g	Butter
2 Eßl.	Weinbrand
250 ml	Demi-Glace (siehe Seite 123)
2 Eßl.	Sherry
60 ml	Creme fraiche

Pfefferkörner leicht auf die Kalbskoteletts drücken.

Butter in einer großen Bratpfanne erhitzen und die Koteletts darin nach Belieben an- oder durchbraten. Die Koteletts vom Herd nehmen und warm stellen.

Weinbrand angießen und flambieren. Demi-Glace und Sherry hinzufügen. Eine Minute köcheln lassen. Sahne darin gründlich verrühren.

Die Sauce über die Koteletts geben. Servieren.

6 PORTIONEN

BLANQUETTE DE VEAU A L'INDIENNE

675 g	Kalbfleisch, Schulterstück, in kleine, etwa 2 cm große Würfel geschnitten
1 l	Hühnerbrühe (siehe Seite 77)
2 Teel.	Salz
20	Silberzwiebeln
4	Möhren, in lange, schmale Streifen geschnitten
2 Eßl.	Butter
2 Eßl.	Mehl
2 Eßl.	Currypulver
2 Eßl.	Zitronensaft
2	Eigelb
1 Eßl.	gehackte Petersilie

Kalbfleisch, Hühnerbrühe und Salz in einen flachen Bratentopf geben. Zudecken und 1½ Stunden leicht kochen lassen. Zwiebeln und Möhren hinzufügen. 15 weitere Minuten kochen, dann 500 ml Flüssigkeit herausschöpfen und zur Seite stellen.

Butter in einem kleinen Kochtopf zerlassen. Mehl und Currypulver einrühren und 3 Minuten bei schwacher Hitze kochen. Langsam unter Rühren die 500 ml Flüssigkeit dazugeben. Weiterrühren, bis die Sauce dick wird.

Zitronensaft unter die Eigelb schlagen. In die Sauce einrühren. Nicht kochen lassen.

Die Sauce zum Kalbfleisch gießen. Wieder aufwärmen, aber nicht kochen. In eine Servierschüssel geben und mit Petersilie verzieren. Über die gekochten Eiernudeln geben und servieren.

6 PORTIONEN

Rotweineintopf

Rindereintopf nach Bauernart

RINDEREINTOPF NACH BAUERNART

1 kg	Rindfleisch
3 Eßl.	Olivenöl
3 Eßl.	Mehl
3	gewürfelte Zwiebeln
1	feingehackte Knoblauchzehe
3	große, gewürfelte Möhren
4	gewürfelte Selleriestangen
20	junge Champignons
750 ml	Rinderbrühe (siehe Seite 85)
90 ml	Tomatenmark
1 Eßl.	Worcestersauce
2 Eßl.	Sojasoße
je ½ Teel.	Salz, Pfeffer, Paprika, Chilipulver, Thymian, Oregano
6	große Kartoffeln

Rindfleisch in große Würfel schneiden. Öl in einem großen Topf oder flachen Bratentopf erhitzen. Rindfleisch dazugeben und anbräunen, dann herausnehmen und beiseite stellen.

Bratfond mit Mehl bestreuen und 5 Minuten bei schwacher Hitze kochen, oder bis die Schwitze goldbraun wird.

Zwiebeln, Knoblauch, Möhren, Sellerie und Pilze hinzufügen und weichdünsten. Rindfleisch, Brühe, Tomatenmark, Worcestersauce, Sojasoße und Gewürze einrühren. Zudecken und 45 Minuten köcheln lassen.

Kartoffeln schälen und in Würfel schneiden, zum Eintopf geben und weitere 30 Minuten leicht kochen lassen. Servieren und dazu frische Brötchen oder Omas beste Klöße (Rezept folgt) reichen.

6 PORTIONEN

OMAS BESTE KLÖSSE

110 g	Mehl
1½ Teel.	Backpulver
½ Teel.	Salz
125 ml	Buttermilch

Mehl, Backpulver und Salz zusammen in eine Schüssel sieben. Milch langsam zugießen, bis sich ein weicher, flockiger Teig bildet.

Teig in kleinen, eßlöffelgroßen Portionen in einen Eintopf oder Frikassee geben. Zudecken und vor dem Servieren 15 Minuten schwach kochen lassen. Während des Kochens den Deckel nicht abnehmen.

6 PORTIONEN

KALBFLEISCH OSKAR

675 g	Kalbfleisch, Schulterstück
2	Eier
60 ml	Milch
55 g	Mehl
90 g	feines Paniermehl, gewürzt
60 ml	Distelöl
375 ml	gekochtes Krebsfleisch
18	blanchierte Spargelstangen
180 ml	Sauce Béarnaise (siehe Seite 108)

Kalbfleisch in sechs 120 g große Stücke schneiden. Jedes Stück mit dem Fleischhammer flach klopfen.

Eier in die Milch geben. Jedes Kotelett mit Mehl bestäuben, in die Eimischung tauchen und im Paniermehl wenden.

Das Öl in einer großen Bratpfanne erhitzen und die Koteletts darin braten, bis sie auf jeder Seite goldbraun sind.

Koteletts auf ein Backblech legen. 3 Spargelstangen, 30 ml Sauce Béarnaise und gleiche Teile Krebsfleisch auf jedes Kotelett verteilen. In den vorgeheizten Ofen geben und 1½ Minuten grillen. Servieren.

6 PORTIONEN

Auf Hühnerart gebratenes Steak

AUF HÜHNERART GEBRATENES STEAK

6 x 115 g	Steaks aus der Oberschale
2	Eier
60 ml	Milch
90 g	feines Paniermehl
je ¼ Teel.	Salz, Pfeffer, Basilikum, Thymianblätter, Chilipulver, Zwiebelpulver, Oregano, Paprika
35 g	Mehl
60 ml	Distelöl
500 ml	Country Sauce (siehe Seite 118)

Steaks mit dem Fleischhammer klopfen, um sie zart zu machen.

Eier in die Milch mischen. Das Paniermehl mit den Gewürzen vermengen.

Steaks mit Mehl bestäuben, in die Eimischung tauchen und im Paniermehl wenden.

Öl in einer großen Bratpfanne erhitzen. Die Steaks darin von beiden Seiten jeweils 3 Minuten braten. Die Sauce gesondert reichen.

6 PORTIONEN

ZITRONENPFEFFER STEAK

450 g	Rinderfilet
60 ml	Zitronenpfeffer
2 Eßl.	Distelöl
2 Eßl.	Butter
250 ml	Wildpilze in Sherrysauce (siehe Seite 105)
80 ml	saure Sahne

Das Filet vom Fett befreien und in Steaks schneiden. Jedes Steak in Zitronenpfeffer wälzen.

Öl und Butter in einer großen Bratpfanne erhitzen und das Fleisch nach Wunsch braten.

Mittlerweile die Sauce in einem Kochtopf erhitzen. Die saure Sahne damit verquirlen.

Sobald die Steaks fertig sind, auf Servierplatten legen und die Sauce darübergießen.

4 PORTIONEN

RINDFLEISCH UND TOMATEN AUF NUDELN

½ Teel.	Natron
3 Eßl.	Erdnußöl
2	feingehackte Knoblauchzehen
2 Teel.	Zucker
1 Teel.	Salz
3 Eßl.	Sojasoße
2 Eßl.	Sherry
450 g	Rindsteaks aus der Oberschale
40 g	Pilze, in Scheiben geschnitten
1	mittelgroße Zwiebel, in Scheiben geschnitten
250 ml	enthäutete, entkernte, gehackte Tomaten
1 Teel.	Stärkemehl
1 Eßl.	Wasser
345 g	Glasnudeln

Natron mit Knoblauch, Zucker, Salz, Sojasoße, Sherry und 15 ml Öl verrühren.

Das Steak in dünne Scheiben schneiden und in eine große Rührschüssel legen. Die Marinade darauf gießen und 20 Minuten lang beiseite stellen.

In einem großen Wok oder in einer Bratpfanne das restliche Öl erhitzen. Die Marinade vom Fleisch abgießen und aufbewahren. Rindfleisch, Pilze und Zwiebeln 3 Minuten lang braten. Dann Marinade und Tomaten dazugeben, Hitze zurückschalten und 1 Minute leicht kochen lassen.

Stärkemehl mit Wasser verrühren und zum Rindfleisch geben. Schwach kochen lassen, bis die Sauce dick wird.

Während das Fleisch gart, Nudeln in einem großen Topf mit siedendem Salzwasser kochen. Wasser abgießen und die Nudeln auf eine große Platte geben. Fleischgemisch über den Nudeln verteilen und servieren.

6 PORTIONEN

Zitronenpfeffer Steak

KALBSKOTELETTS MIT PREISELBEEREN

6 x170 g	Kalbskoteletts, ohne Knochen
3 Eßl.	Olivenöl
500 ml	frische Preiselbeeren
170 g	Zucker
½ Teel.	Salz
80 ml	Wasser

Koteletts in einer großen Bratpfanne in Öl anbraten. Fett abgießen.

Die restlichen Zutaten dazugeben. Zum Kochen bringen. Hitze zurückschalten und ½ Stunde mit geschlossenem Deckel leicht kochen. Die Koteletts mit der Sauce übergießen und servieren.

6 PORTIONEN

APFELMUS-HAMBURGER

450 g	mageres Gehacktes vom Rind
1	kleine Zwiebel, feingehackt
125 ml	Apfelmus
2 Eßl.	brauner Zucker
60 ml	Tomatenketchup
25 g	Paniermehl
6	Brötchen

Das Hackfleisch gründlich mit den anderen Zutaten vermengen. Zu 6 flachen Klopsen formen.

In eine Pfanne legen und 15 Minuten im vorgeheizten Ofen bei 200°C braten.

Jeden Klops in ein Brötchen stecken. Beliebig garnieren. Heiß servieren.

6 PORTIONEN

SCHARF GEWÜRZTE KALBSKOTELETTS

2 Eßl.	Butter
je ¼ Teel.	Cayennepfeffer, schwarzer Pfeffer, weißer Pfeffer
6 x 170 g	Kalbskoteletts, ohne Knochen
125 ml	Chilisoße
125 ml	Ketchup
je ¼ Teel.	Salz, Basilikum, Paprika, Chilipulver, Thymian, Oregano
2 Eßl.	Worcestersauce
2 Eßl.	Dijonsenf
125 ml	Wasser

Butter und Pfeffer zu einer Creme verarbeiten.

Koteletts in eine Auflaufform geben und die Butter darauf streichen. Unter den Grill des Ofens stellen und 3 Minuten grillen. Die Koteletts wenden und 3 weitere Minuten grillen.

Unterdessen die restlichen Zutaten in einer kleinen Schüssel vermischen, dann über die Koteletts gießen. 20-25 Minuten im vorgeheizten Ofen bei 180°C backen.

Mit Reispilaf servieren.

6 PORTIONEN

Kalbskoteletts mit Preiselbeeren

KALIFORNISCHE KEBABS (BRATSPIESSE)

900 g	Rinderhüfte
125 ml	Aprikosennektar
1Eßl.	Zitronensaft
1 Eßl.	Limonensaft
60 ml	Olivenöl
1Eßl.	Worcestersauce
½ Teel.	Salz
½ Teel.	Thymianblätter
1 Eßl.	gehackte glatte Petersilie
2	grobgewürfelte grüne Paprikaschoten
1	grobgewürfelte gelbe Paprikaschote
12	Pilze
12	Cocktailtomaten
1	grobgewürfelte, spanische Zwiebel
1	Zucchini, in dicke Scheiben geschnitten

Fett von der Hüfte abschneiden und das Fleisch in 2 cm große Würfel schneiden. Die Würfel in eine Schüssel geben.

Aprikosen-, Zitronen- und Limonensaft sowie Öl, Worcestersauce, Salz, Thymian und glatte Petersilie gut verrühren. Marinade über das Fleisch geben und 12 Stunden oder über Nacht im Kühlschrank ziehen lassen.

Rindfleisch, Paprikaschoten, Pilze, Tomaten, Zwiebeln und Zucchini abwechselnd auf Bambusspieße stecken. Spieße 8-10 Minuten lang bei mittlerer Hitze grillen. Während des Grillens oft mit Marinade bestreichen. Servieren.

6 PORTIONEN

Kalifornische Kebabs (Bratspieße)

KREOLISCHE KALBSKOTELETTS

8	2 cm dicke Kalbskoteletts
680 ml	Brotwürfel
70 g	Butter
1	kleine Zwiebel, feingehackt
½ Teel.	Worcestersauce
½ Teel.	Salz
½ Teel.	Pfeffer
4 Eßl.	Öl
500 ml	Kreolensauce (siehe Seite 121)

Brot, Butter, Zwiebel, Worcestersauce, Salz und Pfeffer mischen und zu einer Füllung verarbeiten. Die Koteletts damit füllen.

Öl in einer großen Bratpfanne erhitzen. Die Koteletts darin anbräunen. Überflüssiges Öl abgießen. Die Sauce über die Koteletts geben. Pfanne zudecken und unter geringer Hitzezufuhr 1 Stunde lang köcheln lassen.

Mit Reis servieren.

6 PORTIONEN

ORIENTALISCHE LEBER

450 g	Kalbsleber
35 g	Mehl
4 Eßl.	Distelöl
115 g	junge Champignons
80 g	Zuckerschoten
1	feingehackte Knoblauchzehe
1	Zwiebel, in Scheiben geschnitten
1 Teel.	feingehackte Ingwerwurzel
¼ Teel.	chinesische 5-Gewürzmischung
125 ml	Rinderbrühe (sieheSeite 85)
1 Eßl.	Sojasoße
1 Teel.	Worcestersauce

Sehnen von der Leber entfernen. Leber in dünne Streifen schneiden und mit Mehl bestäuben.

Öl in einem Wok stark erhitzen. Leber in den Wok geben und 3 Minuten braten. Pilze, Erbsen, Knoblauch, Zwiebel und Ingwer hinzufügen. Weitere 4 Minuten braten. Die restlichen Zutaten dazugeben, Hitze zurückschalten. Leicht kochen, bis die Sauce dick wird.

Mit Bombay-Reis (siehe Seite 709) servieren.

4 PORTIONEN

Kalbsleber mit Zitruspfefferkornsauce

Kalbfleisch mit Krevetten und Cashewnüssen

KALBSLEBER MIT ZITRUSPFEFFER-KORNSAUCE

6 x 115 g	Kalbsleber, in Scheiben geschnitten
35 g	Mehl
170 g	Butter
55 g	Puderzucker
3	Orangen
2	Pampelmusen
1 Eßl.	grüne Pfefferkörner

Venen von der Leber entfernen. Dann die Scheiben mit Mehl bestäuben.

55 g Butter in einer großen Bratpfanne erhitzen. Leber 3 Minuten auf jeder Seite darin anbraten.

Die restliche Butter in einem Kochtopf erhitzen. Zucker dazugeben und karamelisieren. Den Saft von zwei Orangen und einer Pampelmuse dazugeben. Die Schalen der dritten Orange und der anderen Pampelmuse abreiben, dann das Obst schälen und in Stücke zerteilen. Je 2 Teelöffel abgeriebene Zitronenschale und 1 Teelöffel abgeriebene Pampelmusenschale in die Sauce geben. Eine Minute kochen. Vom Herd nehmen und Obststücke und Pfefferkörner hinzufügen.

Die gebratene Leber auf Serviertеller legen. Mit Sauce begießen und servieren.

6 PORTIONEN

RUMPSTEAK DIABLE

6 x 300 g	Rumpsteaks
310 ml	Weißwein
60 ml	feingehackte grüne Zwiebel
310 ml	Demi-Glace (siehe Seite 123)
1 Teel.	Worcestersauce
½ Teel.	Senfpulver

Den Knorpelrand und etwaiges Fett vom Steak abschneiden, damit dieses sich während des Garens nicht wölbt.

Wein und grüne Zwiebel gemeinsam in einem kleinen Topf kochen lassen, bis ⅔ des Weins verdampft. Die restlichen Zutaten dazugeben, die Hitze zurückschalten und 5 Minuten köcheln lassen. Die Sauce durch ein Sieb passieren und warm stellen.

Die Steaks über mittelheißen Kohlen nach Belieben gar grillen. Mit der Sauce übergossen servieren.

6 PORTIONEN

KALBFLEISCH MIT KREVETTEN UND CASHEWNÜSSEN

900 g	Kalbfleisch, Schulterstück, ohne Knochen
3 Eßl.	Distelöl
1	Zwiebel, in Scheiben geschnitten
2	grobgewürfelte Möhren
2	grobgewürfelte Selleriestangen
3 Eßl.	Mehl
500 ml	Hühnerbrühe (siehe Seite 77)
250 ml	entrahmte Sahne
450 g	gekochte Krevetten
250 ml	Cashewnüsse

Kalbfleisch in 2 cm große Würfel schneiden.

Öl in einem flachen Brattopf erhitzen. Das Kalbfleisch in den Topf geben und anbräunen. Zwiebel, Möhren und Sellerie hinzufügen und weichdünsten. Mit Mehl bestreuen und 2 Minuten kochen. Hühnerbrühe und Sahne angießen, Hitze zurückschalten und 1 Stunde lang köcheln lassen.

In eine Servierschüssel geben. Mit kleinen Krabben und Nüssen bestreuen. Nudeln dazu reichen.

6 PORTIONEN

Chili Con Carne mit Käse

FILET AU POIVRE

6 x 225 g	Rinderfiletsteaks
60 ml	zerdrückte, schwarze Pfefferkörner
55 g	Butter
2 Eßl.	Weinbrand
250 ml	Demi-Glace (siehe Seite 123)
2 Eßl.	Sherry
60 ml	Creme fraiche

Fett von den Filets entfernen und Pfefferkörner auf die Filets drücken.

Die Butter erhitzen und die Filets darin nach Belieben gar braten. Aus der Pfanne nehmen und warm stellen.

Den Weinbrand in die Pfanne gießen und vorsichtig flambieren. Demi-Glace, Sherry und Sahne dazugeben und durchrühren. Die Sauce über die Steaks gießen. Servieren.

6 PORTIONEN

KALBSBRATEN MIT BROMBEER-BRANDY SAUCE

675 g	Kalbsrollbraten, Schulterstück, ohne Knochen
1	Knoblauchzehe
je ¼ Teel.	Thymianblätter, Oreganoblätter, Salz, Pfeffer, Paprika, Senfpulver
1 Eßl.	Olivenöl
SAUCE:	
625 g	Brombeeren
4 Teel.	Stärkemehl
60 ml	Brombeerbrandy
2 Eßl.	Puderzucker

Ofen auf 180°C vorheizen.

Braten mit Knoblauch einreiben. Die Gewürze miteinander vermischen.

Den Braten in einen kleinen Bräter geben, mit den Gewürzen bestreuen und mit Öl beträufeln. Ohne Deckel 35-45 Minuten braten, je nach gewünschter Garzeit.

Mittlerweile Brombeeren im Mixer pürieren. Durch ein Sieb streichen, um Fruchtfleisch und Samen auszusieben. Den Saft in einen kleinen Kochtopf gießen. Stärkemehl, Brandy und Zucker einrühren. Langsam einkochen, bis die Sauce dickflüssig wird.

Braten aus dem Ofen nehmen und tranchieren. Auf eine Servierplatte legen und mit Sauce übergießen. Servieren.

4 PORTIONEN

CHILI CON CARNE MIT KÄSE

1 kg	mageres Gehacktes vom Rind
3 Eßl.	Distelöl
1	gewürfelte Zwiebel
1	gewürfelte grüne Paprikaschote
1	gewürfelte rote Paprikaschote
90 g	Pilze, in Scheiben geschnitten
3	gewürfelte Selleriestangen
1	feingehackte Knoblauchzehe
750 ml	enthäutete, entkernte, gehackte Tomaten
je 1 Teel.	Salz, Pfeffer, Paprika, Thymianblätter
1 Eßl.	Chilipulver
2 Teel.	Worcestersauce
3 Tropfen	scharfe Pfeffersoße
560 ml	rote Bohnen, abgetropft
60 ml	Tomatenmark
170 g	geriebener Cheddarkäse

In einem großen flachen Bratentopf oder großen Topf das Rindfleisch im Öl anschmoren. Gemüse und Knoblauch hinzufügen und weichdünsten.

Die übrigen Zutaten außer dem Käse einrühren. Hitze reduzieren und 1 Stunde leicht kochen,oder bis die Sauce eindickt (nach Belieben).

In Servierschüsseln geben und mit Käse bestreuen. Servieren.

6 PORTIONEN

RIND IN TOMATEN-INGWER-SAUCE

450 g	Rinderfilet
3 Eßl.	Olivenöl
2 Eßl.	Sojasoße
2 Eßl.	Sherry
1	feingehackte Knoblauchzehe
1 Teel.	feingehackter Ingwer
6	getrocknete chinesische Pilze, eine Stunde in warmem Wasser eingeweicht
2 Eßl.	Tomatenmark

Fett vom Rindfleisch entfernen und dieses in schmale Streifen schneiden.

1 Teelöffel Öl mit Sojasoße, Sherry, Knoblauch und Ingwer mischen, die Mischung über das Fleisch geben. 2 Stunden marinieren.

Pilze in Scheiben schneiden.

Das übrige Öl in einem Wok erhitzen. Rindfleisch mit der Marinade und den Pilzen zügig anbraten. Tomatenmark einrühren und eine weitere Minute kochen. Servieren.

4 PORTIONEN

KALB SCALOPPINI

675 g	Kalbskoteletts
25 g	Mehl
1 Teel.	Salz
¼ Teel.	weißer Pfeffer
1	Knoblauchzehe
3 Eßl.	Olivenöl
170 ml	Kalbsbrühe (siehe Seite 85) oder Hühnerbrühe (siehe Seite 77)
2 Eßl.	Zitronensaft
90 ml	Weißwein
2 Eßl.	gehackte Petersilie

Kalbfleisch in kleine Portionen schneiden.

Mehl mit Salz und Pfeffer vermischen und damit das Kalbfleisch bestäuben.

Öl in einer großen Bratpfanne erhitzen und Knoblauch darin goldbraun braten. Dann Knoblauch entfernen und zur Seite stellen. Kalbfleisch in Öl goldbraun braten.

Hitze zurückschalten und Brühe, Zitronensaft und Wein hinzugeben. Zudecken und 45 Minuten leicht kochen.

Mit Petersilie bestreuen, servieren.

6 PORTIONEN

Filet au Poivre

RIND IN ANANASSAUCE

450 g	Rinderfilet
1Eßl.	brauner Zucker
½ Teel.	feingehackter Ingwer
2 Eßl.	Sojasoße
2 Eßl.	Sherry
2 Eßl.	Distelöl
250 ml	Ananasstücke
125 ml	Ananassaft
1 Teel.	Stärkemehl
2 Eßl.	Wasser

Fett vom Filet entfernen, Fleisch in schmale Streifen schneiden.

Zucker mit Ingwer, Sojasoße und Sherry verrühren; über das Rindfleisch geben und 2 Stunden marinieren.

Öl in einem Wok erhitzen. Das Fleisch mit Marinade und Ananasstücken dazugeben und 3 Minuten kochen. Ananassaft angießen. Stärkemehl im Wasser anrühren und zum Fleisch geben. Leicht kochen, bis die Sauce dick wird. Servieren.

6 PORTIONEN

GEGRILLTES T-BONE STEAK MIT PILZEN

250 ml	Olivenöl
4	feingehackte Knoblauchzehen
1 Eßl.	Basilikumblätter
1 Teel.	Kerbel
2 Teel.	zerriebener Rosmarin
½ Teel.	zerdrückter schwarzer Pfeffer
3 Eßl.	Zitronensaft
125 ml	trockener Rotwein
4 x 225 g	T-bone Steaks
175 g	frische Austernpilze
175 g	eingeweichte chinesische Pilze
3 Eßl.	Butter

Öl, Knoblauch, Basilikum, Kerbel, Rosmarin, Pfeffer und Zitronensaft mit Rotwein in einer Rührschüssel verrühren.

Steaks in einen flachen Topf geben. Die Marinade darübergießen und eine Stunde ziehen lassen. Marinade abgießen und die Steaks auf heißen Kohlen grillen: von jeder Seite jeweils 7 Minuten für medium, länger für durchgebratene und nur wenige Minuten für englische Steaks.

Während die Steaks gegrillt werden, die Pilze in Scheiben schneiden. Butter in einer Bratpfanne erhitzen, Pilze darin anschmoren und auf den Steaks servieren.

4 PORTIONEN

KALBFLEISCH SATAY

900 g	mageres Kalbfleisch, ohne Knochen, in grobe Würfel geschnitten
4 Eßl.	Erdnußöl
1¼ Eßl.	gemahlene Paranüsse
½ Teel.	gemahlener Ingwer
1½ Teel.	gemahlener Koriander
je ¼ Teel.	Cayennepfeffer, Knoblauchpulver
je ½ Teel.	Pfeffer, Zwiebelpulver
2 Teel.	Melasse
4 Teel.	Limonensaft
4 Teel.	Zitronensaft
3 Eßl.	heißes Wasser

Das Fleisch auf Bambusspieße stecken und in eine große flache Pfanne legen.

Die restlichen Zutaten in einer Schüssel verrühren und über die Spieße geben. Zudecken und 3½ bis 4 Stunden im Kühlschrank ziehen lassen.

Die Spieße auf großer Flamme 10-12 Minuten grillen, oder bis das Fleisch durch ist. Dabei häufig mit Marinade begießen.

Mit Bombay-Reis (siehe Seite 709) servieren.

6 PORTIONEN

Rind in Ananassauce

Kalbfleisch Satay

KALBSKOTELETT FRIKASSEE II

2 kg	kleine Kalbskoteletts
55 g	Mehl, gewürzt
4 Eßl.	Olivenöl
2	gehackte Zwiebeln
2	gehackte Möhren
2	gehackte Selleriestangen
1	Bouquet garni**
1 l	kalte Kalbsbrühe (siehe Seite 85) oder Hühnerbrühe (siehe Seite 77)
je ½ Teel.	Salz, Pfeffer, Paprika, Chilipulver, Basilikum
125 ml	Tomatenmark
3 Eßl.	Butter
3 Eßl.	Mehl

Koteletts waschen und abtupfen, mit dem gewürzten Mehl bestäuben.

Öl in einem flachen Brattopf oder großen Topf erhitzen. Koteletts von beiden Seiten anbräunen und das überschüssige Öl abgießen. Zwiebeln, Möhren, Sellerie und Bouquet garni dazugeben. Mit der Brühe bedecken und zum Kochen bringen. Die Temperatur zurückschalten und 45 Minuten köcheln lassen.

Die Koteletts herausnehmen und warm stellen. Die Brühe durch ein Sieb abgießen und Gemüse und Bouquet zur Seite legen. Die Brühe wieder in den Topf geben und Gewürze und Tomatenmark hinzufügen. Wieder aufkochen, bis die Flüssigkeit bis auf 500 ml verdampft ist.

Butter in einem kleinen Kochtopf erhitzen, Mehl dazugeben, und bei schwacher Hitze 2 Minuten kochen. Die eingekochte Brühe hinzugießen und leicht kochen lassen, bis eine dicke Sauce entsteht. Die Sauce über die Koteletts geben und dazu Reis oder Nudeln reichen.

4 PORTIONEN

**Für dieses Gericht besteht das Bouquet garni aus; einem Lorbeerblatt, 8 Zweigen Petersilie, 2 Zweigen Thymian, 6 Pfefferkörnern und einer kleinen, gehackten Porreestange: alles in Käseleinen zusammengebunden.

Kalbssteak mit Kräuterbutter

KALBSSTEAK MIT KRÄUTERBUTTER

1	feingehackte Knoblauchzehe
½	Zitrone
½	Limone
je 2 Teel.	Petersilie, Basilikum, Majoran, Thymian
115 g	Butter
6	Scheiben geräucherter, durchwachsener Speck
6 x 170 g	magere Kalbsteaks

Butter, Knoblauch, Kräuter, Limonen- und Zitronensaft im Mixer mischen, bis eine glatte Mischung entsteht. Die Butter zu einer Rolle formen, in Wachspapier einwickeln und eine Stunde einfrieren.

Die Speckscheiben um die Kalbsteaks herumwickeln. Diese auf einem Holzkohlegrill über mittelgroßer Kohle oder im Ofen grillen, bis das Fleisch gut durchgebraten ist.

Die Steaks auf Teller legen und mit einer Scheibe Kräuterbutter belegen.

6 PORTIONEN

RINDERRIPPEN DIABLE

18	Rinderrippen aus der Hochrippe
60 ml	französischer Dijonsenf
2 Teel.	englisches Senfpulver
60 ml	Weißwein
4 Eßl.	Melasse
1 Eßl.	Apfelessig
60 ml	Worcestersauce
1 Teel.	scharfe Pfeffersoße
je ¼ Teel.	gemahlener Ingwer, Zwiebelpulver, Knoblauchpulver

Die Rippen in einen großen Bräter legen.

Die übrigen Zutaten gründlich vermischen und über die Rippen gießen. Die Rippen im auf 180°C vorgeheizten Ofen 1¼ bis 1½ Stunden braten, oder bis sie gar sind. Servieren.

6 PORTIONEN

SALISBURY STEAK LYONNAISE

675 g	mageres Gehacktes vom Rind
15 g	gewürztes Paniermehl
1	Ei
2 Teel.	Worcestersauce
2 Eßl.	feingehackte Zwiebeln
2 Eßl.	feingehackte Möhren
2 Eßl.	feingehackter Stangensellerie
55 g	Butter
1	spanische Zwiebel, in Scheiben geschnitten
2 Teel.	Zucker
3 Eßl.	Mehl
60 ml	Sherry
375 ml	Rinderbrühe (siehe Seite 85)
3 Eßl.	Tomatenmark
½ Teel.	Salz
¼ Teel.	schwarzer Pfeffer

Rindfleisch, Paniermehl, Ei, Worcestersauce, feingehackte Zwiebeln, Möhren und Sellerie in einer großen Schüssel verrühren und zu 6 flachen Klopsen gleicher Größe formen. In eine Grillpfanne legen und im auf 200°C vorgeheizten Ofen 15-20 Minuten braten. Die Garzeit hängt von der Dicke der Klopse ab.

Unterdessen die Butter in einem Kochtopf erhitzen. Zucker und die Zwiebelscheiben dazugeben. Bei schwacher Hitze dünsten, bis die Zwiebeln karamelisieren. Mehl darüberstreuen und weitere 4 Minuten kochen. Sherry, Brühe, Tomatenmark und Gewürze hinzufügen und leicht kochen, bis die Sauce dick wird.

Die Klopse auf Servierteller legen und reichlich mit Sauce übergießen. Servieren.

6 PORTIONEN

GESCHNETZELTES RINDERFLEISCH SZECHUAN

675 g	Lendenfilet, in etwa ½ cm dicke Scheiben geschnitten
3 Eßl.	Sherry
3 Eßl.	Sojasoße
1 Teel.	feingehackte Knoblauchzehe
1 Teel.	feingehackte Ingwerwurzel
¼ Teel.	Cayennepfeffer
2 Eßl.	Distelöl

Das Steak in schmale Streifen schneiden.

Sherry, Sojasoße, Knoblauch, Ingwer und Cayennepfeffer verrühren. Über das Steak gießen und gut durchrühren. 30 Minuten durchziehen lassen.

Das Öl in einem Wok oder einer großer Bratpfanne sehr stark erhitzen. Rindfleisch mit der Marinade dazugeben. Unter ständigem Rühren 5 Minuten lang braten. Servieren.

6 PORTIONEN

Salisbury Steak Lyonnaise

Das bessere Rindergulasch

DAS BESSERE RINDERGULASCH

3 Eßl.	Butter
3 Eßl.	feingehackte Zwiebeln
2 Teel.	Salz
1 Teel.	Pfeffer
1 Eßl.	Paprika
1 kg	gewürfeltes Rindfleisch aus der Keule
3 Eßl.	Mehl
1 l	heiße Rinderbrühe (see page 85)
1	Bouquet garni (siehe Wörterverzeichnis)
180 g	gewürfelte Kartoffeln
1	Zweig frischer Majoran
250 ml	saure Sahne
60 ml	Tomatenmark
1 Teel.	Kümmelkörner

Die Butter in einem großen Topf oder flachen Brattopf erhitzen. Die Zwiebeln dazugeben und dünsten, ohne sie zu bräunen.

Salz, Pfeffer und Paprika mischen und das Rindfleisch damit bestäuben. Fleisch zu den Zwiebeln in den Topf geben und braten, bis es braun wird. Mit Mehl bestreuen und bei schwacher Hitze weitere 3 Minuten braten.

Die Brühe und das Bouquet garni hinzufügen und 1¼ Stunden leicht kochen.

Kartoffeln und Majoran in den Topf geben. Noch 30 Minuten länger köcheln lassen. Bouquet garni entfernen. Saure Sahne, Tomatenmark und Kümmelkörner einrühren. Weitere 5 Minuten leicht kochen und dann mit Gulaschklößen (Rezept folgt) sofort servieren.

6 PORTIONEN

Rindfleisch Satay

GULASCHKLÖSSE

450 g	Mehl
1 Teel.	Salz
2	Eier
60 ml	Wasser
2	Scheiben durchwachsener Speck
500 ml	Rinderbrühe (siehe Seite 85)

Mehl mit dem Salz in eine Schüssel sieben. Die Eier damit verkneten und genug Wasser dazugeben, um einen festen Teig zu erhalten.

Den Teig auf einer bemehlten Fläche ausrollen und austrocknen lassen, bis er sehr hart wird. Dann den trockenen Teig in Stücke brechen und mit einer groben Gemüseraspel raspeln. Den Speck in einer Bratpfanne braten, Fleisch herausnehmen (anderweitig verwenden) und 2 Eßlöffel des Bratfetts verwahren.

Dieses Fett in einen kleinen Kochtopf gießen, die Brühe hinzufügen und zum Kochen bringen. Die Klöße 4-5 Minuten kochen. Zu dem Gulasch reichen.

6 PORTIONEN

RINDFLEISCH SATAY

450 g	Steak aus der Oberschale oder Keule
3 Eßl.	Erdnußöl
1 Eßl.	gemahlene Paranüsse
¼ Teel.	gemahlener Ingwer
1 Teel.	gemahlener Koriander
je ¼ Teel.	Cayennepfeffer, Knoblauchpulver
je ¼ Teel.	Pfeffer, Zwiebelpulver
1 Teel.	Melasse
1 Eßl.	Limonensaft
1 Eßl.	Zitronensaft
3 Eßl.	heißes Wasser

Das Rindfleisch von Fett befreien und in dünne Scheiben schneiden.

Das Fleisch auf Bambusspieße stecken und in eine große flache Pfanne legen.

Die restliche Zutaten in einer Rührschüssel vermischen und diese Sauce über die Spieße gießen. Zugedeckt etwa 3½ bis 4 Stunden im Kühlschrank ziehen lassen.

Die Spieße jeweils zwei Minuten von beiden Seiten bei starker Hitze grillen. Mit der Marinade mehrmals begießen. Sofort servieren.

4 PORTIONEN

KALBSSTEAK MIT ROSAGRÜNER PFEFFERKORN-SAUCE

2 Eßl.	Butter
2 Eßl.	Mehl
125 ml	Kalbsbrühe (siehe Seite 85) oder Hühnerbrühe (siehe Seite 77)
125 ml	entrahmte Sahne
3 Eßl.	Weinbrand
1 Eßl.	rosa Pfefferkörner
1 Eßl.	grüne Pfefferkörner
1 Eßl.	grüne Zwiebel, kleingehackt
1 Eßl.	Petersilie, gehackt
4 x 170 g	Kalbssteaks aus der Keule
2 Eßl.	zerlassene Butter
½ Teel.	Salz
¼ Teel.	weißer Pfeffer

Die Butter in einem Kochtopf erhitzen und das Mehl dazugeben. Die Temperatur zurückschalten und 2 Minuten kochen lassen.

Brühe, Sahne und Weinbrand einrühren und leicht kochen, bis die Sauce dick wird. Pefferkörner, Zwiebel und Petersilie unterrühren.

Kalbfleisch mit zerlassener Butter bepinseln und mit Salz und Pfeffer würzen. Im vorgeheizten Ofen bei 190°C 15-20 Minuten backen.

Fleisch aus dem Ofen nehmen und auf einen Servierteller geben. Mit der Sauce begießen und servieren.

4 PORTIONEN

GESCHMORTE KURZE RIPPENSTÜCKE

1 kg	kurze Rippenstücke vom Rind
220 g	Mehl
je ½ Teel.	Knoblauchpulver, Zwiebelpulver, Salz, Pfeffer
je ¼ Teel.	Thymian, Oregano, Chilipulver, Paprika
1	feingehackte Knoblauchzehe
60 ml	Sojasoße
½ Teel.	gemahlener Ingwer
40 g	brauner Zucker
60 ml	Sherry
180 ml	Wasser

Die Rippen in gewünschte Portionen aufschneiden.

Mehl mit den Gewürzen mischen und die Rippen damit bestäuben. Diese dann in einem auf 180°C vorgeheizten Ofen bräunen.

Knoblauch, Sojasoße, Ingwer, Zucker, Sherry und Wasser verrühren und diese Mischung über die Rippen gießen. Rippen zudecken. Die Ofentemperatur auf 150°C zurückschalten und die Rippen 2 Stunden schmoren.

Mit Spanischem Reis (siehe Seite 749) servieren.

6 PORTIONEN

RINDFLEISCH STROGANOFF

2 Eßl.	Distelöl
2 Eßl.	Butter
1	gewürfelte Selleriestange
1	gewürfelte kleine Zwiebel
1	gewürfelte grüne Paprikaschote
450 g	Hüfte, in dünne Scheiben geschnitten
3 Eßl.	Mehl
375 ml	Rinderbrühe (siehe Seite 85)
60 ml	Sherry
je ½ Teel.	Salz, Pfeffer, Paprika
1 Teel.	Dijonsenf
250 ml	saure Sahne
170 g	gedünsteter Reis oder Nudeln

Öl und Butter in einer großen Bratpfanne erhitzen. Gemüse darin dünsten. Rindfleisch dazugeben und anbraten. Das Fleisch mit Mehl bestreuen und 3 Minuten kochen.

Rinderbrühe, Sherry, Gewürze und Senf hinzufügen. Temperatur zurückschalten. Mit geschlossenem Deckel 1¼ Stunden leicht kochen lassen.

Saure Sahne dazugeben und gut durchrühren. Reis oder Nudeln auf einen Servierteller geben. Mit Stroganoff bedecken und auftragen.

4 PORTIONEN

Geschmorte kurze Rippenstücke

Kalbseintopf mit Gewürznelken

GEFÜLLTER KALBSBRATEN

675 g	Kalbsbraten aus der Schulter, ohne Knochen
1	kleingewürfelte Zwiebel
2	kleingewürfelte Selleriestangen
2	kleingewürfelte Möhren
2 Eßl.	Butter
40 g	Rosinen
90 g	Cashewnüsse
750 ml	Brotwürfel
je 1 Teel.	Salz, Pfeffer, Zucker, Basilikum, Thymianblätter
2	Eier

Den Ofen auf 180°C vorheizen.

Kalbsbraten längs der Mitte einschneiden. Das Fleisch mit einem Fleischhammer flach klopfen.

Zwiebel, Sellerie und Möhren in einer Bratpfanne mit Butter dünsten. Auf Zimmertemperatur abkühlen lassen. Dann in eine Rührschüssel geben. Rosinen, Cashewnüsse, Brotwürfel und Gewürze daruntermengen. Alle Zutaten mit den Eiern binden.

Diese Füllung auf das Kalbfleisch pressen. Fleisch aufrollen und zusammenschnüren. In einen Brattopf geben, 45-50 Minuten ohne Deckel braten lassen. Herausnehmen und tranchieren. Auf eine Servierplatte geben. Wildpilze in Sherrysauce (siehe Seite 105) dazu reichen.

4 PORTIONEN

KALBSEINTOPF MIT GEWÜRZNELKEN

2 Eßl.	Olivenöl
900 g	gewürfeltes Kalbfleisch, ohne Knochen
450 g	enthäutete, entkernte, gehackte Tomaten
6	Gewürznelken
250 ml	Hühnerbrühe (siehe Seite 77)
2	feingehackte Knoblauchzehen
je ¼ Teel.	Basilikum, Thymian, Majoran
½ Teel.	Salz und Pfeffer
1 Eßl.	gehackte Petersilie

Olivenöl in einem flachen Brattopf erhitzen. Kalbfleisch im Topf anschmoren. Tomaten, Gewürznelken, Brühe, Knoblauch und Gewürze hinzufügen.

Den Topf zudecken, die Temperatur zurückschalten und 2 Stunden köcheln lassen.

Auf Nudeln oder Reis geben und mit Petersilie garnieren. Servieren

6 PORTIONEN

EINTOPF MIT TOMATEN UND KALBFLEISCH

675 g	Kalbfleisch aus der Schulter, in grobe Würfel geschnitten
750 ml	Hühnerbrühe (siehe Seite 77)
2 Teel.	Salz
je 1 Teel.	Thymian- und Oreganoblätter
3 Eßl.	Butter
20	Silberzwiebeln
2	Möhren, in lange, schmale Streifen geschnitten
2	Selleriestangen, in lange, schmale Streifen geschnitten
1	feingehackte Knoblauchzehe
20	junge Champignons
3 Eßl.	Mehl
375 ml	Tomatenpüree

Kalbfleisch, Brühe, Salz, Thymian und Oregano in einen flachen Brattopf geben. Zudecken und 1½ Stunden leicht schmoren lassen.

Butter in einem Kochtopf erhitzen. Möhren, Sellerie, Zwiebeln, Pilze und Knoblauch in den Topf geben. 5 Minuten dünsten. Mit Mehl bestreuen und 3 Minuten kochen, ohne es zu bräunen.

Diese Mischung auf das Kalbfleisch gießen und damit verrühren. Tomatenpüree hinzufügen und 10 Minuten leicht kochen lassen. Mit Reis servieren.

6 PORTIONEN

GEBRATENE KALBSKOTELETTS MIT KLEMENTINEN-SAUCE

6 x 170 g	Kalbskoteletts, ohne Knochen
3 Eßl.	Öl
	Salz, Pfeffer (nach Geschmack)
80 ml	Tangerinen- oder Orangensaftkonzentrat
125 ml	Kalbsbrühe (siehe Seite 85) oder Hühnerbrühe (siehe Seite 77)
60 ml	Schlagsahne
1 Eßl.	Butter
1 Teel.	Limonensaft

Öl in einer großen Bratpfanne erhitzen. Kalbfleisch 6-8 Minuten darin braten. Mit Salz und Pfeffer würzen und warm stellen.

Tangerinensaft und Brühe in einem Kochtopf erhitzen, zum Kochen bringen und dann die Temperatur zurückschalten. Sahne einrühren und köcheln lassen, bis die Sauce dick genug ist, einen Löffel zu beschichten. Vom Herd nehmen. Butter und Limonensaft in die Sauce schlagen.

Kalbskoteletts auf eine Servierplatte geben. Mit der Sauce bedecken und servieren.

6 PORTIONEN

RIND IN ROTWEIN-PILZ-SAUCE

1 kg	Rinderhüfte, in schmale Streifen geschnitten
3 Eßl.	Butter
3 Eßl.	Distelöl
120 g	Pilze, in Scheiben geschnitten
3 Eßl.	kleingewürfelte Möhren
3 Eßl.	kleingewürfelter Stangensellerie
25 g	Mehl
125 ml	Rotwein
500 ml	Rinderbrühe (siehe Seite 85)
3 Eßl.	Tomatenmark
je 1 Teel.	schwarzer Pfeffer, Knoblauchpulver, Zwiebelpulver

In einem großen, flachen Brattopf oder großen Topf das Rindfleisch in Butter und Öl anbraten. Gemüse hinzufügen und dünsten. Mit Mehl bestreuen, die Temperatur zurückschalten und 5 Minuten kochen.

Wein, Brühe, Tomatenmark und Gewürze dazugeben. Zugedeckt 50 Minuten leicht kochen lassen.

Auf Nudeln geben und servieren.

6 PORTIONEN

BIFTECK MARCHAND DE VINS

4 Eßl.	Butter
160 ml	gehackte grüne Zwiebeln
250 ml	Rotwein
125 ml	Sherry (Creme)
¼ Teel.	zerriebener Rosmarin
¼ Teel.	Majoran
4 Eßl.	gehackte Petersilie
2 Eßl.	Mehl
125 ml	Rinderbrühe (siehe Seite 85)
1 Eßl.	Zitronensaft
6 x 150 g	Rumpsteaks

2 Eßlöffel Butter in einem Kochtopf erhitzen. Grüne Zwiebeln 3 Minuten darin dünsten. Wein, Sherry und Kräuter dazugeben. Zum Kochen bringen, die Temperatur zurückschalten und langsam auf 160 ml Flüssigkeit reduzieren. Durch ein feines Sieb abgießen.

Die restliche Butter in einem zweiten Kochtopf erhitzen. Mehl hinzufügen und bei schwacher Hitze 8 Minuten kochen, oder bis die Mischung haselnußbraun wird. Gesiebte Sauce, Rinderbrühe und Zitronensaft angießen und weitere 7 Minuten köcheln lassen. Mit der restlichen Petersilie bestreuen.

Überflüssiges Fett von den Steaks abschneiden, auch den Knorpelrand. Auf diese Weise wird verhindert, daß sich die Steaks beim Garen wölben. Steaks nach Belieben gar grillen und auf Servierteller legen. Sauce darübergeben und servieren.

6 PORTIONEN

Bifteck Marchand de Vins

Rind in Rotwein-Pilz-Sauce

TOURNEDOS DIANNA LYNN

12	Scheiben durchwachsener, geräucherter Speck
12 x 80 g	Filetsteaks
360 g	gekochtes Krebsfleisch
90 ml	Himbeer-Hollandaise (siehe Seite 108)

Jedes Steak in eine Speckscheibe wickeln. Nach Belieben gar grillen. Das Krebsfleisch darauf geben. Auf jedes Steak jeweils einen Eßlöffel Himbeer-Hollandaise geben. Die Steaks auf ein Backblech legen und 1 Minute grillen, oder bis sie goldbraun sind. Servieren.

6 PORTIONEN

RIND VIENNOISE

675 g	Rindfleisch aus der Oberschale
3 Eßl.	Distelöl
2	spanische Zwiebel, in Scheiben geschnitten
2 Teel.	Paprika
60 ml	Sherry
20	junge Champignons
120 g	Austernpilze, frisch oder rehydriert, in Scheiben geschnitten
1	zerdrückte Knoblauchzehe
1 Eßl.	Worcestersauce
1 Teel.	Basilikum
60 ml	Weinessig
25 g	Mehl
4	große Kartoffeln, geschält und in Würfel geschnitten
500 ml	Rinderbrühe (siehe Seite 85)

Rindfleisch in 2 cm große Würfel schneiden.

Öl in einem großen, flachen Brattopf erhitzen. Zwiebel und Paprika in den Topf geben und weichdünsten. Rindfleisch dazugeben und anbraten. Sherry, Pilze, Knoblauch, Worcestersauce, Basilikum und Essig hinzufügen. Köcheln, bis die Flüssigkeit größtenteils verdampft ist.

Alles mit Mehl bestreuen und 3 Minuten kochen. Kartoffeln und Brühe dazugeben und 3 Minuten kochen. Zudecken und köcheln, bis die Kartoffeln gar sind und die Sauce dick geworden ist. Servieren.

4 PORTIONEN

Tournedos Dianna Lynn

Rind Viennoise

Rindfleisch Südafrika

Rindfleisch Ceylon

RHEINISCHES KALBFLEISCH

675 g	Kalbfleisch, Schulterstück
2	Eier
60 ml	Milch
55 g	Mehl
90 g	feines Paniermehl, gewürzt
60 ml	Distelöl
350 g	Krevetten
18	blanchierte Spargelstangen
180 ml	Hollandaise (siehe Seite 114)

Den Kalbsbraten in sechs 120 g große Stücke schneiden. Mit dem Fleischhammer zart klopfen und flach schlagen.

Eier und Milch mischen. Jedes Kotelett mit Mehl bestäuben, in die Mischung tauchen und in Paniermehl wenden.

Öl in einer großen Bratpfanne erhitzen. Jedes Kotelett von beiden Seiten goldbraun braten. Auf ein Backblech geben.

Krevetten gleichmäßig auf den Koteletts verteilen. 3 Spargelstangen und 2 Eßlöffel Hollandaise auf jedes Kotelett geben. 1½ Minuten im Ofen goldbraun grillen. Servieren.

6 PORTIONEN

RINDFLEISCH CEYLON

3 Eßl.	Distelöl
900 g	Schulterstück vom Rind, in lange, schmale Streifen geschnitten
125 g	Zwiebeln, in Scheiben geschnitten
75 g	Pilze, in Scheiben geschnitten
2	feingehackte Knoblauchzehen
3 Eßl.	Mehl
½ Teel.	Salz
2 Teel.	Currypulver
1 l	enthäutete, entkernte, gewürfelte Tomaten
60 ml	Sherry
60 g	abgebrühte Mandeln, gehobelt
500 ml	Zuckerschoten

Öl in einer großen Bratpfanne oder in einem Kochtopf erhitzen. Rindfleisch dazugeben und anbraten.

Zwiebeln, Pilze und Knoblauch hinzufügen und weichdünsten. Mit Mehl bestreuen; Temperatur zurückschalten und weitere 2 Minuten kochen. Salz, Currypulver, Tomaten und Sherry dazugeben. Wieder aufkochen lassen, Temperatur zurückschalten und 15-20 Minuten köcheln. Mandeln und Erbsen hinzufügen und noch 3 Minuten länger kochen. Mit Reis servieren.

6 PORTIONEN

RINDFLEISCH SÜDAFRIKA

6 x 150 g	Schultersteaks
55 g	Mehl
je ½ Teel.	Basilikum, Oreganoblätter, Thymianblätter, Salz
je ¼ Teel.	Chilipulver, Paprika, Pfeffer
3 Eßl.	Distelöl
75 g	Pilze, in Scheiben geschnitten
150 g	grüne Paprikaschote, in Scheiben geschnitten
125 g	Zwiebeln, in Scheiben geschnitten
500 ml	gehackte Tomaten
125 ml	Wasser
½ Teel.	Worcestersauce

Die Steaks beim Fleischer durch den Steaker geben lassen, oder mit dem Fleischhammer zart klopfen.

Mehl mit den Gewürzen verrühren, dann die Steaks mit dem gewürzten Mehl bestäuben.

Öl in einer großen Bratpfanne erhitzen und die Steaks darin anbraten. Herausnehmen und in eine große Auflaufform geben. Pilze, Paprikaschote und Zwiebel im Öl dünsten. Tomaten, Wasser und Worcestersauce hinzufügen. 5 Minuten köcheln lassen, dann über die Steaks gießen. Zudecken und im auf 180°C vorgeheizten Ofen 1 bis 1½ Stunden schmoren.

Aus dem Ofen nehmen und mit Reispilaf servieren.

6 PORTIONEN

PAUPIETTES DE VEAU — KALBSVÖGELCHEN

6 x 115 g	Kalbsschnitzel
120 g	Gehacktes vom Kalb
60 g	durchwachsener Speck
1	kleine Zwiebel
1	Möhre
1	Selleriestange
¼ Teel.	abgeriebene Zitronenschale
je ½ Teel.	Salz, Basilikumblätter, Pfeffer, Thymianblätter
175 g	feines Paniermehl
1	Ei
3 Eßl.	Öl
3 Eßl.	Butter
4 Eßl.	Mehl
375 ml	Hühnerbrühe (siehe Seite 77)
180 ml	Creme fraiche
2 Eßl.	gehackte Petersilie

Die Schnitzel sehr dünn klopfen. Hackfleisch, Speck, Zwiebel, Möhre und Sellerie in den Mixer geben und fein zerkleinern In eine Rührschüssel geben. Zitronenschale, Gewürze und Paniermehl dazugeben und gut durchrühren. Das Gemisch mit dem Ei binden. Die Koteletts mit dieser Füllung belegen, dann aufrollen und binden.

Öl und Butter in einem Kochtopf erhitzen. Die Kalbsröllchen auf beiden Seiten darin anbraten, dann in eine Auflaufform geben. Mehl in die Bratpfanne streuen, die Temperatur zurückschalten und 2 Minuten kochen. Mit Hühnerbrühe und Sahne aufgießen. 5 Minuten köcheln. Die Sauce über das Kalbfleisch geben.

Die Kalbsvögelchen in dem auf 180°C vorgeheizten Ofen eine Stunde lang braten. Herausnehmen, lösen und auf eine Platte geben. Die Sauce darübergießen und vor dem Servieren mit Petersilie garnieren.

6 PORTIONEN

FILET MIGNON STÉFANIE BLAIS

2 Eßl.	Butter
1 Teel.	Olivenöl
1 Teel.	feingehackte Zwiebel
1 Teel.	feingehackter Schnittlauch
230 g	zerkleinerte Pilze
6 x 115 g	Filet mignon
½ Portion	Blätterteig (siehe Seite 689)
225 g	gekochte Langustenschwänze oder kleine Krabben
1	Ei
375 ml	Sauce Béarnaise (siehe Seite 108) oder Demi-Glace (siehe Seite 123)

Das Öl mit einem Teelöffel Butter in einer großen Bratpfanne erhitzen. Zwiebel, Schnittlauch und Pilze darin dünsten, bis die Flüssigkeit vollkommen verdampft ist.

Die übrige Butter in einer zweiten Bratpfanne erhitzen und die Filets auf beiden Seiten darin braten. Mit Papiertüchern trockentupfen.

Blätterteig den Anweisungen nach ausrollen und in 6 gleich große Stücke aufschneiden. Die Pilzmischung gleichmäßig auf den Teigstücken verteilen und jedes mit einer Languste und einem Filet belegen. Teig zuklappen und Ränder fest zudrücken, damit die Füllung völlig abgedichtet ist. Überhängenden Teig abschneiden.

Den restlichen Blätterteig ausrollen, Steaks damit verziern. Das Ei mit etwas Wasser verrühren und den Teig damit bestreichen. In dem auf 190°C vorgeheizten Ofen 15-18 Minuten lang backen.

Sauce Béarnaise getrennt dazu reichen.

6 PORTIONEN

Filet Mignon Stéfanie Blais

Paupiettes de Veau — Kalbsvögelchen

Kräuterfleischkäse mit saurer Sahne

RINDERBRATEN

25 g	Mehl
2 Eßl.	Senfpulver
1 Teel.	Basilikum
je ½ Teel.	Thymianblätter, Kerbel, Salz
2,2 kg	Rindbraten aus der Oberschale
2 Eßl.	Worcestersauce
1	gehackte Zwiebel
2	gehackte Möhren
2	gehackte Selleriestangen
1	Lorbeerblatt
250 ml	Rotwein
250 ml	Rinderbrühe (siehe Seite 85)

Den Ofen auf 160°C vorheizen. Mehl, Senf und Gewürze vermischen.

Braten damit einreiben und in eine tiefe Bratpfanne geben. Worcestersauce darübergießen.

Gemüse und Lorbeerblatt um den Braten legen. Rotwein und Wasser dazugießen.

Unter regelmäßigem Begießen nach Belieben garen. (siehe Tabelle unten).

Den Bratensaft für die Soße verwenden.

8 PORTIONEN

Tabelle mit Bratzeiten:

Englisch	Medium	Durch
27	34	44 **Minuten für 450 g**

KRÄUTER-FLEISCHKÄSE MIT SAURER SAHNE

450 g	mageres Gehacktes vom Rind
350g	Gehacktes vom Kalb
230 g	mageres Gehacktes vom Schwein
2	Eier
250 ml	zerkleinerte Kräcker
250 ml	saure Sahne
80 ml	gehackte Petersilie
3 Eßl.	gehackter Schnittlauch
je ½ Teel.	Thymianblätter, Kerbel, Basilikumblätter
1 Teel.	Salz
¾ Teel.	gemahlener schwarzer Pfeffer
125 ml	Mornaysauce (siehe Seite 111)

Den Ofen auf 180°C vorheizen.

Alle Zutaten außer der Mornaysauce in einer großen Rührschüssel verrühren.

Eine große, tiefe Kastenform mit Alufolie auslegen. Die Mischung in die Form geben. 1½ Stunden backen. Aus der Form stürzen und die Alufolie entfernen. In Scheiben schneiden und mit Mornaysauce servieren.

6 PORTIONEN

KALBSSCHNITZEL MIT TOMATEN-KONFITÜRE UND KÄSE

250 ml	zerdrückte Tomaten
230 g	Zucker
60 ml	Sherry
6 x 120 g	Kalbsschnitzel
1	Ei
60 ml	Milch
55 g	Mehl
45 g	gewürztes Paniermehl
3 Eßl.	Distelöl
500 ml	geriebener Havartikäse

Tomaten, Zucker und Sherry in einem Kochtopf verrühren. Unter ständigem Rühren bei niedriger Temperatur erhitzen. Einkochen, bis die Tomatenmischung sehr dick wird.

Die Schnitzel mit dem Fleischhammer dünn klopfen. Das Ei unter die Milch ziehen. Die Schnitzel mit Mehl bestäuben, in die Eimischung tauchen und in Paniermehl wenden.

Das Öl in einer großen Bratpfanne erhitzen. Die Schnitzel auf jeder Seite goldbraun braten. Jedes Schnitzel auf ein Backblech legen, die Tomatenmischung darauf verteilen, und mit Käse bestreuen. In den auf 230°C vorgeheizten Ofen stellen und solange überbacken, bis der Käse zerläuft und goldglänzend wird.

Sofort servieren.

6 PORTIONEN

Rinderbraten

KALBSSCHNITZEL IN ZITRONENHONIG

6 x 115 g	Kalbsschnitzel
55 g	Mehl
3 Eßl.	Distelöl
2 Eßl.	Butter
2 Eßl.	Mehl
160 ml	entrahmte Sahne
60 ml	Zitronensaft
60 ml	flüssiger Honig
12	Zitronenscheiben
	Petersilienzweige als Garnierung

Die Schnitzel mit dem Fleischhammer flach klopfen, dann mit 55 g Mehl bestäuben.

Öl in einer Bratpfanne erhitzen und die Schnitzel darin von jeder Seite 3 Minuten braten, oder bis sie goldbraun werden.

Die Butter in einem Kochtopf erhitzen. Das Mehl dazugeben und bei schwacher Hitze 2 Minuten kochen lassen. Die Sahne einrühren und zu einer dicken Sauce einkochen. Zitronensaft und Honig damit verquirlen. Weitere 2 Minuten köcheln.

Schnitzel auf eine Servierplatte geben, die Sauce darübergießen und mit Zitronenscheiben und Petersilie garnieren. Servieren.

6 PORTIONEN

KALBSKOTELETTS MIT LIMONEN-CILANTRO-CREME

1	Ei
60 ml	Milch
6 x 120 g	Kalbskoteletts, ohne Knochen
55 g	Mehl
45 g	gewürztes Paniermehl
90 ml	Olivenöl
3 Eßl.	Butter
2 Eßl.	Mehl
125 ml	Hühnerbrühe (siehe Seite 77)
125 ml	entrahmte Sahne
60 ml	Limonensaft
2 Eßl.	gehackte glatte Petersilie (Koriander)
150 g	Paprikaschoten, in lange, schmale Streifen geschnitten

Ei mit der Milch verrühren. Die Koteletts mit 55 g Mehl bestäuben, in die Eimischung tauchen und dann in Paniermehl wenden.

Öl in einer großen Bratpfanne erhitzen. Die Koteletts darin von beiden Seiten 3 Minuten braten, oder bis sie goldbraun sind. Im Ofen warmhalten.

Die Butter in einem Kochtopf erhitzen. Das restliche Mehl dazugeben und 2 Minuten bei schwacher Hitze kochen. Hühnerbrühe und Sahne angießen und köcheln, bis sich eine leichte Sauce bildet. Limonensaft und glatte Petersilie in die Sauce schlagen; weitere 5 Minuten leicht kochen.

Koteletts auf Servierteller legen und die Sauce darübergeben. Mit Paprikaschoten garnieren.

6 PORTIONEN

Kalbskoteletts mit Limonen-Cilantro-Creme

Kalbsschnitzel in Zitronenhonig

Feinschmecker-Frühstückssteak

KALBSSCHNITZEL CHERBOURG

6 x 120 g	Kalbsschnitzel
1	Ei
60 ml	Milch
55 g	Mehl
45 g	gewürztes Paniermehl
3 Eßl.	Distelöl
80 g	Butter
3 Eßl.	Mehl
250 ml	Hühnerbrühe (siehe Seite 77)
250 ml	entrahmte Sahne
375 ml	gekochte Langustenschwänze
¼ Teel.	Salz
je 1 Prise	weißer Pfeffer, Paprika

Die Schnitzel mit dem Fleischhammer dünn klopfen.

Das Ei in die Milch einrühren. Die Schnitzel mit 55 g Mehl bestäuben, in die Eimischung tauchen, dann in Paniermehl wenden. Das Öl in einer großen Bratpfanne erhitzen und die Schnitzel darin goldbraun braten. Warm stellen.

Die Hälfte der Butter in einem Kochtopf erhitzen. Das übrige Mehl dazugeben und bei schwacher Hitze 2 Minuten kochen. Brühe und Sahne angießen und 15 Minuten köcheln, oder bis die Sauce dickflüssig wird.

Die restliche Butter und die Hälfte der Langustenschwänze im Mixer pürieren. Die Sauce vom Herd nehmen und das Püree damit verquirlen. Gewürze und die übrigen Langustenschwänze hinzufügen.

Die Schnitzel auf eine Servierplatte legen und mit reichlich Sauce begießen. Servieren.

6 PORTIONEN

FEINSCHMECKER-FRÜHSTÜCKS-STEAK

6 x 170 g	Filetsteaks
2 Eßl.	Butter
60 g	Pilze, in Scheiben geschnitten
3 Eßl.	gehackter Schnittlauch
375 ml	Demi-Glace (see page 123)
3 Eßl.	Weinbrand
3 Eßl.	Sherry
60 ml	Creme fraiche
6	Eier
3	Brötchen

Die Steaks nach Belieben würzen und grillen.

Währenddessen Butter in einem kleinen Kochtopf erhitzen. Die Pilze in den Topf geben und dünsten, bis alle Flüssigkeit verdampft ist. Zwiebeln, Demi-Glace, Weinbrand und Sherry hinzufügen. Zum Kochen bringen und die Sauce auf die Hälfte reduzieren. Sahne einrühren.

Eier pochieren und Brötchen toasten. Je ein halbes Brötchen auf ein Servierteller geben, mit einem Steak belegen, mit reichlich Sauce übergießen, und mit einem Ei krönen. Nach Belieben garnieren.

6 PORTIONEN

KALBSSTEAK SAUTÉ PROVENÇALE

6 x 170 g	Kalbssteaks
4 Eßl.	Butter
3	feingehackte Knoblauchzehen
1	grüne Paprikaschote, in Scheiben geschnitten
1	Zwiebel, in Scheiben geschnitten
750 ml	enthäutete, entkernte, gehackte Tomaten
60 ml	Sherry
1 Teel.	Paprika
½ Teel.	Salz
¼ Teel.	Pfeffer

Butter in eine Bratpfanne geben und das Kalbfleisch (je nach Dicke der Steaks) von beiden Seiten jeweils 4-6 Minuten braten. Herausnehmen und warm stellen.

Knoblauch, Paprikaschote und Zwiebeln in die Pfanne geben und weichdünsten. Tomaten hinzufügen und zum Kochen bringen. Hitze zurückschalten und 10 Minuten köcheln lassen. Sherry und Gewürze einrühren und weiter köcheln, bis die Flüssigkeit verdunstet ist.

Die Kalbssteaks auf eine Platte geben, die Sauce darübergießen und mit Zitronenreispilaf servieren.

6 PORTIONEN

Kalbssteak Sauté Provençale

Kalbssteak Cumberland

KALBSSTEAK CUMBERLAND

6	Scheiben durchwachsener Speck
6 x 170 g	Kalbssteaks
3	Schalotten
60 ml	Wasser
1	Orange
1	Zitrone
je 1 Prise	gemahlener Ingwer, Cayennepfeffer
125 g	rotes Johannisbeergelee
60 ml	Portwein

Die Speckscheiben um die Kalbssteaks wickeln und mit Zahnstochern feststecken. Die Steaks auf dem Holzkohlegrill über mittelheißen Kohlen oder im Ofen grillen, bis sie durch sind.

Wasser in einen Kochtopf gießen. Schalotten hacken und dazugeben.

Die Schale der Orange und der Zitrone abreiben und unter die Schalotten mischen. 3 Minuten kochen, dann das Wasser abgießen.

Den Saft der Orange und Saft einer halben Zitrone in den Topf geben. Gewürze, Gelee und Portwein hinzugeben. Zum Kochen bringen und die Flüssigkeit auf die Hälfte reduzieren.

Über die Steaks gießen. Servieren.

6 PORTIONEN

KALBSSCHNITZEL VERDE

6 x 120 g	Kalbsschnitzel
1	Ei
60 ml	Milch
55 g	Mehl
90 g	gewürztes Paniermehl
4 Eßl.	Öl
3 Eßl.	Butter
1	feingehackte Knoblauchzehe
2 Eßl.	Mehl
500 ml	Kalbsbrühe (siehe Seite 85) oder Hühnerbrühe (siehe Seite 77)
150 g	Erbsen
je ¼ Teel.	Salz und Pfeffer

Schnitzel mit dem Fleischhammer dünn klopfen.

Ei mit der Milch verrühren. Die Schnitzel mit 55 g Mehl bestäuben, in die Eimischung tauchen und in Paniermehl wenden.

Öl in einer Bratpfanne erhitzen und die Schnitzel auf jeder Seite goldbraun braten. Warm stellen.

Die Butter mit dem Knoblauch erhitzen. Mit Mehl bestreuen und 2 Minuten bei schwacher Hitze kochen. Brühe, Erbsen und Gewürze dazugeben. Leicht einkochen, bis die Sauce dick wird. Im Mixer pürieren, bis eine feine Sauce entsteht.

Schnitzel auf die Teller geben und mit Sauce bedecken. Servieren.

6 PORTIONEN

GEWÜRZTER RINDERBRATEN

25 g	Mehl
2 Eßl.	Senfpulver
1 Teel.	Basilikum
je ½ Teel.	Thymianblätter, Kerbel, Salz, Chilipulver, Paprika, Oreganoblätter, grobes Knoblauchpulver, Zwiebelpulver
2,2 kg	Rinderbraten aus der Hohen Rippe
2 Eßl.	Worcestersauce
1 Eßl.	Sojasoße
1	gehackte Zwiebel
2	gehackte Möhren
2	gehackte Selleriestangen
1	Lorbeerblatt
250 ml	Rotwein

Ofen auf 160°C vorheizen.

Mehl, Senf und Gewürze verrühren.

Den Braten damit einreiben und in einen flachen Brattopf geben. Mit Worcestersauce und Sojasoße begießen.

Den Braten mit Gemüse und Lorbeerblatt umlegen. Wein angießen.

Unter häufigem Begießen nach Belieben gar schmoren (siehe Tabelle unter „Rinderbraten" auf Seite 233).

Den Bratensaft benutzen, um Sauce zuzubereiten.

8 PORTIONEN

Gewürzter Rinderbraten

Kalbskoteletts kreolische Art

RINDFLEISCH KROKETTEN

2 Eßl.	Butter
4 Eßl.	Mehl
250 ml	Milch
500 ml	mageres Gehacktes vom Rind, gekocht, abgetropft
je ½ Teel.	Salz, Paprika, Chilipulver
¼ Teel.	Pfeffer
1 Teel.	Worcestersauce
2 Teel.	Sojasoße
1 Teel.	feingehackte Petersilie
1	Ei
2 Eßl.	Wasser
25 g	gewürztes Mehl
130 g	feines Paniermehl
250 ml	Distelöl

Die Butter in einem Kochtopf erhitzen. Das Mehl hinzugeben und 2 Minuten bei schwacher Hitze kochen. Die Milch einrühren und zu einer sehr sämigen Sauce kochen. Unter ständigem Rühren Rindfleisch, Gewürze, Worcestersauce, Sojasoße und Petersilie hinzugeben und vermischen. Auf Zimmertemperatur abkühlen lassen. Zu gleichgroßen und flachen Klopsen formen.

Das Ei in das Wasser rühren. Jeden Klops mit Mehl bestäuben, im Ei und Paniermehl wenden.

Das Öl in einer großen Bratpfanne erhitzen. Die Klopse auf beiden Seiten goldbraun braten. Servieren.

4 PORTIONEN

Kalbfleisch mit Pilzen

KALBFLEISCH MIT PILZEN

675 g	Kalbfleisch, ohne Knochen
8	getrocknete chinesische schwarze Pilze oder Wildpilze
1½ Teel.	Stärkemehl
4 Teel.	helle Sojasoße
1	Eiweiß
60 ml	Distelöl
1	feingehackte Knoblauchzehe
2 Teel.	Zucker
3 Eßl.	Austernsoße
2 Eßl.	Rotwein

Das Kalbfleisch in dünne Scheiben schneiden.

Die Pilze eine Stunde lang in warmem Wasser einweichen.

Stärkemehl mit Sojasoße und Eiweiß verrühren. Das Kalbfleisch damit begießen und eine weitere Stunde marinieren.

Pilze abgießen und in schmale Streifen schneiden.

Das Öl in einem Wok erhitzen. Darin den Knoblauch unter ständigem Rühren zügig braten. Das Kalbfleisch dazugeben und 2 Minuten braten. Zucker, Austernsoße und Wein hinzufügen. Braten, bis die Flüssigkeit größtenteils verdampft ist.

Mit gedünstetem Reis servieren.

6 PORTIONEN

KALBSKOTELETTS KREOLISCHE ART

12	kleine Kalbskoteletts
je ¼ Teel.	Thymian, Basilikum, Oregano, Salz, Cayennepfeffer, schwarzer Pfeffer, weißer Pfeffer
½ Teel.	Paprika
1 Teel.	Chilipulver
130 g	feines Paniermehl
2	Eier
60 ml	Milch
55 g	Mehl
60 ml	Olivenöl
500 ml	scharfe Kreolensauce (siehe Seite 121)

Fett von den Koteletts entfernen.

Gewürze und Paniermehl in einer Rührschüssel vermischen.

Eier mit der Milch verrühren.

Koteletts mit Mehl bestäuben, in die Eimischung tauchen und in Paniermehl wenden.

Öl in einer großen Bratpfanne erhitzen und die Koteletts darin braten; 8 Minuten oder weniger, abhängig von der Größe. Koteletts auf die Teller legen und mit reichlich Kreolensauce übergießen. Sofort servieren.

6 PORTIONEN

Kalbsröllchen L.T.

KALBSRÖLLCHEN L.T.

6 x 120 g	Kalbsschnitzel
18	blanchierte Spargelstangen
18	Garnelen, ohne Schale und Darm
80 g	geriebener Havartikäse
375 ml	frischer Klementinen- oder Tangerinensaft
250 ml	Kalbsbrühe (siehe Seite 85) oder Hühnerbrühe (siehe Seite 77)
125 ml	Creme fraiche
2 Eßl.	Butter
¼ Teel.	frischer, gemahlener Pfeffer
125 ml	Mandarinen

Das Kalbfleisch mit dem Fleischhammer sehr dünn klopfen. Je 3 Spargelstangen, 3 Garnelen, and 15 g Käse auf jedes Schnitzel geben. Die Enden zur Mitte hin umschlagen und zusammenrollen. Mit Zahnstochern feststecken. Auf ein Backblech legen.

Mit Öl bestreichen und im vorgeheizten Ofen bei 180°C 25-30 Minuten backen.

In der Zwischenzeit Orangensaft und Hühnerbrühe in einen Kochtopf geben und verrühren. Erhitzen und auf die Hälfte reduzieren. Sahne hinzugießen und wieder zur Hälfte einkochen. Vom Herd nehmen. Die Butter in die Sauce schlagen. Pfeffer und Mandarinenstücke hinzufügen.

Die Röllchen auf eine Servierplatte geben, mit der Sauce übergießen und servieren.

6 PORTIONEN

KALBFLEISCH FORESTIERE

675 g	Kalbfleisch, Schulterstück
2	Eier
60 ml	Milch
55 g	Mehl
90 g	feines Paniermehl, gewürzt
60 ml	Distelöl
230 g	Pilze, in Scheiben geschnitten
1	kleingewürfelte spanische Zwiebel
3 Eßl.	Butter
375 ml	Mornaysauce (siehe Seite 111)
30 g	Parmesankäse, frisch gerieben

Das Kalbfleisch in sechs 120 g große Stücke schneiden. Jedes Stück mit dem Fleischhammer flach und zart klopfen.

Die Eier mit der Milch verrühren. Jedes Kotelett mit Mehl bestäuben, in der Eimischung tauchen und im Paniermehl wenden.

Öl erhitzen und die Koteletts von jeder Seite 3 Minuten braten. Auf ein Backblech legen.

Pilze und Zwiebel in der Butter dünsten, bis die Flüssigkeit völlig verdunstet ist. Die Koteletts damit bestreichen. Mornaysauce über die Koteletts geben, mit Parmesankäse bestreuen, in den vorgeheizten Ofen geben und 2 Minuten lang grillen. Servieren.

6 PORTIONEN

Kalbfleisch Forestiere

GEFLÜGEL

Geflügel, mehr als nur Huhn allein, repräsentiert in der heutigen Küche Kreativität und guten Geschmack in höchster Vollendung. Die unbegrenzten Möglichkeiten, den „Vogel" zuzubereiten, erstrecken sich von den traditionell gefüllten Vögeln zu ganz neuen, niemals zuvor dagewesenen Speisen wie „Hühnerbrust mit Erdbeeren in italienischer Weincreme".

Die Rezepte sind international, aber einheimisch im Geschmack, mühelos in der Zubereitung und eine Freude zum Servieren. Kein Rezept kann dem anderen vorgezogen werden, weil alle so gut sind, daß man sie ausprobieren muß. Wenn jedoch etwas Ausgefallenes für den besonderen Anlaß gewünscht wird, sollte dieses Kapitel zuerst berücksichtigt werden. Gerichte wie „Entenlasagne" sind zweifellos ein Vergnügen für alle Gäste. Oder es ist vielleicht ein recht formeller Anlaß. Dann servieren Sie „Gebratene Perlhühner mit Blaubeerhollandaise" und können auf den Wolken der Anerkennung davonschweben.

Die Ideen für Geflügel sind unendlich: Vom Grillen und Braten bis hin zum Dünsten. Lassen Sie Ihrer Kreativität einfach freien Lauf und genießen Sie. Mit *Einfach Köstlich Kochen 2* werden Ihre Gäste von Ihrem Speiseangebot magisch angezogen.

Das Huhn ist nicht mehr nur ein einfacher Vogel. Es ist in neue Höhen des Erfolgs entschwebt. Leider auch im Preis, den Lieferanten sogar noch höher treiben. Was jedoch so aufregend und verlockend ist, ist die Tatsache, daß sich alle Zubereitungen eines Huhnes auch für jede andere Vogelart vorzüglich eignen. Pute zum Beispiel, hat nunmehr die rechte Anerkennung erhalten. Sie ist nicht länger nur der Mittelpunkt eines Festtagsessens. Die vielen Putenrezepte zeigen eine aufgefrischte Liebe zu einem alten Freund mit Gerichten, wie „Kreolisches Putenfilet" oder „Geräucherte Putenbrust in Kirschsauce".

Jeder von uns genießt ein mit Liebe zubereitetes Essen. Und jeder liebt die Person, die dieses Lieblingsgericht zubereitet hat. In der Regel bedeutet es ein *einfach köstliches* Geflügelgericht.

Weihnachtsgänsebraten

Hühnerbrust mit Erdbeeren in italienischer Weincreme

HÜHNCHEN NACH GRIECHISCHER INSELART

4	Hühnchen
1	Aubergine
1	feingehackte Knoblauchzehe
3 Eßl.	Olivenöl
250 ml	Tomatensauce (siehe Seite 106)
2 Teel.	Oreganoblätter
1 Teel.	Basilikum
¼ Teel.	gemahlener, schwarzer Pfeffer
340 g	zerbröckelter Fetakäse

Hühnchen entlang des Rückens halbieren. Die Knochen mit einem scharfen Messer entfernen.

Aubergine schälen, 2 cm dicke Scheiben schneiden und in eine Kasserolle (20 x 20 cm) legen. 10 Minuten von jeder Seite grillen.

Hühnchen mit Knoblauch einreiben. Öl in einer Bratpfanne erhitzen, die Hühnchen anbräunen und dann in die Kasserolle legen.

Tomatensauce, Oregano, Basilikum und Pfeffer miteinander vermengen und über das Fleisch gießen. Mit Käse bestreuen und im vorgeheizten Ofen bei 180°C bedeckt 25 Minuten braten. Den Deckel entfernen und weitere 15 Minuten braten.

Linguini mit Olivenöl, Knoblauch und frischen Kräutern dazu servieren. (siehe Seite 448)

4 PORTIONEN

Hühnchen nach griechischer Inselart

HÜHNERBRUST MIT ERDBEEREN IN ITALIENISCHER WEINCREME

6 x 120 g	knochenlose Hühnerbrust
1 Eßl.	Olivenöl
je ¼ Teel.	Basilikum, Salz, Pfeffer, Paprika
6	Eigelb
115 g	Zucker
125 ml	Marsalawein oder süßer Sherry
375 ml	geschnittene Erdbeeren

Fleisch mit Öl bestreichen, mit Gewürzen bestreuen und im Ofen drei bis fünf Minuten von jeder Seite braten. Warm stellen.

Eigelb mit Zucker im Wasserbad schaumig und hell rühren. Sherry langsam eingießen und rühren, bis die Masse dick und schaumig ist. Den Topf von der Kochstelle nehmen und die Erdbeeren einrühren.

Hühnerfleisch auf eine Servierplatte legen und mit der Hälfte der Sauce begießen. Mit der restlichen Sauce servieren.

6 PORTIONEN

GEGRILLTES HÜHNERFLEISCH IN BROMBEER-BRANDY & GARNELEN

500 ml	Brombeeren
340 g	Zucker
125 ml	Brombeerbrandy
2 x 170 g	knochenloses, grob gewürfeltes Hühnerfleisch
450 g	große Garnelen, ohne Schale und Darm
1 Eßl.	Öl

Beeren im Mixer pürieren und durch ein Sieb passieren (entfernen der Körner).

Beerenmasse, Zucker und Brandy in einem Topf vermengen und aufkochen. Die Temperatur reduzieren und köcheln, bis die Sauce dick wird.

Hühnerfleisch und Garnelen auf in Wasser getränkte Bambusspieße stecken, mit Öl bestreichen und fünf Minuten von jeder Seite grillen. Während des Grillens häufig mit der Sauce bestreichen. Vor dem Servieren noch einmal mit Sauce bepinseln.

4 PORTIONEN

HÜHNCHEN IN PFEFFERKORN-SAUCE

3 x 450 g	Hühnchen
je ¼ Teel.	Salz, Basilikum, Oregano, Pfeffer, Paprika
1	Knoblauchzehe
1 Eßl.	Olivenöl
2 Eßl.	Butter
2 Eßl.	Mehl
250 ml	Hühnerbrühe (siehe Seite 77)
125 ml	entrahmte Sahne
1 Eßl.	grüne Pfefferkörner
1 Teel.	Dijonsenf
1 Eßl.	gehackter Schnittlauch
1 Eßl.	gehackte Petersilie

Die Hühnchen halbieren.

Die Gewürze vermengen. Die Hühnchen mit Knoblauch einreiben, mit Olivenöl bestreichen, mit den Gewürzen bestreuen und in einen Bratentopf legen. Im auf 180°C vorgeheizten Ofen 45 Minuten braten.

Während die Hühnchen braten, Butter in einem Topf erhitzen, Mehl einstreuen und zwei Minuten bei niedriger Temperatur kochen. Brühe, Sahne, Pfefferkörner, Senf und Schnittlauch einrühren und zehn Minuten köcheln lassen.

Die Hühnchen auf eine Servierplatte legen, mit Sauce bedecken und mit Petersilie bestreuen. Servieren.

6 PORTIONEN

HUHN NACH FLORENTINER ART

6 x 170 g	Hühnerbrust mit Knochen
60 ml	Olivenöl
1	feingehackte Knoblauchzehe
2 Teel.	feingehackte Ingwerwurzel
1 Eßl.	Zitronensaft

Die Hühnerbrust flachdrücken (Knochen nicht entnehmen) und auf eine flaches Backblech legen.

Die restlichen Zutaten vermengen, das Fleisch damit begießen und sechs Stunden marinieren lassen.

Die Hühnerbrust auf einem Holzkohle- oder Gasgrill bei mittlerer Temperatur sieben Minuten von jeder Seite grillen. Sehr heiß servieren.

6 PORTIONEN

Hühnchen in Pfefferkornsoße

Hühnerfleisch in Pekanreis

HÜHNERFLEISCH IN PEKANREIS

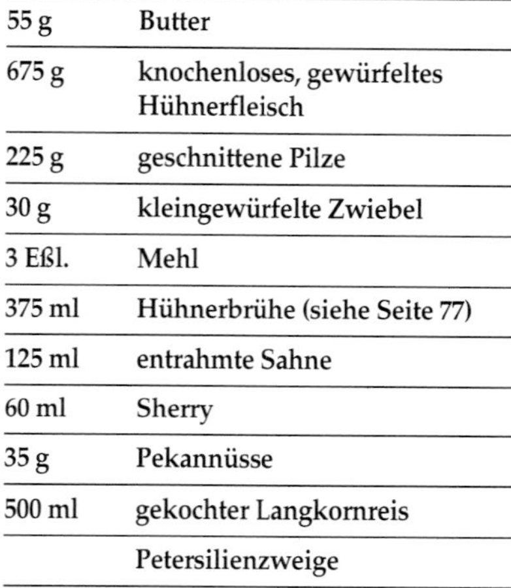

55 g	Butter
675 g	knochenloses, gewürfeltes Hühnerfleisch
225 g	geschnittene Pilze
30 g	kleingewürfelte Zwiebel
3 Eßl.	Mehl
375 ml	Hühnerbrühe (siehe Seite 77)
125 ml	entrahmte Sahne
60 ml	Sherry
35 g	Pekannüsse
500 ml	gekochter Langkornreis
	Petersilienzweige

Butter in einem großen Kochtopf erhitzen und Hühnerfleisch darin bräunen. Fleisch entnehmen und zur Seite stellen.

Pilze und Zwiebeln weichdünsten, mit Mehl bestreuen und zwei Minuten bei niedriger Temperatur kochen. Brühe, Sahne und Sherry einrühren und drei Minuten köcheln.

Hühnerfleisch dazugeben und 35 Minuten köcheln lassen.

Pekannüsse in den Reis rühren und löffelweise den Rand einer Servierplatte damit bedecken. Hühnerfleisch vorsichtig in der Kreismitte anrichten und mit Petersilie dekorieren.

4 PORTIONEN

GEGRILLTE HÜHNCHEN IN WALNUSS-MARINADE

4	Hühnchen
2 Teel.	Dijonsenf
1 Eßl.	Zitronensaft
¼ Teel.	Salz
¼ Teel.	gemahlener, schwarzer Pfeffer
2 Teel.	Walnußöl
60 ml	Olivenöl

Hühnchen waschen, entlang des Rückens halbieren und in ein flaches Backblech legen.

Die restlichen Zutaten in einer Rührschüssel vermengen, über die Hühnchen gießen, abdecken und acht Stunden im Kühlschrank marinieren lassen.

Hühnchen auf einem Holzkohlegrill (mittlere Temperatur) 20-25 Minuten grillen. Häufig mit der Marinade bestreichen. Vor dem Servieren nochmals mit Marinade bestreichen.

4 PORTIONEN

GEBACKENE HÜHNERBRUST IN PARMESANKÄSE

60 g	feines, trockenes Paniermehl
15 g	getrocknete Petersilienflocken
40 g	frisch geriebener Parmesankäse
55 g	Butter
1	feingehackte Knoblauchzehe
4 x 170 g	knochenlose, hautlose Hühnerbrust
½ Teel.	Salz
¼ Teel.	Pfeffer

Paniermehl, Petersilie und Käse in einer kleinen Rührschüssel vermengen.

Die Butter in einer Pfanne schmelzen, Knoblauch hinzugeben und eine Minute bei niedriger Temperatur dünsten.

Die Hühnerbrust in Butter tauchen, in der Paniermehlmischung wenden und in eine kleine Kasserolle legen. Das Fleisch mit Salz und Pfeffer würzen und mit der restlichen Butter bestreichen. Im vorgeheizten Ofen bei 180 °C 45 Minuten braten.

4 PORTIONEN

GEDÜNSTETE HÜHNERBRUST IN MANDARINEN-SAUCE

6 x 170 g	knochenlose Hühnerbrust
3 Eßl.	Öl
	Salz und Pfeffer
80 ml	Tangerinen- oder Orangensaft-konzentrat
125 ml	Hühnerbrühe (siehe Seite 77)
60 ml	Schlagsahne
1 Teel.	Butter
1 Teel.	Limonensaft

Öl in einer großen Pfanne erhitzen. Hühnerfleisch sechs bis acht Minuten darin dünsten und mit Salz und Pfeffer würzen. Warm stellen.

In einem Topf den Tangerinensaft mit der Hühnerbrühe aufkochen und die Temperatur reduzieren. Sahne einrühren und köcheln lassen, bis die Sauce am Löffel haftet. Topf vom Herd nehmen, Butter und Limonensaft unterschlagen.

Hühnerfleisch auf eine Servierplatte legen und Sauce daraufgeben. Servieren.

6 PORTIONEN

HÜHNER-KRABBENTORTE

½	Portion Pie-Teig (siehe Seite 616)
230 g	feingewürfeltes, gekochtes Hühnerfleisch
230 g	feingewürfelte, gekochte Garnelen
500 ml	Béchamelsauce (siehe Seite 112)
je ¼ Teel.	Salz, Pfeffer, Muskatnuß
1 Eßl.	Petersilie
1 Eßl.	geriebene Zwiebel
3	Eier, getrennt

Den Teig ausrollen und in eine 22 cm große Tortenform geben.

Huhn, Garnelen und Béchamelsauce in einer Rührschüssel vermengen. Gewürze und Zwiebel hinzugeben.

Eigelb schlagen und unter die Mischung rühren. Eiweiß steif schlagen und ebenfalls unterheben.

Die Mischung in die Kuchenform gießen und 25-30 Minuten im vorgeheizten Ofen bei 200°C goldbraun backen. Sofort servieren.

6 PORTIONEN

HÜHNERFLEISCH JAMBALAYA

675 g	gewürfeltes, knochenloses Hühnerfleisch
2 Eßl.	Distelöl
2 Eßl.	Butter
225 g	Andouille-Wurst *
60 g	gewürfelte Zwiebeln
2	feingehackte Knoblauchzehen
225 g	gewürfelte, grüne Paprikaschoten
2	gewürfelte Selleriestangen
500 ml	gepellte, entkernte, gehackte Tomaten
je ½ Teel.	weißer Pfeffer, schwarzer Pfeffer, Oreganoblätter, Basilikum, Thymianblätter, Knoblauchpulver, Zwiebelpulver, Chilipulver
2 Teel.	Worcestersauce
3 Tropfen	scharfe Pfeffersoße
625 ml	Wasser
230 g	roher Langkornreis

Das Hühnerfleisch in einem großen Topf in Öl und Butter dünsten. Wurst und Gemüse dazugeben und weiter dünsten, bis das Gemüse weich ist.

Die restlichen Zutaten einrühren, abdecken, Temperatur reduzieren und 40-45 Minuten köcheln lassen. Servieren.

6 PORTIONEN

* Falls Andouille-Wurst nicht erhältlich ist, scharfe italienische Wurst verwenden.

Hühner-Krabbentorte

Hühnerfleisch Jambalaya

Spanisches Estragonhähnchen

JENNIFERS HÜHNERBRUST

6 x 120 g	knochenlose Hühnerbrust
250 ml	grüne, kernlose Weintrauben
170 g	rindenloser Briekäse
230 g	Krevetten
2	Eier
80 ml	Milch
80 ml	gemahlene Piniennüsse
45 g	fein gewürztes Paniermehl
40 g	frisch gemahlener Romanokäse
55 g	Mehl
80 ml	Distelöl

Hühnerbrust mit einem Fleischhammer flach klopfen.

Weintrauben halbieren und einige zusammen mit 30g Käse auf das Fleisch legen. Einige Krevetten darüber streuen. Das Hühnerfleisch mit der Füllung nach Innen aufrollen und auf ein Backblech legen. Eine Stunde im Kühlschrank lagern.

Eier mit der Milch verquirlen. Nüsse mit Paniermehl und Käse vermischen. Hühnerrollen mit Mehl bestäuben, in die Eier/Milch-Mischung tauchen und im Paniermehl wenden.

Öl in einer großen Pfanne erhitzen und die Rollen rundum goldbraun braten. Auf ein Backblech legen. Im vorgeheizten Ofen bei 180°C 15-18 Minuten braten.

Brombeerbrandy-Sauce (siehe Kalbsbraten mit Brombeerbrandy-Sauce auf Seite 214) dazu servieren.

6 PORTIONEN

SPANISCHES ESTRAGON-HÄHNCHEN

1 Eßl.	Olivenöl
1 kg	Hähnchen
225 g	Schinkenscheiben, in dünnen Streifen
2	geschnittene Zwiebeln
2	grob gewürfelte Selleriestangen
3	grob gewürfelte Möhren
375 ml	Hühnerbrühe
1 Eßl.	gehackter, frischer Estragon
2 Eßl.	Butter
2 Eßl.	Mehl

Hähnchen mit dem Öl einreiben und in einen Römertopf (Kasserolle) legen. Im vorgeheizten Ofen bei 180°C ohne Deckel 30 Minuten braten.

Schinken, Zwiebel, Sellerie, Möhren, Brühe und Estragon hinzugeben, zudecken und eine weitere Stunde braten. Topf aus dem Ofen nehmen, die Brühe durch ein Sieb abgießen und das Huhn tranchieren.

Das Hühnerfleisch wieder in den Topf legen und mit dem Gemüse warm stellen.

Butter in einem Topf erhitzen, Mehl einrühren und 500ml der gesiebten Brühe dazugeben. Köcheln, bis die Sauce dick wird, dann über das Hühnerfleisch und das Gemüse gießen. Im Römertopf servieren.

6 PORTIONEN

Jennifers Hühnerbrust

HÜHNERFLEISCH MIT WALNÜSSEN

450 g	knochenlose Hühnerfleischstreifen
3 Eßl.	Sherry
160 ml	Hühnerbrühe (siehe Seite 77)
2 Eßl.	Sojasoße
1 Eßl.	Stärkemehl
3 Eßl.	Distelöl
375 ml	Zuckerschoten
120 g	junge Champignons
200 g	geschnittener Sellerie
1	geschnittene Zwiebel
1	geschnittene, grüne Paprikaschote
100 g	Walnußstücke

Hühnerfleisch mit Sherry mischen und 30 Minuten marinieren.

Brühe, Sojasoße und Stärkemehl in einer Rührschüssel mischen. In einem Topf zwei Eßlöffel Öl erhitzen, Hühnerfleisch hinzugeben und gut durchbraten. Fleisch herausnehmen, restliches Öl hineingießen und das Gemüse darin dünsten.

Hühnerfleisch und Brühe zum Gemüse geben, zwei Minuten köcheln lassen, dann die Walnüsse einrühren. Fleisch mit gedämpftem Reis servieren.

6 PORTIONEN

HÜHNERFLEISCH MIT KASTANIEN

4 Eßl.	Distelöl
675 g	knochenloses Hühnerfleisch
1	feingewürfelte, spanische Zwiebel
1	feingewürfelte, rote Paprikaschote
1	feingewürfelte, grüne Paprikaschote
80 g	geschnittene Champignons
80 g	Kastanien, geschält, gewürfelt
4 Eßl.	Mehl
1 Eßl.	Currypulver
500 ml	Hühnerbrühe (siehe Seite 77)
250 ml	Creme fraiche

Öl in einem großen Topf erhitzen. Hühnerfleisch, Gemüse und Kastanien dazugeben und dünsten, bis das Fleisch bräunt. Mit Mehl und Currypulver bestreuen, Temperatur reduzieren und zwei Minuten kochen. Brühe und Sahne angießen und 35-45 Minuten köcheln lassen.

Mit Nudeln oder Reis servieren.

6 PORTIONEN

HÜHNER-FRIKASSEE

2 kg	Huhn, in 8 Stücke geschnitten
2	gehackte Zwiebeln
2	gehackte Möhren
2	gehackte Selleriestange
1	Bouquet garni *
1 l	kalte Hühnerbrühe (siehe Seite 77)
1 Teel.	Selleriesalz
½ Teel.	weißer Pfeffer
3 Eßl.	Butter
3 Eßl.	Mehl

Hühnerfleisch waschen und trockentupfen.

Fleisch mit den Zwiebeln, Möhren, Sellerie und Bouquet in einen großen Kochtopf geben, mit Brühe bedecken und aufkochen. Die Temperatur reduzieren und 1½ Stunden langsam köcheln lassen.

Hühnerfleisch entnehmen und warm stellen. Brühe durch ein Sieb abgießen, das Gemüse und Bouquet entfernen. Salz und Pfeffer hinzufügen, aufkochen und die Brühe kochend auf 500 ml reduzieren.

Butter in einem kleinen Topf erhitzen, Mehl hinzugeben und zwei Minuten bei niedriger Temperatur kochen. Die reduzierte Brühe hinzugeben und zu einer dicken Sauce kochen. Die Sauce über das Hühnerfleisch geben und mit Reis oder Nudeln servieren.

4 PORTIONEN

* Das Bouquet garni für dieses Rezept: 1 Lorbeerblatt, 9 Petersilienstiele, 2 Thymianstiele, 6 Pfefferkörner und 1 kleine Stange Porree, gehackt. Alles in einem Käseleinen fest zusammenbinden.

Hühnerfleisch mit Walnüssen

Hühnerrollen

WEIHNACHTS-GÄNSEBRATEN

3	Äpfel, geschält, entkernt, gewürfelt
2	geriebene Möhren
1	feingewürfelte, spanische Zwiebel
2	feingewürfelte Selleriestangen
160 g	kernlose Rosinen
100 g	blanchierte und gepellte Walnüsse
125 ml	Milch
je ½ Teel.	Salz, Pfeffer
1 Teel.	Marjoran
750 ml	grobgewürfeltes, altes Brot
4 kg	Gans
1	Knoblauchzehe
1 Eßl.	Distelöl
½ Teel.	Paprika
1 Teel.	Stärkemehl

Äpfel, Möhren, Zwiebel, Sellerie, Rosinen, Walnüsse, Brot, Milch und Gewürze vermischen, Mischung in die Gans füllen und Gans fest zusammenbinden.

Die Gans in einen großen Bräter legen, mit Knoblauch einreiben, mit Öl bestreichen und mit Paprika bestreuen.

Den Bräter in einen vorgeheizten Ofen geben und 3½ - 4 Stunden bei 180°C braten. Mehrmals mit Fett begießen. Wenn die Gans gar ist, aus dem Topf nehmen und auf eine Servierplatte legen. Warm stellen.

Den Bratensaft lösen. Das Stärkemehl mit zwei Eßlöffeln Wasser vermengen und in den Bratensaft geben, aufkochen. Die Soße in eine Sauciere seihen und mit der Gans servieren.

HÜHNERROLLEN

3	Scheiben durchwachsener Speck, gewürfelt
1	eine gewürfelte Möhre
1	feingewürfelte Selleriestange
1	feingewürfelte, kleine Zwiebel
250 ml	geriebener Havartikäse
4 x 170 g	knochenlose, hautlose Hühnerbrust, flach geklopft
2 Eßl.	zerlassene Butter
500 ml	scharfe Mornaysauce (siehe Seite 111)

Speck in einer großen Bratpfanne braten. Möhren, Sellerie und Zwiebeln dazugeben und weichdünsten. Überschüssiges Fett abgießen. Alles in eine kleine Rührschüssel geben und auf Zimmertemperatur abkühlen lassen.

Käse in diese Masse einrühren, auf das Hühnerfleisch drücken und mit der Füllung nach innen aufrollen. Die Rollen auf ein kleines Backblech legen, mit Butter bestreichen und im vorgeheizten Ofen bei 180°C 25-30 Minuten braten.

Die Hühnerrollen auf eine Servierplatte legen, mit Mornaysauce bedecken und servieren.

4 PORTIONEN

GEFÜLLTES HUHN AUS ÖSTERREICH

80 g	geschnittene Pilze
1	feingewürfelte, mittlere Zwiebel
1 Eßl.	Distelöl
625 ml	gekochter Reis, kalt
75 g	Erbsen
je 1½ Teel.	Salz, Pfeffer, Thymianblätter, Basilikum
¼ Teel.	Zimt
1	Ei
1 x 2 kg	Huhn
500 ml	Tomatensauce (siehe Seite 106)

In einer großen Pfanne die Pilze und Zwiebeln im Öl dünsten, bis die Flüssigkeit verdampft. Auf Zimmertemperatur abkühlen und zu dem gekochten Reis geben. Erbsen, Gewürze und Ei hinzufügen.

Diese Mischung in das Huhn füllen und das Huhn fest zusammenbinden. Huhn in einen Bräter geben und im Ofen 1½ Stunden bei 160°C braten, oder solange wie erforderlich. Huhn aus dem Ofen nehmen, die Füllung herauslöffeln und in eine Servierschüssel legen. Das Huhn tranchieren und mit Tomatensauce servieren.

6 PORTIONEN

HÜHNERFLEISCH-BÄLLCHEN IN CURRY

900 g	Hühnerfleisch
2 Eßl.	Zwiebeln
10 g	Paniermehl
1	Ei
je ½ Teel.	Cayenne, Kurkuma, Ingwerpulver, schwarzer Pfeffer, Basilikum, Thymianblättter, Oregano, Paprika
1 Teel.	Salz
1	feingehackte Knoblauchzehe
3 Eßl.	Distelöl
2 Eßl.	Butter
2 Eßl.	Mehl
1 Teel.	Currypulver
375 ml	Hühnerbrühe (siehe Seite 77)
180 ml	entrahmte Sahne

Das Hühnerfleisch in einem Mixer grob zerhacken. Zwiebeln, Paniermehl, Ei, Gewürze und Knoblauch hinzufügen und zu einer feinen Masse zerkleinern. Herausnehmen und kleine Bällchen formen.

Öl in einer großen Pfanne erhitzen und die Bällchen bräunen. Öl abtropfen lassen und die Bällchen in eine Kasserolle legen.

Butter in einem Topf erhitzen, Mehl und Currypulver hinzugeben und zwei Minuten bei niedriger Temperatur kochen. Brühe und Sahne angießen und fünf Minuten köcheln lassen. Die Sauce über die Hühnerbällchen in der Kasserolle gießen. Abdecken.

Im vorgeheizten Ofen 45 Minuten bei 180°C braten. Mit Reis servieren.

6 PORTIONEN

Hähnchen in Zitronenlimonade

HÄHNCHEN IN ZITRONEN-LIMONADE

190 ml	Zitronenlimonadenkonzentrat
60 ml	Ketchup
3 Eßl.	brauner Zucker
3 Eßl.	weißer Essig
¼ Teel.	gemahlener Ingwer
1 Teel.	Sojasoße
je ¼ Teel.	Paprika, Chilipulver, Knoblauchpulver, Zwiebelpulver, Thymian, Basilikum, Oregano, Salz und Pfeffer
1 x 1 kg	Hähnchen, in 8 Stücke geschnitten
55 g	Mehl
60 ml	Distelöl

Zitronenlimonadenkonzentrat, Ketchup, Zucker, Essig, Ingwer, Sojasoße und Gewürze in einer Rührschüssel vermischen. Das Huhn in Mehl wenden. Öl in einem großen Topf erhitzen und das Fleisch bräunen. Überschüssiges Fett abtropfen lassen. Die Sauce über die Hühnerstücke gießen, zudecken und bei niedriger Temperatur 35-40 Minuten braten. Mit Geräucherten Hickory-Kartoffeln servieren (siehe Seite 70).

4 PORTIONEN

HÜHNERFLEISCH IN MAKADAMIA-NUSS

6 x 170 g	knochenlose, hautlose Hühnerbrust
125 ml	gemahlene Makadamianüsse
30 g	frisch gemahlener Parmesankäse
90 g	feines, trockenes Paniermehl
60 ml	zerlassene Butter

Hühnerbrust waschen und trockentupfen.

Nüsse, Käse und Paniermehl in einer kleinen Rührschüssel vermengen.

Hühnerfleisch in die zerlassene Butter tauchen, im Paniermehl wenden und in eine kleine Kasserolle legen. Im vorgeheizten Ofen 40-45 Minuten bei 180 °C braten, oder bis das Fleisch goldbraun ist. Mit Aprikosen-Himbeer-Sauce servieren (siehe Seite 108).

6 PORTIONEN

Hühnerfleischbällchen in Curry

HÜHNERFLEISCH IN BIERTEIG

675 g	knochenlose Hühnerbrust
2	Eier
170 g	Mehl
125 ml	eiskaltes Bier
1 Teel.	Backpulver
750 ml	Distelöl

Hühnerfleisch in 2,5 cm Streifen schneiden. Eier mit 250 ml Mehl, Bier und Backpulver verrühren.

Öl auf 190°C erhitzen.

Hühnerfleisch mit dem restlichen Mehl bestäuben, in den Teig tauchen und in kleinen Mengen goldbraun fritieren. Warm stellen. Wenn das Fleisch fritiert ist, sofort servieren.

6 PORTIONEN

PERLHÜHNER IN HIMBEER-KIWI- UND GRÜNER PFEFFERKORN-SAUCE

4	kleine Perlhühner
2 Eßl.	geschmolzene Butter
1 Teel.	Salz
½ Teel.	schwarzer Pfeffer
250 ml	Himbeeren
125 ml	Creme fraiche
25 g	Puderzucker
1 Eßl.	grüne Pfefferkörner
2	Kiwis

Die Perlhühner auf ein flaches Backblech legen, mit Butter bestreichen, mit Salz und Pfeffer würzen und im vorgeheizten Ofen 45-50 Minuten bei 180°C backen.

Während die Perlhühner backen, die Himbeeren pürieren und durch ein feines Sieb passieren (zum Entfernen der Samenkörner).

In einem kleinen Topf Sahne, Himbeeren und Zucker zusammen erhitzen. Pfefferkörner hinzugeben und fünf Minuten köcheln lassen.

Kiwis schälen, würfeln und in die Sauce geben.

Die Perlhühner aus dem Ofen nehmen, auf eine Servierplatte legen und mit der Sauce gut bedecken. Sofort servieren.

4 PORTIONEN

Hühnerfleisch in Bierteig

HÜHNER-FRIKASSEE II

1 x 2 kg	Huhn, in 8 Stücke geschnitten
55 g	gewürztes Mehl
4 Eßl.	Olivenöl
2	gehackte Zwiebeln
2	gehackte Möhren
2	gehackte Selleriestangen
1	Bouquet garni (siehe Wörterverzeichnis)
1 l	kalte Hühnerbrühe (siehe Seite 77)
je ½ Teel.	Salz, Pfeffer, Paprika, Chilipulver, Basilikum
125 ml	Tomatenmark
3 Eßl.	Butter
3 Eßl.	Mehl

Hühnerfleisch waschen, trockentupfen und mit dem gewürzten Mehl bestäuben.

Öl in einem großen Kochtopf erhitzen und das Fleisch von allen Seiten bräunen. Überschüssiges Fett abgießen. Zwiebeln, Möhren, Sellerie und Bouquet hinzufügen, mit der Brühe bedecken und aufkochen. Die Temperatur reduzieren und 1½ Stunden köcheln lassen.

Hühnerfleisch herausnehmen und warm stellen. Die Brühe durch ein Sieb abgießen und das Gemüse und Bouquet zur Seite legen. Brühe in den Topf zurückgeben, Gewürze und Tomatenmark hinzufügen und aufkochen. Die Flüssigkeit kochend auf 500 ml reduzieren.

Butter in einem kleinen Topf erhitzen, Mehl einstreuen und bei niedriger Temperatur zwei Minuten kochen. Die reduzierte Brühe angießen und köcheln, bis die Sauce dick wird. Sauce über das Fleisch geben. Mit Reis oder Nudeln servieren.

4 PORTIONEN

Hühnerfrikassee II

HÜHNERFLEISCH IN DREIERLEI PFEFFERKORN-SAUCE

2 kg	Huhn, in Stücke geschnitten
35 g	Mehl
je ½ Teel.	Zwiebelpulver, Paprika, Thymianblätter, Oreganoblätter, schwarzer Pfeffer, Kerbel
je 2 Teel.	Salz, Chilipulver
60 ml	Distelöl
85 g	geschnittene Pilze
2 Teel.	grüne Pfefferkörner
2 Teel.	rosa Pfefferkörner
1 Teel.	schwarze Pfefferkörner
500 ml	Demi-Glace (siehe Seite 123)
80 ml	Schlagsahne
60 ml	Marsalawein
1 Eßl.	Butter

Hühnerfleisch waschen und trockentupfen. Mehl und Gewürze mischen. Hühnerfleisch damit bestäuben.

Öl in einer großen Pfanne erhitzen und das Fleisch goldbraun braten. Aus der Pfanne nehmen und warm stellen.

Die Pilze weich braten. Das Hühnerfleisch wieder in die Pfanne geben, Pfefferkörner und Demi-Glace hinzufügen. Temperatur reduzieren und mit geschlossenem Deckel eine Stunde köcheln lassen. Das Hühnerfleisch auf eine Servierplatte legen.

Temperatur erhöhen und die Sauce kochen, bis sie um die Hälfte reduziert ist. Sahne und Wein einrühren und Butter hineinschlagen. Die Sauce über das Hühnerfleisch gießen und servieren.

6 PORTIONEN

Entenlasagne

Hühnerfleisch Finocchio

ENTENLASAGNE

900 g	knochenloses Entenfleisch
1	große, spanische Zwiebel
1	rote Paprikaschote
1	grüne Paprikaschote
3	Selleriestangen
1	feingehackte Knoblauchzehe
60 ml	Olivenöl
750 ml	zerdrückte Tomaten
je ½ Teel.	Salz, Basilikum, Marjoran
je ¼ Teel.	Pfeffer, Paprika
1 Teel.	Worcestersauce
625 g	Mafalda-Nudeln (2,5 cm breite Nudeln)
345 g	harter Mozzarellakäse, gerieben

Entenfleisch in 1,5 cm große Würfel schneiden. Das Gemüse in mittelgroße Würfel schneiden.

Öl in einem Bratentopf erhitzen, Entenfleisch und Gemüse hineingeben und dünsten, bis das Fleisch gut durchgebraten ist. Tomaten, Gewürze und Worcestersauce dazugeben. Temperatur reduzieren und 1½ - 2 Stunden köcheln, bis die Sauce sehr dick ist. Fett, das auf der Saucenoberfläche schwimmt, entfernen.

Nudeln in einem großen Topf in reichlich gesalzenem Wasser kochen, bis sie al dente sind. Abgießen und abkühlen lassen.

Abwechselnde Lagen von Nudeln und Sauce in eine große, gefettete Kasserolle geben, Käse darübergeben und im vorgeheizten Ofen 15 Minuten bei 180°C backen, oder bis der Käse goldbraun ist. Servieren.

8 PORTIONEN

HÜHNERFLEISCH FINOCCHIO

675 g	knochenloses Hühnerfleisch
750 ml	Hühnerbrühe (siehe Seite 77)
80 g	Butter
375 g	feingehackter Fenchel
1	Möhre, in lange, schmale Streifen geschnitten
1	rote Paprikaschote, in lange, schmale Streifen geschnitten
3 Eßl.	Mehl
180 ml	entrahmte Sahne
1 Portion	Risotto-Alla-Certosina (siehe Seite 740)

Hühnerfleisch in große Würfel schneiden.

Brühe in einem großen Kochtopf erhitzen und das Fleisch vorsichtig 35 Minuten pochieren. Herausnehmen und zur Seite stellen. Die Brühe durch ein Sieb abgießen und wieder in den Topf geben. Aufkochen und kochend auf 375 ml reduzieren.

Butter in einem Topf erhitzen, das Gemüse darin weichdünsten. Mit Mehl bestreuen und bei mittlerer Temperatur zwei Minuten kochen. Brühe und Sahne unterschlagen und köcheln, bis die Sauce dick wird. Das Hühnerfleisch hineingeben und fünf Minuten köcheln.

Risotto auf den Rand einer Servierschüssel verteilen, das Fleisch in die Mitte geben und Servieren.

4 PORTIONEN

BLANQUETTE DE POULET

675 g	knochenloses Hühnerfleisch
750 ml	Hühnerbrühe (siehe Seite 77)
1 Teel.	Salz
¼ Teel.	Thymianblätter
1	Lorbeerblatt
20	Silberzwiebeln
4	Möhren, in lange, schmale Streifen geschnitten
2 Eßl.	Butter
2 Eßl.	Mehl
2 Eßl.	Zitronensaft
2	Eigelb
1 Prise	Cayennepfeffer
1 Eßl.	gehackte Petersilie

Hühnerfleisch, Brühe, Salz, Thymian und Lorbeerblatt in einen großen Kochtopf geben, zudecken und 45 Minuten köcheln. Zwiebeln und Möhren hinzugeben und weitere zehn Minuten köcheln.

500 ml der Flüssigkeit entnehmen. Butter in einem kleinen Topf schmelzen, Mehl einstreuen und zwei Minuten bei mittlerer Temperatur kochen (nicht bräunen). Langsam 500 ml Flüssigkeit angießen und rühren, bis die Sauce dick wird.

Zitronensaft mit Eigelb verquirlen, zur Sauce geben. Sauce nochmals erwärmen, aber nicht kochen, da sonst das Ei gerinnt. Hühnerfleisch gut mit der Sauce vermengen, Cayennepfeffer einrühren und alles in eine Servierschüssel geben. Mit Petersilie bestreuen und über Nudeln oder Reis servieren.

6 PORTIONEN

Florentiner Hühnerbrustrollen

GERÄUCHERTE PUTENBRUST IN KIRSCHSAUCE

675 g	geräucherte Putenbrust
675 g	frische, entkernte Sauerkirschen
55 g	Zucker
60 ml	süßer Sherry oder Apfelsaft
¼ Teel.	gemahlener Zimt
1 Prise	Piment
1 Teel.	Stärkemehl

Putenbrust in einen Bratentopf geben, zudecken und eine Stunde im vorgeheizten Ofen bei 180°C braten. Fleisch herausnehmen, schneiden und warmhalten.

Während die Pute brät, die restlichen Zutaten mit Ausnahme des Stärkemehls in einen Mixer geben und pürieren.

Die Masse in einen Topf geben und eine Stunde köcheln lassen. Stärkemehl mit zwei Teelöffeln kaltes Wasser verrühren, zur Sauce geben und köcheln, bis die Sauce dick wird.

Pute auf eine Servierplatte legen, Sauce darübergeben und servieren.

6 PORTIONEN

FLORENTINER HÜHNERBRUST-ROLLEN

6 x 120 g	Hühnerbrust
280 g	Spinatblätter
170 g	Havartikäse
170 g	geräucherter Lachs
2 Eßl.	zerlassene Butter
500 ml	Velouté (siehe Seite 105)

Hühnerbrust mit dem Fleischhammer flach klopfen.

Spinat feinhacken.

Auf jede Hühnerbrust 45 g Spinat, 30 g Käse und 30 g Lachs legen, rollen und mit einem Zahnstocher feststecken.

Die Rollen mit zerlassener Butter bestreichen, auf ein Backblech legen und 20 Minuten im vorgeheizten Ofen bei 180°C braten.

Das Hühnerfleisch auf eine Servierplatte legen und mit Velouté begießen. Servieren.

6 PORTIONEN

HÜHNERFLEISCH IM EIERTEIG GRAND'MERE

110 g	Mehl
1½ Teel.	Salz
je ¼ Teel.	Majoran und Paprika
1 Teel.	Backpulver
2	Eier, getrennt
80 ml	kalte Milch
2 Eßl.	Sherry
225 g	gekochtes, gewürfeltes Hühnerfleisch
250 ml	gekochte Erbsen
750 ml	Distelöl

Mehl mit Salz, Kräutern und Backpulver durchsieben.

Eigelb cremig schlagen, dann Milch und Sherry einrühren. Das Mehl langsam in die Flüssigkeit einrühren. Eiweiß steif schlagen und unter den Teig heben. Hühnerfleisch und Erbsen einrühren.

Öl auf 190°C erhitzen. Den Teig löffelweise in das Öl geben und goldbraun fritieren. Das fertige Bratengut warm stellen. Mit Mornaysauce (siehe Seite 111) sehr heiß servieren.

4 PORTIONEN

HÜHNERFLEISCH IN DER PFANNE

225 g	knochenloses, hautloses Hühnerfleisch
2 Eßl.	Distelöl
1	kleine, gewürfelte Zwiebel
75 g	gewürfelte, grüne Paprikaschote
75 g	gewürfelte, rote Paprikaschote
20	junge Champignons
2 Eßl.	Austernsoße*
2 Eßl.	Sojasoße
1 Teel.	Stärkemehl
1 Eßl.	Sherry oder Wasser

Hühnerfleisch in mundgerechte Bissen würfeln.

Öl in der Bratpfanne erhitzen und das Fleisch drei Minuten braten. Gemüse hinzufügen und weichdünsten.

Austern- und Sojasoße hinzugießen und zwei Minuten köcheln.

Stärkemehl mit dem Sherry verrühren und zum Fleisch geben, köcheln lassen, bis eine dicke Sauce entsteht. Auf Nudeln oder Reis servieren.

2 PORTIONEN

* In der orientalischen Abteilung eines Supermarktes erhältlich.

Hühnerfleisch im Eierteig Grand'Mere

GEDÜNSTETES HÜHNERFLEISCH BOURGUIGNONNE

3 x 1 kg	Hähnchen
60 ml	Butterschmalz (siehe Wörterverzeichnis)
1 Eßl.	Schalotten
1 Eßl.	Mehl
1	Bouquet garni *
115 g	gebratener, durchwachsener Speck, gewürfelt
20	Silberzwiebeln
20	junge Champignons
180 ml	Rotwein

Hühner vierteln.

Butterschmalz in einem großen Kochtopf erhitzen und das Hühnerfleisch darin goldbraun braten. Herausnehmen und zur Seite stellen. Schalotten und Mehl in den Topf geben und vier Minuten kochen.

Die restlichen Zutaten und das Fleisch dazugeben, Temperatur reduzieren und 40-45 Minuten köcheln lassen, oder bis alles gut durch ist. Bouquet garni herausnehmen.

Mit Reis oder Nudeln servieren.

6 PORTIONEN

* Das Bouquet garni für dieses Rezept: 1 Lorbeerblatt, 8 Petersilienstiele, 2 Thymianstiele, 6 Pfefferkörner und 1 kleine Stange Porree, gehackt. Alles in einem Käseleinen fest zusammenbinden.

HÜHNERFLEISCH TIA JUANA

1 x 2 kg	Hähnchen, in 8 Stücke geschnitten
25 g	Mehl
2 Teel.	Salz
je ¼ Teel.	schwarzer Pfeffer, weißer Pfeffer, Gewürznelken
je 2 Teel.	Chilipulver, Paprika
80 ml	Olivenöl
1	große, geschnittene Zwiebel
2	feingehackte Knoblauchzehen
1	geschnittene, grüne Paprikaschote
1	geschnittene, rote Paprikaschote
110 g	geschnittene Pilze
750 ml	enthäutete, entkernte, gehackte Tomaten
125 ml	Sherry
50 g	grüne, gefüllte Oliven

Hühnerfleisch waschen und trockentupfen.

Mehl mit den Gewürzen mischen und das Fleisch darin wenden.

Öl in einem großen Kochtopf erhitzen, das Fleisch bräunen und in eine große Kasserolle geben.

Zwiebel, Knoblauch, Paprikaschoten und Pilze weichdünsten.

Tomaten und Sherry einrühren, fünf Minuten köcheln lassen und zum Hühnerfleisch geben. Kasserolle zudecken und 45-50 Minuten im vorgeheizten Ofen bei 180°C braten. Deckel abnehmen, Oliven einrühren und weitere 15 Minuten braten.

Mit Reis servieren.

4 PORTIONEN

KREOLISCHE PUTENFILETS

675 g	Putenbrust
55 g	gewürztes Mehl
2	gewürfelte, spanische Zwiebeln
2	gewürfelte, grüne Paprikaschoten
1	gewürfelte, rote Paprikaschote
3 Eßl.	Distelöl
je ½ Teel.	Basilikum, Oregano, Thymian, Paprika, Knoblauchpulver, Zwiebelpulver, Chilipulver
je ¼ Teel.	schwarzer Pfeffer, weißer Pfeffer, Cayenne
1 Teel.	Salz
1 Eßl.	Worcestersauce
750 ml	zerdrückte Tomaten
125 ml	gehackte, grüne Zwiebeln
2 Eßl.	gehackte Petersilie

Putenfleisch in 2 cm breite Streifen schneiden, mit Mehl bestreuen.

Fleisch mit Zwiebeln und Paprikaschoten im Öl gut durchbraten. Gewürze, Worcestersauce und Tomaten hinzugeben, Temperatur reduzieren und 1¼ Stunden köcheln lassen.

Grüne Zwiebeln und Petersilie dazugeben und weitere fünf Minuten köcheln. Mit Nudeln oder Reis servieren.

6 PORTIONEN

Hühnerfleisch Tia Juana

Kreolische Putenfilets

Hähnchen Marchand de Vin

HÄHNCHEN MARCHAND DE VIN

1 x 1 kg	Hähnchen, in 8 Stücke geschnitten
2 Eßl.	Olivenöl
je ½ Teel.	Salz, Pfeffer, Paprika, Chilipulver, Basilikum, Thymian, Oregano
2 Eßl.	Butter
125 ml	gewürfelter Schinken
40 g	gewürfelte Pilze
125 ml	grüne Zwiebeln
375 ml	Demi-Glace (siehe Seite 123)
125 ml	Sherry
60 ml	Creme fraiche - wahlweise

Das Huhn auf ein flaches Backblech legen, mit Öl bestreichen und mit den Gewürzen bestreuen. 45 Minuten im vorgeheizten Ofen bei 180°C braten.

Butter in einem Topf schmelzen und Schinken, Pilze und grüne Zwiebel darin dünsten. Demi-Glace und Sherry hinzufügen, Temperatur reduzieren und köcheln, bis die Menge zur Hälfte reduziert ist.

Creme fraiche (falls verwendet) in die Sauce geben und weitere zwei Minuten kochen.

Sauce über das Hühnerfleisch geben und weitere zehn Minuten braten. Mit Reis und Nudeln servieren.

4 PORTIONEN

Gewürzte Hühnerbrust

GEWÜRZTE HÜHNERBRUST

2 Eßl.	Butter
je ¼ Teel.	Cayenne, schwarzer Pfeffer, weißer Pfeffer
6 x 170 g	hautlose Hühnerbrust, ohne Knochen
125 ml	Chilisoße
125 ml	Ketchup
je ¼ Teel.	Salz, Basilikum, Paprika, Chilipulver, Thymian, Oregano
2 Eßl.	Worcestersauce
2 Eßl.	Dijonsenf
125 ml	Wasser

Butter und Pfeffer zu einer cremigen Paste kneten. Hühnerbrust in eine Kasserolle legen und mit Pfefferbutter bestreichen. Im vorgeheizten Ofen drei Minuten braten, wenden und weitere drei Minuten braten.

Während das Fleisch brät, die restlichen Zutaten in einer kleinen Rührschüssel vermischen, über das Fleisch geben und weitere 20-25 Minuten bei 350°C braten.

Mit Reispilaf servieren.

6 PORTIONEN

KREOLISCHES HÄHNCHEN AU GRATIN

750 ml	Hühnerbrühe (siehe Seite 77)
675 g	grob gewürfeltes Hühnerfleisch, ohne Knochen
500 ml	gekochte, abgetropfte Fettucini-nudeln
375 ml	Kreolensauce (siehe Seite 121)
55 g	geriebener, milder Cheddarkäse
55 g	geriebener, scharfer Cheddarkäse
125 ml	geriebener Havartikäse

Den Ofen auf 200°C vorheizen.

Brühe aufkochen, Hühnerfleisch zugeben und 30 Minuten köcheln lassen. Fleisch abtropfen lassen und zur Seite stellen.

Nudeln in eine gefettete Kasserolle geben, Hühnerfleisch dazulegen und mit der Sauce bedecken. Den Käse mischen und darüberstreuen. 15-20 Minuten backen, oder bis der Käse geschmolzen und goldbraun ist.

Sofort servieren.

4 PORTIONEN

Hühnerfleisch mit Pistazien

HÜHNERFLEISCH PROVENÇALE

3 Eßl.	Olivenöl
1	feingehackte Knoblauchzehe
675 g	knochenlose Hühnerfleischstreifen
80 g	junge Champignons
20	Silberzwiebeln
345 g	Zucchini, in lange, schmale Streifen geschnitten
500 ml	zerdrückte Tomaten
3 Eßl.	Zitronensaft
je ¼ Teel.	Thymianblätter, Basilikum, Paprika, Salz
½ Teel.	gemahlener, schwarzer Pfeffer

Öl in einem Brattopf erhitzen, und Knoblauch, Hühnerfleisch, Champignons und Zwiebeln dünsten, bis das Fleisch gut durchgebraten ist. Zucchini dazugeben und weitere fünf Minuten braten. Tomaten, Zitronensaft und Gewürze einrühren, Temperatur reduzieren und 30 Minuten köcheln lassen.

Mit Reis servieren.

6 PORTIONEN

HÜHNERFLEISCH MIT PISTAZIEN

6 x 120 g	knochenlose Hühnerbrust
60 g	Nierenfett
450 g	gehacktes Hühnerfleisch
3 Eßl.	geriebene Zwiebel
3 Eßl.	feingehackte Möhren
3 Eßl.	feingehackter Stangensellerie
je ¼ Teel.	Basilikum, Thymianblätter, Marjoran, Salz, Pfeffer
125 g	geschälte Pistaziennüsse
1	Ei
2 Eßl.	zerlassene Butter

Hühnerbrust mit einem Fleischhammer flach klopfen.

In einer Rührschüssel Nierenfett, gemahlenes Hühnerfleisch, Gemüse, Gewürze, Nüsse und Ei vermischen und gleichmäßig auf die Hühnerbrust streichen. Mit der Füllung nach innen aufrollen, mit einem Zahnstocher feststecken.

Die Fleischrollen mit der zerlassenen Butter bestreichen, auf ein Backblech legen und 35-40 Minuten im vorgeheizten Ofen bei 180°C backen. Mit Wildpilzen in Sherrysauce (siehe Seite 105) servieren.

6 PORTIONEN

APRIKOSEN-HÄHNCHEN

250 ml	kochendes Wasser
280 g	getrocknete Aprikosen
160 ml	Distelöl
80 ml	Zitronensaft
je ¼ Teel.	Knoblauchpulver, Zwiebelpulver, Basilikum, Thymianblätter, Salz, weißer Pfeffer
40 g	feingehackte Zwiebel
40 g	feingehackte, rote Paprikaschote
2 Eßl.	Butter
1	geschnittene, spanische Zwiebel
250 ml	Hühnerbrühe (siehe Seite 77)
2 kg	Hähnchenteile

Das kochende Wasser über die Aprikosen geben und zehn Minuten weichen lassen. Abgießen und zusammen mit dem Öl, Zitronensaft und den Gewürzen in einen Mixer geben. Eine Minute verarbeiten. Die Masse in eine Rührschüssel geben, die zerhackte Zwiebel und den Pfeffer einrühren.

Butter in einer Pfanne erhitzen, Zwiebel darin weich. Brühe dazugießen und aufkochen. Kochend auf 80 ml reduzieren, dann die Aprikosenmischung in die Sauce geben.

Die Hähnchenteile in eine große Kasserolle legen, mit der Sauce begießen, zudecken und 45 Minuten im vorgeheizten Ofen bei 180°C braten. Deckel abnehmen und weitere 15 Minuten braten. Mit Reispilaf servieren.

8 PORTIONEN

FRUCHTGEFÜLLTE HÜHNERBRUST

35 g	Korinthen
35 g	gehackte Datteln
60 ml	gehackte, getrocknete Äpfel
25 g	trockenes Paniermehl
6 x 170 g	knochenlose, hautlose Hühnerbrust, flach geklopft
25 g	gewürztes Mehl
2 Eßl.	Olivenöl
125 ml	Orangensaft
60 ml	Wasser

Korinthen, Datteln, Äpfel und Paniermehl vermengen. Gleiche Portionen auf jede Hühnerbrust legen. Diese mit der Füllung nach innen zusammenrollen und mit einem Zahnstocher feststecken. Eine Stunde kalt stellen.

Die Fleischrollen mit Mehl bestäuben, in eine große Pfanne mit Öl geben und von allen Seiten braun braten. In eine Kasserolle legen.

Orangensaft und Wasser über das Hühnerfleisch gießen und 35-40 Minuten im vorgeheizten Ofen bei 180°C backen.

Mit Orangen-Cashew-Reispilaf (siehe Seite 724) servieren.

6 PORTIONEN

BRATHÄHNCHEN AILLOLI

1 x 2 kg	Huhn
1	Knoblauchzehe
¼ Teel.	Salz
½	Zitrone
180 ml	Ailloli (siehe Seite 102)

Huhn zusammenbinden und gut mit Knoblauch einreiben, mit Salz bestreuen und mit Zitronensaft bespritzen. Das Huhn in einen Brattopf geben und 1¾ - 2 ½ Stunden im vorgeheizten Ofen bei 160°C gut durchbraten.

Huhn herausnehmen und tranchieren, auf eine Servierplatte legen und mit Ailloli Sauce servieren.

6 PORTIONEN

Brathähnchen Ailloli

BRATHÄHNCHEN MIT ROSMARIN

500 ml	Hühnerbrühe
80 ml	Zitronensaft
3 Eßl.	flüssiger Honig
2,2 kg	Huhn
8	frische Rosmarinstiele
	Salz und Pfeffer
1	Knoblauchknolle
2 Eßl.	Butter
2 Eßl.	Mehl
60 ml	Weißwein

250 ml Hühnerbrühe, Zitronensaft und Honig in einen Topf geben und aufkochen. Temperatur reduzieren und köcheln, bis die Flüssigkeit zur Hälfte reduziert ist.

Mit einem Messer auf jeder Seite zwischen Haut und Brust eine Tasche schneiden und jeweils einen Rosmarinstiel hineinstecken. Das Huhn gründlich mit Knoblauch einreiben und reichlich mit Salz und Pfeffer würzen. Die restlichen Rosmarinstiele mit dem Knoblauch in die Bauchhöhle geben.

Das Huhn in einen Bratentopf legen und 2¾ - 3 ½ Stunden braten. Während der letzten Stunde reichlich mit dem Bratfett begießen.

Das Huhn aus dem Bratentopf nehmen und das Bratfett durch ein feines Sieb geben.

Butter in einem Topf erhitzen, Mehl hineinstreuen, Temperatur reduzieren und eine goldbraune Mehlschwitze* zubereiten. Wein, Bratensaft und die restliche Hühnerbrühe angießen. Temperatur reduzieren und köcheln, bis die Sauce dick wird.

Das Huhn tranchieren und mit Sauce servieren.

6 PORTIONEN

* Für eine Mehlschwitze Fett nach Wahl verwenden, Mehl hineinrühren und zwei Minuten oder mehr kochen.

Hühnchen Catalane

HÜHNCHEN CATALANE

3 x 340 g	Hühnchen
1 Eßl.	Distelöl
3 Eßl.	Butter
1	kleingewürfelte, spanische Zwiebel
80 g	geschnittene Pilze
2 Eßl.	Mehl
375 ml	gepellte, entkernte, gehackte Tomaten
30 g	geriebene, edelbittere Schokolade
375 ml	Espagnole Sauce (siehe Seite 111)

Hühner halbieren, mit Öl bestreichen und auf ein Backblech legen. Im vorgeheizten Ofen 45 Minuten bei 180°C braten.

Während die Hühner braten, Butter in einem Topf erhitzen, Zwiebel und Pilze darin dünsten, bis die Flüssigkeit verkocht ist. Mehl hineinstreuen und zwei Minuten oder länger kochen. Tomaten, Schokolade und Espagnole Sauce einrühren, Temperatur reduzieren und 30 Minuten köcheln lassen. Hühner aus dem Ofen nehmen, auf eine Servierplatte legen, Sauce darübergeben und servieren.

6 PORTIONEN

HÜHNERFLEISCH DIANNE

75 g	Butter
4 x 170 g	knochenlose, hautlose Hühnerbrust
115 g	geschnittene Pilze
2	gehackte, grüne Zwiebeln
60 ml	Weinbrand
375 ml	Demi-Glace (siehe Seite 123)
60 ml	Sherry
60 ml	Sahne

Butter in einer großen Pfanne erhitzen und das Hühnerfleisch sechs Minuten von jeder Seite braten. Herausnehmen und warm stellen.

Pilze in die Pfanne geben und weichdünsten. Die grünen Zwiebeln hinzufügen und vorsichtig mit dem Weinbrand flambieren. Demi-Glace, Sherry und Sahne einrühren und köcheln lassen, bis die Flüssigkeit auf 175 ml reduziert ist.

Das Hühnerfleisch auf eine Servierplatte legen, Sauce darübergeben und servieren.

4 PORTIONEN

Brathähnchen mit Rosmarin

HÄHNCHEN VELVET

675 g	knochenlose Hühnerbrust
80 g	Pilze
3 Eßl.	Distelöl
3 Eßl.	Mehl
375 ml	Hühnerbrühe (siehe Seite 77)
160 ml	Creme fraiche
¼ Teel.	Salz
¼ Teel.	weißer Pfeffer
225 g	geriebener Cheddarkäse

Hühnerbrust in Streifen schneiden.

In einer großen Pfanne die Pilze im Öl braten und mit Mehl bestreuen. Temperatur reduzieren und zwei Minuten kochen. Hühnerbrühe und Creme fraiche einrühren, Gewürze dazugeben und 35 Minuten köcheln lassen.

Den Käse hinzufügen und weitere fünf Minuten köcheln. Mit Reis oder Nudeln servieren.

6 PORTIONEN

WÜRZIGE HÜHNERTEILE MIT KOKOSNUSS

675 g	Hühnerteile
je 1 Teel.	Salz, Paprika, Pfeffer,
80 g	Butter
1	gewürfelte, spanische Zwiebel
1	feingehackte Knoblauchzehe
75 g	abgebrühte, gemahlene Mandeln
1 Teel.	zerdrückte rote Chilischoten
½ Teel.	Thymianblätter
1	Lorbeerblatt
60 ml	Zitronensaft
85 g	Honig
500 ml	Kokosmilch
70 g	geriebene, frische Kokosnuß

Die Hühnerteile mit Salz, Paprika und Pfeffer bestreuen.

Butter in einer großen Pfanne erhitzen, Zwiebel mit dem Hühnerfleisch braun braten. Die restlichen Gewürze hinzufügen und zudecken. Temperatur reduzieren und 45 Minuten köcheln lassen

Mit Reispilaf servieren.

6 PORTIONEN

GEGRILLTE HÄHNCHEN-BURGER

4 x 90 g	knochenlose, hautlose Hühnerbrust
4 Eßl.	Olivenöl
1 Eßl.	Sherry
1	feingehackte Knoblauchzehe
je ½ Teel.	Salz, gemahlener schwarzer Pfeffer,Thymianblätter, Oreganoblätter, Basilikum,Paprika
¼	Worcestersauce
12	Scheiben durchwachsener Speck
4	große Brötchen
1	große Fleischtomate, dick geschnitten
4	Salatblätter
4 Eßl.	Ranch-Dressing

Hühnerbrust waschen, trockentupfen und auf ein flaches Blech legen.

In einer Rührschüssel Öl, Sherry, Knoblauch, Gewürze und Worcestersauce vermischen, über das Hühnerfleisch gießen und zudecken. Drei Stunden im Kühlschrank marinieren.

Die Hühnerbrust vier Minuten von jeder Seite grillen und häufig mit der Marinade bestreichen.

Speck knusprig braten und zum Absorbieren des Fettes auf Küchenpapier legen.

Brötchen halbieren, eine Tomatenscheibe und ein Salatblatt auf eine Hälfte legen. Auf die andere Hälfte einen Eßlöffel Dressing geben und eine Hühnerbrust mit drei Scheiben Speck darauflegen. Sofort servieren.

4 PORTIONEN

Gegrillte Hähnchenburger

GEGRILLTE HÜHNERBRUST MIT HONIG

3 Eßl.	Butter
3 Eßl.	Öl
1	feingehackte, mittlere Zwiebel
1	feingehackte Knoblauchzehe
160 ml	Tomatenketchup
160 ml	flüssiger Honig
60 ml	Apfelessig
1 Eßl.	Worcestersauce
je ½ Teel.	Thymianblätter, Oreganoblätter, Basilikumblätter,Paprika, Pfeffer, Chilipulver, Salz
½ Teel.	flüssige Räucherwürze
4 x 170 g	knochenlose, hautlose Hühnerbrust

Butter mit zwei Eßlöffeln Öl in einem Topf erhitzen, die Zwiebel mit dem Knoblauch darin weichdünsten.

Ketchup, Honig, Essig, Worcestersauce, Gewürze und Räucherwürze hinzufügen und köcheln, bis die Sauce dick und glasig ist. Abkühlen lassen.

Das Hühnerfleisch mit dem restlichen Öl bestreichen und acht Minuten von jeder Seite grillen (mittlere Kohlenhitze), häufig mit der Sauce bestreichen. Vor dem Servieren nochmals mit Sauce bestreichen.

4 PORTIONEN

Gegrillte Hühnerbrust mit Honig

HÄHNCHEN PROVENÇALE II

1 x 2 kg	Hähnchen, in 8 Stücke geschnitten
35 g	Mehl
60 ml	Olivenöl
3	feingehackte Knoblauchzehen
20	Silberzwiebeln
20	junge Champignons
2	Möhren, in lange, schmale Streifen geschnitten
500 ml	gepellte, entkernte, gehackte Tomaten
250 ml	doppelte Hühnerbrühe (siehe Seite 77)
250 ml	Rotwein
je ½ Teel.	Salz, Pfeffer, Basilikum, Kerbel, Marjoran

Hähnchen waschen, trockentupfen und mit Mehl bestäuben. In einem großen Kochtopf im Öl bräunen und herausnehmen.

Knoblauch, Zwiebeln, Champignons und Möhren dazugeben, weichdünsten. Mit dem restlichen Mehl bestreuen, und zwei Minuten bei niedriger Temperatur kochen.

Hähnchen wieder in den Topf geben, die restlichen Zutaten gut untermischen. Topf zudecken und 1½ Stunden köcheln lassen.

Mit Reis oder Nudeln servieren.

4 PORTIONEN

Hühnerbrust mit Orangen und Rosmarin

Hühnerfleisch St.Jacques à l'Indienne

HÜHNERFLEISCH ST. JACQUES A L'INDIENNE

250 ml	Weißwein
450 g	knochenloses, grob gewürfeltes Hühnerfleisch
55 g	Butter
1	kleine, gewürfelte Zwiebel
1	gewürfelte, grüne Paprikaschote
1	gewürfelte Selleriestange
3 Eßl.	Mehl
250 ml	Creme fraiche
90 ml	Sherry
½ Teel.	Salz
2 Teel.	Currypulver
250 ml	enthäutete, entkernte, gehackte Tomaten

In einem kleinen Topf den Wein erhitzen, das Hühnerfleisch dazugeben und 20 Minuten köcheln lassen. Fleisch abtropfen und mit der Brühe zur Seite stellen.

Butter in einem zweiten Topf erhitzen und Zwiebel, grüne Paprikaschote und Sellerie weichdünsten. Mehl einstreuen und zwei Minuten bei niedriger Temperatur kochen. Creme fraiche, Sherry und Gewürze unterrühren und köcheln, bis die Sauce dick ist.

Tomaten und Hühnerfleisch dazugeben und fünf Minuten köcheln lassen. Falls die Sauce zu dick ist, etwas Brühe dazugießen.

Fleisch auf eine Servierplatte legen und mit Aloo Madarasi (siehe Seite 710) servieren.

4 PORTIONEN

HÜHNERBRUST MIT ORANGEN UND ROSMARIN

2	Orangen
1 Eßl.	Butter
4 x 170 g	knochenlose, hautlose Hühnerbrust
2 Teel.	Rosmarin
1 Portion	Orangen-Cashew-Reis (siehe Seite 724)

Eine Orange schälen und in Scheiben schneiden, von der zweiten den Saft auspressen.

Butter in einem großen Topf erhitzen und das Hühnerfleisch darin braten. Mit Rosmarin bestreuen, den Saft und die Orangenscheiben dazugeben. Temperatur reduzieren und zwei Minuten köcheln lassen.

Den Reis auf eine Servierplatte geben, Hühnerfleisch darauflegen und Sauce darübergeben. Servieren.

4 PORTIONEN

HÜHNCHENBRUST LANDHAUS

4 x 170 g	knochenlose, hautlose Hühnerbrust
125 ml	Joghurt
2 Teel.	Mehl
1 Eßl.	Currypulver
2 Eßl.	feines Paniermehl
2 Eßl.	Wasser

Das Hühnerfleisch in eine kleine Kasserolle legen.

In einer kleinen Rührschüssel Joghurt, Mehl und Currypulver vermengen und das Hühnerfleisch damit bedecken. Mit dem Paniermehl bestreuen und das Wasser seitlich in die Kasserolle einfüllen.

Das Fleisch im vorgeheizten Ofen 40 Minuten bei 180°C backen, oder bis es weich ist.

Die Hühnerbrust herausnehmen und mit Reispilaf servieren.

4 PORTIONEN

BRATHÄHNCHEN HAWAII

1 x 2 kg	Brathähnchen
2	feingehackte Knoblauchzehen
¼ Teel.	Pfeffer
½ Teel.	Salz
60 ml	Sojasoße
3 Eßl.	flüssiger Honig
60 ml	Ketchup

Das Hähnchen in einen Bratentopf geben, mit der Hälfte des Knoblauchs einreiben und mit Salz und Pfeffer würzen. Im vorgeheizten Ofen bei 180°C 2½ Stunden braten, oder bis es weich ist. Die restlichen Zutaten in einer kleinen Rührschüssel vermengen. Das Hähnchen damit wenigstens sechsmal während des Bratens bestreichen. Vor dem Tranchieren nochmals bestreichen.

6 PORTIONEN

PUTENBRUST PROVENÇALE

6 x 170 g	knochenlose Putenbrust
55 g	Butter
3	feingehackte Knoblauchzehen
1	geschnittene, grüne Paprikaschote
1	geschnittene Zwiebel
750 ml	enthäutete, entkernte, gehackte Tomaten
60 ml	Sherry
1 Teel.	Paprika
½ Teel.	Salz
¼ Teel.	Pfeffer

Die Putenbrust von jeder Seite vier bis sechs Minuten in Butter braten, je nach Dicke des Fleisches. Herausnehmen und warm stellen.

Knoblauch, Paprikaschoten und Zwiebel in die Pfanne geben und weichdünsten. Tomaten hinzugeben, aufkochen, Temperatur reduzieren, und 10 Minuten köcheln lassen. Sherry und Gewürze einrühren und köcheln, bis die Flüssigkeit verkocht ist.

Die Putenbrust auf eine Servierplatte legen, Sauce darübergeben und mit Zitronenpilaf servieren.

6 PORTIONEN

HÜHNERBRUST IN ROSA & GRÜNER PFEFFERKORN-SOßE

2 Eßl.	Butter
2 Eßl.	Mehl
125 ml	Hühnerbrühe (siehe Seite 77)
125 ml	entrahmte Sahne
3 Eßl.	Weinbrand
1 Eßl.	rosa Pfefferkörner
1 Eßl.	grüne Pfefferkörner
1 Eßl.	grüne Zwiebeln, fein gehackt
1 Eßl.	gehackte Petersilie
4 x 170 g	knochenlose, hautlose Hühnerbrust
2 Eßl.	zerlassene Butter
½ Teel.	Salz
¼ Teel.	weißer Pfeffer

Butter in einem Topf erhitzen und Mehl hinzugeben. Temperatur reduzieren und zwei Minuten kochen.

Brühe, Sahne und Weinbrand einrühren und köcheln, bis die Sauce dick ist. Pfefferkörner, Zwiebeln und Petersilie hinzugeben.

Das Fleisch mit der zerlassenen Butter bestreichen, mit Salz und Pfeffer würzen und im vorgeheizten Ofen 15-20 Minuten bei 190°C braten.

Die Hühnerbrust herausnehmen, auf eine Servierplatte legen und Sauce darübergeben. Servieren.

4 PORTIONEN

Hühnerbrust in rosa & grüner Pfefferkornsoße

Käsecrêpes mit geräucherter Putenbrust

GEGRILLTE HÜHNERBRUST

160 ml	Olivenöl
80 ml	Zitronensaft
80 ml	Sherry
2 Eßl.	zerdrücktes Rosmarin
2 Eßl.	Basilikumblätter
1 Eßl.	Thymianblätter
je ½ Teel.	Zucker, Pfeffer, Salz
4 x 170 g	knochenlose, hautlose Hühnerbrust

Alle Zutaten außer dem Hühnerfleisch in einer Rührschüssel vermischen.

Fleisch auf ein flaches Blech legen und mit der Sauce begießen. Zudecken und sechs Stunden kalt stellen.

Hühnerbrust sechs Minuten von jeder Seite grillen (mittlere Kohlenhitze eines Holzkohlegrills).

4 PORTIONEN

KÄSECRÊPES MIT GERÄUCHERTER PUTENBRUST

CRÊPES:

3	Eier
70 g	Mehl
¼ Teel.	Salz
250 ml	Milch
1 Eßl.	Distelöl

Eier verquirlen. Mehl, Salz und Milch dazugeben und mit dem Öl gut vermischen. Eine 20 cm große Pfanne erhitzen und mit Antihaft-Spray besprühen. Drei bis vier Eßlöffel Teig in die Pfanne geben und bei mittlerer Temperatur goldbraun braten. Crêpes herausnehmen und abkühlen lassen.

FÜLLUNG:

675 g	geräucherte Putenbrust
2 Eßl.	Butter
75 g	geschnittene Pilze
2 Eßl.	Mehl
250 ml	Hühnerbrühe (siehe Seite 77)
115 g	geriebener, mittlerer Cheddarkäse

In einer großen Pfanne die Putenbrust und Pilze in Butter braten. Mit Mehl bestreuen und zwei Minuten kochen. Hühnerbrühe hinzugeben, Temperatur reduzieren und fünf Minuten köcheln lassen.

Gleiche Mengen der Füllung auf die Crêpes geben, rollen und servieren.

6 PORTIONEN

Gegrillte Teriyaki-Hühnerbrust

NACH SÜDLICHER ART FRITIERTES HÄHNCHEN

2 kg	Hähnchen, in Stücke geschnitten
4	Eier
180 ml	Milch
135 g	Paniermehl
1 Eßl.	Paprika
je 1 Teel.	Oregano, Thymian, Salbei, Knoblauchpulver, Zwiebelpulver, schwarzer Pfeffer, Majoran, Chilipulver
1 l	Distelöl

Hähnchen waschen und trockentupfen.

In einer Rührschüssel Eier mit der Milch verquirlen. Mehl in eine zweite Schüssel und das Paniermehl in eine dritte Schüssel geben. Gewürze mit dem Paniermehl vermengen.

Hühnerstücke mit Mehl bestäuben, in die Eier-Milch tauchen und im Paniermehl wenden.

Öl auf 160°C erhitzen. Die Hühnerstücke in kleinen Mengen goldbraun fritieren. Darauf achten, daß das Fleisch gut durchgebraten ist. Die Bratenzeit richtet sich nach der Größe der Stücke.

Die fritierten Hühnerstücke bis zum Servieren warmhalten.

6 PORTIONEN

Nach südlicher Art fritiertes Hähnchen

GEGRILLTE TERIYAKI-HÜHNERBRUST

50 g	brauner Zucker
1 Teel.	gemahlener Ingwer
250 ml	Rinderbrühe (siehe Seite 85)
80 ml	Sojasoße
2 Eßl.	Stärkemehl
60 ml	Sherry
2 Eßl.	Öl
4 x 175 g	knochenlose, hautlose Hühnerbrust

In einem Topf Zucker und Ingwer in der Brühe und Sojasoße auflösen und aufkochen.

Stärkemehl mit Sherry vermengen und zur Sauce geben. Temperatur reduzieren und köcheln lassen, bis die Sauce dick ist. Abkühlen lassen.

Öl auf die Hühnerbrust streichen und acht Minuten (mittlere Temperatur) von jeder Seite grillen. Während des Bratens das Fleisch mit der Sauce häufig bestreichen. Vor dem Servieren nochmals bestreichen.

4 PORTIONEN

GERÄUCHERTE PUTENBRUST MIT SAURER SAHNE & KÄSESAUCE

675 g	geräucherte Putenbrust
2 Eßl.	Butter
2 Eßl.	Mehl
375 ml	Hühnerbrühe (siehe Seite 77)
180 ml	saure Sahne
je ¼ Teel.	Salz, Pfeffer
½ Teel.	Paprika
170 g	geriebener Gruyèrekäse
2 Eßl.	gehackte Petersilie

Putenbrust in einen Bratentopf legen und im vorgeheizten Ofen eine Stunde bei 180°C braten. Herausnehmen, schneiden und warmhalten.

Butter in einem Topf schmelzen, Mehl einstreuen und zwei Minuten bei niedriger Temperatur kochen. Hühnerbrühe hineingießen und fünf Minuten köcheln lassen. Saure Sahne, Gewürze und Käse unterrühren und weitere fünf Minuten köcheln.

Das Putenfleisch auf eine Servierplatte legen und Sauce darübergeben. Mit Petersilie bestreuen und Servieren.

6 PORTIONEN

POULET FARCI EN COCOTTE

1 x 1 kg	Hähnchen
115 g	Hühnerleber
2	Schalotten
2 Eßl.	gehackte Petersilie
55 g	Butter
500 ml	Brotkruste
60 ml	Milch
je ¼ Teel.	Thymianblätter, Basilikum, Oregano, Salz, Pfeffer

Das Hähnchen waschen. Leber säubern und Sehnen entfernen. Klein würfeln. Die Schalotten ebenfalls klein würfeln und mit der Petersilie vermischen.

Einen Eßlöffel Butter in einer Pfanne erhitzen und Leber und Schalotten darin zehn Minuten dünsten. Auf Zimmertemperatur abkühlen lassen.

In einer Rührschüssel Brotkrumen, Milch, Gewürze und Leber vermengen und das Hähnchen mit der Füllung stopfen. Die restliche Butter in einem Römertopf (Kasserolle) erhitzen, das Hähnchen hineinlegen und vollständig bräunen. Zudecken und im vorgeheizten Ofen bei 180°C 1½ Stunden braten. Das Hähnchen tranchieren und im Römertopf servieren.

6 PORTIONEN

GEBRATENE PERLHÜHNER MIT BLAUBEER-HOLLANDAISE

2 x 675 g	Perlhühner
6	Scheiben durchwachsener Speck
je ¼ Teel.	Rosmarin, Thymian, Salz, Pfeffer
500 ml	Blaubeeren
2	Eigelb
125 ml	sehr heiße Butter

Die Perlhühner halbieren und auf ein Backblech legen. Mit den Speckscheiben belegen und mit den Gewürzen bestreuen. Im vorgeheizten Ofen bei 180°C 45 Minuten braten. Aus dem Ofen nehmen und die Knochen entfernen, solange die Perlhühner noch heiß sind.

In der Zwischenzeit die Blaubeeren im Mixer pürieren und durch ein Sieb passieren (zum Entfernen von Fruchfleisch und Körnern). Den Saft in einen Topf geben, aufkochen und auf zwei Eßlöffeln dickflüssige Sauce reduzieren. Abkühlen lassen.

Eigelb in ein Wasserbad geben, den Blaubeersirup einrühren, langsam die heiße Butter einschlagen, bis sich eine dicke Sauce bildet.

Die Perlhühner auf eine große Servierplatte legen und mit der Sauce servieren.

4 PORTIONEN

HÜHNERBRUST ATLANTA

6 x 175 g	knochenlose Hühnerbrust
175 g	Krabbenfleisch
175 g	Schweizer Käse
175 g	Pfirsichscheiben
2	Eier
60 ml	Milch
55 g	Mehl
90 g	gewürztes Paniermehl
125 ml	Distelöl
250 ml	Aprikosen-Brandy-Sauce

Die Hühnerbrust flach klopfen. Auf jedes Fleischstück 28 g Krabben, 28 g Käse und 28 g Pfirsiche legen und mit der Füllung nach innen aufrollen. Die Rollen auf ein Backblech legen und ½ Stunde tiefkühlen.

Eier mit der Milch verquirlen. Das Fleisch mit Mehl bestäuben, in die Milch tauchen und im Paniermehl wenden.

Öl in einer großen Pfanne erhitzen, Hühnerfleisch von allen Seiten bräunen und auf ein Backblech legen.

Im vorgeheizten Ofen fünf Minuten bei 180°C braten. Die Hühnerbrust mit der Sauce servieren.

6 PORTIONEN

POCHIERTE HÜHNERBRUST MOUSSELINE

1 l	Wasser
500 ml	Weißwein
1	gehackte Zwiebel
1	gehackte, große Möhre
1	gehackte Selleriestange
1	Bouquet garni*
6 x 170 g	knochenlose, hautlose Hühnerbrust
3	Eigelb
1 Eßl.	Wasser
1 Eßl.	Zitronensaft
180 ml	zerlassene Butter
125 ml	Schlagsahne
je ¼ Teel.	Salz und Pfeffer
1 Prise	Cayennepfeffer

Wasser, Wein, Zwiebel, Möhre, Sellerie und Bouquet garni in einem großen Topf aufkochen und die Flüssigkeit auf die Hälfte reduzieren. Die Temperatur herunterschalten und das Hühnerfleisch 12 Minuten köcheln lassen.

Während das Fleisch pochiert, Eier mit einem Eßlöffel Wasser und dem Zitronensaft verquirlen und in ein Wasserbad geben. Die Eier unter ständigem Rühren kochen, bis sie dicklich werden. Nicht zu lange kochen. Von der Kochstelle nehmen, die Butter einschlagen, bis die Sauce sehr cremig und dick ist. Die Schlagsahne schlagen und in die Sauce einrühren. Gewürze hinzufügen.

Die pochierte Hühnerbrust auf eine Servierplatte legen und mit der Sauce servieren.

6 PORTIONEN

* Das Bouquet garni für dieses Rezept: 1 Lorbeerblatt, 8 Petersilienstiele, 2 Thymianstiele, 6 Pfefferkörner und eine kleine Stange Porree, gehackt. Alles in einem Käseleinen fest zusammenbinden.

Gegrillte Hühnerbrust Cacciatore

GEGRILLTE HÜHNERBRUST CACCIATORE

1 Portion	Nudelteig (siehe Seite 426)
3 Eßl.	Olivenöl
2	feingehackte Knoblauchzehen
1	gewürfelte, grüne Paprikaschote
1	gewürfelte Zwiebel
2	gewürfelte Selleriestangen
115 g	geschnittene Pilze
je 1 Teel.	Salz, Basilikumblätter
je ½ Teel.	Pfeffer, Thymianblätter, Oreganoblätter,Paprika
½ Teel	Worcestersauce
1,5 kg	enthäutete, entkernte, gehackte Tomaten
6 x 170 g	knochenlose Hühnerbrust

Den Nudelteig wie vorgeschrieben verarbeiten, in Fettucini-Nudeln schneiden, mit einem feuchten Tuch bedecken und zur Seite stellen.

Zwei Eßlöffel Öl in einer großen Pfanne erhitzen und Knoblauch, Paprikaschoten, Zwiebel, Sellerie und Pilze darin weichdünsten.

Gewürze, Worcestersauce und Tomaten hinzufügen, Temperatur reduzieren und drei Stunden köcheln lassen, bis die Sauce dick ist.

Die Hühnerbrust mit dem restlichen Öl bestreichen und sieben Minuten von jeder Seite grillen.

Die Nudeln in einem großen Topf mit Salzwasser kochen. Abtropfen lassen, auf einen Servierteller legen und mit der Sauce bedecken. Das Hühnerfleisch darauflegen und sofort servieren.

6 PORTIONEN

SCHWEINE- UND LAMMFLEISCH

Schweinefleisch ist das helle Fleisch, das heutzutage in einem ganz neuen kulinarischen Licht betrachtet wird. Schweinefleisch hat sich als flexible Alternative zu Rind-, Hühner-, Kalbfleisch und sogar Meeresfrüchten erwiesen.

Lammfleisch läßt sich dadurch jedoch nicht übertreffen, denn Lammfleisch ist dabei, jede gastronomische Festung anzugreifen und einzunehmen, ungeachtet der Art der Küche, sei sie nouvelle bistro, thailändisch oder sogar die klassische französische.

Zusammen erobern sie eine ständig zunehmende, exklusive Gruppe derer, die wissen, daß diese Fleischsorten schon beim ersten Bissen *einfach köstlich* sind. Genau wie ihre kulinarischen Gegenstücke bringen Schweine- und Lammfleisch das Beste in der kreativen Person zum Vorschein, die dieses Fleisch zubereitet, aber zu einem günstigen Preis. Das Alltägliche wird zum Außergewöhnlichen, wenn Schweine- oder Lammfleisch einfach zum Hauptgang eines Menüs gemacht werden.

Das absolut Beste an diesen Zutaten ist, daß man daraus mit etwas Fantasie völlig neue Gerichte kreieren kann. Nehmen Sie beispielsweise ein Rezept für Rind-, Kalb- oder Hühnerfleisch, und experimentieren Sie. Oder erfinden Sie eigene kulinarische Abenteuer wie „Gefüllte Schweinekoteletts" oder „Lammkoteletts Cherbourg".

Schweine- und Lammfleisch eignen sich dafür, ein klassisches Essen originell und unvergeßlich, und eine zwanglose Mahlzeit spannend zu gestalten. Wenn alles genau richtig sein soll, verblüffen Sie die Gäste mit einem „Schweinesteak mit Krebsfleisch in Himbeer-Pfefferkorn-Hollandaise". Oder aber, wenn sich das Fest dem Höhepunkt nähert, versuchen Sie doch etwas Extravagantes mit einer kräftigen Portion „Gegrillte Rippchen mit frischen Pfirsichen".

Ein kunstvoll zubereitetes Essen aus Schweine- oder Lammfleisch zeigt, daß man sich wirklich Mühe gibt, den Gästen das Beste aufzutragen. Obgleich es eigentlich ein rotes Fleisch ist, wird Schweinefleisch heutzutage als helles Fleisch bezeichnet. Es ist genauso nahrhaft und flexibel wie irgendein anderes helles Fleisch. Wenn Ihre Gäste zum Essen kommen und fragen, was es gibt, antworten Sie „Schweinekoteletts Charcutiere", und warten Sie auf die vielen Komplimente, denn das Essen wird *einfach köstlich* sein.

Schweinefleisch Satay

BERAUSCHTES SCHWEINEFLEISCH

3 Eßl.	Öl
1 x 1,75 kg	Schweinerücken, Mittelstück ohne Knochen, zusammengeschnürt
3	feingehackte Knoblauchzehen
60 ml	gehackte Petersilie
1 l	Rotwein
½ Teel.	Salz
1 Teel.	Pfefferkörner
2 Eßl.	Butter
2 Eßl.	Mehl

Öl in einem flachen Brattopf erhitzen. Fleisch darin von allen Seiten zügig anbraten.

Knoblauch, Petersilie, Wein, Salz und Pefferkörner dazugeben. Hitze zurückschalten und mit geschlossenem Deckel 3 Stunden lang leicht kochen. Das Fleisch herausnehmen, Flüssigkeit auf 1/3 reduzieren und durch ein Sieb abgießen.

Die Butter in einem kleinen Kochtopf erhitzen. Mehl hinzufügen und zwei Minuten kochen. Brühe angießen und leicht kochen, bis die Sauce dick wird.

Schweinebraten aufschneiden und die Sauce gesondert dazu reichen.

8 PORTIONEN

SCHINKEN-FLEISCHKÄSE

FLEISCHKÄSE:	
450 g	frisches Schinkengehacktes
450 g	frisches Gehacktes vom Schwein
45 g	gewürztes Paniermehl
30 g	feingehackte Zwiebel
1	feingehackte Möhre
1	feingehackte Selleriestange
125 ml	Milch

SAUCE:	
85 g	brauner Zucker
1 Eßl.	Dijonsenf
2 Eßl.	Essig
1 Eßl.	Wasser

Alle Zutaten mischen und in eine gefettete Kranzform geben. Diese in den auf 180°C vorgeheizten Ofen stellen und 45 Minuten backen. Überschüssiges Fett abgießen.

Die Zutaten für die Sauce verrühren und über das Fleisch gießen. Weitere 30 Minuten schmoren. Auf eine Servierplatte stürzen.

Dazu Reispilaf servieren.

6 PORTIONEN

LAMMKOTELETTS GROSSHERZOGEN ART

4 x 170 g	Lammkoteletts
2 Eßl.	Olivenöl
750 ml	Hühnerbrühe (siehe Seite 77)
3 Eßl.	Butter
3 Eßl.	Mehl
125 ml	Creme fraiche
60 ml	Langustenbutter (siehe Seite112)
250 ml	gekochte Langustenschwänze
250 ml	blanchierte Spargelspitzen
40 g	frisch geriebener Parmesankäse
4	große Scheiben Trüffel

Die Koteletts waschen und trockentupfen.

Das Öl in einer Bratpfanne erhitzen und die Koteletts darin anbräunen.

Die Hühnerbrühe dazugeben. Die Koteletts 15 Minuten sanft schmoren, dann herausnehmen und warm stellen.

Die Brühe durch ein Sieb abgießen, wieder auf den Herd stellen und aufkochen lassen. Die Flüssigkeit auf 375 ml reduzieren.

Die Butter in einem Kochtopf erhitzen, das Mehl dazugeben, und bei schwacher Hitze 2 Minuten kochen. Die eingekochte Brühe und Sahne hinzugießen und köcheln, bis die Sauce dick wird. Langustenbutter, Langustenschwänze und Spargelspitzen damit verrühren. Weitere 3 Minuten leicht kochen und den Käse hinzufügen.

Die Koteletts auf Servierteller legen, mit reichlich Sauce übergießen und mit einer Trüffelscheibe belegen. Sofort servieren.

4 PORTIONEN

Schinken-Fleischkäse

Berauschtes Schweinefleisch

Schweinesteaks mit Krebsfleisch in Himbeer-Pfefferkorn-Hollandaise

SCHWEINESTEAKS MIT KREBSFLEISCH IN HIMBEER-PFEFFERKORN-HOLLANDAISE

500 ml	Himbeeren
6	Scheiben durchwachsener Speck
6 x 120 g	Schweinesteaks
170 g	Krebsfleisch
2	Eigelb
125 ml	heiße, zerlassene Butter
1 Teel.	rosa Pfefferkörner

Beeren verlesen und waschen. Im Mixer pürieren, dann Fruchtfleisch durch ein feines Sieb passieren. Saft in einen Kochtopf gießen und zum Kochen bringen, Hitze zurückschalten und leicht einkochen, bis nur 60 ml Flüssigkeit übrigbleiben.

Schweinesteaks mit den Speckscheiben umwickeln. Auf dem Holzkohlegrill oder im Ofen gut durch grillen. Mit Krebsfleisch belegen.

Eigelb in den Mixer geben. Die Butter auf niedriger Stufe langsam damit vermischen und Himbeersaft allmählich in einem ununterbrochenen Strahl zugießen. Pfefferkörner einrühren.

Auf jedes Steak etwas Sauce geben. Die Steaks auf ein Backblech legen und unter dem vorgeheizten Grill des Ofens überbacken.

Sofort servieren.

6 PORTIONEN

SCHWEINESTEAKS MIT ROSMARIN & ORANGEN

2	Orangen
1 Eßl.	Butter
4 x 170 g	Schweinesteaks, ohne Knochen
2 Teel.	Rosmarin
1 Portion	Orange-Cashew-Reis (siehe Seite 724)

Eine Orange schälen und in Scheiben schneiden. Den Saft aus der anderen herauspressen.

Butter in einer großen Bratpfanne erhitzen und Schweinesteaks darin durchbraten. Mit Rosmarin bestreuen und Saft und Orangenscheiben hinzufügen. Hitze zurückschalten und 2 Minuten leicht kochen lassen.

Reis löffelweise auf Servierteller geben, Schweinesteak und Sauce darübergeben und sofort servieren.

4 PORTIONEN

GEGRILLTE LAMMKOTELETTS MIT KRÄUTERN

160 ml	Olivenöl
80 ml	Zitronensaft
80 ml	Sherry
2 Eßl.	zerriebener Rosmarin
2 Eßl.	Basilikumblätter
1 Eßl.	Thymianblätter
je ½ Teel.	Zucker, Pfeffer, Salz
8 x 90 g	Lammkoteletts, 2,5 cm dick

Alle Zutaten außer Koteletts in einer Rührschüssel mischen.

Koteletts in einen flachen Topf geben und die Sauce darübergießen. Zudecken und 6 Stunden kalt stellen.

Koteletts auf dem Holzkohlegrill bei mittlerer Hitze 5 Minuten von beiden Seiten grillen.

4 PORTIONEN

Schweinesteaks mit Rosmarin & Orangen

Lammkronen mit Himbeer-, Kiwi- & Grüner Pfefferkornsauce

LAMMKRONEN MIT HIMBEER-, KIWI- & GRÜNER PFEFFERKORN-SAUCE

2	Lammkronen*
2 Eßl.	zerlassene Butter
1 Teel.	Salz
½ Teel.	schwarzer Pfeffer
250 ml	Himbeeren
125 ml	Creme fraiche
30 g	Puderzucker
1 Eßl.	grüne Pfefferkörner
2	Kiwifrüchte

Lammkronen in eine flache Backform geben, mit Butter bestreichen und mit Salz und Pfeffer würzen. Im auf 180°C vorgeheizten Ofen 35-40 Minuten backen.

Mittlerweile Himbeeren pürieren und durch ein feines Sieb streichen, um die Körner zu entfernen.

Himbeeren und Zucker gemeinsam in einem kleinen Kochtopf erhitzen und bis auf ⅓ der ursprünglichen Menge einkochen. Sahne und Pfefferkörner hinzufügen und 5 Minuten leicht kochen.

Kiwifrüchte schälen und in Würfel schneiden, dann in die Sauce einrühren.

Lammrücken aus dem Ofen nehmen, auf Servierteller geben und reichlich Sauce darübergeben. Sofort servieren.

4 PORTIONEN

* Eine Krone besteht aus zwei Lammrücken, die zusammengebunden werden, um einen Kreis zu formen. Einen großen Ball Alufolie in die Mitte legen, damit die Krone während des Garens ihre Form beibehält.

Gegrillte Schweinesteaks mit Walnußmarinade

LAMM TRATTORIA

675 g	mageres Lammfleisch, ohne Knochen
70 g	Butter
1	feingehackte Knoblauchzehe
3 Eßl.	Mehl
1 Eßl.	gehackte, frische Petersilie
60 ml	Rotwein
250 ml	Tomaten, enthäutet, entkernt, gehackt
125 ml	Hühnerbrühe (siehe Seite 77)
je ½ Teel.	Salz, Pfeffer, Paprika
1 Teel.	Oregano
2 Teel.	Kapern
2 Teel.	abgeriebene Zitronenschale

Lammfleisch in grobe Würfel schneiden. Butter in einem großen Kochtopf erhitzen. Knoblauch und Lammfleisch hinzufügen und garen, bis das Fleisch braun wird. Mit Mehl bestreuen und bei schwacher Hitze noch 3 Minuten kochen lassen.

Die restlichen Zutaten dazugeben und 30 Minuten leicht kochen.

Dazu Reis servieren.

6 PORTIONEN

GEGRILLTE SCHWEINESTEAKS MIT WALNUSS-MARINADE

6 x 170 g	Schweinesteaks, ohne Knochen
2 Teel.	Dijonsenf
1 Eßl.	Zitronensaft
¼ Teel.	Salz
¼ Teel.	gemahlener schwarzer Pfeffer
2 Teel.	Walnußöl
60 ml	Olivenöl

Steaks in einen flachen Bräter geben.

Die anderen Zutaten in einer kleinen Schüssel vermischen und über die Steaks gießen. Zugedeckt 8 Stunden im Kühlschrank marinieren.

Steaks auf einem Holzkohlegrill auf mittelgroßer Flamme 10-15 Minuten grillen. Dabei Steaks häufig mit der Marinade bestreichen. Ein letztes Mal mit der Marinade bestreichen und dann sofort servieren.

4 PORTIONEN

CASHEW-LAMMKOTELETTS

6 x 170 g	Lammkoteletts
125 ml	gemahlene Cashewnüsse
30 g	frisch geriebener Parmesankäse
90 g	feines, trockenes Paniermehl
60 ml	zerlassene Butter

Koteletts waschen und trockentupfen.

Nüsse, Käse und Paniermehl in einer kleinen Schüssel untermengen.

Koteletts in zerlassene Butter eintauchen und dann im Paniermehl wenden. In eine kleine Auflaufform geben. Im auf 180°C vorgeheizten Ofen 45-50 Minuten backen, oder bis die Koteletts goldbraun werden. Sofort mit Aprikosen-Himbeersauce (siehe Seite 108) servieren.

6 PORTIONEN

LAMMFREUDEN

110 g	Mehl
1 Teel.	Salz
je ¼ Teel.	Majoran und Paprika
1 Teel.	Backpulver
2	Eier, getrennt
90 ml	kalte Milch
2 Eßl.	Sherry
230 g	gekochtes, gewürfeltes Lammfleisch
250 ml	gekochte Erbsen
750 ml	Distelöl

Mehl zusammen mit Salz, Kräutern und Backpulver sieben.

Eigelb schaumig schlagen und Milch und Sherry damit verquirlen.

Mehl langsam in die Flüssigkeit rühren. Eiweiß steif schlagen und unter den Teig heben. Lammfleisch und Erbsen unterheben.

Öl auf 190°C erhitzen. Kleine Mengen Teig löffelweise ins Öl geben und fritieren, bis sie goldbraun werden. Warm stellen, bis alle Klößchen fritiert sind. Sehr heiß servieren. Mornaysauce (siehe Seite 111) paßt gut dazu.

4 PORTIONEN

Lasagne mit italienischer Wurst

LASAGNE MIT ITALIENISCHER WURST

450 g	grob gehackte italienische Wurst
1	feingehackte Knoblauchzehe
je 2 Teel.	Oregano, Thymian, Basilikum
je ½ Teel.	Salz und Pfeffer
1 l	enthäutete, entkernte, gehackte Tomaten
310 ml	Tomatenmark
1 Portion	Nudelteig (siehe Seite 426), in breite Nudeln geschnitten
750 ml	sahniger Hüttenkäse
2	geschlagene Eier
60 g	frisch geriebener Parmesankäse
450 g	harter Mozzarellakäse, gerieben

Die gehackte Wurst in einem flachen Brattopf langsam bräunen. Überschüssiges Fett abgießen. Knoblauch, Kräuter, Tomaten und Tomatenmark hinzufügen. Eine Stunde leicht kochen.

Eine große, mit Butter bestrichene Auflaufform mit einer Schicht Nudeln auslegen. Hüttenkäse, Eier und Parmesankäse verrühren.

Eine Schicht Fleischmischung auf die Nudeln geben, darauf eine zweite Schicht Nudeln legen und diese mit einer Schicht Käsemischung bedecken. Dann Schichten von Fleischmischung, Käsemischung und Mozzarellakäse abwechselnd hinzufügen. Die mit Mozzarellkäse belegte Fleischmischung bildet dabei die letzte, obere Schicht. Im auf 190°C vorgeheizten Ofen 40 Minuten backen.

15 Minuten ruhen lassen und dann servieren.

12 PORTIONEN

Geschnetzeltes von Schwein und Huhn

GESCHNETZELTES VON SCHWEIN UND HUHN

225 g	Schweinefleisch, ohne Knochen
225 g	Hühnerfleisch, ohne Knochen und Haut
2 Eßl.	Distelöl
1	kleine, gewürfelte Zwiebel
75 g	gewürfelte rote Paprikaschote
20	junge Champignons
60 ml	Austernsoße
2 Eßl.	Sojasoße
1 Teel.	Stärkemehl
1 Eßl.	Sherry oder Wasser

Schweine- und Hühnerfleisch in mundgerechte Stücke schneiden.

Öl im Wok oder in einer großen Bratpfanne erhitzen. Fleisch 3 Minuten darin braten. Gemüse dazugeben und dünsten.

Austern- und Sojasoße hinzufügen. 2 Minuten leicht kochen.

Stärkemehl mit dem Sherry mischen und mit der Fleischmischung verrühren. Leicht kochen, bis die Sauce dick wird. Zum Servieren über Reis oder Nudeln geben.

2 PORTIONEN

SCHWEINS-ROULADEN

3	Scheiben gewürfelter, durchwachsener Speck
1	kleingewürfelte Möhre
1	kleingewürfelte Selleriestange
1	kleine Zwiebel, in feine Würfel geschnitten
250 ml	geriebener Havartikäse
4 x 170 g	Schweinekoteletts, ohne Knochen, flach geklopft
2 Eßl.	zerlassene Butter
500 ml	scharfe Mornaysauce (siehe Seite 111)

Speck in einer großen Bratpfanne braten. Möhren, Sellerie und Zwiebel hinzufügen und dünsten. Überschüssiges Fett abgießen. Die Mischung in eine kleine Schüssel geben und auf Zimmertemperatur abkühlen lassen.

Käse mit der Mischung verrühren und diese auf die Koteletts drücken. Koteletts dann zusammenrollen, so daß sie die Füllung umgeben. In eine kleine Backform geben, mit Butter bestreichen und im auf 180°C vorgeheizten Ofen 25-30 Minuten backen.

Koteletts auf Servierteller geben, mit reichlich Mornaysauce übergießen und servieren.

4 PORTIONEN

SCHWEINE-KOTELETTS VERDE

6 x 120 g	Schweinekoteletts
1	Ei
60 ml	Milch
55 g	Mehl
45 g	gewürztes Paniermehl
3 Eßl.	Öl
3 Eßl.	Butter
1	feingehackte Knoblauchzehe
2 Eßl.	Mehl
500 ml	Hühnerbrühe (siehe Seite 77)
150 g	Erbsen
je ¼ Teel.	Salz und Pfeffer

Koteletts mit dem Fleischhammer dünn klopfen.

Ei mit der Milch verrühren. Koteletts mit Mehl bestäuben, in die Eimischung tauchen und im Paniermehl wenden.

Öl in einer Bratpfanne erhitzen und Koteletts darin von beiden Seiten goldbraun braten. Warm stellen.

Butter mit dem Knoblauch erhitzen, mit Mehl bestreuen und 2 Minuten bei schwacher Hitze kochen. Brühe, Erbsen und Gewürze dazugeben und leicht kochen, bis die Sauce dick wird. In den Mixer gießen und verarbeiten, bis die Sauce glatt wird.

Koteletts auf Teller geben und Sauce darübergeben. Servieren

6 PORTIONEN

ASIATISCHES SCHWEINEFLEISCH

270 g	Rundkornreis
35 g	Korinthen
8 x 115 g	Schweinesteaks, ohne Knochen
2 Eßl.	Distelöl
1	gewürfelte Zwiebel
120 g	kleingewürfelte, geschälte Äpfel
2	feingehackte Knoblauchzehen
2 Eßl.	Currypulver
250 ml	Hühnerbrühe (siehe Seite 77)
125 ml	Chutney
250 ml	Schlagsahne
3 Eßl.	frische, gehackte, glatte Petersilie

Reis in eine große Auflaufform streuen und Korinthen dazugeben. Schweinefleisch lagenweise über den Reis geben.

Öl in einer Bratpfanne erhitzen und darin Zwiebel, Äpfel und Knoblauch dünsten. Currypulver einrühren, Hitze zurückschalten und noch 3 Minuten kochen.

Hühnerbrühe, Schlagsahne und Chutney unterrühren und 2 Minuten aufkochen lassen. Sauce über das Schweinefleisch gießen und zugedeckt im auf 180°C vorgeheizten Ofen 1¼ Stunden schmoren.

Den Deckel entfernen, mit glatter Petersilie bestreuen und sofort servieren.

8 PORTIONEN

CHINESISCHES SCHWEINEFILET

675 g	Schweinefilet
80 ml	Distelöl
1 Teel.	geschälte, feingehackte Ingwerwurzel
2	feingehackte Knoblauchzehe
60 ml	helle Sojasoße
80 ml	Honig, flüssig
2 Eßl.	Sherry
4 Tropfen	rote Lebensmittelfarbe (falls erwünscht)

Fett entfernen und Filet in Scheiben schneiden.

2 Eßlöffel Öl mit den restlichen Zutaten verrühren. Über das Schweinefleisch geben und dieses 4-6 Stunden marinieren.

Das übrige Öl in einem Wok erhitzen. Die Flüssigkeit vom Schweinefleisch abgießen aber gesondert aufbewahren. Schweinefleisch gründlich durchbraten. Überschüssiges Fett abgießen. Marinade wieder dazugeben und schmoren, bis die Flüssigkeit vollkommen verdunstet ist.

Dazu Reis servieren.

6 PORTIONEN

LAMM NACH HAUSMACHERART

8 x 90 g	Lammkoteletts
125 ml	Joghurt
2 Teel.	Mehl
1 Eßl.	Currypulver
2 Eßl.	feines Paniermehl
2 Eßl.	Wasser

Lammfleisch in eine Kasserolle geben.

Joghurt, Mehl und Currypulver in einer kleinen Schüssel mischen. Lammfleisch damit bestreichen und in Paniermehl wenden. Wasser um das Fleisch gießen.

In den auf 180°C vorgeheizten Ofen stellen und 40 Minuten schmoren, oder bis das Lammfleisch zart ist.

Aus dem Ofen nehmen und dazu Reispilaf servieren.

4 PORTIONEN

Lamm nach Hausmacherart

Chinesisches Schweinefilet

Schweinekoteletts Yucatan

SCHWEINE-KOTELETTS YUCATAN

2 kg	große Schweinekoteletts
30 g	Mehl
2 Teel.	Salz
je ¼ Teel.	schwarzer Pfeffer, weißer Pfeffer, Gewürznelken
je 2 Teel.	Chilipulver, Paprika
90 ml	Olivenöl
1	große Zwiebel, in Scheiben geschnitten
2	feingehackte Knoblauchzehen
1	grüne Paprikaschote, in Scheiben geschnitten
1	rote Paprikaschote, in Scheiben geschnitten
110 g	Pilze, in Scheiben geschnitten
750 ml	enthäutete, entkernte, gehackte Tomaten
125 ml	Sherry
90 ml	grüne, gefüllte Oliven

Koteletts waschen und trockentupfen.

Mehl mit den Gewürzen mischen. Koteletts darin wenden.

Öl in einem großen Topf oder flachen Brattopf erhitzen und Koteletts darin anbräunen. Koteletts in eine große Kasserolle geben.

Zwiebel, Knoblauch, Paprikaschoten und Pilze im Topf dünsten. Tomaten und Sherry einrühren und 5 Minuten köcheln. Die Sauce über die Koteletts geben und diese im auf 180°C vorgeheizten Ofen mit geschlossenem Deckel 45-50 Minuten schmoren. Deckel entfernen, Oliven einrühren und weitere 15 Minuten backen.

Dazu Reis servieren.

4 PORTIONEN

LAMMKOTELETTS GLORIA BLAIS

6 x 90 g	Lammkoteletts
95 g	Butter
340 g	gehacktes Putenfleisch
1 Teel.	feingehackter Schnittlauch
1 Eßl.	feingehackte Zwiebel
je 1 Teel.	Kerbel, Petersilie, Estragon
3 Eßl.	feingehackte Pilze
200 g	feines Paniermehl
3 Eßl.	Sherry
2	Eier
60 ml	Milch
30 g	Mehl
1 l	Distelöl

Lammkoteletts flach klopfen.

3 Eßlöffel Butter mit Putenfleisch, Schnittlauch, Zwiebeln, Gewürzen, Pilzen, Sherry und 60 g Paniermehl im Mixer verarbeiten.

Die restliche Butter in einer Bratpfanne erhitzen und die Mischung bei mittlerer Hitze 5 Minuten dünsten. Auf Zimmertemperatur abkühlen lassen. Lammkoteletts damit bestreichen und wie eine Biskuitrolle aufrollen.

Eier mit der Milch verrühren. Die Rouladen mit Mehl bestäuben, in die Eier tunken und im restlichen Paniermehl wenden.

Öl bis auf 190°C erhitzen und die Rouladen darin goldbraun backen. Mit Madeirasauce (siehe Seite 112) servieren.

6 PORTIONEN

Lammkoteletts Gloria Blais

Chinesische süßsaure Rippchen

Mit Obst gefüllte Lammkoteletts

MIT OBST GEFÜLLTE LAMMKOTELETTS

35 g	Korinthen
35 g	gehackte Datteln
60 ml	gehackte, getrocknete Äpfel
25 g	trockenes Paniermehl
6 x 90 g	Lammkoteletts, flachgeklopft
30 g	gewürztes Mehl
2 Eßl.	Olivenöl
125 ml	Orangensaft
60 ml	Wasser

Korinthen, Datteln, Äpfel und Paniermehl mischen. Koteletts gleichmäßig mit dieser Füllung bestreichen. Koteletts aufrollen und mit Zahnstochern feststecken. Eine Stunde im Kühlschrank kalt stellen.

Koteletts mit Mehl bestäuben. Öl in einer großen Bratpfanne erhitzen und die aufgerollten Koteletts darin auf jeder Seite anschmoren. In eine Kasserolle legen.

Koteletts mit Orangensaft und Wasser übergießen und im auf 180°C vorgeheizten Ofen 30-35 Minuten schmoren.

Orange-Cashew-Reispilaf (siehe Seite 724) dazu reichen.

6 PORTIONEN

CHINESISCHE SÜSS-SAURE RIPPCHEN

1,75 kg	Rippchen
80 ml	Sojasoße
170 g	brauner Zucker
180 ml	Essig
125 ml	Sherry
2 Eßl.	Austernsoße
1	grüne Paprikaschote, in dünne Scheiben geschnitten
1 Eßl.	gehackter, kandierter Ingwer
180 ml	Ananasstücke
2 Teel.	Stärkemehl
2 Eßl.	Wasser

Rippchen in 5 cm große Stücke schneiden. Auf ein Backblech legen. Im auf 160°C vorgeheizten Ofen 1½ Stunden backen, oder bis sie knusprig sind.

Sojasoße, Zucker, Essig, Sherry, Austernsauce und grüne Paprikaschote in einem Kochtopf mischen. Zum Kochen bringen. Ingwer und Ananasstücke hinzufügen.

Stärkemehl und Wasser verrühren und die Sauce dazugeben. Sauce vom Herd nehmen, sobald sie dick wird. Sauce über die Rippchen gießen , servieren.

4 PORTIONEN

SCHWEINE-KOTELETTS CHARCUTIERE

6 x 170 g	Schweinekoteletts aus der Schulter
2 Eßl.	Distelöl
1	gewürfelte spanische Zwiebel
2 Eßl.	Butter
2 Eßl.	Mehl
250 ml	Weißwein
250 ml	Hühnerbrühe (siehe Seite 77) oder Kalbsbrühe (siehe Seite 85)
2 Eßl.	gehackte Gewürzgurken
1 Teel.	Dijonsenf

Koteletts mit dem Öl bestreichen. Nach Belieben mit etwas Salz und Pfeffer abschmecken. Im Ofen grillen, bis sie durchgebraten sind.

Zwiebel in einem Kochtopf in der Butter braun braten. Mit Mehl bestreuen und bei schwacher Hitze weitere 2 Minuten kochen. Wein, Brühe, Gurken und Senf dazugeben und 15 Minuten leicht kochen.

Koteletts auf einen Servierteller legen, Sauce daraufgießen. Servieren.

6 PORTIONEN

KREOLISCHE GEFÜLLTE SCHWEINE-KOTELETTS

8	2 cm dicke Schweinekoteletts
680 ml	große Brotwürfel
70 g	Butter
1	feingehackte, kleine Zwiebel
½ Teel.	Worcestersauce
½ Teel.	Salz
½ Teel.	Pfeffer
60 ml	Öl
500 ml	Kreolensauce (siehe Seite 121)

Jedes Kotelett tief einschneiden.

Brot, Butter, Zwiebel, Worcestersauce, Salz und Pfeffer verrühren und Koteletts damit füllen.

Öl in einer großen Bratpfanne erhitzen. Koteletts im Öl bräunen und überschüssiges Öl abgießen. Sauce über die Koteletts geben. Zudecken und Hitze zurückschalten. Eine Stunde schwach kochen.

Dazu Reis servieren.

6 PORTIONEN

LAMMROULADEN

675 g	Lammfleisch, in dünne Scheiben geschnitten
80 g	Sardellen
2 Eßl.	Kapern
60 ml	roter Pimiento
110 g	Mehl
110 g	Stärkemehl
1 Teel.	Backpulver
1	Ei
2 Eßl.	Olivenöl
1 Eßl.	Zitronensaft
375 ml	Eiswasser
750 ml	Distelöl

Lammfleisch sehr dünn klopfen.

Sardellen, Kapern und Pimiento im Mixer pürieren. Etwas Püree auf die Mitte jeder Lammfleischscheibe geben und mit dem Fleisch so umwickeln, daß eine olivenförmige Roulade entsteht. Eine Stunde im Kühlschrank kalt stellen.

Mehl, Stärkemehl und Backpulver zusammensieben.

Ei, Olivenöl, Zitronensaft und Wasser verrühren und unter das Mehl rühren, so daß ein dünnflüssiger Teig entsteht.

Distelöl auf 190°C erhitzen. Lammfleisch in den Teig tauchen und im Öl goldbraun braten. Sehr heiß servieren.

6 PORTIONEN

LAMMKOTELETTS MIT LIMONEN-CILANTRO-CREME

1	Ei
60 ml	Milch
6 x 120 g	Blattkoteletts vom Lamm, ohne Knochen
55 g	Mehl
45 g	gewürztes Paniermehl
90 ml	Olivenöl
3 Eßl.	Butter
2 Eßl.	Mehl
125 ml	Hühnerbrühe (siehe Seite 77)
125 ml	entrahmte Sahne
60 ml	Limonensaft
2 Eßl.	gehackte, glatte Petersilie (Koriander)

Eier mit der Milch verrühren. Koteletts mit Mehl bestäuben, in die Eimischung tunken und im Paniermehl wenden.

Öl in einer großen Bratpfanne erhitzen, Koteletts etwa 3 Minuten von beiden Seiten goldbraun braten und dann im heißen Ofen aufbewahren.

Butter in einem Kochtopf erhitzen, Mehl dazugeben und bei schwacher Hitze 2 Minuten kochen. Hühnerbrühe und Sahne angießen und zu einer dünnen Sauce einkochen. Zitronensaft und glatte Petersilie unterrühren und weitere 5 Minuten köcheln.

Koteletts auf Servierteller legen und Sauce darübergeben.

6 PORTIONEN

Lammkoteletts mit Limonen-Cilantro-Creme

Lamm Sauté Provençale

SCHWEINE- & LAMMFLEISCH EINMAL ANDERS

170 g	mageres Gehacktes vom Schwein
120 g	mageres Gehacktes vom Lamm
60 g	feingehackter, durchwachsener Speck
3 Eßl.	feingehackte grüne Zwiebel
¼ Teel.	feingehackter Knoblauch
1 Eßl.	frische, gehackte Petersilie
2 Eßl.	Sherry
je ¼ Teel.	Paprika, Oregano, Thymian, Basilikum
½ Teel.	Salz
1	extra großes, geschlagenes Ei
2 x 450 g	ganze Hühnerbrust, ohne Knochen, mit Haut
2 Eßl.	Olivenöl

Schüssel und Klinge des Mixers zuerst kühlen. Gehacktes vom Schwein und Lamm, Speck, grüne Zwiebel, Knoblauch, Petersilie, Sherry, Gewürze und Ei darin zu einem glatten Brei verarbeiten.

Etwaiges Fett mit einem scharfen Messer vom Hühnerfleisch abschneiden. Die Haut langsam und vorsichtig vom Fleisch wegziehen. Darauf achten, daß sich die Haut nicht von den Rändern löst. Die Mischung unter die Haut füllen. Die Haut mit Spießen am Fleisch festmachen, damit sie sich nicht ablöst.

Die Hühnerbrust mit Öl bestreichen und im auf 190°C vorgeheizten Ofen 25 Minuten backen. Spieße entfernen. Zerlegen und servieren.

6 PORTIONEN

PIKANTE SCHWEINE-KOTELETTS

2 Eßl.	Butter
je ¼ Teel.	Cayennepfeffer, schwarzer Pfeffer und weißer Pfeffer
6 x 170 g	Schweinekoteletts, ohne Knochen
125 ml	Chilisoße
125 ml	Ketchup
je ¼ Teel.	Salz, Basilikum, Paprika, Chilipulver, Thymian, Oregano
2 Eßl.	Worcestersauce
2 Eßl.	Dijonsenf
125 ml	Wasser

Butter und Pfeffer glattrühren.

Koteletts in eine Kasserolle geben und mit Butter bestreichen. Unter den Grill des Ofens stellen, 3 Minuten grillen, wenden, und weitere 3 Minuten grillen.

Währenddessen die restlichen Zutaten in einer kleinen Schüssel verrühren. Sauce über die Koteletts gießen und diese 20-25 Minuten schmoren.

Dazu Reispilaf servieren.

6 PORTIONEN

LAMM SAUTÉ PROVENÇALE

12 x 90 g	Lammkoteletts, mit oder ohne Knochen
4 Eßl.	Butter
3	feingehackte Knoblauchzehen
1	grüne Paprikaschote, in Scheiben geschnitten
1	Zwiebel, in Scheiben geschnitten
750 ml	enthäutete, entkernte, gehackte Tomaten
60 ml	Sherry
1 Teel.	Paprika
½ Teel.	Salz
¼ Teel.	Pfeffer

Butter in eine Bratpfanne geben und Koteletts darin je nach Dicke 4-6 Minuten pro Seite braten. Herausnehmen und warm stellen.

Knoblauch, Paprikaschote und Zwiebeln in die Pfanne geben und dünsten. Tomaten hinzufügen, zum Kochen bringen, Hitze zurückschalten und 10 Minuten schwach kochen. Sherry und Gewürze dazugeben und leicht kochen, bis die Flüssigkeit verdunstet ist.

Koteletts auf eine Servierplatte geben und Sauce darübergießen. Dazu Zitronen-Reispilaf servieren

6 PORTIONEN

GEGRILLTE RIPPCHEN MIT FRISCHEN PFIRSICHEN

450 g	geschälte, gewürfelte Pfirsiche
60 ml	Essig
125 ml	Pfirsichsaft
40 g	brauner Zucker
1 Teel.	Worcestersauce
1 Teel.	Salz
½ Teel.	Oregano
4 Tropfen	scharfe Pfeffersoße
1,75 kg	Rückenrippchen

Alle Zutaten außer den Rippchen in den Mixer geben. Pürieren, dann in einen Kochtopf geben. Langsam zu einer recht dicken Sauce einkochen.

Rippchen in siedendem Salzwasser kochen, bis sie zart sind.

Rippchen auf einen Holzkohlegrill geben und über mittelheißen Kohlen grillen. Reichlich mit Sauce begießen. Noch ein letztes Mal kurz vor dem Servieren mit Sauce bestreichen.

4 PORTIONEN

SCHWEINE- & LAMMKEBABS NOUVELLE

500 ml	Brombeeren
340 g	Zucker
125 ml	Brombeerbrandy
450 g	mageres Schweinefleisch, in grobe Würfel geschnitten
450 g	mageres Lammfleisch, in grobe Würfel geschnitten
1 Eßl.	Öl

Die Beeren im Mixer pürieren. Durch ein Sieb passieren, um Körner zu entfernen.

Fruchtfleisch, Zucker und Brandy in einem Kochtopf verrühren. Zum Kochen bringen, Hitze niedriger schalten. Die Sauce schwach kochen, bis sie dick wird.

Schweine- und Lammfleisch auf in Wasser eingeweichte Bambusspieße stecken. Spieße mit dem Öl bestreichen und unter häufigerem Bestreichen mit der Sauce 5 Minuten von jeder Seite grillen. Kurz vor dem Servieren noch ein letztes Mal bestreichen.

4 PORTIONEN

Gegrillte Rippchen mit frischen Pfirsichen

LAMMKOTELETTS CHERBOURG

6 x 120 g	Lammkoteletts
1	Ei
60 ml	Milch
55 g	Mehl
45 g	gewürztes Paniermehl
3 Eßl.	Distelöl
80 g	Butter
3 Eßl.	Mehl
250 ml	Hühnerbrühe (siehe Seite 77)
250 ml	entrahmte Sahne
375 ml	gekochte Langustenschwänze
¼ Teel.	Salz
je 1 Prise	weißer Pfeffer, Paprika

Koteletts mit dem Fleischhammer dünn klopfen.

Ei in die Milch einrühren. Koteletts mit Mehl bestäuben, in die Eimischung tauchen und im Paniermehl wenden. Öl in einer großen Bratpfanne erhitzen und Koteletts darin goldbraun braten. Heiß aufbewahren.

Die Hälfte der Butter in einem Kochtopf erhitzen, Mehl dazugeben, und 2 Minuten bei schwacher Hitze kochen. Brühe und Sahne angießen und noch etwa 15 Minuten kócheln, bis die Sauce dick wird.

Die restliche Butter mit der Hälfte der Langustenschwänze im Mixer pürieren. Die Sauce von der Kochstelle nehmen und das Püree damit verquirlen. Die übrigen Langusten und Gewürze hinzufügen.

Koteletts auf Servierteller legen und mit reichlich Sauce übergießen. Servieren.

6 PORTIONEN

Schweine- & Lammkebabs Nouvelle

Schweineeintopf mit Drei-Pfefferkornsauce

SCHWEINE-EINTOPF MIT DREI-PFEFFERKORN-SAUCE

2 kg	große Würfel Schweinefleisch
35 g	Mehl
je ½ Teel.	Zwiebelpulver, Paprika, Thymianblätter, Oreganoblätter, schwarzer Pfeffer, Kerbel
je 2 Teel.	Salz und Chilipulver
60 ml	Distelöl
90 g	Pilze, in Scheiben geschnitten
2 Teel.	grüne Pfefferkörner
2 Teel.	rosa Pfefferkörner
1 Teel.	schwarze Pfefferkörner
500 ml	Demi-Glace (siehe Seite 123)
80 ml	Schlagsahne
60 ml	Marsalawein
1 Eßl.	Butter

Schweinefleisch waschen und trockentupfen.

Mehl mit Gewürzen mischen. Fleisch mit Mehl bestäuben.

Öl in einer großen Bratpfanne erhitzen. Schweinefleisch goldbraun braten. Herausnehmen und beiseite stellen.

Pilze weichdünsten. Fleisch wieder in die Pfanne geben. Pfefferkörner und Demi-Glace hinzufügen. Hitze zurückschalten. Pfanne zudecken und 1 Stunde lang köcheln. Schweinefleisch auf eine Servierplatte geben.

Hitze erhöhen und die Sauce bis auf die Hälfte einkochen. Sahne und Wein einrühren. Butter unterziehen. Die Sauce über das Schweinefleisch gießen. Servieren.

6 PORTIONEN

GEPFEFFERTE LAMMKOTELETTS

6 x 180 g	Lammkoteletts
60 ml	gestoßene schwarze Pfefferkörner
55 g	Butter
2 Eßl.	Weinbrand
250 ml	Demi-Glace (siehe Seite 123)
2 Eßl.	Sherry
60 ml	Creme fraiche

Pfefferkörner auf die Lammkoteletts drücken.

Butter in einer großen Bratpfanne erhitzen und Koteletts darin beliebig gar braten. Aus der Pfanne nehmen und warm stellen.

Weinbrand angießen und flambieren. Demi-Glace und Sherry hinzufügen. Eine Minute köcheln. Sahne zugießen und durchrühren.

Sauce über die Lammkoteletts geben und servieren.

6 PORTIONEN

FEINSCHMECKER-SCHWEINE-EINTOPF

60 g	Butter
675 g	mageres, gewürfeltes Schweinefleisch, ohne Knochen
225 g	Pilze, in Scheiben geschnitten
30 g	Zwiebeln, in kleine Würfel geschnitten
3 Eßl.	Mehl
375 ml	Hühnerbrühe (siehe Seite 77)
125 ml	entrahmte Sahne
60 ml	Sherry
40 g	geröstete, gehobelte Mandeln
500 ml	gekochter Langkornreis
1 Zweig	Petersilie

Butter in einem großen Topf oder flachen Brattopf erhitzen, Schweinefleisch dazugeben und bräunen. Fleisch herausnehmen und zur Seite stellen.

Pilze und Zwiebeln hinzufügen und weichdünsten. Mit Mehl bestreuen und 2 Minuten bei schwacher Hitze kochen. Brühe, Sahne und Sherry angießen, 3 Minuten köcheln.

Schweinefleisch in die Pfanne zurückgeben und weitere 45 Minuten leicht kochen lassen.

Mandeln in den Reis einrühren und diesen löffelweise um den Rand einer Servierplatte geben. Schweinefleisch in die Mitte der Platte geben und mit Petersilie garniert servieren.

4 PORTIONEN

GEBACKENE SCHWEINE-KOTELETTS MIT PARMESAN

60 g	feines Paniermehl
15 g	getrockenete Petersilienflocken
40 g	frisch geriebener Parmesankäse
60 g	Butter
1	feingehackte Knoblauchzehe
4 x 170 g	Schweinekoteletts, ohne Knochen
½ Teel.	Salz
¼ Teel.	Pfeffer

Paniermehl, Petersilie und Käse in einer kleinen Schüssel mischen.

Butter in einer Bratpfanne zergehen lassen, Knoblauch dazugeben und eine Minute bei schwacher Hitze dünsten.

Schweinekoteletts in Butter tunken, in Paniermehl wenden und in eine kleine Kasserolle geben. Mit Salz und Pfeffer würzen und mit der restlichen Butter bestreichen. Im auf 180°C vorgeheizten Ofen 45 Minuten backen.

4 PORTIONEN

SCHWEINESTEAK CUMBERLAND

6	Scheiben durchwachsener Speck
6 x 170 g	magere Schweinesteaks
3	Schalotten
60 ml	Wasser
1	Orange
1	Zitrone
je 1 Prise	gemahlener Ingwer, Cayennepfeffer
30 g	rotes Johannisbeergelee
60 ml	Portwein

Schweinesteaks in die Speckscheiben einwickeln und mit Zahnstochern feststecken. Auf einem Holzkohlegrill bei mittlerer Hitze oder im Ofen grillen.

Wasser in einen Kochtopf gießen, die Schalotten hacken und hineingeben.

Schale der Orange und der Limone abreiben und zu den Schalotten geben. 3 Minuten kochen. Wasser abgießen.

Gewürze, Gelee, Portwein und Saft der Orange und einer halben Limone hinzufügen. Zum Kochen bringen und auf die Hälfte einkochen.

Steaks damit übergießen. Servieren.

6 PORTIONEN

Feinschmecker-Schweineeintopf

Lammkoteletts mit Tomatenkonfitüre & Käse

GEGRILLTES LAMM CACCIATORE

1 Portion	Nudelteig (siehe Seite 426)
3 Eßl.	Olivenöl
2	feingehackte Knoblauchzehen
1	gewürfelte grüne Paprikaschote
1	gewürfelte Zwiebel
2	gewürfelte Selleriestangen
115 g	Pilze, in Scheiben geschnitten
je 1 Teel.	Salz, Basilikumblätter
je ½ Teel.	Pfeffer, Thymianblätter, Oreganoblätter, Paprika
½ Teel.	Worcestersauce
1,5 kg	Tomaten, enthäutet, entkernt, gehackt
6 x 170 g	Lammkoteletts, ohne Knochen

Nudelteig nach Anweisung zubereiten und in Fettuccini-Nudeln schneiden. Mit einem angefeuchteten Tuch zudecken und beiseite stellen.

2 Eßlöffel Öl in einem großen Kochtopf erhitzen. Knoblauch, Paprikaschote, Zwiebel, Sellerie und Pilze dazugeben und weichdünsten.

Gewürze, Worcestersauce und Tomaten hinzufügen, Hitze zurückschalten und 3 Stunden leicht kochen, oder bis eine dicke Sauce entsteht.

Koteletts mit dem restlichen Öl bestreichen. 5 Minuten von beiden Seiten grillen.

Nudeln in einem großen Topf mit gesalzenem Wasser kochen. Wasser abgießen, Nudeln auf Teller geben, mit Sauce übergießen und mit einem Lammkotelett belegen. Sofort servieren.

6 PORTIONEN

LAMMKOTELETTS MIT TOMATEN-KONFITÜRE UND KÄSE

250 ml	zerdrückte Tomaten
230 g	Zucker
60 ml	Sherry
6 x 120 g	Lammkoteletts
1	Ei
60 ml	Milch
55 g	Mehl
50 g	gewürztes Paniermehl
3 Eßl.	Distelöl
500 ml	geriebener Havartikäse

Tomaten, Zucker und Sherry in einem Kochtopf vermischen. Erhitzen und bei schwacher Hitze unter ständigem Rühren einkochen, bis die Tomatenmischung sehr dick wird, etwa so dick wie Konfitüre.

Koteletts mit dem Fleischhammer dünn klopfen. Das Ei in die Milch rühren. Koteletts mit Mehl bestäuben, in die Eimischung tauchen und im Paniermehl wenden.

Öl in einer großen Bratpfanne erhitzen. Koteletts darin von beiden Seiten goldbraun braten.

Jedes Kotelett auf ein Backblech legen, Tomatenkonfitüre daraufgeben, mit Käse bestreuen und im auf 230°C vorgeheizten Ofen überbacken, bis der Käse flüssig und golden wird.

Sofort servieren.

6 PORTIONEN

SCHWEIN & LAMM IN TEIG

½ Portion	Pie-Teig (siehe Seite 616)
150 g	gekochtes Schweinefleisch, in kleine Würfel geschnitten
150 g kleine	gekochtes Lammfleisch, in Würfel geschnitten
500 ml	Béchamelsauce (siehe Seite 112)
je ½ Teel.	Salz, Pfeffer, Muskatnuß
1 Eßl.	Petersilie
3	Eier, getrennt
30 g	gewürfelte Zwiebel

Den Teig ausrollen und damit eine tiefe, 23 cm breite Pie-Form lückenlos auslegen.

Schweinefleisch, Lammfleisch und Béchamelsauce in einer Schüssel mischen. Gewürze und Zwiebel hinzufügen.

Eigelb schlagen und unter die Mischung ziehen. Eiweiß steif schlagen und unter die Mischung heben.

Das Gemisch in die vorbereitete Form gießen. Im auf 200°C vorgeheizten Ofen etwa 25-30 Minuten goldbraun backen. Sofort servieren.

6 PORTIONEN

Schwein & Lamm in Teig

LAMMFRIKASSEE

2 kg	Lammfleisch, in große Würfel geschnitten
2	gehackte Zwiebeln
2	gehackte Möhren
2	gehackte Selleriestangen
1	Bouquet garni*
1 l	kalte Hühnerbrühe (siehe Seite 77)
1 Teel.	Selleriesalz
½ Teel.	weißer Pfeffer
3 Eßl.	Butter
3 Eßl.	Mehl

Lammfleisch waschen und trockentupfen.

Fleisch zusammen mit Zwiebeln, Möhren, Sellerie und Bouquet garni in einen großen Topf oder flachen Brattopf geben. Brühe zugießen, zum Kochen bringen, Temperatur zurückschalten und 1½ Stunden schwach kochen.

Lammfleisch herausnehmen und warm stellen. Brühe durch ein Sieb gießen, Gemüse und Bouquet garni aussieben und zur Seite legen. Brühe in den Topf zurückgießen, Salz und Pfeffer hinzufügen, zum Kochen bringen und die Flüssigkeit bis auf 500 ml einkochen.

Butter in einem kleinen Kochtopf erhitzen, Mehl dazugeben und 2 Minuten bei schwacher Hitze kochen. Die eingekochte Brühe zugießen und zu einer dicklichen Sauce einkochen. Sauce über das Lammfleisch schütten und Reis oder Nudeln dazu servieren.

8 PORTIONEN

*Das Bouquet garni für dieses Gericht besteht aus; einem Lorbeerblatt, 8 Petersilienzweigen, 2 Thymianzweigen, 6 Pfefferkörnern und einem kleinen, gehackten Porree. Alles in Käseleinen zusammenbinden.

Schweinekoteletts in Zitronenlimonade

SCHWEINE-KOTELETTS IN ZITRONEN-LIMONADE

180 ml	Zitronenlimonadenkonzentrat
60 ml	Ketchup
3 Eßl.	brauner Zucker
3 Eßl.	weißer Essig
¼ Teel.	gemahlener Ingwer
1 Teel.	Sojasoße
je ¼ Teel.	Paprika, Chilipulver, Knoblauchpulver, Thymian, Basilikum, Oregano, Salz und Pfeffer
1 kg	Schweinekoteletts
60 g	Mehl
60 ml	Distelöl

Konzentrat, Ketchup, Zucker, Essig, Ingwer, Sojasoße und Gewürze in einer Rührschüssel vermischen.

Koteletts mit Mehl bestäuben. Öl in einem großen Topf oder flachen Brattopf erhitzen, Koteletts darin anbräunen. Überschüssiges Fett abgießen. Sauce über die Koteletts gießen, zugedeckt bei schwacher Hitze 35-40 Minuten schmoren.

Geräucherte Hickory-Kartoffeln (siehe Seite 70) dazu servieren.

4 PORTIONEN

SCHWEINEFLEISCH CREOLE AU GRATIN

3 Eßl.	Olivenöl
675 g	grobgewürfeltes, mageres Schweinefleisch, ohne Knochen
750 ml	kalte Hühnerbrühe (siehe Seite 77)
500 ml	gekochte, abgetropfte Fettuccini-Nudeln
375 ml	Kreolensauce (siehe Seite 121)
60 g	geriebener, milder Cheddarkäse
60 g	geriebener, scharfer Cheddarkäse
125 ml	geriebener Havartikäse

Ofen auf 200°C vorheizen.

Öl in einem großen Topf erhitzen und Schweinefleisch darin anbräunen. Brühe zugießen, zum Kochen bringen und 30 Minuten schwach kochen. Brühe abgießen und Schweinefleisch aufbewahren.

Nudeln in eine gefettete Auflaufform geben. Schweinefleisch auf Nudeln verteilen und mit reichlich Sauce übergießen.

Käsearten vermischen und auf den Auflauf streuen. 25-30 Minuten backen, oder bis der Käse schmilzt und goldbraun wird. Sofort servieren.

4 PORTIONEN

Lammfrikassee

SCHWEINE- & LAMMFLEISCH SAUTÉ

675 g	mageres Schweinefleisch
675 g	mageres Lammfleisch
60 ml	Butterschmalz*
1 Eßl.	Schalotten
1 Eßl.	Mehl
1	Bouquet garni**
115 g	gewürfelter, gebratener Speck
20	Silberzwiebeln
20	junge Champignons
180 ml	Rotwein

Schweine- und Lammfleisch in große Würfel schneiden.

Butter in einem großen Topf oder flachen Brattopf erhitzen, Fleisch darin goldbraun braten, herausnehmen und beiseite stellen. Schalotten und Mehl in den Topf geben und verrühren, Hitze zurückschalten und 4 Minuten kochen.

Die übrigen Zutaten und Fleisch hinzufügen. Hitze wieder zurückschalten und 1¼ Stunden leicht kochen, oder bis das Fleisch gar ist. Bouquet garni entfernen. Reis oder Nudeln dazu servieren.

6 PORTIONEN

*Butterschmalz ist Butter, die zerlassen wurde, und wovon der Rahm entfernt wurde, so daß nur das goldene Fett übrigbleibt.

**Bouquet garni für dieses Gericht besteht aus; einem Lorbeerblatt, 8 Petersilienzweigen, 2 Thymianzweigen, 6 Pfefferkörnern und einem kleinen, gehackten Porree. Alles in Käseleinen zusammenbinden.

Schweine- & Lammfleisch Sauté

IN HONIG GEGRILLTES SCHWEINESTEAK

3 Eßl.	Butter
3 Eßl.	Öl
1	feingehackte, mittelgroße Zwiebel
1	feingehackte Knoblauchzehe
160 ml	Tomatenketchup
160 ml	flüssiger Honig
60 ml	Apfelessig
1 Eßl.	Worcestersauce
je ½ Teel.	Thymianblätter, Oreganoblätter, Basilikumblätter, Paprika, Pfeffer, Chilipulver, Salz
½ Teel.	flüssige Räucherwürze
4 x 170 g	Schweinesteaks

Butter mit 2 Eßlöffel Öl in einem Kochtopf erhitzen. Zwiebel und Knoblauch dazugeben und weichdünsten.

Ketchup, Honig, Essig, Worcestersauce, Gewürze und Räucherwürze hinzufügen. Leicht kochen, bis die Sauce dick und glänzend wird. Abkühlen lassen.

Steaks mit dem restlichen Öl bestreichen. Über mittelheißen Kohlen unter häufigem Bestreichen mit Sauce 6 Minuten von jeder Seite grillen. Noch ein letztes Mal kurz vor dem Servieren mit Sauce bestreichen.

4 PORTIONEN

SCHWEINE-KOTELETT MIT APFELREIS UND ORANGEN-BUTTERSAUCE

6 x 120 g	Schweinekoteletts
½ Portion	Apfelreis mit Datteln und Nüssen (siehe Seite 710)
1	Ei
60 ml	Milch
60 g	Mehl
90 g	gewürztes, feines Paniermehl
60 ml	Distelöl
2 Eßl.	feingehackte Schalotten
80 ml	Orangensaft
3 Eßl.	trockener Sherry
4 Eßl.	Butter
2 Eßl.	Orangenschale, in lange, schmale Streifen geschnitten

Koteletts mit dem Fleischhammer sehr dünn klopfen. 4 Eßlöffel Reis auf jedes Kotelett geben, die Enden zur Mitte umschlagen und zusammenrollen.

Das Ei in die Milch rühren. Koteletts mit Mehl bestäuben, in die Eimischung tauchen und in Paniermehl wenden. Öl in einer großen Bratpfanne erhitzen und Koteletts darin anbräunen.

Koteletts auf ein Backblech legen und im auf 180°C vorgeheizten Ofen 25 Minuten backen.

Unterdessen Schalotten, Orangensaft und Sherry gemeinsam erhitzen und auf 3 Eßlöffel (45 ml) Flüssigkeit einkochen. Bei sehr schwacher Hitze Butter nach und nach in die Sauce einquirlen. Orangenschale zufügen.

Koteletts auf eine Servierplatte geben, Buttersauce daraufgießen und servieren.

6 PORTIONEN

Schweinekotelett mit Apfelreis & Orangenbuttersauce

SCHWEINESTEAK DIANNE

4	Scheiben durchwachsener Speck
4 x 170 g	Schweinesteaks
75 g	Butter
115 g	Pilze, in Scheiben geschnitten
2	feingehackte grüne Zwiebel
60 ml	Weinbrand
375 ml	Demi-Glace (siehe Seite 123)
60 ml	Sherry
60 ml	Sahne

Steaks in die Speckscheiben einwickeln.

Butter in einer großen Bratpfanne erhitzen und Steaks darin 6 Minuten von beiden Seiten braten. Herausnehmen und warm stellen.

Pilze in die Pfanne geben und weichdünsten. Grüne Zwiebel hinzufügen und vorsichtig mit Weinbrand flambieren. Demi-Glace, Sherry und Sahne einrühren und die Flüssigkeit auf 175 ml einkochen.

Steaks auf Servierteller legen, Sauce darübergeben und servieren.

4 PORTIONEN

SCHWEINESTEAKS MIT KRÄUTERBUTTER

1	feingehackte Knoblauchzehe
½	Zitrone
½	Limone
je 2 Teel.	Petersilie, Basilikum, Majoran, Thymian
115 g	Butter
6	Scheiben durchwachsener, geräucherter Speck (Ahornaroma)
6 x 170 g	magere Schweinesteaks

Knoblauch, Kräuter, Butter, Limonen- und Zitronensaft im Mixer glatt rühren. Diese Butter zu einer Rolle formen. In Wachspapier einwickeln und 1 Stunde lang einfrieren.

Schweinesteaks mit Speckscheiben umwickeln. Auf einem Holzkohlegrill über mittelheißen Kohlen oder im Ofen grillen, bis sie vollkommen durchgegart sind.

Steaks auf Teller geben und mit einer Scheibe Kräuterbutter belegen.

6 PORTIONEN

Teriyaki gegrilltes Lammfleisch

SCHWEINE-EINTOPF II

2 kg	Schweinefleisch, ohne Knochen
40 g	Mehl
60 ml	Olivenöl
3	feingehackte Knoblauchzehen
20	Silberzwiebeln
20	junge Champignons
2	Möhren, in lange, schmale Streifen geschnitten
500 ml	enthäutete, entkernte, gehackte Tomaten
250 ml	Hühnerbrühe, doppelt (siehe Seite 77)
je ½ Teel.	Salz, Pfeffer, Basilikum, Kerbel, Majoran

Schweinefleisch in sehr große Würfel schneiden und mit Mehl bestäuben.

Öl in einem großen Topf oder flachen Brattopf erhitzen, Fleisch darin anbräunen, herausnehmen und zur Seite stellen. Knoblauch, Zwiebeln und Möhren in den Topf geben, weichdünsten, mit dem restlichen Mehl bestreuen und 2 Minuten bei schwacher Hitze kochen.

Schweinefleisch in den Topf zurückgeben und die übrigen Zutaten hinzufügen. Gut durchrühren. Zudecken und 1½ Stunden sehr schwach kochen.

Dazu Reis oder Nudeln servieren.

8 PORTIONEN

TERIYAKI GEGRILLTES LAMMFLEISCH

55 g	brauner Zucker
1 Teel.	gemahlener Ingwer
250 ml	Rinderbrühe (siehe Seite 85)
80 ml	Sojasoße
2 Eßl.	Stärkemehl
60 ml	Sherry
1 Eßl.	Öl
8 x 90 g	Lammkoteletts, ohne Knochen

Brühe und Sojasoße in einen Kochtopf geben und Zucker und Ingwer darin auflösen. Zum Kochen bringen.

Stärkemehl mit Sherry verrühren und in die Sauce geben. Hitze zurückschalten und köcheln, bis die Sauce dick wird. Abkühlen.

Koteletts mit Öl bestreichen. 5 Minuten von beiden Seiten über mittelheißen Kohlen grillen. Dabei häufig mit der Sauce bestreichen. Noch ein letztes Mal kurz vor dem Servieren bestreichen.

4 PORTIONEN

LAMMRÖLLCHEN MIT KLEMENTINEN-SAUCE

6 x 120 g	Lammkoteletts
18	blanchierte Spargelstangen
18	große Garnelen, ohne Schale und Darm
2 Eßl.	Olivenöl
375 ml	frischer Klementinen- oder Tangerinensaft
250 ml	Hühnerbrühe (siehe Seite 77)
125 ml	Creme fraiche
2 Eßl.	Butter
¼ Teel.	frischer, gemahlener Pfeffer
250 ml	Orangenspalten

Lammfleisch mit dem Fleischhammer sehr dünn klopfen. 3 Spargelstangen und 3 große Krevetten auf jedes Kotelett legen. Enden zur Mitte falten und aufrollen. Mit Zahnstochern feststecken. Auf ein Backblech geben.

Mit Öl bestreichen und bei 180°C im vorgeheizten Ofen 25-30 Minuten backen.

Währenddessen Orangensaft und Hühnerbrühe in einem Kochtopf verrühren. Erhitzen und zur Hälfte einkochen. Sahne angießen und wieder zur Hälfte einkochen. Von der Kochstelle nehmen. Butter in die Sauce einrühren. Pfeffer und Orangenspalten hinzufügen.

Die Röllchen auf eine Servierplatte geben, Sauce darübergeben und servieren.

6 PORTIONEN

Lammröllchen mit Klementinensauce

Schweinebraten Hawaii

SCHWEINEBRATEN HAWAII

1 x 2 kg	Schweinerücken, ohne Knochen
2	feingehackte Knoblauchzehe
¼ Teel.	Pfeffer
½ Teel.	Salz
60 ml	Sojasoße
3 Eßl.	flüssiger Honig
60 ml	Ketchup

Den Schweinerücken in einen Brattopf geben, mit der Hälfte des Knoblauchs einreiben und mit Salz und Pfeffer abschmecken. Im auf 180°C vorgeheizten Ofen 2½ Stunden braten, oder aber bis es durchgegart ist.

Die restlichen Zutaten in einer kleinen Schüssel mischen und den Braten während des Garens mindestens sechsmal damit bestreichen. Noch ein letztes Mal kurz vor dem Tranchieren und Servieren bestreichen.

6 PORTIONEN

KASSLER MIT PFLAUMENSAUCE

1 x 900 g	Kassler
250 ml	Orangensaft
60 ml	ungarischer Pflaumenbrandy
375 g	Pflaumenmarmelade
¼ Teel.	gemahlener Ingwer
1 Teel.	Stärkemehl
2 Eßl.	kaltes Wasser

Das Kassler in sechs gleich große Stücke schneiden. In eine Kasserolle geben.

Orangensaft, Brandy, Marmelade und Ingwer in einem Kochtopf mischen. Zum Kochen bringen. Stärkemehl mit Wasser verrühren und dieses in die Sauce gießen. Die Sauce vom Herd nehmen, sobald sie wieder aufkocht.

Schweinefleisch mit Sauce übergießen, zudecken und im auf 180°C Ofen 30 Minuten schmoren. Aus dem Ofen nehmen und servieren.

6 PORTIONEN

SCHWEINEFLEISCH SATAY

900 g	mageres Schweinefleisch, ohne Knochen, in grobe Würfel geschnitten
4 Eßl.	Erdnußöl
1½ Eßl.	gemahlene Paranüsse
½ Teel.	gemahlener Ingwer
1½ Teel.	gemahlener Koriander
je ¼ Teel.	Cayennepfeffer, Knoblauchpulver
je ½ Teel.	Pfeffer, Zwiebelpulver
2 Teel.	Melasse
4 Teel.	Limonensaft
4 Teel.	Zitronensaft
3 Eßl.	heißes Wasser

Fleisch auf Bambusspieße aufspießen und in eine große flache Pfanne legen.

Die übrigen Zutaten in einer Schüssel mischen. Die Marinade über das aufgespießte Schweinefleisch gießen und alles zugedeckt 3½ - 4 Stunden im Kühlschrank durchziehen lassen.

Spieße bei hoher Temperatur 10-12 Minuten grillen, oder bis das Fleisch durchgegart ist. Dabei häufig mit der Marinade bestreichen.

Dazu Bombay-Reis (siehe Seite 709) servieren.

6 PORTIONEN

Kassler mit Pflaumensauce

GEBRATENE LAMMKEULE

1 x 2-3 kg	Lammkeule, ohne Haxe
1	Knoblauchzehe
je ½ Teel.	Zwiebelpulver, Paprika, Salz, Pfeffer, Thymian, Marjoran, Basilikum, Senfpulver
2 Eßl.	Olivenöl

Ofen auf 180°C vorheizen.

Einen kleinen Einschnitt ins Fleisch in der Nähe des Knochens machen, und die Knoblauchzehe hineinstecken. Gewürze mischen. Lammkeule mit Öl bestreichen und mit Gewürzen bestreuen. 2½-3 Stunden braten.

Tranchieren und servieren.

8 PORTIONEN

SAUTIERTE SCHWEINESTEAKS IN KLEMENTINEN-SAUCE

6 x 170 g	Schweinesteaks
3 Eßl.	Öl
	Salz und Pfeffer nach Geschmack
60 ml	Tangerinen- oder Orangensaftkonzentrat
125 ml	Hühnerbrühe (siehe Seite 77)
60 ml	Schlagsahne
1 Teel.	Butter
1 Teel.	Limonensaft

Öl in einer großen Bratpfanne erhitzen. Steaks 6-8 Minuten anbraten. Mit Salz und Pfeffer abschmecken und heiß stellen.

Tangerinensaft und Hühnerbrühe in einem Kochtopf erhitzen, zum Kochen bringen und Hitze reduzieren. Sahne unterziehen und weiter köcheln, bis die Sauce dickflüssig und sämig wird. Von der Kochstelle nehmen. Butter und Limonensaft in die Sauce schlagen.

Steaks auf eine Servierplatte geben, mit Sauce übergießen, servieren.

6 PORTIONEN

LAMM MIT CHINESISCHEN PILZEN

675 g	Lammfleisch, ohne Knochen
8	getrocknete chinesische schwarze Pilze oder frische Austernpilze
1½ Teel.	Stärkemehl
4 Teel.	helle Sojasoße
1	Eiweiß
60 ml	Distelöl
1	feingehackte Knoblauchzehe
2 Teel.	Zucker
3 Eßl.	Austernsoße
2 Eßl.	Reiswein

Lammfleisch in dünne Scheiben schneiden.

Pilze 1 Stunde in warmem Wasser einweichen. Stärkemehl mit Sojasoße und Eiweiß verrühren. Die Marinade über das Lammfleisch gießen, und eine Stunde durchziehen lassen.

Wasser von den Pilzen abgießen und diese in schmale Streifen schneiden.

Öl im Wok erhitzen. Knoblauch darin unter Rühren rasch angaren. Lammfleisch und Pilze dazugeben und 2 Minuten braten. Zucker, Austernsoße und Wein hinzufügen. Weiter braten, bis die Flüssigkeit größtenteils verdunstet ist. Dazu gedünsteten Reis servieren.

6 PORTIONEN

Gebratene Lammkeule

Lamm mit chinesischen Pilzen

Lammsalat mit Wildpilzen

LAMM SRI LANKA

250 ml	Weißwein
450 g	Lammfleisch, in grobe Würfel geschnitten
60 g	Butter
1	kleine, gewürfelte Zwiebel
1	gewürfelte grüne Paprikaschote
1	gewürfelte Selleriestange
3 Eßl.	Mehl
250 ml	Creme fraiche
80 ml	Sherry
½ Teel.	Salz
2 Teel.	Currypulver
250 ml	enthäutete, entkernte, gehackte Tomaten

Wein in einem kleinen Kochtopf erhitzen, Lammfleisch dazugeben und 20 Minuten schwach kochen. Flüssigkeit abgießen, aber sowohl Brühe als auch Fleisch aufbewahren.

In einem zweiten Kochtopf Butter erhitzen, Zwiebel, Paprikaschote und Sellerie darin angaren, Mehl hinzufügen, Hitze zurückschalten und 2 Minuten kochen. Sahne, Sherry und Gewürze dazugeben. Sauce köcheln, bis sie dick wird.

Tomaten und Lammfleisch hinzufügen, 5 Minuten lang leicht kochen. Falls die Sauce zu dick wird, ein wenig mit Brühe verdünnen.

Auf Servierteller geben und dazu Aloo Madarasi (siehe Seite 710) servieren.

4 PORTIONEN

LAMMSALAT MIT WILDPILZEN

675 g	gekochtes Lammfleisch, in lange, schmale Streifen geschnitten
300 g	Wildpilze
2 Eßl.	gehackte Basilikumblätter
1 Eßl.	Petersilie
60 ml	gehackte grüne Zwiebel
½ Teel.	Salz
1 Teel.	gemahlener schwarzer Pfeffer
80 ml	Zitronensaft
250 ml	Olivenöl
1	kleiner Kopfsalat
1	kleiner Kopf Radicchio
1	Eigelb
	eßbare Blumen zur Garnierung

In einer Rührschüssel Lammfleisch und Pilze mischen.

Basilikum, Petersilie, grüne Zwiebel, Salz, Pfeffer und Zitronensaft im Mixer pürieren. Öl unter langsamer Betätigung des Mixers allmählich dazugießen. Gründlich durchrühren.

Lammfleisch und Pilze mit der Hälfte der Sauce übergießen, 1 Stunde im Kühlschrank ziehen lassen.

Salat und Radicchio verlesen, waschen und in größere Stücke reißen. Auf Teller geben und mit mariniertem Lammfleisch belegen.

Eigelb in einen Mixer geben. Unter Betätigung der Maschine die übrige Sauce langsam dazugießen. Nachdem eine dünne Mayonnaise entstanden ist, den Salat damit übergießen und servieren. Mit Blumen garnieren.

ANMERKUNG: Als Wildpilze, Pfifferlinge, Speisemorcheln, Shiitake- oder Enokitake-Pilze benutzen, oder kultivierte verwenden.

6 PORTIONEN

Lamm Sri Lanka

WILDBRET

Diejenigen, die zum Zwecke der Nahrungsbeschaffung jagen, versorgen und erhalten das Leben. Diejenigen jedoch, die Töten als Sport betrachten, sind im Unrecht. Wenn jemand nur um der Jagd willen und mit keiner Absicht des Fleischkonsums am Töten von verteidigungslosen Tieren teilnimmt, ist dies keinem nützlich und nur bloße Habgier. Diejenigen, die der Nahrung wegen jagen, müssen auch in der Lage sein, daß erjagte Fleisch zuzubereiten. Die richtige Anerkennung für jene Tiere, die ihr Leben gaben, um andere am Leben zu erhalten, ist die schmackhafte und fantasievolle Zubereitung des Wildbrets.

Das Herstellen von ausgezeichneten Gerichten ist unser Ziel in *Einfach Köstlich Kochen* 2. Das gekonnte und leichte Zubereiten von Wildbret unterstützt dieses Ziel. Da ich persönlich nie jage, mußte ich das Fleisch für die Rezepte in diesem Kapitel kaufen. In den meisten Ländern werden viele Tiere kommerziell gezüchtet, was sie wie Rind oder Geflügel verfügbar machen. Wenn Sie Ihren örtlichen Fleischermeister fragen, wird er Ihnen das gewünschte Fleisch sicherlich beschaffen können.

Das Zubereiten von Wildbret bringt die Abenteuer von draußen ins Haus und verwöhnt Ihre Gäste mit dem besten und natürlichsten Geschmack eines edlen Gerichts. Traditionsgemäß wurden Wildbretgerichte zu formellen Staatsessen gereicht. Wir haben unser Augenmerk auf informelles Essen gerichtet. Ob nun Ihre Auswahl „Elchfleisch Stroganoff" oder „Faisan au Vin" ist, Ihre Gäste werden die Gaumenfreuden genießen, auch wenn sie es bisher noch nicht probiert haben.

Da heute immer neue Arten von Wildbret erhältlich werden, ist der kreative Koch in der Lage, seine Menüauswahl mit dem charakteristischen Geschmack der verschiedenen Fleischarten zu erweitern. Diese vervollkommnen nicht nur die Kochkunstpalette, sondern sie bieten auch ernährungsmäßig eine bessere Auswahl als die bisherigen, herkömmlichen Möglichkeiten. Büffel und Moschusochse zum Beispiel enthalten weniger Fett, Kalorien und Cholesterin als Rind oder Schwein. Reh-, Elch- oder Karibufleisch hat einen außergewöhnlichen Geschmack, der nur dieser Fleischart eigen ist.

Wünschen Sie die Zubereitung von Ungewöhnlichem mit einem eigenen Flair, muß die Wahl Wildbret sein. Ihre Gäste werden Ihre Menüwahl übereinstimmend *einfach köstlich* finden.

Wachteln in Klementinensauce

QUALITÄTSWEIN
L. A. P. Nr. 1 640 888 134 93
1992

PERLHÜHNER MARENGO

2	Perlhühner, geviertelt
80 ml	Distelöl
4	geschälte, geschnittene Möhren
2	gewürfelte Selleriestangen
1	kleine, gewürfelte Zwiebel
6	Scheiben durchwachsener Speck
40 g	Mehl
1 l	enthäutete, entkernte, gewürfelte Tomaten
60 ml	Sherry
½ Teel.	Salz
¼ Teel.	Pfeffer
1	Bouquet garni (siehe Wörterverzeichnis)
115 g	geschnittene Pilze
2 Eßl.	gehackte Petersilie
750 ml	gedämpfter Reis

Ofen auf 180°C vorheizen.

Perlhühner im Öl fünf Minuten dünsten, herausnehmen und in eine Kasserolle legen.

Speck würfeln, in einem Topf anbräunen. Mehl einstreuen. Temperatur reduzieren und vier Minuten kochen. Gemüse hinzugeben und weichdünsten. Tomaten, Sherry und Gewürze einrühren und 10 Minuten bei niedriger Temperatur kochen.

Sauce, Bouquet garni und Pilze auf die Perlhühner geben, zudecken und eine Stunde backen.

Mit Petersilie bestreuen und mit heißem Reis servieren.

4 PORTIONEN

FASAN MIT MANDELN & PARMESAN

30 g	Mehl
1 Prise	Salz, Pfeffer, Paprika, Thymian, Basilikum
1	Ei
60 ml	Milch
25 g	gemahlene Mandeln
30 g	frisch gemahlener Parmesankäse
45 g	feines Paniermehl
6 x 120 g	knochenlose Fasanenbrust
3 Eßl.	zerlassene Butter

Mehl und Gewürze mischen. Ei mit der Milch verrühren. Mandeln, Parmesan und Paniermehl mischen. Fasanenfleisch mit Mehl bestäuben, in die Eiermilch tauchen und im Paniermehl wenden.

Butter in einer großen Pfanne erhitzen und vier bis fünf Minuten von jeder Seite braten, oder bis das Fleisch goldbraun ist. Wildpilze in Sherrysauce (siehe Seite 105) eignet sich bestens dazu.

6 PORTIONEN

BÜFFEL-MINCEMEAT

450 g	gehacktes Büffelfleisch
150 g	Rinderfett
5	große, geschälte, gehackte Äpfel
3 kg	Rosinen
500 ml	Apfelmost
230 g	Melasse
4 Eßl.	Zitronenschale, in lange, schmale, feine Streifen geschnitten
4 Eßl.	Orangenschale, in lange, schmale, feine Streifen geschnitten
1 Teel.	gemahlener Zimt oder nach Geschmack

Büffelfleisch im Rinderfett braten, abkühlen und das Fett entfernen.

Die restlichen Zutaten mit dem Gehackten vermengen, in einen Topf geben und zwei Stunden langsam schmoren. Abkühlen und in Torten- oder Törtchenformen geben.

ERGIBT 3 TORTEN (22cm)

Fasan mit Mandeln & Parmesan

ELCHFLEISCH STROGANOFF

1 kg	Elchfleisch, 2 cm Würfel
60 ml	Öl
3 Eßl.	Butter
2	geschnittene Selleriestangen
1	geschnittene Zwiebel
1	geschnittene, grüne Paprikaschote
225 g	Pilze
40 g	Mehl
310 ml	Rinderbrühe (siehe Seite 85)
180 ml	Sherry
2 Eßl.	Worcestersauce
2 Eßl.	Dijonsenf
60 ml	Tomatenmark
1	Lorbeerblatt
2 Teel.	Paprika
½ Teel.	Thymian
¼ Teel.	Pfeffer
250 ml	saure Sahne

Öl und Butter zusammen erhitzen. Elchfleisch darin bräunen und Gemüse darin dünsten. Mehl einrühren und zwei Minuten kochen. Rinderbrühe, Sherry, Worcestersauce, Senf, Tomatenmark und Gewürze dazugeben, zudecken und 1¼ Stunden köcheln lassen.

Saure Sahne unterrühren und über Eiernudeln servieren.

8 PORTIONEN

Elchfleisch Stroganoff

WÜRZIGE BÜFFELRIPPEN

1 kg	Büffelrippen
4 Eßl.	Distelöl
2 Eßl.	Butter
1	feingewürfelte Zwiebel
2 Eßl.	Zitronensaft
1 Eßl.	brauner Zucker
125 ml	Ketchup
1 Eßl.	Worcestersauce
1 Teel.	Dijonsenf
je ¼ Teel.	weißer Pfeffer, schwarzer Pfeffer, Salz, Paprika
je ½ Teel.	Basilikum, Thymian, Marjoran
1 Prise	Cayennepfeffer

Die Rippen im Öl bräunen und das Fett abtropfen lassen. Butter in einem Topf erhitzen und die Zwiebeln darin braten. Die restlichen Zutaten hineingeben, vermengen und über die Rippen gießen.

Zudecken und zwei Stunden, oder bis das Fleisch gar ist, bei niedriger Temperatur köcheln lassen. Mit Reis servieren.

4 PORTIONEN

REH-PFEFFER-STEAK

900 g	Rehsteak
3 Eßl.	Distelöl
1 Teel.	geschälte, gehackte Ingwerwurzel
2	grüne Paprikaschoten, in lange, schmale Streifen geschnitten
80 g	geschnittene Pilze
60 ml	Sojasoße
1 Eßl.	Zucker
2 Eßl.	Sherry
1 Teel.	Stärkemehl

Fleisch in dünne Streifen schneiden.

Öl in einem Topf erhitzen, Ingwer hinzugeben und eine Minute braten. Fleisch darin bräunen, Paprikaschoten und Pilze fünf Minuten mitbraten. Sojasoße und Zucker dazugeben. Sherry mit Stärkemehl vermengen, einrühren und eine Minute kochen lassen.

Mit Reis servieren.

6 PORTIONEN

BÜFFEL-CHILI

3 Eßl.	Distelöl
1 kg	Gehacktes vom Büffel
3	gewürfelte, große Zwiebeln
1	gewürfelte, grüne Paprikaschote
3	gewürfelte Jalapeño-Schoten
2 l	enthäutete, entkernte, gewürfelte Tomaten
2 Eßl.	Chilipulver
2	feingehackte Knoblauchzehen
1 Eßl.	Zucker
2 Teel.	Salz
2 l	rote Bohnen (aus der Dose)
500 ml	Gemüsesaftmischung

Öl in einem Topf erhitzen, Fleisch darin bräunen und Zwiebeln und Paprikaschoten darin weichdünsten. Die restlichen Zutaten hinzufügen, zudecken und vier Stunden köcheln lassen. Gelegentlich rühren.

Mit Knoblauch-Käse-Brot servieren.

8 PORTIONEN

RENTIER-FLEISCHBÄLLE

900 g	Gehacktes vom Rentier
3	geschlagene Eier
3 Eßl.	frisch gemahlener Parmesankäse
2 Eßl.	Paniermehl
1 Teel.	Basilikum
1	gehackte Knoblauchzehe
½ Teel.	Salz
½ Teel.	Pfeffer

Alle Zutaten gut miteinander vermischen und Fleischbällchen formen (Golfballgröße).

Im vorgeheizten Ofen 15 Minuten bei 180°C braten. Mit Tomatensauce (siehe Seite 106) oder Champignonsauce auf Nudeln oder Reis servieren.

6 PORTIONEN

Anmerkung: Falls Rentierfleisch nicht erhältlich ist, kann Reh-, Karibu-, Wapiti- oder Elchfleisch verwendet werden.

KARIBU BOURGUIGNON

1,5 kg	dünn geschnittenes, mageres Karibufleisch
60 ml	Olivenöl
1	zerdrückte Knoblauchzehe
750 ml	Rotwein (Burgunder)
20	Silberzwiebeln
20	Pilze
1 Teel.	Salz
1 Prise	Pfeffer
2	Lorbeerblätter
2	Gewürznelken
1 Teel.	Majoran
½ Teel.	Rosmarin
2 Eßl.	Butter
2 Eßl.	Mehl

In einem Topf das Fleisch mit dem Knoblauch im Öl bräunen. Überschüssiges Fett abtropfen lassen. Wein, Zwiebeln, Pilze und Gewürze dazugeben und zugedeckt 2½ Stunden köcheln lassen.

Butter in einem kleinen Topf erhitzen, Mehl einstreuen und vier Minuten bei niedriger Temperatur kochen, oder bis das Mehl haselnußbraun wird. Zum Fleisch geben und weitere 15 Minuten köcheln lassen.

Über Eiernudeln servieren.

6 PORTIONEN

Karibu Bourguignon

Büffel-Chili

Büffelschnitzel

REHROULADEN

4 x 170 g	knochenlose Rehsteaks
je ¼ Teel.	Salz, Pfeffer, Paprika, Knoblauchpulver
450 g	mageres Gehacktes vom Reh
8	Scheiben durchwachsener Speck
2	Dillgurken, längs geviertelt
4 Eßl.	Distelöl
500 ml	Rinderbrühe (siehe Seite 85)
2 Eßl.	Butter
75 g	geschnittene Pilze
2 Eßl.	Mehl

Die Rehsteaks mit einem Fleischhammer flach klopfen.

Die Gewürze mit dem Gehackten vermengen und auf die Steaks streichen. Auf jedes Steak zwei Scheiben Speck und zwei Gurkenviertel legen, zusammenrollen und fest zusammenbinden.

Öl in einer großen Pfanne erhitzen und die Rouladen rundum bräunen. Überschüssiges Fett abgießen. Rinderbrühe dazugeben, zudecken und drei Stunden köcheln lassen.

Die Fäden von den Rouladen entfernen. Fleisch warm stellen. Butter in einem Topf erhitzen, Pilze darin dünsten und mit Mehl bestreuen. Temperatur reduzieren und zu einer Sauce köcheln lassen.

Die Rouladen auf eine Servierplatte legen, Sauce darübergeben und servieren.

4 PORTIONEN

FAISAN CACCIATORE

4	knochenlose Fasanenbrust
60 g	Mehl
60 ml	Olivenöl
1	Knoblauchzehe
je ½ Teel.	Salz, Thymian, Oregano, Basilikum
¼ Teel.	Pfeffer, Paprika
1	grüne Paprikaschote, in lange, schmale, Streifen geschnitten
1	geschnittene, spanische Zwiebel
750 ml	Tomaten
15 g	geschnittene Pilze

Die Fasanenbrust mit Mehl bestäuben. Öl in einer großen Pfanne erhitzen und Fleisch darin bräunen. Knoblauch, Gewürze und Gemüse hinzufügen und 1¾ Stunden zugedeckt köcheln lassen.

Deckel entfernen und weitere 30 Minuten köcheln.

Mit Reis oder Nudeln servieren.

4 PORTIONEN

BÜFFEL-SCHNITZEL

6 x 120 g	Büffelkoteletts
1	Ei
60 ml	Milch
60 g	Mehl
50 g	gewürztes Paniermehl
60 ml	Distelöl
1	Zitrone, geviertelt

Koteletts sehr dünn klopfen.

Ei mit Milch verquirlen. Koteletts mit Mehl bestäuben, in die Eiermilch tauchen und im Paniermehl wenden.

Öl in einer Pfanne erhitzen und Koteletts von jeder Seite goldbraun braten. Zitronenviertel dazu servieren.

6 PORTIONEN

Rehrouladen

GEGRILLTE FASANENBRUST IN BROMBEER-BRANDY

500 ml	Brombeeren
340 g	Zucker
125 ml	Brombeerbrandy
1 Eßl.	Distelöl
4 x 175 g	knochenlose Fasanenbrust

Beeren im Mixer pürieren, dann durch ein Sieb passieren (zum Entfernen der Samenkörner).

Die Brombeermasse mit Zucker und Brandy in einen Topf geben und aufkochen. Temperatur reduzieren und köcheln, bis die Sauce dick wird.

Das Fleisch mit Öl bestreichen und sechs Minuten von jeder Seite grillen, häufig mit der Sauce bestreichen. Vor dem Servieren nochmals bestreichen.

4 PORTIONEN

BÜFFELFILET AU POIVRE

6 x 225 g	Büffelfiletsteaks
60 ml	Drei-Pfefferkorn-Mischung
60 g	Butter
2 Eßl.	Weinbrand
250 ml	Demi-Glace (siehe Seite 123)
2 Eßl.	Sherry
60 ml	Schlagsahne

Fett von den Filets schneiden und die Pfefferkörner auf das Fleisch drücken.

Butter in einer Pfanne erhitzen und die Filets darin braten. Herausnehmen und warm stellen.

Weinbrand in die Pfanne geben und vorsichtig flambieren. Demi-Glace, Sherry und Sahne hinzufügen und gut verrühren. Die Sauce über die Filetsteaks geben und servieren.

6 PORTIONEN

WILDPUTE SAUTÉ PROVENÇALE

6 x 175 g	knochenlose Wildputenbrust (Scheiben)
60 g	Butter
3	feingehackte Knoblauchzehen
1	geschnittene, grüne Paprikaschote
1	geschnittene Zwiebel
750 ml	enthäutete, entkernte, gehackte Tomaten
60 ml	Sherry
1 Teel.	Paprika
½ Teel.	Salz
¼ Teel.	Pfeffer

Das Putenfleisch in einer Pfanne in Butter vier bis sechs Minuten von jeder Seite braten (je nach Fleischdicke). Herausnehmen und warm stellen.

Knoblauch, Paprikaschoten und Zwiebeln hineingeben und weichdünsten. Tomaten hinzufügen und aufkochen. Temperatur reduzieren und zehn Minuten köcheln. Sherry und Gewürze dazugeben und köcheln, bis die Flüssigkeit verkocht ist.

Putenbrust auf eine Servierplatte geben, mit Sauce bedecken und mit Zitronen-Reispilaf servieren.

6 PORTIONEN

Büffelfilet au Poivre

Wildpute Sauté Provençale

FRANZÖSICH-KANADISCHE TOURTIERE

2	Scheiben durchwachsener Speck, gewürfelt
675 g	mageres Gehacktes vom Reh oder vom Schwein, oder halb Reh, halb Schwein
60 g	gehackte Zwiebeln
100 g	gehackter Sellerie
1	feingehackte Knoblauchzehe
2 Eßl.	Mehl
250 ml	Rinderbrühe (siehe Seite 85)
1 Teel.	Salz
½ Teel.	Kerbel
¼ Teel.	Muskatblüte
1	zerdrücktes Lorbeerblatt
1 Portion	Pie-Teig (siehe Seite 616)
1	geschlagenes Ei

Speck in einer großen Pfanne erhitzen, Fleisch, Sellerie und Knoblauch hinzugeben und braten, bis das Fleisch bräunt. Mit Mehl bestreuen und zwei Minuten bei mittlerer Temperatur kochen. Die Rinderbrühe und Gewürze einrühren und 30 Minuten zugedeckt kochen. Auf Zimmertemperatur abkühlen lassen.

Die Hälfte des Teigs ausrollen, in eine 23 cm große Tortenform geben und mit der Fleischmischung füllen. Den restlichen Kuchenteig ausrollen, die Ränder mit dem geschlagenen Ei befeuchten und auf die Fleischmischung legen. Die Ränder zum Verschließen nach unten drücken, die Mitte einschlitzen, damit der Dampf entweichen kann. Mit Ei bestreichen.

Im vorgeheizten Ofen 40 Minuten bei 190°C backen.

Heiß oder kalt servieren.

6 PORTIONEN

Rehburger

REHBURGER

675 g	mageres Gehacktes vom Reh
1	Ei
60 ml	Milch
25 g	gewürztes Paniermehl
1 Teel.	Worcestersauce
1 Teel.	Dijonsenf
1 Eßl.	Sojasoße
1 Teel.	Salz
je ½ Teel.	Basilikum, Majoran, Pfeffer, Paprika
6	Brötchen

Die Zutaten miteinander mischen, flache Klopse formen und bei mittlerer Hitze auf einem Grill braten.

Mit Brötchen servieren und nach Hamburgerart garnieren.

6 PORTIONEN

Bemerkung: Sie können jede Art wildes Rehfleisch verwenden, so wie Elch, Karibu etc.

WILDPUTEN-GESCHNETZELTES

225 g	knochenloses Wildputenfleisch
2 Eßl.	Distelöl
1	kleine, gewürfelte Zwiebel
75 g	gewürfelte, grüne Paprikaschote
75 g	gewürfelte, rote Paprikaschote
20	junge Champignons
60 ml	Austernsoße *
2 Eßl	Sojasoße
1 Teel.	Stärkemehl
1 Teel.	Sherry oder Wasser

Putenfleisch in mundgerechte Stücke würfeln.

Öl im Wok oder in einer großen Pfanne erhitzen und das Fleisch drei Minuten braten. Gemüse dazugeben und weichdünsten.

Austern- und Sojasoße angießen und zwei Minuten köcheln.

Stärkemehl mit dem Sherry verrühren und zum Fleisch geben, köcheln lassen bis die Sauce dick wird. Mit Reis oder Nudeln servieren.

2 PORTIONEN

* Austernsoße finden Sie in der orientalischen Abteilung der Supermärkte.

ELCHFLEISCH-GULASCH

1 kg	Elchfleisch, in 2 cm große Würfel geschnitten
110 g	Mehl
3 Eßl.	Öl
20	Silberzwiebeln
180 g	grobgewürfelte Möhren
180 g	grobgewürfelte weiße Rüben
200 g	grobgewürfelter Stangensellerie
500 ml	Rinderbrühe (siehe Seite 85)
250 ml	Rotwein
500 ml	enthäutete, entkernte, gewürfelte Tomaten
je ¼ Teel.	Salz, Pfeffer, Basilikum, Thymian, Paprika
1 Teel.	Worcestersauce
500 g	grobgewürfelte Kartoffeln

Das Elchfleisch mit Mehl bestäuben. Öl in einem Topf erhitzen und das Fleisch darin bräunen. Die restlichen Zutaten außer den Kartoffeln hineingeben. Temperatur reduzieren, zudecken und 1½ - 2 Stunden köcheln lassen. Kartoffeln unterrühren und weitere 30 Minuten köcheln.

Dazu einen grünen Salat servieren.

8 PORTIONEN

GEGRILLTE PERLHÜHNER

160 ml	Olivenöl
80 ml	Zitronensaft
80 ml	Sherry
2 Eßl.	zerdrückter Rosmarin
2 Eßl.	Basilikumblätter
1 Eßl.	Thymianblätter
je ½ Teel.	Zucker, Pfeffer, Salz
4 x 175 g	knochenlose Perlhuhnbrust

Alle Zutaten, mit Ausnahme des Fleisches, in einer Rührschüssel vermischen.

Die Perlhuhnbrust auf ein flaches Blech legen und mit der Marinade begießen. Abdecken und sechs Stunden kalt stellen.

Das Fleisch sechs Minuten von jeder Seite auf einem Holzkohlegrill (mittlere Kohlenhitze) grillen, häufig mit Marinade bestreichen. Vor dem Servieren nochmals mit der Marinade bestreichen.

4 PORTIONEN

GEGRILLTE ELCHSTEAKS NACH CHEF K.

170 g	brauner Zucker
125 ml	Chilisoße
125 ml	Distelöl
60 ml	Essig
60 ml	Zitronensaft
1 Teel.	Dijonsenf
1 Teel.	Zwiebelsaft
¼ Teel.	scharfe Pfeffersoße
1 Teel.	Worcestersauce
je ¼ Teel.	Knoblauchpulver, Paprika, Chilipulver
½ Teel.	Salz und Pfeffer
2 kg	Elchsteaks, 1,5 cm dick

Alle Zutaten, mit Ausnahme der Elchsteaks, in einen Mixer geben und zu einer glatten Sauce verarbeiten.

Das Fleisch in eine große und flache Schale legen, mit Marinade begießen und 24 Stunden im Kühlschrank marinieren.

Die Steaks 20 Minuten (10 Minuten jede Seite) oder nach Belieben grillen (mittlere Kohlenhitze). Mehrmals mit Marinade bestreichen. Sofort servieren.

8 PORTIONEN

Elchfleischgulasch

Gegrillte Rehsteaks

GEGRILLTE FASANENBRUST CUMBERLAND

6 x 170 g	knochenlose Fasanenbrust
3 Eßl.	zerlassene Butter
	Salz und Pfeffer nachGeschmack
Sauce:	
280 g	rote Johannisbeerkonfitüre
180 ml	Orangensaft
60 ml	Zitronensaft
¼ Teel.	gemahlener Ingwer
2 Eßl.	Stärkemehl
2 Eßl.	Wasser

Fasanenbrust mit Butter bestreichen und mit Salz und Pfeffer würzen. Bei mittlerer Temperatur von jeder Seite sechs bis sieben Minuten grillen.

Während das Fleisch grillt, die Korinthen in einem Topf erhitzen, den Orangen- und Zitronensaft mit dem Ingwer zufügen und aufkochen. Stärkemehl mit Wasser verrühren und zur Sauce geben, köcheln lassen, bis die Sauce dick wird.

Die Fasanenbrust während des Grillens und direkt vor dem Servieren mit Sauce bestreichen.

Mit einem Orangen-Mandelsalat (siehe Seite 133) wird daraus ein sehr gutes Mittagessen.

6 PORTIONEN

GEGRILLTE REHSTEAKS

250 ml	Distelöl
60 ml	Knoblauchessig
2 Eßl	Zitronensaft
2 Eßl.	feingehackte Zwiebel
1	feingehackte Knoblauchzehe
je 1 Teel.	Salz, Majoran, Basilikum, Thymian
½ Teel.	gemahlener, schwarzer Pfeffer
6 x 225 g	Rehsteaks

Alle Zutaten, mit Ausnahme der Steaks, mischen. Steaks auf ein flaches Backblech legen, mit der Marinade begießen und vier bis sechs Stunden zugedeckt im Kühlschrank marinieren.

Steaks auf einem Grill bei mittlerer Temperatur nach Wunsch grillen.

6 PORTIONEN

BÜFFEL-HACKBRATEN

1,75 kg	Gehacktes vom Büffel
1	feingehackte Zwiebel
½	feingehackte, grüne Paprikaschote
3	feingehackte Selleriestangen
3	geschlagene Eier
250 ml	gekochte Haferflocken
125 ml	zerkrümelte Kräcker
125 ml	Ketchup
1 Eßl.	Worcestersauce

Alle Zutaten vermengen, zu einem Laib formen und auf ein flaches Backblech geben. Im vorgeheizten Ofen 1¼ Stunden bei 180°C backen.

Mit Wildpilzen in Sherrysauce (siehe Seite 105) servieren.

8 PORTIONEN

Büffel-Hackbraten

REHGULASCH

2 Eßl.	Butter
60 g	kleingewürfelte Zwiebel
3	feingehackte Knoblauchzehen
3 Eßl.	Paprika
1 kg	Rehfleisch, gewürfelt
1 l	Rinderbrühe (siehe Seite 85)
1 Teel.	Kümmel
½ Teel.	schwarzer Pfeffer
500 ml	enthäutete, entkernte, gehackte Tomaten
230 g	junge Champignons
½ Teel.	Oregano
1 Eßl.	Stärkemehl

Butter in einem flachen Brattopf erhitzen, und Zwiebeln, Knoblauch und Paprika darin weichdünsten. Rehfleisch bräunen und Brühe, Kümmel und Pfeffer hineinrühren. Zudecken und 1½ Stunden köcheln lassen.

Tomaten, Pilze und Oregano hinzufügen und weitere 40 Minuten köcheln. Stärkemehl mit etwas Wasser verrühren, zum Gulasch geben und köcheln, bis die Sauce dick wird.

Mit Nudeln oder Reis servieren.

8 PORTIONEN

MOSCHUSOCHSEN-STEAK IN KNOBLAUCH & CILANTRO-BUTTER

6 x 225 g	Moschusochsensteaks (Filet)
1 Eßl.	Chilipulver
je ½ Teel.	Oreganoblätter, Thymianblätter, Basilikumblätter, Zwiebelpulver, Knoblauchpulver, Salz, weißer Pfeffer, schwarzer Pfeffer
¼ Teel.	Cayennepfeffer
110 g	Butter
4	feingehackte Knoblauchzehen
125 ml	frisch gehackte glatte Petersilie
1 Teel.	Dijonsenf
1 Teel.	abgeriebene Zitronenschale
2 Eßl.	Olivenöl

Fett von den Steaks entfernen und Fleisch in eine flache Schale legen.

Gewürze mischen und die Steaks damit bestreuen, zudecken und eine Stunde kalt stellen.

Butter mit Knoblauch, glatter Petersilie, Senf und Zitrone vermengen, auf einen Bogen Wachspapier geben und zu einer zigarrenähnlichen Rolle formen. Eine Stunde im Kühlschrank gefrieren.

Die Steaks mit Öl bestreichen und bei mittlerer Kohlenhitze grillen. Medium eignet sich bestens für Ochsensteaks.

Die Butter in dicke Scheiben schneiden. Auf jedes Steak ein Butterstück legen und sofort servieren.

6 PORTIONEN

Rehgulasch

Faisan au Vin

WACHTELN IN KLEMENTINEN-SAUCE

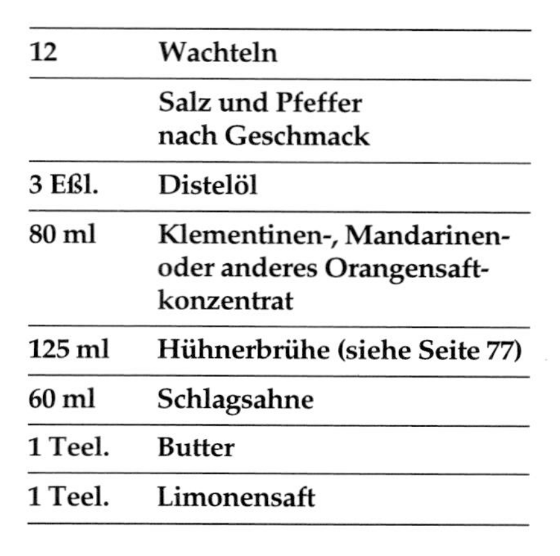

12	Wachteln
	Salz und Pfeffer nach Geschmack
3 Eßl.	Distelöl
80 ml	Klementinen-, Mandarinen- oder anderes Orangensaft-konzentrat
125 ml	Hühnerbrühe (siehe Seite 77)
60 ml	Schlagsahne
1 Teel.	Butter
1 Teel.	Limonensaft

Wachteln halbieren (Durchtrennen des Rückens) und leicht mit Salz und Pfeffer würzen.

Öl in einer großen Pfanne erhitzen und die Wachteln sechs Minuten von jeder Seite dünsten. Warm stellen.

In einem Topf den Klementinensaft mit der Hühnerbrühe aufkochen. Die Temperatur reduzieren, Sahne einrühren und köcheln, bis die Sauce so dick ist, daß sie am Löffel haftet. Butter und Limonensaft in die Sauce einrühren.

Die Wachteln auf eine Servierplatte legen, Sauce darübergeben und servieren.

6 PORTIONEN

FAISAN AU VIN

8 kg	Fasan, in Stücke geschnitten
4 Eßl.	Mehl
60 g	Butter
60 ml	Weinbrand
125 ml	Rotwein
1 Teel.	Thymian
1 Teel.	Paprika
2 Teel.	Salz
375 ml	Hühnerbrühe (siehe Seite 77)
4	Scheiben durchwachsener Speck
20	Silberzwiebeln
20	junge Champignons

Fasan mit Mehl bestäuben und in einer großen Pfanne in Butter bei niedriger Temperatur bräunen. Die Pfanne (vom Körper weg) schräghalten und mit Weinbrand flambieren. Rotwein, Gewürze und Hühnerbrühe hinzufügen. Zudecken und 40 Minuten köcheln, bis das Fasanfleisch weich ist.

Den gewürfelten Speck in einer Pfanne bräunen, Zwiebeln und Champignons darin dünsten. Fett abtropfen lassen, dann zu dem Fasanfleisch geben und weitere fünf Minuten köcheln lassen.

Mit gedämpftem Reis oder Nudeln servieren.

8 PORTIONEN

FAISAN CORDON BLEU

6 x 175 g	knochenlose Fasanenbrust
175 g	Schwarzwälder Schinken, gekocht
175 g	Schweizer Käse
2	Eier
60 ml	Milch
60 g	Mehl
90 g	gewürztes Paniermehl
125 ml	Distelöl
250 ml	Mornaysauce (siehe Seite 111)

Die Fasanenbrust flach klopfen.

Auf jedes Fleischstück jeweils 28 g Schinken und 28 g Käse legen und mit der Füllung nach innen zusammenrollen. Auf ein Backblech legen und ½ Stunde gefrieren.

Eier und Milch verquirlen. Das Fleisch mit Mehl bestreuen, in die Milch tauchen und im Paniermehl wenden.

Öl in einer großen Pfanne erhitzen, Fasanenbrust von allen Seiten bräunen und auf ein Backblech geben.

Im vorgeheizten Ofen zehn Minuten bei 180°C backen. Das Fleisch auf eine Servierplatte geben, Sauce darübergeben und sofort mit Reispilaf servieren.

6 PORTIONEN

SCHLICHTE FEINKOST

Ich habe dieses Kapitel «Schlichte Feinkost» genannt, weil auf diesen Seiten einige der einfachsten und schmackhaftesten Gerichte stehen, mit denen Sie Ihre Gäste jemals verwöhnt haben. Ich habe versucht, eine breite Palette ausgezeichneter Gerichte für Sie auszuwählen, die Sie Ihren Gästen fast zu jeder Tageszeit anbieten können.

Sie überzeugen sogar den verwöhntesten Gast beim Gourmet-Abendessen mit Gerichten wie „Hühnerfleisch Dermott" oder „Hühnchen in Weinsauce." Beim Mittagessen kann man jeden Kritiker mit Hauptgerichten wie „Louisiana Cioppino" oder „Gegrillte Garnelen mit Peperonimayonnaise" für sich gewinnen. Zum Essen am Sonntag werden die Gäste mit „Paul Northcotts Cola-Roastbeef" oder „Lasagne mit geräucherter Pute & Gorgonzola" total verwöhnt. Vielleicht machen Sie es sich zur Aufgabe, Partyappetithappen zuzubereiten. „Hühner-Apfel Brocken" oder „Gegrillte Jakobsmuscheln" sind garantiert ein Party-Hit. Wählen Sie orientalische Köstlichkeiten wie „Kalifornische Sushi-Röllchen" oder „Temaki gegrillter Lachs-Sushi", oder aber gönnen Sie Ihren Gästen mit „Gegrilltes Huhn und Garnelen-Satay" ein besonderes thailändisches Vergnügen.

Feinschmecker zu sein bedeutet nicht, daß man als arroganter Perfektionist auftritt. Stattdessen bedeutet Feinschmeckerkunst, das genau Richtige zur rechten Zeit für die richtigen Leute zu kochen. «Schlichte Feinkost» erlaubt es Ihnen, jederzeit ein hervorragendes Essen anzurichten, das immer richtig paßt.

Vielleicht sehnen sich die Gäste nach einem Nudelgericht. Dann sollten Sie ihnen „Fettuccini Vongolé" oder „Spaghetti Ragu a la Bolognese" servieren. Welches Feinkostrezept Sie auch wählen, Sie werden immer wissen, daß es leicht zuzubereiten ist, und *einfach köstlich* sein wird.

Hamburger Satay

LACHS À LA KING

60 g	Butter
75 g	gewürfelte grüne Paprikaschote
75 g	gewürfelte rote Paprikaschote
115 g	Pilze, in Scheiben geschnitten
60 g	Mehl
½ Teel.	Salz
¼ Teel.	weißer Pfeffer
250 ml	Hühnerbrühe (siehe Seite 77)
250 ml	Milch
750 ml	gekochter Lachs
1	Eigelb
750 ml	gedünsteter Reis

Butter in einem großen Kochtopf erhitzen und die Paprikaschoten und Pilze darin weichdünsten. Mit Mehl bestreuen und 2 Minuten kochen.

Salz, Pfeffer, Brühe und Milch dazugeben, Temperatur niedriger schalten und schwach kochen lassen, bis die Sauce dickflüssig wird.

Den Lachs zufügen und weitere 5 Minuten leicht kochen.

Den Topf vom Herd entfernen und Eigelb in die Sauce schlagen. Auf den Reis geben und servieren.

4 PORTIONEN

GEGRILLTE RUMPSTEAKS

125 ml	Rotweinessig
1 Eßl.	Worcestersauce
je. 1 Teel.	Basilikum-, Thymian-, Oreganoblätter
125 ml	Tomatenketchup
2	feingehackte Knoblauchzehen
½ Teel.	flüssige Räucherwürze
1 Eßl.	Zucker
6 x 225 g	Rumpsteaks

Alle Zutaten bis auf die Steaks in einem Kochtopf vermischen.

Fett von den Steaks entfernen. Auch den schmalen Knorpelrand abschneiden, damit die Steaks sich beim Garen nicht wölben. Marinade über die Steaks gießen und diese 6 Stunden zugedeckt im Kühlschrank durchziehen lassen.

Die Steaks über mittelheißen Kohlen nach Belieben grillen und häufig mit Marinade bestreichen.

6 PORTIONEN

BARBECUE SAUTÉ

225 g	Schweinefilet, gewürfelt
225 g	Garnelen, ohne Schale und Darm
225 g	große Jakobsmuscheln
2 Eßl.	Butter
2 Eßl.	Distelöl
250 ml	Barbecuesauce (Rezept folgt)

Fleisch und Meeresfrüchte in einer großen Bratpfanne in Butter und Öl braten. Sauce darübergießen und 10 Minuten auf kleiner Flamme kochen. Über Reis oder Nudeln geben und servieren.

6 PORTIONEN

Sauce:	
2	Knoblauchzehen
1	feingehackte spanische Zwiebel
2 Eßl.	Butter
2 Eßl.	Öl
170 g	brauner Zucker
2 Teel.	Worcestersauce
je ½ Teel.	Thymian-, Oreganoblätter, Kerbel, Kümmel, Paprika, schwarzer Pfeffer, weißer Pfeffer
1 Eßl.	Chilipulver
1 Teel.	Salz
500 ml	Tomatenketchup
2 Teel.	Zitronensaft

Butter und Öl in einen Kochtopf geben und Knoblauch und Zwiebel darin weichdünsten. Die übrigen Zutaten mischen und dazugeben. Hitze reduzieren und 15-20 Minuten unter gelegentlichem Rühren köcheln.

ERGIBT 750 ml

Lachs à la King

Barbecue Sauté

Lasagneröllchen

LASAGNE-RÖLLCHEN

Sauce:	
3 Eßl.	Olivenöl
1	feingehackte Knoblauchzehe
1	mittelgroße Zwiebel, in kleine Würfel geschnitten
2	Selleriestangen, in kleine Würfel geschnitten
115 g	Pilze, in Scheiben geschnitten
je 1 Teel.	Salz, Basilikumblätter
je ½ Teel.	Thymianblätter, Oreganoblätter, Paprika, Pfeffer
¼ Teel.	Cayennepfeffer
1,3 kg	enthäutete, entkernte, gehackte Tomaten

Nudeln:	
1 Portion	Grüne Nudeln (siehe Seite 436)
340 g	Ricottakäse
170 g	geriebener Cheddarkäse
3 Eßl.	gehackter Schnittlauch
1 Teel.	Basilikumblätter
je ½ Teel.	gemahlener, schwarzer Pfeffer, Salz
2	Eier

Sauce:

Öl in einem großen Kochtopf erhitzen. Knoblauch, Zwiebel, Sellerie und Pilze in den Topf geben und weichdünsten.

Gewürze und Tomaten dazugeben. Bei schwacher Hitze 3 Stunden lang köcheln, oder aber bis die Sauce die erwünschte Dickflüssigkeit erreicht.

Nudeln:

Nudelteig den Anweisungen nach zubereiten und in Lasagne-Nudeln schneiden.

Käse, Gewürze und Eier in einer Rührschüssel untermengen.

Die Mischung löffelweise auf die Nudeln geben und diese wie eine Biskuitrolle aufrollen.

In eine Backform geben, Sauce darübergießen und zugedeckt im auf 190°C vorgeheizten Ofen 30 Minuten backen. Deckel entfernen und weitere 15 Minuten backen. Servieren.

6 PORTIONEN

Gegrillte Hühnerbrust mit Brombeerbrandy

GEGRILLTE HÜHNERBRUST MIT BROMBEER-BRANDY

500 ml	Brombeeren
340 g	Zucker
125 ml	Brombeerbrandy
1 Eßl.	Öl
4 x 175 g	Hühnerbrust, ohne Knochen

Die Beeren im Mixer pürieren und durch ein Sieb passieren, um Samen zu entfernen.

Fruchtfleisch, Zucker und Brandy in einem Kochtopf verrühren. Zum Kochen bringen, dann die Temperatur niedriger schalten. Die Sauce köcheln lassen, bis sie dickflüssig wird.

Hühnerbrust mit Öl bestreichen und unter häufigem Bestreichen mit der Sauce jeweils 8 Minuten von beiden Seiten grillen. Noch ein letztes Mal kurz vor dem Servieren mit der Sauce bestreichen.

4 PORTIONEN

SUSHI

Hier bringen wir eine Auswahl von vier Varianten der berühmten japanischen Speise.

SUSHI REIS

250 ml	Wasser
140 g	Rundkornreis
1½ Eßl.	Essig
1½ Eßl.	Zitronensaft
2 Eßl.	Zucker
½ Teel.	Salz

Das Wasser zum Kochen bringen und Reis hineingeben. Die Temperatur zurückschalten. Zudecken und kochen, bis der Reis die Flüssigkeit aufgenommen hat.

Essig, Zitronensaft, Zucker und Salz in einem kleinen Kochtopf verrühren. Zum Kochen bringen, Temperatur zurückschalten und köcheln, bis der Zucker sich aufgelöst hat.

Den Reis dazugeben. Stehen lassen, bis alle Flüssigkeit vom Reis aufgesaugt ist. Abkühlen lassen.

KALIFORNISCHE SUSHI-RÖLLCHEN

1	Nori-Blatt, halbiert
250 ml	Sushi Reis (siehe Rezept auf dieser Seite)
1 Teel.	Dijonsenf
1 kleine	Salatgurke, in dünne Scheiben geschnitten
1	Avocado, in dünne Scheiben geschnitten
250 ml	gekochtes Krebsfleisch

Das Nori-Blatt ausbreiten, eine dünne Lage Reis darauf streichen.

Zuklappen und mit Senf bestreichen.

Darauf Schichten aus Gurke, Avocado und Krebsfleisch geben. Wie eine Biskuitrolle zusammenrollen.

In Frischhaltefolie einwickeln. Zusammenrollen, dann Folie entfernen und Sushi in 8 Scheiben schneiden. Servieren.

4 PORTIONEN

EBI GARNELEN

454 g	große Garnelen
1 l	Wasser
250 ml	Weißwein
1	Zitrone
1	kleine Zwiebel
1	Selleriestange
1 Teel.	Salz
½ Teel.	Pfefferkörner
375 ml	Sushi Reis (siehe Rezept auf dieser Seite)

Garnelen entlang der Unterseite auf Bambusspieße stecken.

Wasser, Wein, Zitrone, Zwiebel, Sellerie und Gewürze in einen großen Topf geben und zum Kochen bringen.

Die aufgespießten Garnelen in die kochende Flüssigkeit geben. Die Garnelen herausnehmen, sobald sie schwimmen, dann in eiskaltes Wasser eintauchen. Nach dem Abkühlen von den Spießen abstreifen. Die Schalen mit Ausnahme der Schwanzspitzen entfernen.

Garnelen schmetterlingsförmig aufschneiden. Dazu an der Unterseite entlang der Mitte schneiden, dabei die Mitte nicht durchtrennen.

Kleine Mengen Reis in den Einschnitt einfüllen und die Garnelen darum wickeln.

Sofort servieren.

4 PORTIONEN

Kalifornische Sushi-Röllchen, Ebi Garnelen & Temaki gegrillter Lachs-Sushi

SUSHI MIT FRISCHKÄSE UND GERÄUCHERTEM LACHS

1	Blatt Nori 18 x 20 cm
375 ml	Sushi Reis (Rezept auf vorhergehender Seite)
60 g	geräucherter Lachs
115 g	Frischkäse
1	Frühlingszwiebel, in lange, schmale Streifen geschnitten

Ein Blatt Nori auf ein leicht angefeuchtetes Geschirrtuch legen. Mit Reis belegen und diesen fest aufdrücken.

Eine großzügige Portion Lachs entlang des kurzen Endes legen. Daneben einen Streifen Frischkäse und Zwiebel legen.

Wie eine Biskuitrolle aufrollen. Mit einem sehr scharfen Messer in 2,5 cm dicke Scheiben schneiden. Servieren.

ERGIBT 8 SCHEIBEN

TEMAKI GEGRILLTER LACHS-SUSHI

225 g	Lachsfilet
1	Blatt Nori
250 ml	Sushi Reis (Rezept auf vorhergehender Seite)
1	geschälte Möhre, in lange, schmale Streifen geschnitten
1 kleine	Salatgurke, in lange, schmale Streifen geschnitten
30 g	Alfalfasprossen

Den Lachs mit der Haut nach unten grillen oder braten. Danach den Fisch in lange, schmale Streifen schneiden.

Das Nori-Blatt in 8 Stücke schneiden. Kleine Mengen der übrigen Zutaten auf jedes Stück geben und kegelförmig einwickeln. Servieren.

4 PORTIONEN

Gegrillte Garnelen mit Peperoni-Mayonnaise

GEGRILLTE GARNELEN MIT PEPERONI-MAYONNAISE

Garnelen:	
900 g	Garnelen
1 Eßl.	Chilipulver
je ½ Teel.	Basilikum-, Oregano-, Thymianblätter, Zwiebel-, Knoblauchpulver, Cayennepfeffer, schwarzer Pfeffer
1 Teel.	Salz
Mayonnaise:	
2	Eigelb
250 ml	Distelöl
1 Eßl.	Zitronensaft
¼ Teel.	Salz
1 Eßl.	Chilipulver
3 Tropfen	scharfe Pfeffersoße

Garnelen:

Schale und Darm von den Garnelen entfernen. Garnelen auf Bambusspieße stecken.

Gewürze mischen und auf die Garnelen streuen. Von jeder Seite jeweils 4 Minuten grillen. Mayonnaise dazu servieren.

Mayonnaise:

Eigelb in einen Mixer geben. Bei langsamer Geschwindigkeit des Mixers das Öl zugießen, bis eine dickflüssige Sauce entsteht. Zitronensaft, Salz, Chilipulver und scharfe Pfeffersoße hinzufügen. Den Mixer ausschalten und die Sauce in eine kleine Schale geben. Zu den Garnelen reichen.

6 PORTIONEN

Hühnerfleisch Dermott

Louisiana Cioppino

HÜHNERFLEISCH DERMOTT

6 x 175 g	Hühnerbrust, ohne Knochen
125 ml	Krebsfleisch
115 g	Frischkäse mit geräuchertem Lachs
1	Ei
60 ml	Milch
40 g	Mehl
70 g	gewürztes Paniermehl
125 ml	Distelöl
50 g	rote Johannisbeerkonfitüre
60 ml	Marsalawein
2 Teel.	Zitronensaft
345 g	Himbeeren
1 Eßl.	Stärkemehl
2 Eßl.	Wasser
½ Teel.	gemahlener schwarzer Pfeffer

Hühnerbrust zwischen zwei Blätter Wachspapier legen und dünn klopfen.

Hühnerfleisch mit je 2 Eßlöffel Krebsfleisch und Käse belegen. Zusammenrollen und 30 Minuten einfrieren.

Ei mit der Milch verrühren. Hühnerfleisch mit Mehl bestäuben, in die Milch eintauchen und in das Paniermehl legen.

Öl in einer Bratpfanne erhitzen und das Fleisch darin goldbraun braten. Auf ein Backblech geben und im auf 190°C vorgeheizten Ofen 35 Minuten backen.

Unterdessen die rote Johannisbeerkonfitüre in einen kleinen Kochtopf geben. Wein und Zitronensaft angießen und bei niedriger Temperatur köcheln.

Die Beeren im Mixer pürieren, durch ein Sieb streichen, um die Samenkerne zu entfernen. Das Fruchtfleisch in die Sauce geben und aufkochen.

Stärkemehl mit dem Wasser verrühren. Zur Sauce geben und köcheln, bis sie dickflüssig wird. Dann Pfeffer einrühren.

Das Hühnerfleisch aus dem Ofen nehmen und auf Servierteller geben. Sauce darübergeben und servieren.

6 PORTIONEN

LOUISIANA CIOPPINO

3 Eßl.	Butter
1	rote Paprikaschote, in Scheiben geschnitten
1	grüne Paprikaschote, in Scheiben geschnitten
1	kleine Zwiebel, in Scheiben geschnitten
1	feingehackte Knoblauchzehe
1 Eßl.	gehackte, frische Petersilie
500 ml	enthäutete, entkernte, gehackte Tomaten
1 l	Fischbrühe (siehe Seite 76)
500 ml	Weißwein
120 g	Krabben, ohne Schale und Darm
230 g	Roter Schnappbarsch, in Scheiben geschnitten
120 g	Langustenschwänze
120 g	Muscheln, in der Schale
120 g	Krebsscheren
1	Bouquet garni (siehe Wörterverzeichnis)

Butter in einem großen flachen Brattopf oder einem großen Topf erhitzen. Gemüse dazugeben und weichdünsten. Petersilie, Tomaten, Brühe und Wein hinzufügen. Zum Kochen bringen, Hitze zurückschalten und 10 Minuten lang köcheln.

Fisch, Meeresfrüchte und Bouquet garni in den Topf geben. Zudecken und noch 15 Minuten schwach kochen.

Bouquet garni entnehmen und Eintopf servieren.

6 PORTIONEN

HÄHNCHENFINGER

450 g	Hühnerbrust, ohne Knochen
175 g	feines Paniermehl
2 Teel.	Oreganoblätter, getrocknet
2 Teel.	Basilikumblätter, getrocknet
1 Teel.	Salz
1 Eßl.	Chilipulver
je 1 Teel.	Paprika, Pfeffer, Zwiebel-, Knoblauchpulver
2	Eier
60 ml	Milch
55 g	Mehl
1 l	Distelöl
250 ml	Pflaumensoße, Packung

Hühnerbrust in 2,5 cm breite Streifen schneiden.

Paniermehl mit den Gewürzen und Kräutern mischen.

Eier in die Milch schlagen. Mehl in eine kleine Schale geben.

Öl auf 190°C erhitzen.

Die Fleischstreifen mit Mehl bestäuben, in die Eimischung tunken und im Paniermehl wenden.

Fleisch 10 Minuten lang im Öl braten, auf ein Papiertuch legen, damit überschüssiges Öl aufgesaugt wird. Die Hähnchenfinger auf eine Servierplatte geben und Pflaumensoße gesondert dazu reichen.

4 PORTIONEN

Geschwärzte Garnelen mit Knoblauch-Parmesan-Linguini

GESCHWÄRZTE GARNELEN MIT KNOBLAUCH-PARMESAN-LINGUINI

Im Freien auf dem Grill zubereiten, denn dabei entsteht viel Rauch.

1 Portion	Nudeln mit gemahlenem, schwarzem Pfeffer (siehe Seite 432)
450 g	Garnelen, ohne Schale und Darm
je 1 Eßl.	Salz, Chilipulver
je 1 Teel.	Thymian-, Oreganoblätter, Basilikum, schwarzer Pfeffer, Paprika, Kerbel
je ½ Teel.	weißer Pfeffer, Cayennepfeffer
60 ml	Distelöl
75 g	Butter
3	feingehackte Knoblauchzehen
3 Eßl.	Zitronensaft
60 g	geriebener Parmesankäse
2 Eßl.	frische, gehackte Petersilie

Nudeln nach Anweisung zubereiten, in Linguini schneiden.

Garnelen unter kaltem Wasser waschen, abtropfen lassen. Gewürze mischen.

Garnelen mit den Gewürzen bestäuben. Das Öl gut erhitzen, aber nicht anbrennen lassen. Die Garnelen 3 Minuten im heißen Öl braten. Auf eine Platte geben und beiseite stellen.

Nudeln in einem großen Topf in kochendem Wasser kochen. Unterdessen die Butter in einer Bratpfanne erhitzen. Knoblauch und Zitronensaft hinzufügen und 3 Minuten kochen. Nudeln abtropfen lassen und mit Butter begießen. Mit Käse bestreuen und mischen.

Die Nudeln auf Servierteller geben, Garnelen darauf legen und Petersilie darüberstreuen. Servieren.

4 PORTIONEN

Hähnchenfinger

Bourbon-Whisky-Rippchen

HAMBURGER SATAY

450 g	mageres Gehacktes vom Rind
10 g	gewürztes Paniermehl
1	Ei
60 ml	Erdnußöl
1½ Eßl.	gemahlene Paranüsse
½ Teel.	gemahlener Ingwer
½ Teel.	gemahlener Koriander
2 Teel.	Melasse
je ½ Teel.	schwarzer Pfeffer, Paprika, Cayennepfeffer, Salz, Thymianblätter, Oreganoblätter, scharfe rote Pfefferflocken
4 Teel.	Limonensaft
3 Eßl.	heißes Wasser

Gehacktes mit Paniermehl und Ei in einer Rührschüssel mischen. Zu Bällchen formen und auf Bambusspieße stecken. Auf ein Backblech legen.

Die übrigen Zutaten in einer Rührschüssel verrühren und diese Marinade auf die Fleischbällchen gießen. 3½ Stunden kalt stellen.

Die Spieße 10-12 Minuten bei mittlerer Hitze grillen, oder bis das Fleisch gut durch ist.

Sofort servieren.

4 PORTIONEN

BOURBON WHISKY-RIPPCHEN

Sauce:	
3 Eßl.	Butter
3 Eßl.	Öl
1	feingehackte Zwiebel
1	Knoblauchzehe, feingehackt
160 ml	Tomatenketchup
160 ml	Bourbon Whisky
125 ml	Apfelessig
125 ml	Pfirsichsaft
125 ml	Pfirsichsirup
110 g	helle Melasse
1 Eßl.	Worcestersauce
je ½ Teel.	Thymian-, Basilikum-, Oreganoblätter, Kerbel, Knoblauchpulver, gemahlener schwarzer Pfeffer, weißer Pfeffer, Paprika, Salz
½ Teel.	flüssige Räucherwürze
Rippen:	
4,4 kg	dänische Rippchen oder Rückenrippchen vom Schwein
je ½ Teel.	Thymian-, Oreganoblätter, Basilikum, Bohnenkraut, Salbei
je 1 Teel.	Pfeffer, Paprika, Chilipulver, Salz

Sauce:

Butter und Öl in einem Kochtopf erhitzen. Zwiebel und Knoblauch dazugeben und weichdünsten. Die restlichen Zutaten einrühren und zum Kochen bringen. Hitze zurückschalten und schwach kochen, bis die Sauce sehr dickflüssig wird. Abkühlen lassen.

Rippchen:

Die Rippchen in 5 Teile schneiden.

Die Gewürze vermengen und über die Rippchen streuen.

Im auf 180°C vorgeheizten Ofen eine halbe Stunde backen.

Dann unter häufigem Bepinseln mit der Sauce 10 Minuten über mittelheißen Kohlen grillen. Ein letztes Mal mit der Sauce bepinseln und dann servieren.

8 PORTIONEN

Hamburger Satay

HÄHNCHEN MARENGO

1	Brathähnchen, in 8 Stücke geschnitten
80 ml	Distelöl
4	geschälte Möhren, in Scheiben geschnitten
2	gewürfelte Selleriestangen
1	gewürfelte, kleine Zwiebel
6	Speckstreifen (durchwachsen)
40 g	Mehl
1 l	enthäutete, entkernte, gewürfelte Tomaten
60 ml	Sherry
½ Teel.	Salz
¼ Teel.	Pfeffer
1	Bouquet garni*
115 g	Pilze, in Scheiben geschnitten
2 Eßl.	gehackte Petersilie
750 ml	gedünsteter Reis

Ofen auf 180°C vorheizen.

Hähnchenstücke 5 Minuten im Öl anbraten, herausnehmen und in eine Auflaufform geben.

Speck würfeln und in einem Kochtopf anbraten, Mehl dazugeben, Hitze zurückschalten und 4 Minuten kochen. Gemüse hinzufügen und garen. Tomaten, Sherry und Gewürze dazugeben und bei niedriger Temperatur 10 Minuten kochen. Die Sauce und Bouquet garni über das Hähnchen geben, die Pilze darauf legen, alles zudecken und 1 Stunde braten.

Mit Petersilie bestreuen und heißen Reis dazu servieren.

4 PORTIONEN

* Bouquet garni für Hähnchen: Thymian- und Oreganoblätter, Basilikum, ein Lorbeerblatt, ein Zweig Rosmarin, Majoran und 6 Pfefferkörner. Alles in einem Käseleinen zusammenbinden.

PAUL NORTHCOTTS COLA-ROASTBEEF

2 kg	Rinderbraten aus der Unterschale
je 1 Eßl.	Salz, Chilipulver
je 1 Teel.	Thymian-, Basilikum-, Oreganoblätter, Paprika, schwarzer Pfeffer, Kerbel, Senfpulver
1 Eßl.	Worcestersauce
500 ml	Cola Getränk (keine Diät-Cola verwenden)

Den Braten in eine große Backform geben. Die Gewürze mischen. Worcestersauce über das Roastbeef gießen und Gewürzmischung darauf streuen. Die Cola rings um das Roastbeef in die Form gießen.

Im auf 190°C vorgeheizten Ofen 30 Minuten schmoren, dann die Hitze auf 150°C zurückschalten und weitere 3 Stunden schmoren.

Fleisch herausnehmen, in Scheiben schneiden und servieren.

8 PORTIONEN

Hähnchen Marengo

Paul Northcotts Cola-Roastbeef

FETTUCCINI VONGOLÉ

1 Portion	Grüne Nudeln (siehe Seite 436)
3 Eßl.	Butter
3 Eßl.	Mehl
310 ml	Muschelsaft oder Hühnerbrühe (siehe Seite 77)
310 ml	entrahmte Sahne
375 ml	gehackte Muscheln
½ Teel.	Salz
½ Teel.	weißer Pfeffer
80 g	frisch geriebener Romanokäse

Den Nudelteig nach Anweisung zubereiten und in Fettuccini-Nudeln schneiden.

Butter in einem Kochtopf erhitzen und Mehl hinzufügen. Hitze reduzieren. 2 Minuten kochen.

Mit Muschelsaft und Sahne ablöschen und zu einer dickflüssigen Sauce köcheln. Muschelfleisch und Gewürze in den Topf geben und weitere 10 Minuten kochen lassen.

Die Nudeln in einem großen Topf mit gesalzenem Wasser kochen. Wasser abgießen und die abgetropften Nudeln auf Servierteller geben.

Den Käse zur Hälfte in die Sauce einrühren und diese löffelweise auf die Nudeln geben. Den restlichen Käse darüberstreuen. Sofort servieren.

6 PORTIONEN

STEAK & HÜHNER-FAJITAS

340 g	Rinderhüfte
340 g	Hühnerfleisch, ohne Knochen
3	feingehackte Knoblauchzehen
2	spanische Zwiebeln, in Scheiben geschnitten
2	feingehackte kleine Peperoni (Serrano)
60 ml	gehackte, glatte Petersilie
80 ml	Limonensaft
80 ml	Zitronensaft
3 Eßl.	Butter
1	grüne Paprikaschote, in Scheiben geschnitten
1	rote Paprikaschote, in Scheiben geschnitten
1	gelbe Paprikaschote, in Scheiben geschnitten
85 g	Pilze, in Scheiben geschnitten
je 1 Eßl.	Salz, Chilipulver
je 2 Teel.	Paprika, Zwiebel-, Knoblauchpulver, Basilikumblätter
je 1 Teel.	Senfpulver, Kümmel, schwarzer Peffer, weißer Pfeffer, Thymianblätter
12	große Tortillas
125 ml	saure Sahne
250 ml	Salsa (siehe Seite 115)

Steak und Hühnerfleisch in schmale Streifen schneiden und in zwei Rührschüsseln geben. Peperoni, glatte Petersilie, Zitronen- und Limonensaft und ½ Zwiebelscheiben gleichmäßig aufteilen und hinzufügen. 4 Stunden lang marinieren.

Fleisch 2-3 Minuten über mittelheißen Kohlen grillen.

Butter in einer großen Bratpfanne erhitzen, und die übrige Zwiebel, Paprikaschoten und Pilze darin weichdünsten.

Gewürze mischen und damit sowohl das Fleisch als auch das Gemüse während des Garens würzen.

Fleisch und Gemüse auf sehr heiße Servierteller geben. Dazu Tortillas, saure Sahne und Salsa reichen, damit die Gäste ihre eigenen Fajitas zusammenstellen können. Guacamole (siehe Seite 115) paßt auch gut dazu.

4 PORTIONEN

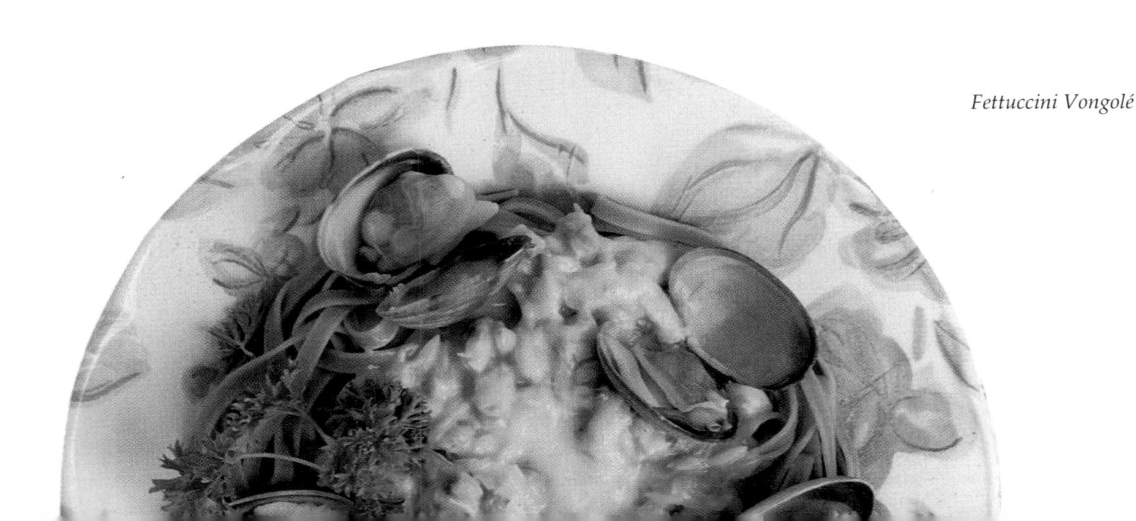

Fettuccini Vongolé

Steak & Hühner-Fajitas

GEGRILLTES HUHN UND GARNELEN-SATAY

340 g	Garnelen, ohne Schale und Darm
340 g	gewürfeltes Hühnerfleisch, ohne Knochen
3 Eßl.	Butter
60 ml	Olivenöl
4	gehackte grüne Zwiebeln
2	feingehackte Knoblauchzehen
1 Eßl.	gehackte Petersilie
250 ml	Weißwein
2 Eßl.	Zitronensaft
2 Eßl.	Limonensaft

Sauce:

60 g	Butter
1	kleingewürfelte spanische Zwiebel
je 1 Teel.	Thymianblätter, Basilikum, Salz, zerriebener Rosmarin
¼ Teel.	Cayennepfeffer
500 ml	Hühnerbrühe (siehe Seite 77)
1 Eßl.	Zitronensaft
1 Eßl.	Limonensaft
500 ml	Erdnußbutter mit Erdnußstückchen
3 Eßl.	brauner Zucker

Garnelen und Hühnerfleisch auf vorher in Wasser eingeweichte Bambusspieße stecken. In eine große, flache Pfanne legen.

Butter und Öl in einem Kochtopf erhitzen und grüne Zwiebeln und Knoblauch darin dünsten. In eine Rührschüssel geben und mit Petersilie, Weißwein und Saft verrühren. Die Flüssigkeit über die Spieße gießen. 4 Stunden marinieren.

Sauce:
Butter in einem kleinen Kochtopf erhitzen und Zwiebel darin dünsten. Die restlichen Zutaten hinzufügen und unter ständigem Rühren 20 Minuten schwach kochen.

Die Spieße von beiden Seiten jeweils 3 Minuten über mittelheißen Kohlen grillen. Mit der Sauce bestreichen und servieren. Die übrige Sauce gesondert dazu reichen.

6 PORTIONEN

FLEISCHPASTETE NACH HIRTENART

3 Eßl.	Distelöl
450 g	mageres Gehacktes vom Rind
1	feingehackte Zwiebel
2	feingehackte Selleriestangen
2	geschälte, feingehackte Möhren
85 g	Pilze, in Scheiben geschnitten
1	feingehackte Knoblauchzehe
30 g	Mehl
375 ml	Rinderbrühe (siehe Seite 85)
2 Eßl.	Tomatenmark
1 Teel.	Worcestersauce
je ½ Teel.	Thymianblätter, Kerbel, Salz, Paprika, Pfeffer
500 ml	Sahnemais
1 l	heißer Kartoffelbrei
230 g	geriebener, scharfer Cheddarkäse

Öl in einer großen Bratpfanne erhitzen und das Gehackte darin braten. Gemüse dazugeben und dünsten.

Mit Mehl bestreuen und noch 2 Minuten kochen. Brühe, Tomatenmark, Worcestersauce und Gewürze beifügen. Bei schwacher Hitze einkochen, bis die Sauce dick wird.

Löffelweise in eine große Auflaufform geben. Die Mischung mit dem Mais bedecken und Kartoffelbrei darauf geben. Mit Käse überstreuen.

Im vorgeheizten Ofen bei 200°C 15 Minuten backen, oder bis der Käse goldbraun wird.

6 PORTIONEN

Fleischpastete nach Hirtenart

Gegrilltes Huhn & Garnelen-Satay

Lasagne mit geräucherter Pute & Gorgonzola

LASAGNE MIT GERÄUCHERTER PUTE & GORGONZOLA

1 Portion	Nudelteig (siehe Seite 462)
3 Eßl.	Butter
3 Eßl.	Olivenöl
1	spanische Zwiebel
3	gewürfelte Selleriestangen
1	gewürfelte rote Paprikaschote
1	gewürfelte grüne Paprikaschote
85 g	Pilze, in Scheiben geschnitten
115 g	scharfe italienische Wurst
750 ml	enthäutete, entkernte, gehackte Tomaten
je ½ Teel.	Thymian-, Basilikumblätter, Zwiebel-, Knoblauchpulver, Paprika, schwarzer Pfeffer
je 1 Teel.	Salz, Chilipulver
2 Teel.	Worcestersauce
230 g	gewürfeltes, geräuchertes Putenfleisch
230 g	Ricottakäse
90 g	zerbröckelter Gorgonzolakäse
2	Eier
230 g	harter Mozzarellakäse, gerieben
80 g	geriebener Cheddarkäse
40 g	geriebener Parmesankäse

Den Nudelteig nach Anweisung zubereiten, in Lasagne-Nudeln schneiden.

Butter und Öl in einem großen flachen Brattopf oder großen Topf erhitzen. Wurst und Gemüse dazugeben und dünsten, bis das Gemüse weich wird. Tomaten, Gewürze und Worcestersauce zufügen. Hitze zurückschalten und 35 Minuten köcheln. Putenfleisch in den Topf geben und weitere 25 Minuten unter geringer Hitzezufuhr kochen.

Ricotta- und Gorgonzolakäse und Eier verrühren.

Schichten von Nudeln, Sauce und Käsegemisch abwechselnd in eine große, eingefettete Auflaufform geben, wobei die oberste Schicht aus Sauce besteht.

Den restlichen Käse darüber streuen. 45 Minuten in einem auf 190°C vorgeheizten Ofen backen. Aus dem Ofen nehmen und servieren.

8 PORTIONEN

Gegrillte Jakobsmuscheln

GEGRILLTE JAKOBSMUSCHELN

24	Jakobsmuscheln, groß
12	Streifen durchwachsener, geräucherter Speck
60 g	Zwiebel, feingehackt
3 Eßl.	Rapsöl
250 ml	Tomatensoße
80 ml	Wasser
3 Eßl.	Zitronensaft
2 Teel.	Worcestersauce
½ Teel.	scharfe Pfeffersoße
1 Teel.	Basilikumblätter
je ½ Teel.	Chilipulver, Paprika, Thymian, Pfeffer, Salz

Jakobsmuscheln säubern und trockentupfen.

Die Speckstreifen halbieren. Je eine Muschel in ein Speckstück einwickeln. Sechs Muscheln auf Bambusspieße stecken. Unter häufigem Wenden 10 Minuten auf dem Grill oder im Ofen grillen.

Zwiebeln in einer kleinen Pfanne im Öl dünsten. Die restlichen Zutaten zufügen. Zum Kochen bringen, die Hitze reduzieren und 15 Minuten köcheln. Muscheln mit der Sauce bestreichen und sofort servieren.

4 PORTIONEN

HÜHNCHEN IN WEINSAUCE

4 x 345 g	Hühnchen, halbiert
24	Silberzwiebeln
4	Möhren, in lange, schmale Streifen geschnitten
60 g	Butter
250 ml	Rotwein
125 ml	Sherry
60 ml	Weinbrand
125 ml	Hühnerbrühe (siehe Seite 77)
24	junge Champignons
½ Teel.	Salz
¼ Teel.	Pfeffer
115 g	gewürfelter, durchwachsener Speck
3 Eßl.	Mehl

Butter in einem großen Topf oder flachen Brattopf erhitzen. Hühnchen darin braun braten, herausnehmen und beiseite stellen. Gemüse in den Topf geben und dünsten. Mit Mehl bestreuen, Hitze zurückschalten und 4 Minuten kochen, oder aber bis es goldbraun wird.

Hühnchen wieder dazugeben und die Flüssigkeiten darübergießen. Pilze und Gewürze zufügen. 20 Minuten leicht köcheln lassen.

Speck in einer Bratpfanne braten. Mit Mehl bestreuen und 2 Minuten kochen, dann unter die Hühnchen rühren.

Die Hühnchenmischung in eine große Auflaufform geben, zudecken und im vorgeheizten Ofen 1 Stunde schmoren. Reis dazu reichen. Jede Portion besteht aus einem halben Hühnchen.

8 PORTIONEN

HÜHNER-APFEL BROCKEN

900 g	Hühnerfleisch, ohne Knochen
je ½ Teel.	Oregano-, Thymianblätter, Basilikum, Knoblauch-, Zwiebelpulver, Paprika
je 2 Teel.	Salz, Chilipulver
220 g	Mehl
375 ml	Milch
1 l	Distelöl
450 g	geschälte, entkernte, gewürfelte Äpfel
3 Eßl.	Butter
1 Eßl.	Zitronensaft
1 Eßl.	Limonensaft
60 g	Zucker

Das Hühnerfleisch in gleich große Würfel schneiden. Gewürze unter das Mehl mischen.

Hühnerfleisch in die Milch tauchen, dann im Mehl wenden. Das Öl auf 190°C erhitzen. Hühnerfleisch dazugeben und 2-3 Minuten braten. Warm stellen.

Die Äpfel in einen großen Kochtopf geben. Butter, Säfte und Zucker hinzufügen. Zudecken und bei schwacher Hitze kochen, bis die Äpfel gar werden. Im Mixer pürieren.

Das Apfelmus als Beilage zu dem Hühnerfleisch reichen.

8 PORTIONEN

Hühner-Apfel Brocken

SPAGHETTI RAGÙ A LA BOLOGNESE

3 Eßl.	Olivenöl
280 g	extra mageres Gehacktes vom Rind
115 g	Gehacktes vom Schwein
115 g	Gehacktes vom Kalb
115 g	durchwachsener Speck, gewürfelt
1	große spanische Zwiebel, in kleine Würfel geschnitten
2	große, geschälte Möhren, in kleine Würfel geschnitten
2	Selleriestangen, in kleine Würfel geschnitten
1	feingehackte Knoblauchzehe
125 ml	frische, gehackte Petersilie
60 ml	Tomatenmark
250 ml	Rinderbrühe (siehe Seite 85)
375 ml	Weißwein
1 Teel.	Salz
je ½ Teel.	Oregano, Thymian, Basilikum, schwarzer Pfeffer
1	Lorbeerblatt
1 Teel.	Worcestersauce
1 l	gesalzenes Wasser
½ Portion	Nudelteig (siehe Seite 426), in Spaghetti geschnitten
40 g	Parmesankäse, gerieben

Öl in einer großen Bratpfanne erhitzen. Fleisch gut durchbraten, überschüssiges Fett abgießen. Gemüse dazugeben und weichdünsten. Petersilie, Tomatenmark, Brühe, Wein, Gewürze und Worcestersauce hinzufügen. Hitze zurückschalten und 30 Minuten köcheln. Lorbeerblatt herausnehmen.

Mittlerweile das Wasser in einem großen Topf oder flachen Brattopf zum Kochen bringen. Falls getrocknete Nudeln benutzt werden, die Spaghetti 9 Minuten oder al dente kochen; falls frische Teigwaren verwendet werden, nur halb so lange kochen. Wasser abgießen und die Nudeln auf Servierteller geben. Die Sauce löffelweise darübergeben, Käse darauf streuen. Sofort servieren.

4 PORTIONEN

Hühnchen in Weinsauce

EIERGERICHTE

Eier - zum Frühstück, Mittagessen und Abendbrot. Eier haben ihre berechtigte kulinarische Position eingenommen und ihren Weg zur Spitze der köstlichen Cuisine gemacht. Jemand, der dem Ei nur beim Frühstück oder vielleicht beim Backen einen Platz einräumt, denkt sehr engstirnig. Aufregende, neue kulinarische Genüsse von fantasievollen Köchen machen das bescheidene Ei außergewöhnlicher als jedes andere Nahrungsmittel.

Eier werden den Gästen in immer extravaganteren Gerichten angeboten - in klassischen sowie ungewöhnlichen Zubereitungsarten. Sie sind zu neuen Höhen emporgestiegen, die sich auch das perfekteste Soufflé nicht hätte träumen lassen.

Mit *„Einfach Köstlich Kochen* 2" haben wir Ihnen neue Wege eröffnet, damit Sie Ihren Gästen diese Vielfalt zeigen können. Ihre Gäste werden Sie loben, wenn sie Gerichte wie „Oeufs Pochés à la Bourguignonne" oder ein „Omelett à la Jardinière" verzehren.

Eier sind nicht schwierig zuzubereiten. Es werden nur Minuten benötigt, um Ihren Gästen die Erfahrung eines Lebens zu zeigen. Beginnen Sie, Ihr nächstes Eiergericht zu kreieren, das *einfach köstlich* sein wird.

Eier Bellay

EIER NERO

450 g	feingehacktes, gekochtes Hühnerfleisch
60 ml	gehackte, grüne Zwiebel
2 Eßl.	Butter
55 g	Mehl
125 ml	Creme fraiche
60 ml	Sherry
1 Eßl.	gehackte Petersilie
1 Teel.	gehackter Kerbel
7	Eier
60 ml	Milch
70 g	gewürztes Paniermehl
125 ml	Distelöl
500 ml	scharfe Tomatensauce II (siehe Seite 117)

Huhn und grüne Zwiebeln in einer Rührschüssel vermengen.

Butter in einem Topf erhitzen, zwei Eßlöffel Mehl hineinstreuen und zwei Minuten bei niedriger Temperatur kochen lassen. Creme fraiche, Sherry, Petersilie und Kerbel einrühren und zu einer sehr dicken Sauce kochen. Das Hühnerfleisch damit begießen und gut verrühren. Abkühlen lassen.

Wenn die Masse erkaltet ist, runde, flache Klößchen formen. Ein Ei mit der Milch verquirlen. Klößchen mit dem restlichen Mehl bestäuben, in die Eimischung tauchen und dann im Paniermehl wenden.

Öl in einer Pfanne erhitzen und die Klößchen darin rundherum goldbraun braten.

Während die Klößchen braten, die restlichen Eier pochieren. Ein Häufchen Sauce auf einen Servierteller geben, ein Klößchen hineinlegen und darauf ein Ei legen. Servieren.

6 PORTIONEN

Eier Nero

EIER DUBARRY

100 g	feingehackter Blumenkohl
375 ml	scharfe Mornaysauce (siehe Seite 111)
8	Eier
8 x 7,5 cm	leere, gebackene Törtchenformen
110 g	geriebener, mittelalter Cheddarkäse

Blumenkohl sehr weich dünsten und in die Mornaysauce rühren.

Eier pochieren. In jede Törtchenform ein Ei legen, mit Blumenkohlsauce begießen und mit Käse bestreuen. Törtchen auf ein Backblech legen und im vorgeheizten Ofen backen, bis der Käse geschmolzen ist. Sehr heiß servieren.

4 PORTIONEN

EIER BALTISCHE ART

8	Eier
8 x 7,5 cm	leere, gebackene Törtchenformen
2 Eßl.	roter Kaviar
2 Eßl.	schwarzer Kaviar
375 ml	scharfe Mornaysauce (siehe Seite 111)
110 g	geriebener, scharfer Cheddar

Eier pochieren, in die Törtchenformen legen, mit Kaviar bestreuen und auf ein Backblech legen.

Eier mit Mornaysauce bedecken, mit Käse bestreuen und in den Ofengrill geben. Wenn der Käse geschmolzen ist, sehr heiß servieren.

4 PORTIONEN

Eier Dubarry

Bombayeier

EIER A LA CHEF K.

8 x 7,5 cm	gebackene, leere Törtchenformen
250 ml	gekochte Langustenschwänze oder Krabbenfleisch
110 g	geriebener, mittelalter Cheddarkäse
8	Eier
375 ml	heiße Käsesoße
2 Eßl.	roter Kaviar
2 Eßl.	schwarzer Kaviar

Langustenschwänze in die Törtchenformen geben, mit Käse bestreuen und im vorgeheizten Ofen bei 200 °C vier bis fünf Minuten backen.

In der Zwischenzeit die Eier pochieren. Jeweils ein Ei in die Törtchenform geben, mit Käsesoße bedecken, mit Kaviar bestreuen und sofort servieren.

4 PORTIONEN

BAUERN-OMELETT

2	Eier
2 Eßl.	entrahmte Sahne
1 Eßl.	gehackter Sauerampfer
1 Eßl.	Distelöl
4	gewürfelte Scheiben durchwachsener Speck
80 ml	kalte, geschnittene, gekochte Kartoffeln
40 g	geriebener, mittelalter Cheddar

Eier mit der Sahne und dem Sauerampfer verquirlen.

Öl in einer Pfanne erhitzen und den Speck darin knusprig braten. Speck herausnehmen und das Fett verwahren. Kartoffeln im Fett goldbraun braten, die Eiermischung hinzufügen und mit dem Speck bestreuen. Wenn eine Omelettseite gebraten ist, wenden und die andere Seite braten.

Mit Käse bestreuen und im vorgeheizten Ofengrill eine Minute grillen. Das Omelett flach servieren.

1 PORTION

Bauernomelett

BOMBAYEIER

REIS:	
2 Eßl.	Butter
1	kleine, feingewürfelte Zwiebel
40 g	feingewürfelte, rote Paprikaschote
40 g	feingewürfelte, grüne Paprikaschote
40 g	geschnittene Pilze
50 g	feingewürfelter Sellerie
1 Teel.	Currypulver
190 g	Rundkornreis
875 ml	Hühnerbrühe (siehe Seite 77) oder Gemüsebrühe (siehe Seite 92)

Butter in einer großen Pfanne erhitzen, Gemüse und Currypulver hinzufügen und weichdünsten. Reis und Brühe dazugeben, zudecken und köcheln lassen, bis der Reis gar ist.

EIER:	
1 Teel.	Currypulver
500 ml	scharfe Mornaysauce (siehe Seite 111)
8	Eier

Currypulver in die Mornaysauce einrühren. Eier pochieren. Reis auf eine Servierplatte geben, die Eier in das Reisbett legen und Sauce darübergeben. Sofort servieren.

4 PORTIONEN

PASTORENEIER

6 x 7,5 cm	leere, gebackene Törtchenformen
500 ml	gekochtes Krabbenfleisch
6	Eier
250 ml	Hollandaise (siehe Seite 114)
250 ml	geriebener Havartikäse

Krabbenfleisch in gleichen Portionen in die Törtchenformen geben.

Eier pochieren und auf das Krabbenfleisch legen, Sauce darübergeben und Käse darüberstreuen. Die Törtchenformen auf ein Backblech legen und im vorgeheizten Ofengrill goldbraun grillen. Heiß servieren.

6 PORTIONEN

OMELETT MIT KÄSE & FEINEN KRÄUTERN

3	Eier
3 Eßl.	entrahmte Sahne
je ¼ Teel.	Schnittlauch, Kerbel, Basilikum, Petersilie
1 Prise	Salz und Pfeffer
1 Teel.	Butter
30 g	geriebener, mittelalter Cheddarkäse

Eier mit der Sahne und den Kräutern verquirlen.

Butter in einer Pfanne erhitzen, die Eimischung eingießen und braten, bis die Masse fest geworden ist. Wenden, mit Käse bestreuen und in einen vorgeheizten Ofengrill geben. Grillen, bis der Käse geschmolzen ist. Eine Omeletthälfte über die andere schlagen und auf eine Servierplatte legen. Sehr heiß servieren.

1 PORTION

EIER NACH FLEISCHERART

675 g	Rinderfilet
je 1 Teel.	Salz, Zucker, Basilikum, Oregano, Thymian, Chilipulver
je ½ Teel.	Zwiebelpulver, Knoblauchpulver, Paprika, Korianderkörner
je ¼ Teel.	weißer Pfeffer, schwarzer Pfeffer, Cayennepfeffer
3 Eßl.	kaltgepreßtes Olivenöl, erste Pressung
40 g	geschnittene Pilze
1 Eßl.	Butter
125 ml	gehackte, grüne Zwiebeln
250 ml	Demi-Glace (siehe Seite 123)
60 ml	Sherry
80 ml	Creme fraiche
12	Eier

Fett vom Filet entfernen und Fleisch in sehr dünne Scheiben schneiden.

Kräuter und Gewürze zu einem Fleischgewürz vermengen und damit das Fleisch bestreuen. Das Öl in einer Pfanne stark erhitzen und das Filet zügig darin braten. Herausnehmen und warm stellen.

Butter mit den Pilzen in die Pfanne geben und weichdünsten. Grüne Zwiebeln, Demi-Glace, Sherry und Creme fraiche hinzufügen und bei reduzierter Temperatur fünf Minuten köcheln lassen.

Während die Sauce köchelt, die Eier pochieren. Das Fleisch auf eine Servierplatte legen, die Eier daraufgeben und mit Sauce bedecken. Sehr heiß servieren.

6 PORTIONEN

Omelett mit Käse und feinen Kräutern

Eier nach Fleischerart

Oeufs Pochés à la Hollandaise

RÜHREIER ERZHERZOGIN

KARTOFFELN:	
500 ml	Kartoffelpüree
3 Eßl.	entrahmte Sahne
¼ Teel.	Paprika
30 g	frisch gemahlener Parmesankäse

Sahne, Paprika und Käse in die Kartoffeln rühren. Die Kartoffelmasse ringförmig auf einen hitzebeständigen Teller spritzen.

EIER:	
3 Eßl.	Butter
250 ml	gewürfelter Schinken
80 g	geschnittene Pilze
9	Eier
125 ml	Sahne
¼ Teel.	Paprika
½ Teel.	Salz
1 Prise	Pfeffer

Butter in einer Pfanne erhitzen, Schinken und Pilze hinzugeben und drei Minuten dünsten. Eier mit der Sahne und den Gewürzen verquirlen, in die Pfanne geben und rühren, bis sie stocken. Die Eiermasse in die Mitte des Kartoffelringes geben

SAUCE:	
½ Teel.	Paprika
500 ml	scharfe Mornaysauce (siehe Seite 111)
500 ml	blanchierte Spargelspitzen

Paprika mit der Mornaysauce verrühren und über die Eier geben. Die Spargelspitzen darüberstreuen. Den Teller mit dem Püree und den Eiern im vorgeheizten Ofen bei 250°C drei bis vier Minuten backen.

4 PORTIONEN

Oeufs Pochés à la Bourguignonne

OUEFS POCHES A LA HOLLANDAISE

8	Brotscheiben
3 Eßl.	Butter
170 g	geräucherter Lachs
8	Eier
375 ml	Hollandaise (siehe Seite 114)
250 ml	gekochtes Krabbenfleisch
1	kleine, geschnittene, rote Zwiebel
1 Eßl.	Kapern

Brotkrusten abschneiden und das Brot in Kreise schneiden. Butter in einer Pfanne erhitzen und das Brot von beiden Seiten goldgelb backen.

Auf jeden Brotkreis eine sehr dünne Lachsscheibe (30 g) legen. Eier pochieren und auf den Lachs legen.

Mit Hollandaise bedecken und mit den Krabben, Zwiebelringen und Kapern bestreuen. Sofort servieren.

4 PORTIONEN

OEUFS POCHES A LA BOURGUIGNONNE

4	Brotscheiben
4 Eßl.	Butter
8	Eier
500 ml	süßer Weißwein
4 Teel.	Mehl
250 ml	heiße Demi-Glace (siehe Seite 123)

Brotkrusten abschneiden. Zwei Eßlöffel Butter in einer Pfanne erhitzen und das Brot von beiden Seiten goldgelb backen.

Wein in einem Topf aufkochen und die Eier darin pochieren. Jeweils zwei Eier auf eine Brotscheibe legen, warm stellen. Den Wein durch ein Sieb abgießen.

Die restliche Butter erhitzen, das Mehl einstreuen und zwei Minuten kochen lassen. 250 ml Wein einrühren, Demi-Glace unterschlagen und die Sauce köcheln lassen, bis sie dick ist.

Die Sauce über die Eier gießen und sehr heiß servieren.

4 PORTIONEN

EIER BELLAY

8	Eier
500 ml	scharfe Mornaysauce (siehe Seite 111)
2 Eßl.	Butter
110 g	geriebener, scharfer Cheddarkäse
250 ml	feingewürfeltes Hummerfleisch
80 g	feingehackte Pilze
30 g	frisch geriebener Parmesankäse

Eier hart kochen.

Mornaysauce mit dem Cheddarkäse vermengen.

Hummer und Pilze in Butter dünsten.

Eier der Länge nach halbieren und Eigelb herausnehmen. Eigelb mit 125 ml der Käsesauce, dem Hummer und den Pilzen verrühren. Die Eierhälften mit dieser Masse füllen, auf eine hitzebeständige Servierplatte legen und mit der restlichen Käsesauce bedecken. Parmesankäse darüberstreuen. Eier im vorgeheizten Ofen eine Minute backen. Sehr heiß servieren.

4 PORTIONEN

OEUFS BROUILLES A L'ITALIENNE

REIS:	
3 Eßl.	Butter
60 g	Prosciutto, in lange, schmale Streifen geschnitten
60 g	gekochter Schinken, in lange, schmale Streifen geschnitten
40 g	geschnittene Pilze
½	feingewürfelte, rote Paprikaschote
½	feingewürfelte, grüne Paprikaschote
1	feingewürfelte, kleine Zwiebel
1	feingewürfelte Selleriestange
190 g	Langkornreis
250 ml	Weißwein
1 l	Hühnerbrühe (siehe Seite 77)
250 ml	Tomatensauce II (siehe Seite 117)
60 g	frisch geriebener Romanokäse

Butter in einem Topf erhitzen. Prosciutto, Schinken und das Gemüse hinzugeben und dünsten, bis das Gemüse weich ist. Reis, Wein und Hühnerbrühe einrühren, zudecken und köcheln lassen, bis der Reis die Flüssigkeit absorbiert hat.

Den Topf vom Ofen nehmen und die Tomatensauce und Käse dazugeben. Alles ringförmig auf einen hitzebeständigen Teller geben.

EIER:	
9	Eier
125 ml	entrahmte Sahne
3 Eßl.	Butter
110 g	harter Mozzarellakäse, gerieben
110 g	scharfer Cheddarkäse, gerieben

Eier mit der Sahne verquirlen. Butter in einer Pfanne erhitzen, die Eier gut durchbraten und in den Risottoring geben. Dann mit Käse bestreuen und im vorgeheizten Ofen backen, bis der Käse geschmolzen ist. Sehr heiß servieren.

4 PORTIONEN

Eier Bellay

Mercedes-Eier

MERCEDES-EIER

6	ovale Brötchen
250 ml	gepellte, entkernte, gehackte Tomaten
2 Eßl.	gehackter Schnittlauch
1 Eßl.	Distelöl
8	Eier
80 ml	entrahmte Sahne
3 Eßl.	Butter
¼ Teel.	Salz
1 Prise	Pfeffer
375 ml	scharfe Tomatensauce II (siehe Seite 117)
110 g	geriebener, mittelalter Cheddarkäse

Einen Deckel von den Brötchen abschneiden und die Brötchen aushöhlen.

Tomaten und Schnittlauch mischen.

Öl in einer Pfanne erhitzen und die Tomaten braten, bis die Flüssigkeit fast verkocht ist. Brötchen mit den Tomaten gleichmäßig füllen.

Eier und Sahne verquirlen. Butter in einer Pfanne erhitzen und die Eier gut durchbraten. Rührei auf die Brötchen legen, mit Salz und Pfeffer würzen. Tomatensauce und Käse darübergeben. Brötchen auf ein Backblech legen und im vorgeheizten Ofen backen, bis der Käse geschmolzen ist. Sehr heiß servieren.

6 PORTIONEN

OMELETT A LA JARDINIERE

1 Eßl.	blanchierte Möhren, in lange, schmale Streifen geschnitten
1 Eßl.	rote Paprikaschote, in lange, schmale Streifen geschnitten
1 Eßl.	Stangensellerie, in lange, schmale Streifen geschnitten
1 Eßl.	geschnittene Pilze
2 Teel.	gehackte, grüne Zwiebel
2 Eßl.	Butter
2 Teel.	Mehl
125 ml	entrahmte Sahne
¼ Teel.	Basilikumblätter
¼ Teel.	Pfeffer
1 Prise	Pfeffer
2 Eßl.	frisch geriebener Parmesankäse
2	Eier

Das Gemüse in einem Eßlöffel Butter dünsten, mit Mehl bestreuen und zwei Minuten bei niedriger Temperatur kochen lassen. Sahne (zwei Eßlöffel zurückbehalten), Gewürze und Käse hinzufügen und köcheln lassen, bis die Sauce dick ist.

Die restliche Sahne mit den Eiern verquirlen.

Die restliche Butter in einer Pfanne erhitzen, die Eier braten, wenden, mit der Sauce bedecken und eine Hälfte über die andere schlagen. Das Omelett auf einen Servierteller legen und restliche Sauce darübergeben. Servieren.

1 PORTION

ADMIRALSEIER

3 Eßl.	Butter
85 g	Pilze
4 Teel.	Mehl
250 ml	entrahmte Sahne
60 ml	Sherry
2	gehackte, grüne Zwiebeln
225 g	gekochtes, gewürfeltes Hummerfleisch
8	Eier
4	Brötchen
1 Eßl.	gehackte, glatte Petersilie

Butter in einem Topf erhitzen. Pilze darin weichdünsten, mit Mehl bestreuen und zwei Minuten bei niedriger Temperatur kochen lassen. Sahne und Sherry einrühren und köcheln lassen, bis die Sauce dick wird.

Grüne Zwiebeln und Hummerfleisch dazugeben und weitere fünf Minuten köcheln.

Während die Sauce köchelt, die Eier pochieren und die Brötchen auf eine Servierplatte legen, jeweils ein pochiertes Ei auf eine Hälfte legen und mit Sauce bedecken.

Mit glatter Petersilie bestreuen und servieren.

4 PORTIONEN

JASON GRAHAM EIER

5	Eier
2 Eßl.	Butter
60 g	Mehl
125 ml	entrahmte Sahne
125 ml	gekochtes Krabbenfleisch
½ Teel.	Kerbel
¼ Teel.	Salz
1 Prise	Pfeffer
60 ml	Milch
70 g	gewürztes Paniermehl
500 ml	Distelöl

Vier Eier hart kochen, abkühlen lassen und längs halbieren.

Butter in einem Topf erhitzen, zwei Eßlöffel Mehl hineinstreuen und zwei Minuten bei niedriger Temperatur kochen. Sahne, Krabbenfleisch und Gewürze hinzugeben und zu einer sehr dicken Sauce köcheln lassen. Die Sauce auf Zimmertemperatur abkühlen lassen.

Die vier Eigelb in die Sauce einrühren. Eierhälften mit der Krabbensauce füllen.

Das restliche Ei mit der Milch verquirlen. Die gefüllten Eier mit dem restlichen Mehl bestäuben, in die Eimilchmischung tauchen und im Paniermehl wenden.

Öl auf 190°C erhitzen und die Eier drei bis vier Minuten fritieren, oder bis sie goldbraun sind. Sehr heiß servieren.

4 PORTIONEN

Jason Graham Eier

Admiralseier

SPEZIALITÄTEN VON KÜCHENCHEF K

Im letzten Restaurant, das ich betrieb, haben wir einmal pro Monat ein Feinschmeckeressen mit fünf Gängen veranstaltet, das immer drei Monate im voraus ausverkauft war. Grund waren die köstlichen, schöpferischen, kulinarischen Genüsse, die sonst nirgendwo angeboten wurden. Der Preis war nebensächlich, und das Vergnügen war grenzenlos.

In diesem Kapitel können Sie und Ihre Gäste einige der besten und kreativsten Präsentationen genießen, die Ihre Geschmacksnerven entzücken werden. Diese Gerichte wurden entworfen, um hochgeachtete Leute oder aber das Gericht selbst zu würdigen. Auf jeden Fall ist Ehre eine wichtige Zutat in jedem Rezept.

Zu vielen dieser Gerichte gehört frisches Obst, das das Herz erfreut, die Geschmacksnerven kitzelt und die Augen entzückt --- mit anderen Worten, es befriedigt alle Ansprüche des guten Geschmacks.

Zwar werden Sie hier Meeresfrüchte, Lamm-, Rind- und Schweinefleisch finden, aber die Entdeckungen gehen viel weiter. Wenn Sie dem Gast solche exquisiten Gerichte wie „Poulet Kenneth & Gloria" oder „Tigergarnelen Peri-Peri" anbieten, könnte dies eine Revolution der Geschmacksnerven verursachen, mit dem Resultat, daß Ihre Gäste Ihr Haus nicht mehr verlassen möchten.

Die Rezepte in diesem Kapitel sind nicht für den durchschnittlichen Koch bestimmt. Sie sind Rezepte, die den Gast vorzüglich unterhalten werden. Für alle besonderen Anlässe sind hier Rezepte zu finden, an denen sich jeder erfreuen soll.

Vergessen Sie das Ausgehen, bleiben Sie zu Hause, und gönnen Sie sich einmal eine kulinarische Freude, die nicht übertroffen werden kann!

19
THE CANADIAN
FEDERATION OF
CHEFS DE CUISINE
LA FÉDÉRATION
CANADIENNE DES
CHEFS DE CUISINE
63

TOURNEDOS ĔPIMĔLĔIA

8 x 115 g	Rinderfilet
je ½ Teel.	Oregano-, Thymian-, Basilikumblätter, Cayennepfeffer, schwarzer Pfeffer, Zwiebel-, Knoblauchpulver
je 1 Teel.	Paprika, Salz, Chilipulver
5 Eßl.	Butter
40 g	gewürfelte Pilze
125 ml	grüne Zwiebeln
250 ml	rehydrierte, sonnengetrocknete Tomaten
375 ml	Demi-Glace (siehe Seite 123)
125 ml	Sherry
60 ml	Creme fraiche
500 ml	gekochte Langustenschwänze
8	Toastscheiben

Blaue Haut und Fett von den Filets entfernen. Gewürze mischen und Filets damit einreiben.

3 Eßlöffel Butter in einer großen Bratpfanne erhitzen und Filets darin beliebig gar braten; warm stellen.

Während die Filets braten, die übrige Butter in einem Kochtopf zerlassen; darin Pilze, grüne Zwiebel und Tomaten dünsten.

Demi-Glace und Sherry dazugeben. Hitze zurückschalten, die Sauce um die Hälfte einkochen. Sahne und Langustenschwänze zufügen, weitere 5 Minuten schwach kochen.

Filets auf Toastscheiben geben, reichlich Sauce darübergeben und servieren.

4 PORTIONEN

Tournedos Sherwood

8 x 115 g	Rinderfilet
je ½ Teel.	Oregano -, Thymian-, Basilikumblätter, Cayennepfeffer, schwarzer Pfeffer, Zwiebel-, Knoblauchpulver, Salz
5 Eßl.	Butter
250 ml	blanchierte, gewürfelte Artischockenherzen
125 ml	grüne Zwiebel
250 ml	rehydrierte, sonnengetrocknete Tomaten
375 ml	Demi-Glace (siehe Seite 123)
125 ml	Sherry
60 ml	Creme fraiche
300 g	blanchierte, rote Paprikaschote, in lange, schmale Streifen geschnitten
8	Toastscheiben

Blaue Haut und Fett von den Filets entfernen. Gewürze verrühren und Filets damit einreiben.

3 Eßlöffel der Butter in einer großen Bratpfanne erhitzen und Filets darin beliebig gar braten; warm stellen.

Während die Filets braten, die übrige Butter in einem Kochtopf zerlassen; darin Artischocken, grüne Zwiebel und Tomaten dünsten.

Demi-Glace und Sherry dazugeben. Hitze zurückschalten und die Sauce um die Hälfte einkochen. Sahne und Paprikaschote hinzufügen, weitere 5 Minuten schwach kochen.

Filets auf Toastscheiben geben, reichlich Sauce darübergeben und servieren.

4 PORTIONEN

KALBSSCHNITZEL MIT GERÄUCHERTEM LACHS

6 x 90 g	Kalbsschnitzel
340 g	geräucherter Lachs
170 g	Camembert
1	Ei
60 ml	Milch
35 g	gewürztes Mehl
70 g	trockenes Paniermehl
375 ml	Distelöl
375 ml	Mornaysauce (siehe Seite 111)

Ofen auf 180°C vorheizen.

Schnitzel gut flach klopfen. Mit Lachs und Käse belegen und aufrollen, um die Füllung völlig einzuwickeln. Eine Stunde kalt stellen.

Ei und Milch verrühren. Schnitzel mit Mehl bestäuben, in die Eimischung tauchen und im Paniermehl wenden.

Öl auf 190°C erhitzen, Schnitzel darin goldbraun braten, dann auf ein Backblech geben und 15-20 Minuten im Ofen backen.

Schnitzel auf Servierteller legen und Mornaysauce daraufgießen. Servieren.

6 PORTIONEN

MJ's GEGRILLTE SCHNAPPBARSCHFILETS

je 1	rote, grüne, gelbe Paprikaschote
6 x 170 g	Filets vom Roten Schnappbarsch
1	feingehackte Knoblauchzehe
2 Teel.	feingehackte Ingwerwurzel
60 ml	Sherry
60 ml	Sojasoße
1Eßl.	Worcestersauce
½ Teel.	chinesische 5-Gewürzmischung
2 Eßl.	brauner Zucker
1 Teel.	Stärkemehl
1 Eßl.	kaltes Wasser
2 Eßl.	Distelöl
2 Eßl.	Butter
115 g	Austernpilze
225 g	Garnelen, ohne Schale und Darm

Paprikaschoten auf ein Backblech legen und im vorgeheizten Ofen bei 200°C rösten, bis die Schale Blasen wirft. Aus dem Ofen nehmen, in eine Papiertüte geben, und 20 Minuten abdampfen lassen.

Paprikaschoten aus der Tüte nehmen und die Schale abziehen. Die Schoten vierteln, entkernen und die Viertel dann in lange schmale Streifen schneiden.

Fischfilets in eine flache Schale geben. Knoblauch, Ingwer, Sherry, Sojasoße, Worcestersauce und Gewürzmischung verrühren. Den Fisch damit begießen und 30 Minuten marinieren.

Fisch herausnehmen und die Marinade mit dem braunen Zucker in einen kleinen Kochtopf geben; zum Kochen bringen. Das Stärkemehl ins Wasser rühren und schwach kochen, bis alles dick wird.

Fischfilets mit Öl bepinseln und unter häufigem Bestreichen mit der Sauce 10 Minuten auf mittelheißen Kohlen grillen.

Währenddessen Öl und Butter in einer großen Bratpfanne erhitzen; Pilze und Garnelen darin dünsten, bis die Garnelen gerade durchgegart sind. Paprikaschoten hinzufügen und weitere 3 Minuten dünsten.

Fisch noch ein letztes Mal mit Sauce bestreichen. Filets auf Servierteller geben, mit Garnelen und Gemüse belegen und sofort servieren.

6 PORTIONEN

SCHWEINELENDCHEN ASKENCHUCK

½ Portion	Blätterteig (siehe Seite 689)
4 x 115 g	Schweinefilet
2 Eßl.	Butter
75 g	Pilze, in dünne Scheiben geschnitten
250 ml	gekochte Langustenschwänze
170 g	Camembert
310 ml	entkernte (Bing) Kirschen, frisch oder aus der Dose
60 ml	Kirschlikör
3 Eßl.	Kirschen- oder Apfelsaft
1 Eßl.	Zitronensaft
2 Eßl.	Zucker

Blätterteig zu einem 6 mm dicken Quadrat ausrollen, in 4 gleich große Stücke schneiden.

Fett und blaue Haut vom Filet entfernen.

Die Hälfte der Butter in einer Bratpfanne erhitzen und das Schweinefleisch darin rasch anbraten. Restliche Butter und Pilze zufügen; dünsten, bis die ganze Flüssigkeit verkocht ist.

Schweinefleisch, Pilze, Langustenschwänze und Käse lagenweise auf den Blätterteig geben. Teig aufrollen und umschlagen, so daß er die Füllung einschließt. Die Ränder gut zusammendrücken. Imvorgeheizten Ofen bei 190°C 35-40 Minuten backen, oder bis der Teig goldbraun ist.

Unterdessen die Kirschen im Kirschlikör erhitzen und bei schwacher Hitze kochen, bis sie weich werden.

Zucker, Kirschsaft und Zitronensaft dazugeben. Schwach kochen, bis die Sauce dickflüssig wird.

Das Fleisch auf Serviertellern anrichten und Sauce darübergeben.

4 PORTIONEN

BON
APPETIT

AIGUILLETTE DE VOLAILLE NOUVEAU

6 x 170 g	Hühnerbrust
250 ml	gekochte Langustenschwänze
170 g	Camembert
je ½ Teel.	Oregano-, Thymian-, Basilikumblätter, Cayennepfeffer, schwarzer Pfeffer, Zwiebel-, Knoblauchpulver, Salz, Paprika
175 g	feines, trockenes Paniermehl
125 ml	Milch
1	Ei
80 g	Mehl
3 Eßl.	Olivenöl
190 g	getrocknete Aprikosen
250 ml	Wasser
2 Eßl.	Zucker
1 Teel.	Stärkemehl
1 Eßl.	Zitronensaft
60 ml	Apfelsaft
180 ml	Schlagsahne
150 g	gehackte, frische Feigen
1 Eßl.	frischer, gehackter Estragon

Hühnerbrust flach klopfen, Langustenschwänze und 30 g Käse daraufgeben. Umschlagen und aufrollen, so daß die Füllung vom Hühnerfleisch umgeben wird. Eine Stunde lang kalt stellen.

Gewürze und Paniermehl mischen. Milch und Ei verrühren. Hühnerfleisch mit Mehl bestäuben, in Milch tauchen und im Paniermehl wenden.

Die Röllchen auf ein Backblech geben und mit Öl bestreichen. Im auf 180°C vorgeheizten Ofen 25-30 Minuten backen.

Wasser in einen Kochtopf geben und Aprikosen 5 Minuten darin kochen. Dann in den Mixer geben und pürieren. Wasser aufbewahren und Zucker hineinrühren. Stärkemehl mit Zitronensaft verrühren und Wasser zufügen. Leicht kochen, bis die Sauce dick wird, dann über die Aprikosen gießen und verrühren.

Sauce in den Topf zurückgießen und Apfelsaft einrühren. Aufwärmen, ohne zu kochen. Sahne, Feigen und Estragon dazugeben. 10 Minuten schwach köcheln.

Hühnerröllchen auf Servierteller geben, mit Sauce bedecken und servieren.

6 PORTIONEN

HÜHNERFLEISCH LEDGISTER

6 x 170 g	Hühnerbrust, ohne Knochen, aber mit Haut
125 ml	Orangenspalten
170 g	Briekäse, ohne Rinde
5 Eßl.	Butter
75 g	Pilze, in dünne Scheiben geschnitten
3 Eßl.	Mehl
125 ml	Orangensaft
125 ml	Hühnerbrühe (siehe Seite 77)
125 ml	Schlagsahne
4 Eßl.	Jalapeñomarmelade (siehe Seite 701)
60 ml	flüssiger Honig

Hühnerbrust flach klopfen und mit der Haut nach unten auf eine ebene Fläche legen. Orangenspalten und Käse lagenweise daraufgeben. Hühnerbrust aufrollen, um die Füllung einzuwickeln.

2 Eßlöffel Butter zerlassen und Hühnerfleisch damit bestreichen. Im vorgeheizten Ofen bei 180°C etwa 20 Minuten gar braten.

Unterdessen die restliche Butter in einem Kochtopf erhitzen. Pilze dazugeben und dünsten. Mehl einrühren und 2 Minuten bei schwacher Hitze kochen.

Mit Orangensaft und Hühnerbrühe ablöschen; 10 Minuten leicht kochen. Sahne, Marmelade und Honig einrühren. Weitere 10 Minuten köcheln lassen.

Hühnerfleisch aus dem Ofen nehmen, auf Servierteller legen und reichlich Sauce darübergeben.

6 PORTIONEN

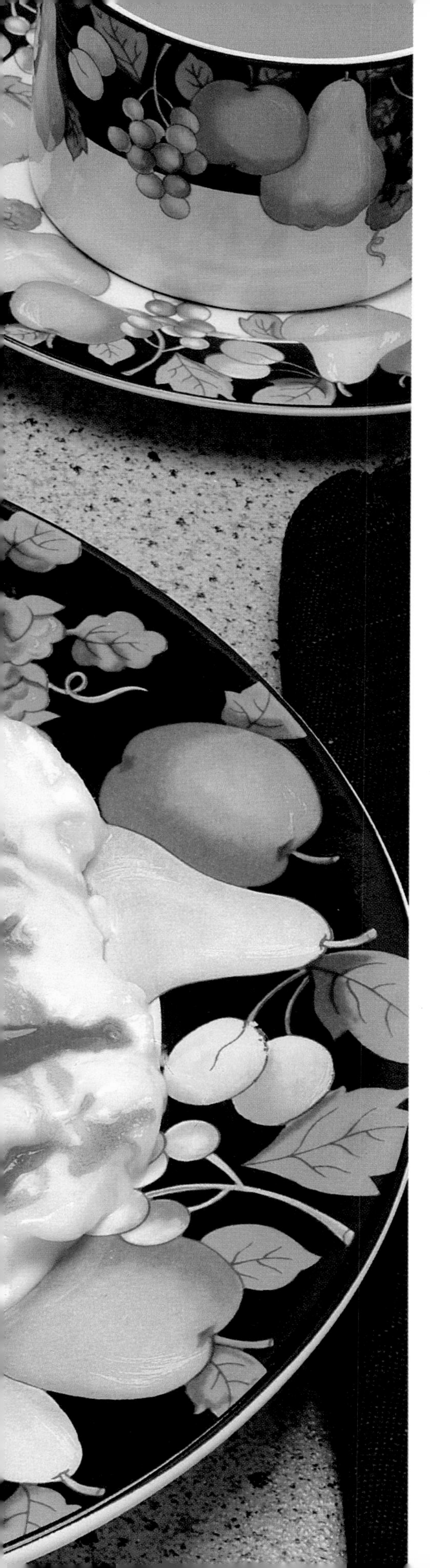

SCHWEINELENDCHEN PECHÂH

450 g	Schweinefilet
95 g	Himbeermarmelade
3 Eßl.	gemahlener schwarzer Pfeffer
6 Eßl.	Butter
4	geschälte Kochäpfel, in Scheiben geschnitten
3 Eßl.	Mehl
4 Eßl.	Zucker
180 ml	Apfelsaft
180 ml	Schlagsahne

Blaue Haut und Fett vom Filet entfernen. Fleisch mit der Marmelade bestreichen, dann in gemahlenem schwarzem Pfeffer wälzen. Auf ein mit gefettetem Wachspapier ausgelegtes Backblech geben. 2 Eßlöffel Butter zerlassen und auf das Filet streichen. Fleisch im vorgeheizten Ofen bei 180°C 20 Minuten backen.

Unterdessen den Rest der Butter in einem Kochtopf erhitzen. Äpfel dazugeben und dünsten. Mit Mehl bestreuen und 2 Minuten bei niedriger Hitze kochen. Zucker und Apfelsaft zufügen, köcheln, bis die Sauce dickflüssig wird. Sahne unterziehen und weitere 5 Minuten schwach kochen.

Das Filet aus dem Ofen nehmen und tranchieren. Sauce auf Servierteller verteilen, Fleisch daraufgeben und servieren.

4 PORTIONEN

RINDERFILETS IN ARUGULA-SAUCE MIT GERÖSTETEN PAPRIKASCHOTEN

je 1	rote, grüne, gelbe Paprikaschote
6 x 170 g	Rinderfilet
je ½ Teel.	Oregano-, Thymian-, Basilikumblätter, Cayennepfeffer, schwarzer Pfeffer, Zwiebel-, Knoblauchpulver
je 1 Teel.	Paprika, Salz, Chilipulver
3 Eßl.	Butter
110 g	Pilze, in dünne Scheiben geschnitten
1	feingehackte Knoblauchzehe
375 ml	Demi-Glace (siehe Seite 123)
180 ml	Schlagsahne
3 Eßl.	Tomatenmark
2	Bund gehackte Arugula
½ Teel.	gemahlener schwarzer Pfeffer

Paprikaschoten auf ein Backblech geben und im vorgeheizten Ofen bei 200°C backen, bis die Schale Blasen wirft. Aus dem Ofen nehmen, in eine Papiertüte geben, und 20 Minuten abdampfen lassen.

Paprikaschoten aus der Tüte nehmen und die Schale abziehen. Vierteln, entkernen und die Viertel dann in lange, schmale Streifen schneiden.

Fett vom Filet entfernen. Mit Ausnahme des gemahlenen schwarzen Pfeffers die Gewürze vermischen und Fleisch damit einreiben. Rindfleisch nach Belieben grillen.

Während die Steaks grillen, Butter in einem kleinen Kochtopf erhitzen. Pilze mit dem Knoblauch dünsten. Demi-Glace hinzufügen, Hitze reduzieren und 15 Minuten leicht kochen. Sahne und Tomatenmark unterziehen; 5 Minuten köcheln. Arugula, gemahlenen schwarzen Pfeffer und Paprikaschoten zur Sauce geben; weitere 10 Minuten schwach kochen.

Die Steaks auf Teller geben und reichlich Sauce darübergießen. Servieren.

6 PORTIONEN

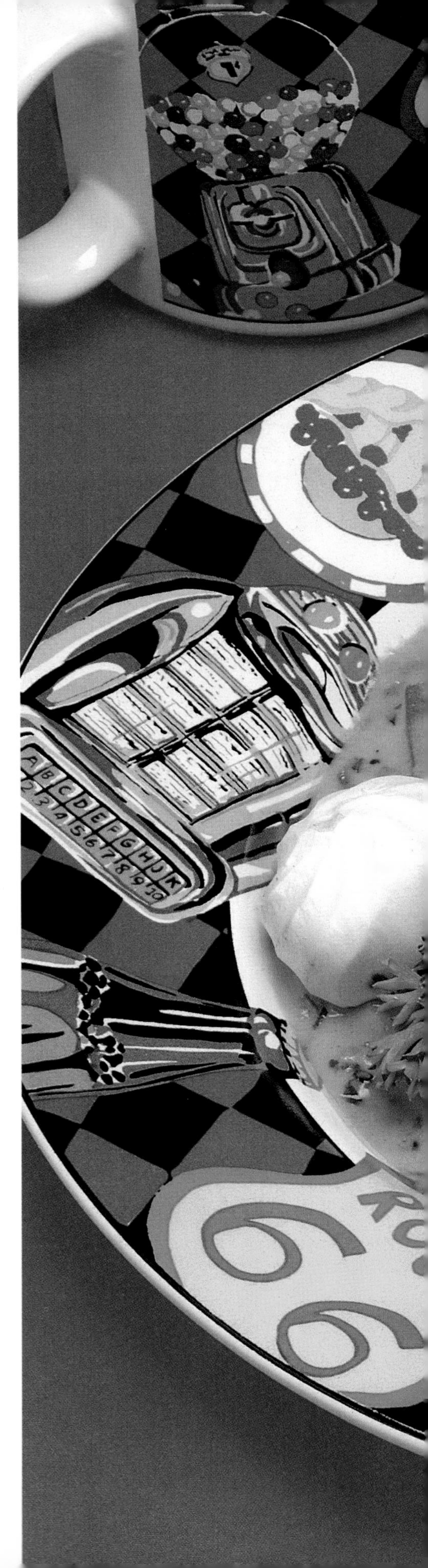

TIGERGARNELEN PERI-PERI

115 g	geschälte Äpfel, in Scheiben geschnitten
3 Eßl.	Mehl
2 Teel.	Currypulver
125 ml	Apfelsaft
125 ml	Hühnerbrühe (siehe Seite 77)
125 ml	Creme fraiche
3 Eßl.	Jalapeñomarmelade (siehe Seite 701)
16	Tigergarnelen
5 Eßl.	Butter
½ Teel.	Paprika

3 Eßlöffel Butter in einem Kochtopf erhitzen und die Äpfel darin weichdünsten. Mit Mehl und Curry bestreuen und noch 2 Minuten bei schwacher Hitze kochen.

Mit Apfelsaft und Hühnerbrühe ablöschen, 10 Minuten köcheln. Sahne und Marmelade zufügen und weitere 10 Minuten schwach kochen.

Während die Sauce köchelt, Schale und Darm von den Tigergarnelen entfernen. Garnelen schmetterlingsförmig aufschneiden. 2 Eßlöffel Butter zerlassen, Garnelen damit bestreichen. Mit Paprika bestreuen und auf ein Backblech geben. Im vorgeheizten Ofen bei 180°C 10 Minuten backen, oder bis sie gar sind.

Sauce auf Servierteller verteilen und die Garnelen darauflegen. Sofort servieren.

4 PORTIONEN

SCHNITZEL NICK KALENUIK

6 x 115 g	Kalbsschnitzel
170 g	Briekäse, ohne Rinde
170 g	Hummerfleisch
18	grüne, kernlose Weintrauben
1	Ei
60 ml	Milch
30 g	Mehl
70 g	gewürztes Paniermehl
500 ml	Distelöl
12	geschälte, entsteinte Aprikosen
125 ml	Wasser
1 Eßl.	Butter
40 g	kleingewürfelte, rote Paprikaschote
1	feingehackte Knoblauchzehe
40 g	brauner Zucker
1 Teel.	Dijonsenf
1 Teel.	Paprika

Schnitzel sehr dünn klopfen. Auf jedes Schnitzel 30 g Käse, 30 g Hummerfleisch und 3 Weintrauben geben. Fleisch umschlagen und aufrollen, um die Füllung einzuwickeln. Auf ein Backblech geben und eine Stunde lang kalt stellen.

Ei mit Milch verrühren.

Kalbsröllchen mit Mehl bestäuben, in Milch tauchen und im Paniermehl wenden. Öl erhitzen und Röllchen darin von allen Seiten bräunen.

Im vorgeheizten Ofen bei 180°C 20 Minuten backen.

Unterdessen Aprikosen halbieren und in einen Kochtopf geben. Wasser zugießen und leicht kochen lassen, bis die Aprikosen halbweich sind. Anschließend in den Mixer geben und pürieren.

Butter in einem Kochtopf erhitzen, rote Paprikaschote und Knoblauch darin dünsten. Aprikosenpüree, braunen Zucker, Senf und Paprika einrühren, 5 Minuten köcheln.

Sauce auf Servierteller löffeln und Kalbfleisch daraufgeben. Sofort servieren.

6 PORTIONEN

JAKOBSMUSCHELN PROVENÇALE

je ½ Teel.	**Oregano-, Thymian-, Basilikumblätter, Cayennepfeffer, schwarzer Pfeffer, Zwiebel-, Knoblauchpulver**
je 1 Teel.	**Paprika, Salz, Chilipulver**
3 Eßl.	**Butter**
3	**feingehackte Knoblauchzehen**
1	**große, feingehackte Zwiebel**
1	**kleingewürfelte, rote Paprikaschote**
1	**kleingewürfelte, grüne Paprikaschote**
6	**große, enthäutete, entkernte, gehackte Tomaten**
250 ml	**Demi-Glace (siehe Seite 123)**
125 ml	Schlagsahne
165 g	Mehl
180 ml	Milch
675 g	große Jakobsmuscheln
60 ml	Olivenöl

Gewürze in einer Rührschüssel mischen.

Butter in einem Kochtopf erhitzen. Knoblauch, Zwiebel und Paprikaschoten dazugeben und dünsten. Tomaten hinzufügen und bei schwacher Hitze weitere 20 Minuten kochen. Demi-Glace und die Hälfte der Gewürzmischung einrühren, weitere 20 Minuten köcheln. Sahne unterziehen und noch 5 Minuten schwach kochen.

Die restlichen Zutaten mit dem Mehl mischen. Muscheln in Milch tauchen und mit Mehl bestäuben. Öl in einer großen Bratpfanne erhitzen und Muscheln darin goldbraun braten. Auf Servierteller geben, reichlich Sauce darübergeben und servieren.

6 PORTIONEN

KALBSKOTELETTS MIT BLAUSCHIMMELKÄSE UND WEISSER SCHOKOLADE

6 x 225 g	Kalbskoteletts
je ½ Teel.	Salz, Pfeffer, Paprika, Oregano, Thymian, Basilikum, Kerbel
70 g	trockenes Paniermehl
2	Eier
90 ml	Milch
55 g	Mehl
3 Eßl.	Olivenöl
4 Eßl.	Butter
40 g	Pilze, in Scheiben geschnitten
1	feingewürfelte, kleine Zwiebel
180 ml	Hühnerbrühe (siehe Seite 77)
180 ml	entrahmte Sahne
60 g	geraspelte weiße Schokolade
90 g	zerbröckelter Blauschimmelkäse
je 40 g	rote, grüne, gelbe Paprikaschoten, in lange, schmale Streifen geschnitten

Kalbskoteletts waschen und trockentupfen.

Gewürze mit dem Mehl vermischen. Das Ei in die Milch schlagen. Koteletts mit 25 g Mehl bestäuben, in die Eimischung tauchen und im Paniermehl wenden. Auf ein Backblech geben und mit Öl bestreichen. Im auf 180°C vorgeheizten Ofen 25 Minuten backen.

Unterdessen die Sauce zubereiten. Zuerst Butter in einem Kochtopf zerlassen. Pilze und Zwiebel dazugeben und weichdünsten. Das restliche Mehl zugeben und bei schwacher Hitze 2 Minuten kochen. Brühe und Sahne angießen und 15 Minuten köcheln. Schokolade und Käse unter die Sauce rühren; weitere 5 Minuten leicht kochen.

Paprikaschoten blanchieren.

Koteletts auf Teller geben, reichlich Sauce darübergeben, mit Paprikaschoten bestreuen und servieren.

6 PORTIONEN

POULET KENNETH & GLORIA

450 g	gewaschene, entstielte Erdbeeren
225 g	gewaschene, entstielte Himbeeren
225 g	gewaschene, entstielte Brombeeren
230 g	Zucker
2 Teel.	Zitronensaft
1 Teel.	Zitronenschale, gerieben
6 x 170 g	Hühnerbrust, ohne Haut und Knochen
2	geschälte, gewürfelte Mangos
170 g	Camembertkäse
2 Eßl.	zerlassene Butter

Die Beeren in den Mixer geben und pürieren. Durch ein feines Sieb passieren und in einen Saucentopf geben. Zucker einrühren, bis er sich auflöst. Zitronensaft und -schale hinzufügen. Zum Kochen bringen, Temperatur zurückschalten und Sauce auf 375 ml einkochen.

Hühnerbrust sehr flach klopfen. Mango und 30 g Käse daraufgeben. Brust umschlagen und aufrollen, um die Füllung einzuwickeln; mit Zahnstochern feststecken.

Mit zerlassener Butter bestreichen und mit Wachspapier abdecken. Im vorgeheizten Ofen bei 180°C 20 Minuten backen; Zahnstocher entfernen.

Röllchen auf Teller geben, reichlich Sauce daraufgießen. Servieren.

6 PORTIONEN

KÜCHENCHEF K'S GEFÜLLTE GARNELEN

12	Tigergarnelen
4 Eßl.	Butter
190 g	Mehl
375 ml	Milch
625 ml	gekochtes Krebsfleisch
je ½ Teel.	Oregano -, Thymian-, Basilikumblätter, Cayennepfeffer, schwarzer Pfeffer, Zwiebel-, Knoblauchpulver, Salz, Paprika
2	Eier
175 g	feines, trockenes Paniermehl
3 Eßl.	Olivenöl

SAUCE:

3 Eßl.	Butter
3 Eßl.	Mehl
125 ml	Hühnerbrühe (siehe Seite 77)
125 ml	Creme fraiche
125 ml	Sekt
250 ml	rehydrierte, sonnengetrocknete Tomaten
1 Bund	gehackte Arugula

Schale und Darm von den Garnelen entfernen. Diese entlang der Mitte zu ¾ durchschneiden, dann mit dem Fleischhammer flach klopfen. Auf ein Backblech geben.

Butter in einem Kochtopf erhitzen; Mehl zugeben, Hitze reduzieren und 2 Minuten kochen. 250 ml Milch zugießen. Unter Rühren kochen, bis eine sehr dicke Sauce entsteht. Auf Zimmertemperatur abkühlen lassen. Krebsfleisch einrühren. 2 Eßlöffel der Füllung auf jede Garnele geben. 2 Stunden kalt stellen.

Gewürze mit dem restlichen Mehl verrühren. Eier in die restliche Milch schlagen. Garnelen mit dem gewürzten Mehl bestäuben, in die Eimischung tauchen und im Paniermehl wenden.

Garnelen mit Öl bestreichen, im auf 180°C vorgeheizten Ofen 15 Minuten backen. Auf Teller geben und dazu Sauce servieren.

SAUCE:

Butter in einem Kochtopf erhitzen. Mehl zugeben und unter Kochen bei niedriger Temperatur zu einer Mehlschwitze rühren.

Mit Hühnerbrühe, Sahne und Sekt ablöschen. 10 Minuten bei mittlerer Hitze köcheln. Tomaten und Arugula einrühren und noch weitere 5 Minuten leicht kochen.

4 PORTIONEN

LAMMÜBERRASCHUNG FIDSCHIINSELN

2 x 420 g	Lammrippenbraten (Lammrücken)
½ Portion	Blätterteig (siehe Seite 689)
3 Eßl.	Butter
375 ml	gewürfelte Mangos
170 g	Mascarponekäse
55 g	kernlose Rosinen
100 g	Cashewnüsse
250 ml	kleingeschnetzelte Ananas, abgetropft, Saft aufbewahren
250 ml	Mangopüree
60 g	Zucker
1½ Eßl.	Stärkemehl

Den Lammbraten vom Fleischer ausbeinen und das ganze Fett wegschneiden lassen. Ofen auf 190°C vorheizen.

Blätterteig auf einer leicht bemehlten Fläche 6 mm dick ausrollen. In zwei Quadrate aufschneiden.

Butter in einer großen Bratpfanne erhitzen und Lamm darin zügig anbraten. Das Fleisch auf die Teigquadrate geben. Mit gewürfeltem Mango, Käse, Rosinen und Nüssen belegen. Teig umschlagen und aufrollen, damit Fleisch und Füllung gänzlich eingewickelt werden. Die Röllchen 25-30 Minuten im Ofen backen.

Währenddessen Ananas und Mango zusammen im Mixer pürieren, durch ein Sieb in einen kleinen Kochtopf passieren. Zucker einrühren.

Stärkemehl in 60 ml zurückbehaltenen Ananassaft einrühren. Zum Obst geben. Bei schwacher Hitze kochen, bis die Sauce dickflüssig wird.

Lammfleisch aus dem Ofen nehmen, tranchieren und auf Servierteller geben. Sauce darübergießen, oder getrennt servieren.

4 PORTIONEN

HÜHNERFLEISCH DIJONNAISE

6 x 170 g	Hühnerbrust, ohne Haut und Knochen
3 Eßl.	Butter
180 ml	Mayonnaise
3 Eßl.	Dijonsenf
30 g	Parmesankäse
10 g	trockenes, gewürztes Paniermehl

Hühnerfleisch waschen und trockentupfen.

Butter erhitzen und Fleisch darin durchbraten (Garzeit hängt von der Dicke der Hühnerbrust ab). Auf ein Backblech geben und den Ofen auf 200°C vorheizen.

Mayonnaise, Senf und Käse verrühren und Hühnerbrust damit dick bestreichen. Fleisch im Paniermehl wenden und etwa 10 Minuten goldbraun backen. Servieren.

6 PORTIONEN

KALBSSTEAK MIT ZWEI SAUCEN

SAUCE 1:

2 Eßl.	Butter
190 g	gehackter Fenchel
2Eßl.	Mehl
125 ml	entrahmte Sahne
125 ml	Hühnerbrühe (siehe Seite 77)
¼ Teel.	Salz
¼ Teel.	weißer Pfeffer
1 Prise	Muskatnuß

SAUCE 2:

3 Eßl.	Olivenöl
3 Eßl.	Mehl
160 ml	Hühnerbrühe (siehe Seite 77)
160 ml	entrahmte Sahne
80 ml	Tomatenketchup
2 Teel.	Worcestersauce
1 Teel.	Paprika
3 Tropfen	scharfe Pfeffersoße
1 Eßl.	Zitronensaft
3 Eßl.	gehackte Arugula

STEAKS:

6 x 170 g	Kalbssteaks
je ½ Teel.	Oregano -, Thymian-, Basilikumblätter, Cayennepfeffer, schwarzer Pfeffer, Zwiebel-, Knoblauchpulver, Salz, Paprika
4 Eßl.	Butter
115 g	Pfifferlinge, Shiitake-, Austernpilze oder sonstige Pilze

SAUCE 1:
Butter in einem Kochtopf zerlassen; Fenchel darin erhitzen. Mehl dazugeben und zu einer Mehlschwitze rühren. 2 Minuten bei schwacher Hitze kochen. Mit Sahne und Brühe ablöschen. Rühren und köcheln, bis die Sauce dick wird. Gewürze hinzufügen und noch 2 Minuten schwach kochen.

SAUCE 2:
Öl in einem Kochtopf erhitzen, Mehl dazugeben und 2 Minuten bei niedriger Hitze kochen. Brühe und Sahne einquirlen, köcheln, bis die Sauce dickflüssig wird. Die restlichen Zutaten damit verquirlen. 2 weitere Minuten köcheln lassen. Vom Herd nehmen. Nach Bedarf verwenden.

STEAK:
Steaks mit den vermengten Gewürzen einreiben. Die Hälfte der Butter in einer Bratpfanne erhitzen und Steaks darin nach Belieben braten. Steaks herausnehmen und warm stellen. Die restliche Butter in einer zweiten Bratpfanne zerlassen, Pilze darin dünsten. Saucen gesondert je auf eine Hälfte des Tellers löffeln. Steaks darauflegen und mit Pilzen dekorieren.

6 PORTIONEN

CREVETTES EN AMOUR

16	Tigergarnelen
5 Eßl.	Butter
½ Teel.	Paprika
40 g	Pilze, in dünne Scheiben geschnitten
3 Eßl.	Mehl
125 ml	Hühnerbrühe (siehe Seite 77)
125 ml	Creme fraiche
125 ml	Sekt
60 ml	Pernod
190 ml	gekochte Krevetten

Schale und Darm von den Tigergarnelen entfernen und diese schmetterlingsförmig einschneiden. 2 Eßlöffel Butter zerlassen, Garnelen damit bestreichen. Garnelen mit Paprika bestreuen und auf ein Backblech geben. Im vorgeheizten Ofen bei 180°C 10 Minuten backen, oder bis sie gar sind.

Den Rest der Butter in einem Kochtopf zerlassen und Pilze darin dünsten. Mehl dazugeben, zu einer Mehlschwitze verrühren und 2 Minuten bei schwacher Hitze kochen.

Mit Hühnerbrühe, Sahne, Sekt und Pernod ablöschen. Alle Zutaten verquirlen. 10 Minuten bei mittlerer Hitze leicht kochen.

Garnelen auf Servierteller geben, reichlich Sauce darübergeben und mit Krevetten bestreuen. Servieren.

4 PORTIONEN

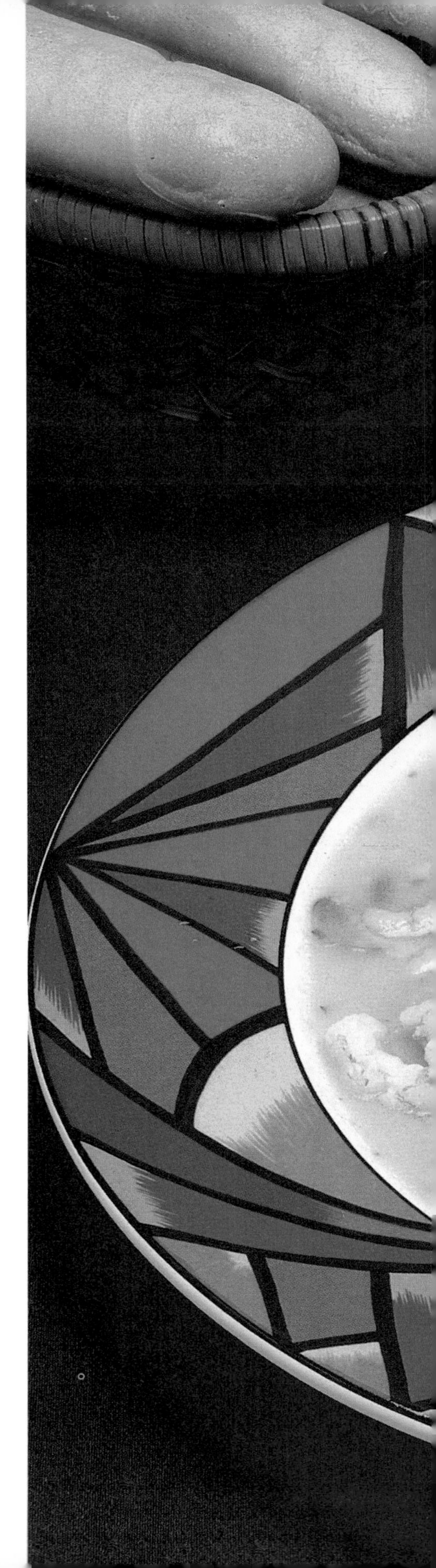

246
11

SCAMPI PROVENÇALE

5 Eßl.	Butter
3	feingehackte Knoblauchzehen
1	große, feingehackte Zwiebel
1	kleingewürfelte, rote Paprikaschote
1	kleingewürfelte, grüne Paprikaschote
6	große, enthäutete, entkernte, gehackte Tomaten
250 ml	Demi-Glace (siehe Seite 123)
125 ml	Schlagsahne
675 g	Scampischwänze
½ Teel.	Paprika

3 Eßlöffel Butter in einem Kochtopf erhitzen. Knoblauch, Zwiebel und Paprikaschoten dazugeben und dünsten. Tomaten hinzufügen und 20 Minuten bei schwacher Hitze kochen. Demi-Glace einrühren; weitere 20 Minuten köcheln. Sahne zugießen und nochmals 5 Minuten leicht kochen.

Während die Sauce kocht, die Scampi entlang des Rückens spalten und das Fleisch aus der Schale lösen. Das Fleisch schmetterlingsförmig längs einschneiden. Die restliche Butter zerlassen. Scampi damit bestreichen, mit Paprika bestreuen und im vorgeheizten Ofen bei 180°C 15 Minuten backen.

Scampi in die Sauce legen und 5 Minuten darin schwach kochen. Mit Reis servieren.

4 PORTIONEN

HÜHNERFLEISCH SCHOLAZO

6 x 170 g	Hühnerbrust, ohne Haut und Knochen
6 Eßl.	Butter
25 g	Johannisbeermarmelade
6	große, geschälte, entsteinte Pfirsiche
40 g	brauner Zucker
190 ml	Apfelsaft
1	Zimtstange
3	Gewürznelken
3 Eßl.	Mehl
190 ml	Schlagsahne
450 g	frische Himbeeren
2 Eßl.	Zitronensaft
3 Eßl.	Zucker
80 g	geraspelte Halbbitterschokolade

Hühnerbrust waschen und trockentupfen. Auf ein Backblech legen. 2 Eßlöffel Butter zerlassen und Hühnerfleisch damit bestreichen. Das Fleisch im vorgeheizten Ofen bei 180°C 30 Minuten backen. Fleisch mit Johannisbeermarmelade bestreichen und weitere 5 Minuten backen.

Unterdessen Pfirsiche in Scheiben schneiden und in einen Kochtopf geben. Braunen Zucker, Apfelsaft, Zimtstange und Gewürznelken dazugeben und 20 Minuten schwach kochen. Zimtstange und Gewürznelke entfernen.

3 Eßlöffel Butter in einem Kochtopf erhitzen. Mehl zugeben und bei schwacher Hitze 2 Minuten kochen. Sahne damit verquirlen und 5 Minuten köcheln. Die Mischung in die Pfirsiche einrühren.

Himbeeren im Mixer pürieren. Durch ein Sieb und in einen kleinen Kochtopf passieren, um Körner auszusieben.

Zitronensaft und Zucker zufügen; zum Kochen bringen. Hitze zurückschalten und auf 250 ml einkochen. Schokolade einrühren. Vom Herd nehmen und restliche Butter in die Sauce schlagen.

Hühnerfleisch aus dem Ofen nehmen.

Pfirsichsauce auf Teller löffeln, Fleisch daraufgeben, und alles mit Schokoladensauce übergießen.

6 PORTIONEN

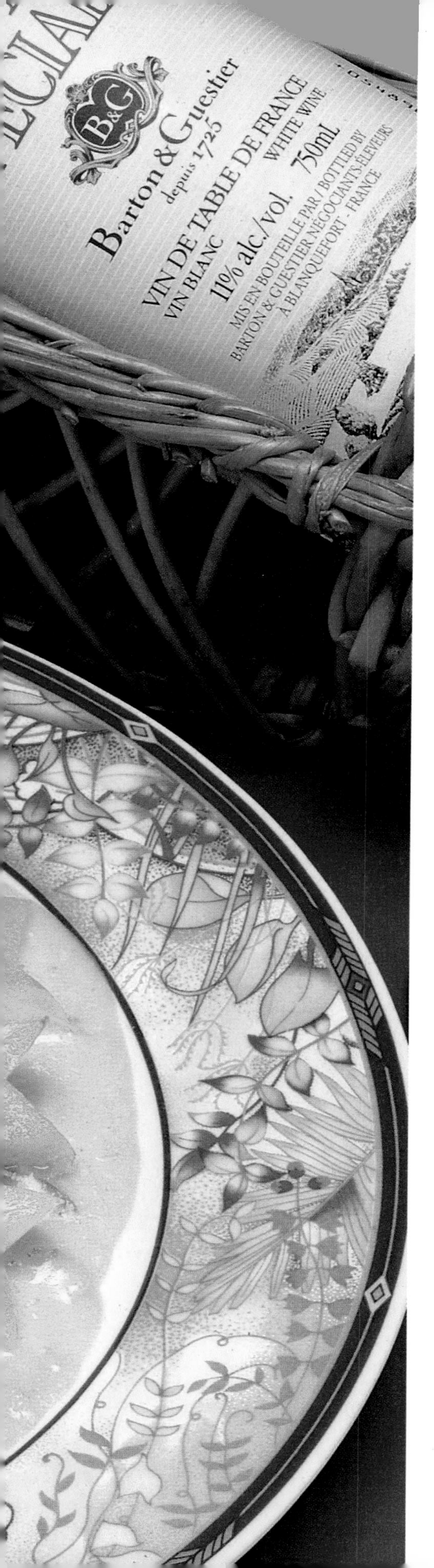

KRABBENPASTETE MIT HUMMER-MORNAYSAUCE

2	geschälte, gewürfelte, mittelgroße Kartoffeln
450 g	Krabbenfleisch
440 ml	entrahmte Sahne
½ Teel.	frisches, gehacktes Basilikum
½ Teel.	Salz
¼ Teel.	weißer Pfeffer
1	feingehackte Knoblauchzehe
110 g	Butter
3	Eier
3 Eßl.	Mehl
190 ml	Hühnerbrühe (siehe Seite 77)
190 ml	gekochtes, gehacktes Hummerfleisch
60 g	frisch geriebener Parmesankäse

Kartoffeln in einen Kochtopf geben und mit Wasser bedecken. Zum Kochen bringen und 15 Minuten kochen. Krabbenfleisch hinzufügen und weiterkochen, bis die Kartoffeln gar sind. Wasser abgießen, Krabbenfleisch und Kartoffeln in den Mixer geben. Basilikum, Salz, Pfeffer, Knoblauch und 125 ml Sahne dazugeben und glattrühren. Die Hälfte der Butter zerlassen und dazugießen; die Eier unterziehen, aber nicht zu intensiv rühren.

Masse in leicht gebutterte Formen löffeln, diese in eine Pfanne halbgefüllt mit Wasser geben. Im 180°C heißen Ofen 30 Minuten backen.

Unterdessen die übrige Butter in einem Kochtopf erhitzen. Mehl dazugeben und 2 Minuten bei schwacher Hitze kochen.

Hühnerbrühe und die restliche Sahne einrühren. Sauce bei geringer Hitze kochen, bis sie dickflüssig wird. Hummer und Käse damit verrühren und weitere 2 Minuten leicht kochen.

Pastete aus dem Ofen nehmen, stürzen und auf Servierteller geben. Mit reichlich Sauce übergießen und servieren.

4 PORTIONEN

FLUSSBARSCH ANDERSON

225 g	Himbeeren
110 g	Butter
2	Eigelb
6 x 170 g	Flußbarschfilets
500 ml	Court-Bouillon (siehe Seite 117)
24	blanchierte Spargelspitzen
340 g	gekochtes Krebsfleisch

Beeren im Mixer pürieren, Fruchtfleisch und Körner aussieben. Den Saft in einem Kochtopf bei schwacher Hitze auf 30 ml einkochen. Abkühlen lassen.

Saft mit Eigelb verquirlen. Butter zerlassen und heiß stellen. Mischung in ein Wasserbad geben und bei niedriger Temperatur unter ständigem Rühren kochen, bis sie dickflüssig wird. Vom Herd nehmen. Warme, zerlassene Butter einquirlen, bis eine schöne, cremige Sauce entsteht. Nicht wieder aufwärmen.

Fisch in der Court-Bouillon im Ofen pochieren. Dann auf ein Backblech geben, mit Spargel und Krebsfleisch belegen. Mit Himbeer-Hollandaise (siehe Seite 108) krönen und im auf 260°C vorgeheizten Ofen backen, bis die Sauce goldbraun wird. Sofort servieren.

6 PORTIONEN

HÜHNERFLEISCH TAGMA

225 g	Rhabarber
2	geschälte Birnen, in Scheiben geschnitten
2	große, geschälte Kochäpfel, in Scheiben geschnitten
1 Teel.	geriebene Orangenschale
60 g	Zucker
90 ml	Calvados
6 x 170 g	Hühnerbrust, ohne Haut und Knochen
375 ml	Joghurt
4 Eßl.	frisches, gehacktes Basilikum
3 Eßl.	feines, trockenes Paniermehl
3 Eßl.	frisch geriebener Parmesankäse
60 ml	Weißwein

Rhabarber waschen, säubern und würfeln. Mit Birnen, Äpfeln, Orangenschale, Zucker und Calvados in einen Kochtopf geben. Zudecken und 10 Minuten schwach kochen. Deckel entfernen und weiter köcheln, bis das Kompott sehr weich ist.

Hühnerbrust in eine leicht gefettete Auflaufform geben.

190 ml Joghurt mit Käse, Paniermehl und 2 Eßlöffel Basilikum verrühren. Hühnerfleisch damit bestreichen und in den auf 180°C vorgeheizten Ofen geben. 40 Minuten backen.

Hühnerfleisch auf Teller geben. 2 Eßlöffel Kompott auf jedes Stück verteilen. Fleisch mit einem Tupfen des restlichen Joghurts krönen, Basilikum darüberstreuen. Servieren.

6 PORTIONEN

LAPIN FORESTIERE

4 Eßl.	Distelöl
675 g	Hase, geviertelt
8	Scheiben durchwachsener Speck
20	junge Champignons
20	Silberzwiebeln
3	Selleriestangen, gewürfelt
3	Möhren, gewürfelt
4 Eßl.	Mehl
250 ml	Tomaten, enthäutet, entkernt, gehackt
500 ml	Rotwein
250 ml	Rinderbrühe (siehe Seite 85)
2 Teel.	Worcestersauce
1 Eßl.	Sojasoße
½ Teel.	Dijonsenf
¼ Teel.	Salz
¼ Teel.	gemahlener schwarzer Pfeffer
2 Eßl.	Butter
225 g	Pfifferlinge

Öl in einem großen Topf erhitzen. Hasen in den Topf geben und anschmoren. Speck würfeln und mit dem Gemüse dazugeben; 3 Minuten dünsten. Mit Mehl bestreuen und 3 Minuten kochen. Die restlichen Zutaten mit Ausnahme der Butter und der Pfifferlinge hinzufügen.

Zudecken und 1½ Stunden schwach kochen lassen. Butter in einer Bratpfanne erhitzen und Pfifferlinge darin dünsten. Fleisch auf Reis oder Nudeln geben und Pfifferlinge daraufstreuen.

6 PORTIONEN

NUDELN

Jede Völkergruppe der Welt hat ihre eigenen Teigwarenrezepte, die genaue Herkunft ist jedoch nicht bekannt. Teigwaren haben ihre Präsenz in der Cuisine bereits in der chinesischen Ming-Dynastie behauptet. Es wird angenommen, daß Marco Polo nach seiner Rückkehr aus den asiatischen Ländern während seiner China-Expeditionen im 13. Jahrhundert die „Nudeln" in Italien bekanntmachte.

In Italien waren Nudeln jedoch bereits auch vor dieser Zeit bekannt. Als der Teutonenprinz Theoderich Italien ungefähr 405 A.D. eroberte, brachte er eine Art Nudelteig zurück. Es gibt Beweise, daß Teigwaren sogar noch länger existierten. Im römischen Kaiserreich gab es bereits eine Art Nudel, nämlich die Taglialle-Nudel (eine 2,5 cm breite, lange Nudel, auch als Mafalda bekannt) unter dem Namen Laganum. Nach Marco Polos Rückkehr wurde die Nudel sehr populär und ein Hauptnahrungsmittel der italienischen Bevölkerung. Von Italien aus verbreitete sich die Teignudel (Tagliarini) in ganz Europa. Sie wurde zur „nouilles" in Frankreich, zur „fideos" in Spanien, zur „Nudel" in Deutschland und zur „noodle" in England.

Heute hat die Nudel die Welt in neue kulinarische Höhen geführt, und sie wird sich nie mehr mit einer Limitierung auf Tomaten- oder Sahnesaucen zufrieden geben. In *Einfach Köstlich Kochen* 2 haben wir für Sie ein einmaliges und kreatives Angebot an Teigwaren ausgewählt, das Marco sicherlich niemals erwartet hätte. Rezepte wie „Kürbis-Ricotta-Gnocchi" oder „Kalbfleisch-Cappelletti mit geräuchertem Hühnerfleisch, sonnengetrockneten Tomaten und Pilzen in Mornaysauce" würden nicht nur den ehemaligen Seefahrer begeistern, sondern werden auch Ihre Gäste erfreuen.

In diesem Kapitel, sowie im gesamten Kochbuch, präsentieren wir Ihnen Nudeln als Appetithappen, Suppen, Salate, Hauptgänge und sogar Desserts. Ein komplettes 5-Gang Gourmetmenü kann mit diesen Rezepten kreiert werden.

Sie haben sich sicherlich nie ein Menü wie „Manicotti mit Hummer, Früchten und Krabben" vorgestellt. In diesem Kapitel finden Sie das Rezept für dieses Meisterwerk. Oder ziehen Sie es vielleicht vor, Ihren Gästen die „Schokoladen- und Curry-Fettuccini mit Äpfeln und Krabben" anzubieten. Besser noch, probieren Sie unsere 15 verschiedenen Nudelteigsorten und kreieren damit Ihre eigenen, speziellen Menüs. Eins wird sich jedoch stets wiederholen: das Ergebnis wird immer *einfach köstlich* sein.

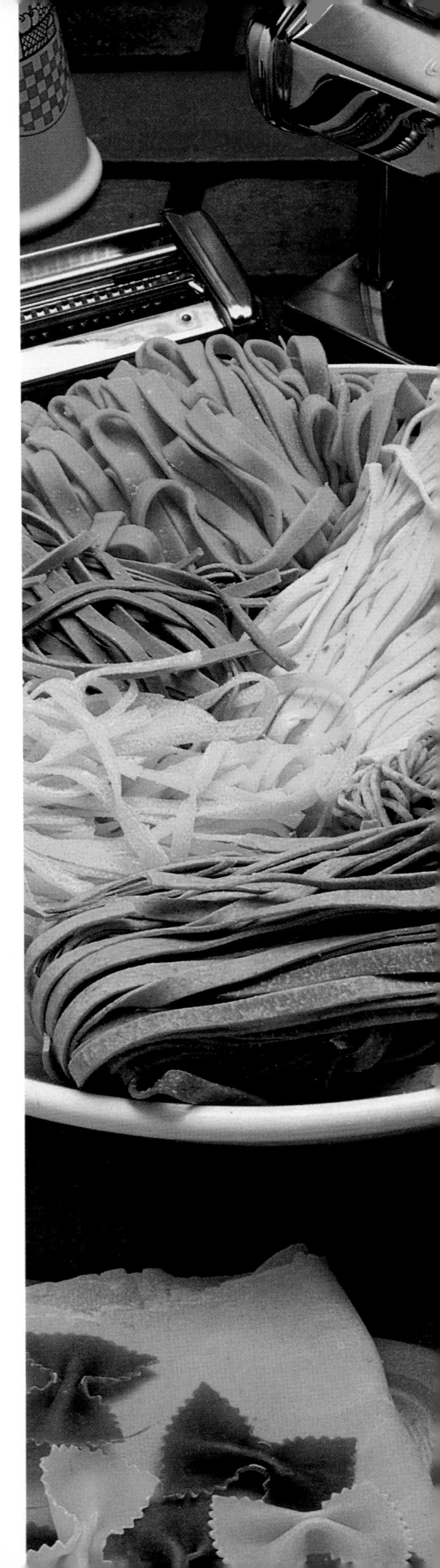

Verschiedene Nudeln

FETTUCCINI MIT GERÄUCHERTEM LACHS

250 g	Fettuccini
3 Eßl.	ungesalzene Butter
2 Eßl.	Mehl
375 ml	entrahmte Sahne
60 ml	Sherry
120 g	geräucherter Lachs, in 6 mm dicke Streifen geschnitten
1 Eßl.	frisch gehackter Dill
1 Teel.	Basilikum
½ Teel.	gemahlener, schwarzer Pfeffer

Nudeln in einem Topf mit kochendem, gesalzenem Wasser al dente kochen.

Butter in einem kleinen Topf erhitzen, Mehl einstreuen und zwei Minuten bei niedriger Temperatur kochen lassen. Sahne hinzufügen und köcheln, bis die Sauce dick wird. Sherry unterrühren und weitere fünf Minuten weiterkochen.

Nudeln in eine große Servierschüssel geben und mit Lachs und Kräutern mischen. Sofort servieren.

6 PORTIONEN

SINGAPUR-NUDELN

225 g	Schweinefilet
3 Eßl.	helle Sojasoße
2 Eßl.	Sherry
1 Eßl.	Honig
½ Teel.	Knoblauchpulver
4 Tropfen	rote Lebensmittelfarbe
1 Portion	Eiernudeln (siehe Seite 433)
3 Eßl.	Erdnußöl
225 g	Krabben
60 g	feingewürfelte Zwiebeln
100 g	feingewürfelter Stangensellerie
75 g	feingewürfelte, grüne Paprikaschote
2 Teel.	Currypulver

Schweinefleisch in 1,5 cm große Würfel schneiden und in eine Rührschüssel geben.

Sojasoße, Sherry, Honig, Knoblauchpulver und Lebensmittelfarbe mischen und über das Fleisch gießen. Drei Stunden marinieren lassen.

Nudeln in einem Topf kochen. Abtropfen lassen und zur Seite stellen. Öl in einer großen Pfanne erhitzen, das Fleisch und die Krabben zügig braten. Gemüse hinzufügen und 1½ bis 2 Minuten garen.

Nudeln dazugeben und verrühren. Mit Curry bestreuen und noch eine Minute braten. Servieren.

6 PORTIONEN

NUDELTEIG

1 l	Grießmehl
⅓ Teel.	Salz
4	Eier
1 Eßl.	Öl
80 ml	eiskaltes Wasser

Mehl und Salz zusammensieben und in eine Rührschüssel geben. Eier einzeln dazugeben. Öl und Wasser langsam einrühren, bis der Teig glatt ist.

Teig 15 Minuten kneten und weitere 15 Minuten ruhen lassen. Teig ausrollen, leicht mit Mehl bestäuben, dreifach übereinanderlegen und wieder ausrollen. Diesen Arbeitsgang sechs- bis achtmal wiederholen.

Den Teig durch die Nudelmaschine geben und allmählich auf die gewünschte Nudeldicke einstellen. Das Ergebnis sollte eine glatte Teiglage sein, fertig für die gewünschte, weitere Verarbeitung.

Den Teig durch die Nudelmaschine geben oder die gewünschten Formen mit der Hand schneiden. Beim Schneiden mit der Hand den Teig einfach ausrollen und in dünne Nudelstreifen schneiden (Fettuccini) oder in breitere Streifen für Lasagna, Cannelloni, Ravioli etc.

Verarbeitung gemäß unseren jeweiligen Rezeptanleitungen.

BEMERKUNG: Nur so viel Mehl verwenden, daß der Teig während des Rollens nicht festklebt.

6 PORTIONEN

Fettuccini mit geräuchertem Lachs

Singapurnudeln

5 Käse-Lasagne

5 KÄSE-LASAGNE

1 Portion	Grüne Nudeln (siehe Seite 436)
2	geschlagene Eier
225 g	Frischkäse
225 g	geriebener Cheddarkäse
225 g	geriebener Havartikäse
225 g	Ricottakäse
170 g	geriebener Parmesankäse
2 Eßl.	Butter
2 Eßl.	Mehl
250 ml	Milch
250 ml	Hühnerbrühe (siehe Seite 77)
750 ml	Tomatensauce II (siehe Seite 117)

Nudelteig nach Anweisung herstellen und in dünne Teigplatten rollen. 11,25 x 27,5 cm große Stücke ausschneiden. Eier und verschiedene Käsesorten mischen. 60 g Parmesankäse aufheben und kalt stellen.

Butter in einem Topf erhitzen, Mehl einstreuen und zwei Minuten kochen. Milch und Hühnerbrühe angießen und zu einer dünnen Sauce köcheln lassen.

In eine große, gefettete Auflaufform eine dünne Lage Tomatensauce und dann eine Nudelplatte legen. Eine Schicht weiße Sauce über die Nudeln gießen, dann eine Schicht rote Tomatensauce. Käseschicht darüberstreuen und nochmals Schichten der beiden Saucen hinzugeben. Diesen Vorgang wiederholen, bis die Mengen aufgebraucht sind. Mit einer Schicht Tomatensauce abschließen. Den restlichen Parmesankäse darüberstreuen.

Mit Folie abdecken und im vorgeheizten Ofen 25 Minuten bei 200°C backen. Die Folie entfernen und weitere 8 Minuten backen. Servieren.

8 -10 PORTIONEN

BUCHWEIZEN-NUDELN

250 ml	Buchweizenmehl
125 ml	Grießmehl
1	großes Ei, geschlagen
60 ml	eiskalte Milch
	Eiswasser, falls nötig

Mehl in eine Rührschüssel geben. Eier und Milch hinzufügen und zu einem glatten Teigball kneten. (Falls nötig, eine geringe Menge Eiswasser verwenden).

Teig nach Anweisung wie Nudelteig (siehe Seite 426) verarbeiten.

Bemerkung: Diese Nudelart wird meistens zusammen mit anderen Nudeln serviert.

6 PORTIONEN

PENNE MIT HÜHNERFLEISCH-CURRY

3 Eßl.	ungesalzene Butter
1	gewürfelte, grüne Paprikaschote
1	gewürfelte Zwiebel
1	feingehackte Knoblauchzehe
120 g	dünn geschnittene Pilze
3 Eßl.	Mehl
1 Eßl.	Currypulver
500 ml	gewürfelte, entkernte, gepellte Tomaten
250 ml	Hühnerbrühe (siehe Seite 77)
250 ml	saure Sahne
450 g	gekochtes, gewürfeltes Hühnerfleisch
340 g	Penne-Nudeln
60 g	geröstete, geschnittene Mandeln

Butter in einem Topf erhitzen. Paprikaschote, Zwiebel, Knoblauch und Pilze darin weichdünsten. Mehl und Currypulver einrühren und zwei Minuten bei niedriger Temperatur kochen. Tomaten hinzugeben und fünf Minuten köcheln lassen. Hühnerbrühe und saure Sahne angießen und köcheln, bis die Sauce dick wird.

Das gekochte Hühnerfleisch dazugeben und weitere fünf Minuten köcheln lassen.

Während die Sauce köchelt, die Penne-Nudeln in 3 Liter kochendem, gesalzenem Wasser kochen. Abtropfen lassen und in eine Servierschüssel geben.

Sauce über die Nudeln gießen und mit Mandeln bestreuen. Servieren.

6 PORTIONEN

SPAGHETTI MIT FILETSPITZEN IN MARINARA SAUCE

1 Portion	Nudelteig (siehe Seite 426)
3 Eßl.	Olivenöl
450 g	Rinderfilet, in 1,5 cm große Würfel geschnitten
1	geschnittene Zwiebel
120 g	kleine Champignons
½ Teel.	Salz
½ Teel.	gemahlener Pfeffer
750 ml	Marinara Sauce (siehe Seite 111)

Den Nudelteig nach Anweisung herstellen und zu Spaghetti schneiden.

Öl in einer großen Pfanne erhitzen und das Fleisch darin anbraten. Zwiebel und Champignons hinzugeben und weichdünsten. Mit Salz und Pfeffer würzen.

Marinara Sauce über das Fleisch geben und 8-10 Minuten köcheln lassen.

In einem Topf mit kochendem, gesalzenem Wasser die Nudeln al dente kochen, abgießen und in eine Servierschale geben. Reichlich Sauce über die Nudeln geben und servieren.

6 PORTIONEN

CILANTRO-NUDELN

2	geschlagene Eier
1 Teel.	Distelöl
125 ml	gehackte, glatte Petersilienblätter
500 ml	Grießmehl
	Eiswasser, nach Bedarf

Eier, Öl und glatte Petersilie verquirlen. Mehl hinzufügen und langsam zu einem glatten Teigball kneten. (Falls nötig, eine geringe Menge Eiswasser verwenden). Den Nudelteig wie angegeben verarbeiten (siehe Seite 426).

6 PORTIONEN

KAKAONUDELN

500 ml	Grießmehl
2 Eßl.	Kakao
60 g	Zucker
1 Teel.	Vanilleextrakt
3	geschlagene Eier
	Eiswasser, nach Bedarf

Mehl, Kakao und Zucker zusammensieben. Eier und Vanille verquirlen. Das Mehl langsam zu den Eiern geben und zu einem glatten Teigball kneten. (Falls nötig eine geringe Menge Eiswasser verwenden). Den Nudelteig wie angegeben verarbeiten (siehe Seite 426).

6 PORTIONEN

Penne mit Hühnerfleischcurry

Chang Yo Mein

KRÄUTER-NUDELN

1 Eßl.	Salbei, Rosmarin, Oregano, Thymian, Kerbel, Majoran oder Basilikum, einzeln oder gemischt
3	Eier
675 ml	Grießmehl
1 Eßl.	Olivenöl
	Eiswasser, nach Bedarf

Gewürze und Kräuter mischen. Eier mit dem Öl verquirlen. Mehl langsam hinzufügen und zu einem glatten Teigball kneten. (Falls nötig eine geringe Menge Eiswasser verwenden). Den Nudelteig nach Anweisung verarbeiten (siehe Seite 426).

6 PORTIONEN

MAISMEHL-NUDELN

375 ml	feines Maismehl
375 ml	Grießmehl
4	Eier
1 Eßl.	Distelöl
	Eiswasser, nach Bedarf

Beide Mehlsorten mischen. Öl und Eier verquirlen und in eine Rührschüssel geben. Mehl langsam hinzufügen und zu einem glatten Teigball kneten. (Falls nötig eine geringe Menge Eiswasser verwenden). Den Nudelteig wie angegeben verarbeiten (siehe Seite 426).

6 PORTIONEN

Tomaten-Gnocchi

CHANG YO MEIN

1 Portion	Eiernudeln (siehe Seite 433)
3 Eßl.	Erdnußöl
3 Eßl.	feingehackter Stangensellerie
30 g	feingehackte Zwiebeln
40 g	feingehackte, grüne Paprikaschote
450 g	Krabben, ohne Schale und Darm
2 Eßl.	helle Sojasoße
2 Eßl.	Sherry

Öl in einer großen Pfanne erhitzen. Gemüse und Krabben darin zügig braten. Sojasoße und Sherry hinzufügen und eine Minute köcheln lassen.

Während die anderen Zutaten braten, die Nudeln wie angegeben kochen.

Die heißen Nudeln auf eine Servierplatte geben und das Gemüse mit den Krabben darauflegen. Sofort servieren.

6 PORTIONEN

TOMATEN-GNOCCHI

250 ml	Tomatensauce (siehe Seite 106)
450 g	Kartoffeln
¼ Teel.	gemahlene Muskatnuß
1 Teel.	gehackte Basilikumblätter
220 g	ungebleichtes Mehl

Tomatensauce in einem Topf köcheln, bis die Menge auf 125 ml reduziert ist.

Kartoffeln kochen, bis sie gabelweich sind, pürieren und Tomatensauce, Muskatnuß und Basilikumblätter hinzufügen. Mehl langsam einrühren, bis der weiche Teig fest wird. Der Teig sollte an einem Teelöffel haften bleiben. Teig auf eine bemehlte Fläche legen und mit einer Gabel portionieren.

Gnocchi in einem Topf mit kochendem Wasser noch drei Minuten kochen, nachdem sie an der Wasseroberfläche schwimmen. Mit einer leichten Tomatensauce, Sahnesauce oder in Butter geschwenkt und mit Parmesan bestreut servieren.

6 PORTIONEN

CALAMARI & GARNELEN MIT PFEFFER-LINGUINI

1 Portion	Nudeln mit gemahlenem, schwarzem Pfeffer (siehe Rezept auf dieser Seite)
80 ml	Olivenöl
1 Eßl.	Zitronensaft
¼ Eßl.	Knoblauchpulver
¼ Teel.	Zwiebelpulver
1 Teel.	Oreganoblätter
½ Teel.	gemahlener, schwarzer Pfeffer
½ Teel.	Salz
225 g	gesäuberte, geschnittene Calamariarme
225 g	große Garnelen, ohne Schale und Darm
1	Knoblauchzehe
150 g	rote Paprikaschoten
1 Eßl.	Basilikumblätter
3 Eßl.	Petersilie
85 g	frisch gemahlener Romanokäse
2 Eßl.	Piniennüsse

Den Nudelteig nach Anweisung verarbeiten und in Linguini schneiden.

Die Hälfte des Öls mit dem Zitronensaft und den Gewürzen vermengen. Calamari und Garnelen in eine große Rührschüssel legen, mit der Öl-Zitronenmarinade begießen und eine Stunde marinieren lassen.

Knoblauch und Paprikaschoten mit dem restlichen Öl im Mixer pürieren. Basilikumblätter, Petersilie, Käse und Piniennüsse hinzugeben und pürieren.

Meeresfrüchte aus der Marinade nehmen und bei mittlerer Kohlenhitze drei Minuten von jeder Seite grillen.

Während die Meeresfrüchte grillen, Linguini in einem Topf mit kochendem, gesalzenem Wasser al dente kochen. Linguini abtropfen lassen, in die Pestomasse geben, verrühren und auf eine Servierplatte legen. Meeresfrüchte daraufgeben und servieren.

6 PORTIONEN

ZITRONENPFEFFER NUDELN

1 Teel.	frisch gemahlener, schwarzer Pfeffer
2 Eßl.	geriebene Zitronenschale
3	geschlagene Eier
220 g	Mehl
	Eiswasser, nach Bedarf

Pfeffer, Zitrone und Eier verquirlen und in eine Rührschüssel geben. Mehl langsam hinzufügen und zu einem glatten Teigball kneten. (Falls nötig, eine geringe Menge Eiswasser verwenden). Den Nudelteig wie angegeben verarbeiten (siehe Seite 426).

4 PORTIONEN

NUDELN MIT GEMAHLENEM, SCHWARZEM PFEFFER

1 Eßl.	frisch gemahlener, schwarzer Pfeffer
3	geschlagene Eier
500 ml	Grießmehl
	Eiswasser, nach Bedarf

Pfeffer und Eier in einer Rührschüssel verquirlen. Das Mehl langsam hinzufügen und zu einem glatten Teigball kneten. (Bei Bedarf eine geringe Menge Eiswasser verwenden). Den Nudelteig wie angegeben verarbeiten (siehe Seite 426).

4 PORTIONEN

Calamari & Garnelen mit Pfefferlinguini

Agnolotti mit Prosciutto & Wurst

AGNOLOTTI MIT PROSCIUTTO & WURST

1 Portion	Nudelteig (siehe Seite 426)
170 g	feingehackter Prosciutto
170 g	mildes, italienisches Wurstbrät
4 Eßl.	ungesalzene Butter
3	Eier
25 g	Paniermehl
30 g	frisch geriebener Romanokäse
1 Eßl.	Olivenöl
1	kleine, gewürfelte Zwiebel
500 ml	gepellte, entkernte, gewürfelte Tomaten
1	feingehackte Knoblauchzehe
2 Teel.	frisch gehackte Basilikumblätter
1 Eßl.	frisch gehackte Petersilie
4 l	Hühnerbrühe (siehe Seite 77)

Nudelteig in dünne Teigplatten rollen. 36 Kreise von 7,5 cm Durchmesser schneiden und mit einem feuchten Tuch bedecken, damit sie nicht austrocknen.

Wurstbrät mit 3 Eßlöffeln Butter, Eier, Paniermehl und Romanokäse gründlich vermengen. Eine Stunde kalt stellen. Auf jeden Nudelkreis einen Eßlöffel Füllung legen, die Ränder befeuchten und fest zusammendrücken.

Öl und die restliche Butter in einem Topf erhitzen und Zwiebel und Knoblauch darin weichdünsten. Tomaten und Kräuter hinzufügen. Temperatur reduzieren und 15 Minuten köcheln lassen.

Hühnerbrühe in einem großen Kochtopf erhitzen. Die Agnolotti-Nudeln hineingeben und kochen. Nachdem sie an der Oberfläche schwimmen, drei weitere Minuten kochen lassen. Agnolotti auf eine Servierplatte legen, mit Sauce bedecken und servieren.

6 PORTIONEN

EIERNUDELN

3	Eier
500 ml	Grießmehl

Eier gut verquirlen. Das Mehl langsam hinzufügen und 10 Minuten kneten. Den Teig zudecken und 15 Minuten ruhen lassen. Dann nochmals kneten. Teig auf einem leicht bemehlten Brett sehr dünn ausrollen. Mit Mehl bestreuen, falten und nochmals rollen. Diesen Arbeitsvorgang mehrere Male wiederholen. Dadurch erhält man eine glatte Teigplatte. Den Teig rollen und in sehr dünne Streifen schneiden.

Die Nudeln in einem Topf mit 2 Liter kochendem Wasser zwei bis drei Minuten kochen. Wie gewünscht servieren.

6 PORTIONEN

BANANEN-NUDELN

300 g	zerdrückte Bananen
75 g	Zucker
1 Teel.	Vanilleextrakt
1	Ei
500 ml	Grießmehl

Bananen, Zucker, Vanille und Ei vermengen. Mehl hinzufügen und zu einem glatten Teigball kneten. (Bei Bedarf eine geringe Menge Eiswasser verwenden). Den Nudelteig wie angegeben verarbeiten (siehe Seite 426).

6 PORTIONEN

Ravioli mit frischer Tomatencreme

SPINAT-GNOCCHI

280 g	frischer, gewaschener Spinat
900 g	Kartoffeln
1	geschlagenes Ei
170 g	Mehl

Spinat dünsten, abkühlen lassen und sehr fein hacken.

Kartoffeln schälen und kochen, bis sie gabelweich sind. Abgießen, pürieren und mit dem Spinat vermengen.

Kartoffeln in eine Rührschüssel geben, Eier und 110 g Mehl hinzufügen. Den Teig kneten und gegebenenfalls mehr Mehl hinzufügen. Die Gnocchi sollten fest, jedoch weich sein.

Mit einem Teelöffel die Teigmasse in die Hand löffeln, dann mit den Händen vorsichtig rollen. (Hände mit Mehl bestäuben). Die Gnocchi auf eine leicht bemehlte Fläche legen und mit einer Gabel drücken.

Gnocchi in einen großen Topf mit kochendem Wasser geben. Wenn sie gar sind, schwimmen sie an der Oberfläche.

Mit Sahnesauce, Pesto oder einer leichten Tomatensauce servieren.

6 PORTIONEN

KREBS-VERMICELLI

3 Eßl.	Butter
2 Eßl.	Mehl
125 ml	entrahmte Sahne
250 ml	zerdrückte Tomaten
½ Teel.	frisch gemahlener, schwarzer Pfeffer
225 g	Krebsfleisch
60 g	frisch geriebener Parmesankäse
2 Teel.	Basilikum
1 Portion	Nudelteig (siehe Seite 426), zu Vermicelli geschnitten

Butter in einem Topf erhitzen, Mehl hinzufügen und zwei Minuten bei niedriger Temperatur kochen. Sahne hineinschlagen und zu einer sehr dickflüssigen Sauce köcheln lassen.

Tomaten und Pfeffer unterrühren und 4 Minuten köcheln lassen. Krebsfleisch, Käse und Basilikum dazugeben.

Nudeln in einem Topf mit kochendem Wasser al dente kochen, abtropfen lassen, in eine Servierschale geben und mit Sauce begießen. Sofort servieren.

6 PORTIONEN

RAVIOLI MIT FRISCHER TOMATENCREME

1 Portion	Tomatennudelteig (siehe Seite 440)
1 Eßl.	Olivenöl
345 g	geschnetzeltes Rindfleisch
60 g	feingehackter Prosciutto
1	Ei
je ½ Teel.	Basilikum, Oregano
60 g	frisch geriebener Romanokäse
2 Eßl.	Butter
2 Eßl.	Mehl
250 ml	entrahmte Sahne
500 ml	frisches Tomatenpüree

Den Nudelteig wie angegeben herstellen. In dünne Teigplatten rollen und mit einem feuchten Tuch abdecken, bis sie verwendet werden.

Öl in einer Pfanne erhitzen und das Fleisch anbraten. Öl abgießen. Fleisch in eine große Rührschüssel geben und abkühlen lassen. Prosciutto, Eier, Gewürze und Käse in das gekühlte Fleisch einrühren.

Eßlöffelgroße Portionen gleichmässig auf eine Teigplatte verteilen. Den Teig um die Füllung mit etwas Wasser befeuchten und die zweite Teigplatte darauflegen. Teig zwischen den Füllungen mit einem Teigschneider durchschneiden.

Butter in einem Topf erhitzen, Mehl hineinstreuen und zwei Minuten bei niedriger Temperatur kochen. Sahne dazugießen und köcheln, bis die Sauce sehr dick ist. Tomatenpüree unterrühren und 20 Minuten köcheln lassen.

Die Ravioli in einem großen Topf mit kochendem Wasser zwei Minuten kochen, oder bis sie an der Oberfläche schwimmen. Abgießen und die Ravioli auf eine Servierplatte legen, Sauce darübergießen und servieren.

6 PORTIONEN

Krebs-Vermicelli

Hühnerfleisch Lo Mein

SAFRANNUDELN

7 g	Safran
60 ml	Wasser
2	Eier
625 ml	Grießmehl
	Eiswasser, nach Bedarf

Safran im Wasser aufkochen, dann gut abkühlen lassen. Eier und Wasser verquirlen. Mehl in eine Rührschüssel geben und die Flüssigkeit langsam einrühren. Die Masse zu einem glatten Teigball kneten. (Bei Bedarf eine geringe Menge Eiswasser verwenden). Den Nudelteig wie angegeben verarbeiten (siehe Seite 426).

KAFFEENUDELN

80 ml	heißes Wasser
3 Eßl.	instant Kaffeepulver
1	Ei
220 g	Mehl

Kaffeepulver im Wasser auflösen und abkühlen lassen. Eier schlagen und zum Kaffee geben. Mehl hinzufügen und zu einem glatten Nudelteig kneten. Den Nudelteig wie angegeben verarbeiten (siehe Seite 426).

4 PORTIONEN

GRÜNE NUDELN

625 g	frischer Spinat
750 ml	Grießmehl
4	geschlagene Eier
	Eiswasser, nach Bedarf

Spinat gründlich waschen und feinhacken. Mehl und Spinat gut vermengen, dann langsam in die Eier einrühren. Masse zu einem glatten Teigball kneten. (Bei Bedarf eine geringe Menge Eiswasser verwenden). Den Nudelteig wie angegeben verarbeiten (siehe Seite 426).

6 PORTIONEN

HÜHNERFLEISCH LO MEIN

1 Portion	Eiernudeln (siehe Seite 433)
3 Eßl.	Erdnußöl
225 g	gewürfeltes, rohes Hühnerfleisch
40 g	geschnittene Pilze
250 ml	feingewürfelter Kohl
125 ml	Hühnerbrühe (siehe Seite 77)
2 Eßl.	Sojasoße
1 Teel.	Stärkemehl
2 Eßl.	roter Pimiento

Zwei Liter Wasser in einem großen Topf zum Kochen bringen. Nudeln hineingeben und 3 Minuten köcheln lassen. Abgießen und in eine Servierschüssel geben.

Öl in einem großen Topf erhitzen und das Hühnerfleisch darin gut durchbraten. Pilze, Kohl und Hühnerbrühe hinzufügen und fünf Minuten köcheln lassen.

Stärkemehl mit Sojasoße verrühren, zum Fleisch geben und köcheln, bis die Sauce dick wird.

Hühnerfleisch über die Nudeln geben, mit Pimiento garnieren und sofort servieren.

6 PORTIONEN

GESCHNETZELTES STEAK WONG

1 Portion	Eiernudeln (siehe Seite 433)
4 Eßl.	Erdnußöl
450 g	geschnetzeltes Rindfleisch aus der Oberschale
120 g	dünn geschnittene Pilze
125 g	dünn geschnittene Zwiebeln
3 Eßl.	Sojasoße
1 Eßl.	Honig
2 Eßl.	Sherry
1 Teel.	Stärkemehl

Nudeln in einem Topf kochen, abtropfen lassen und zur Seite stellen.

Zwei Eßlöffel Öl in einem großen Kochtopf stark erhitzen und das Fleisch zügig braten. Pilze und Zwiebeln hinzufügen und eine Minute braten. Das restliche Öl hineingießen und eine weitere Minute braten.

Nudeln dazugeben und gut bräunen. In eine Servierschüssel geben und warm stellen.

Sojasoße, Honig, Sherry und Stärkemehl verrühren und zu einer dicken Sauce kochen. Über die Nudeln gießen.

6 PORTIONEN

Geschnetzeltes Steak Wong

Orecchiette in roter Paprikasauce

ORECCHIETTE IN ROTER PAPRIKASAUCE

1 Portion	Maismehlnudeln (siehe Seite 431)
625 g	rote Paprikaschoten
2 Eßl.	Olivenöl
1	gewürfelte Zwiebel
1	feingehackte Knoblauchzehe
je ½ Teel.	Salz, Basilikum, Thymian
1 Teel.	gemahlener, schwarzer Pfeffer
2 Eßl.	Zitronensaft
60 ml	Sherry
60 ml	entrahmte Sahne

Für Orecchiette (kleine Öhrchen) Nudelteig halbieren. Teig zu einer langen, dünnen Rolle formen und in 3 mm dicke Scheiben schneiden. Jede mit etwas Mehl bestäuben. Eine Scheibe in die Handfläche nehmen und die Mitte mit dem Finger eindrücken. Diesen Vorgang wiederholen, bis alle Scheiben geformt sind.

Paprikaschoten in Folie wickeln und 15 Minuten im vorgeheizten Ofen bei 200°C backen. Folie entfernen, Haut abziehen und Kerne und weiße Haut entfernen. Paprika fein würfeln.

Öl in einem Topf erhitzen und Zwiebeln und Knoblauch weichdünsten. Gewürze, Zitronensaft und Paprikaschoten dazugeben und zugedeckt 45 Minuten köcheln lassen.

Vom Herd nehmen, im Mixer pürieren, dann zurück in den Topf geben. Sherry und Sahne hineingießen.

Während die Sauce köchelt, die Nudeln in drei Liter kochendem, gesalzenen Wasser ca. neun Minuten kochen. Abtropfen lassen, in eine Servierschüssel geben, mit der Sauce vermengen und servieren.

6 PORTIONEN

Schokoladen- und Curry-Fettuccini mit Äpfeln und Krabben

SCHOKOLADEN- UND CURRY-FETTUCCINI MIT ÄPFELN UND KRABBEN

230 g	geschälte, gewürfelte Äpfel
1 Portion	Nudelteig, in Fettuccini-Nudeln geschnitten (siehe Seite 426)
4 Eßl.	ungesalzene Butter
3 Eßl.	Mehl
1 Teel.	Currypulver
125 ml	entrahmte Sahne
250 ml	Hühnerbrühe (siehe Seite 77)
115 g	weiße Schokoladenspäne
225 g	gekochte Krabben

Geschälte Äpfel mit etwas Zitronensaft beträufeln, damit sie nicht braun werden.

Butter in einem Topf erhitzen, Mehl und Currypulver hineinstreuen und zwei Minuten kochen, jedoch nicht bräunen. Sahne, Hühnerbrühe und Äpfel dazugeben und köcheln, bis die Masse dick wird. Schokolade hineinstreuen. Zwei weitere Minuten köcheln.

Vom Herd nehmen und Krabben hinzufügen.

Während die Sauce köchelt, die Nudeln in einem Topf mit kochendem Wasser al dente kochen. Abtropfen lassen, in eine Servierschüssel geben, Sauce daraufgießen und gut mischen. Sofort servieren.

6 PORTIONEN

VOLLWEIZEN-NUDELN

4	geschlagene Eier
180 g	Vollweizenmehl
375 ml	Grießmehl
2 Eßl.	Olivenöl
	Eiswasser, nach Bedarf

Eier in eine Rührschüssel geben. Mehl zusammensieben und langsam zu den Eiern geben. Zu einem glatten Teigball kneten. Öl dazugeben und leicht verkneten. (Bei Bedarf eine geringe Menge Eiswasser verwenden). Den Nudelteig wie angegeben verarbeiten (siehe Seite 426).

6 PORTIONEN

TOMATEN-NUDELTEIG

2	Eier
60 ml	Tomatenmark
1 Eßl.	Olivenöl
500 ml	Grießmehl
	Eiswasser, nach Bedarf

Eier, Tomatenmark und Öl verrühren und in eine Rührschüssel geben. Mehl langsam hinzufügen und zu einem glatten Teigball kneten. (Bei Bedarf eine geringe Menge Eiswasser verwenden). Den Nudelteig wie angegeben verarbeiten (siehe Seite 426).

4 PORTIONEN

RINDFLEISCH & BROKKOLI-NUDELN

1 Portion	Eiernudeln (siehe Seite 433)
200 g	Brokkoliröschen
1 Eßl	Erdnußöl
450 g	dünn geschnittenes Rindfleisch
3 Eßl.	Austernsoße

Nudeln in einem großen Topf mit kochendem Wasser kochen. Abgießen und in eine Servierschüssel geben. Warm stellen.

Brokkoli in kochendem Wasser zwei Minuten blanchieren.

Öl in einem großen Kochtopf erhitzen. Das Fleisch zügig im Öl braten. Brokkoli hinzugeben und eine Minute dünsten. Austernsoße hineingießen und eine weitere Minute kochen.

Fleisch über die Nudeln geben und sofort servieren.

6 PORTIONEN

WESTFÄLISCHE FARFALLE-NUDELN

450 g	Farfalle-Nudeln (Nudelschleifchen)
450 g	gewürfelter Schinken
4 Eßl	ungesalzene Butter
2 Eßl.	Mehl
250 ml	Hühnerbrühe (siehe Seite 77)
125 ml	entrahmte Sahne
½ Teel.	schwarzer Pfeffer
30 g	frisch geriebener Parmesankäse
20 g	feines Paniermehl

Nudeln in einem Topf al dente kochen. Abtropfen lassen und in eine gefettete Kasserolle (2 Liter) geben. Schinken hineinrühren. Warm stellen.

2 Eßlöffel Butter in einem Topf erhitzen, Mehl hineinstreuen und zwei Minuten bei niedriger Temperatur kochen. Hühnerbrühe angießen und drei Minuten köcheln lassen. Sahne und Pfeffer dazugeben und köcheln, bis die Sauce dick wird. Über die Nudeln gießen, mit Käse und Paniermehl bestreuen und mit Butterflöckchen belegen. Im vorgeheizten Ofen bei 260°C 7-10 Minuten goldbraun backen. Sofort servieren.

6 PORTIONEN

Westfälische Farfallenudeln

Hummer-Pirogue mit Krabbensauce

HUMMER-PIROGUE MIT KRABBENSAUCE

1 Portion	Nudeln (nach Wahl)
1 Eßl.	Distelöl
1	feingewürfelte Zwiebel
140 g	gehackter Spinat
¼ Teel.	schwarzer Pfeffer
375 ml	gekochter, gewürfelter Hummer
230 g	Ricottakäse
2 Eßl.	Butter
2 Eßl.	Mehl
250 ml	Fischbrühe (siehe Seite 76)
250 ml	entrahmte Sahne
250 ml	gekochtes Krabbenfleisch
½ Teel.	Salz
½ Teel.	Paprika
¼ Teel.	weißer Pfeffer

Nudelteig wie angegeben verarbeiten. Dünn ausrollen und 36 Kreise von 10 cm ø ausstechen. Die Kreise mit einem feuchten Tuch bedecken, bis der Teig benötigt wird.

Öl in einem Topf erhitzen, Zwiebel darin weichdünsten. Spinat hinzugeben und weitere zwei Minuten dünsten. Alles in eine Rührschüssel geben und gut abkühlen lassen. Schwarzen Pfeffer, Hummer und Käse hinzugeben.

Jeweils 1¼ Eßlöffel der Füllung auf jeden Teigkreis legen. Die Seiten mit Wasser befeuchten. Eine Kreisseite auf die andere falten und fest zusammendrücken. Diesen Vorgang für alle Kreise wiederholen.

Drei Liter gesalzenes Wasser in einem großen Topf zum Kochen bringen und die Nudeltaschen darin kochen, bis sie schwimmen (ca. 3 Minuten).

Butter für die Sauce in einem Topf erhitzen. Mehl hineinstreuen und zwei Minuten bei niedriger Temperatur kochen. Brühe und Sahne hineinschlagen und köcheln lassen, bis die Sauce dick wird. Krabben und Gewürze hinzugeben. Nudeltaschen auf eine Servierplatte geben, Sauce darübergeben und servieren.

6 PORTIONEN

MANICOTTI MIT HUMMER, FRÜCHTEN & KRABBEN

½ Portion	Nudelteig (siehe Seite 426), in 12 Manicotti-Röhrchen geschnitten
115 g	Hüttenkäse
55 g	geriebener, weißer Cheddarkäse
115 g	Ricottakäse
115 g	Frischkäse mit geräuchertem Lachs
30 g	frisch geriebener Parmesankäse
½ Teel.	Basilikumblätter
½ Teel.	gemahlener, schwarzer Pfeffer
225 g	gewürfelter, gekochter Hummer
225 g	gekochte Krabben, ohne Schale z und Darm
250 ml	gewürfelte Ananas
250 ml	gewürfelte Mango
3 Eßl.	ungesalzene Butter
2 Eßl.	Mehl
250 ml	Hühnerbrühe (siehe Seite 77)
250 ml	entrahmte Sahne

Käsesorten, Basilikumblätter und Pfeffer miteinander verrühren. Krabben und Obst dazugeben.

Manicotti-Röhrchen in 3 Liter kochendem, gesalzenem Wasser kochen, abtropfen lassen und mit kaltem Wasser abschrecken.

Manicotti mit gleichen Mengen Käse füllen. Die Nudeln aufrollen und mit der Naht nach unten in eine leicht gefettete Kasserolle stellen.

Butter in einem Topf erhitzen, Mehl hineinstreuen und zwei Minuten bei niedriger Temperatur kochen. Hühnerbrühe und Sahne hineingießen und köcheln, bis die Sauce dick wird. Die Sauce über die Nudeln geben. Im vorgeheizten Ofen bei 200°C 30 Minuten backen. Sofort servieren.

6 PORTIONEN

Zitronenpfeffer-Vermicelli Primavera

ZITRONEN-PFEFFER VERMICELLI PRIMAVERA

1 Portion	Zitronenpfeffernudeln (siehe Seite 432)
3 Eßl.	ungesalzene Butter
3 Eßl.	Mehl
500 ml	Milch
60 g	Parmesankäse
2 Teel.	gemahlener, schwarzer Pfeffer
2 Eßl.	Distelöl
35 g	Brokkoliröschen
35 g	Blumenkohlröschen
1	Möhre, in lange, schmale Streifen geschnitten
80 g	junge Champignons
80 g	Zuckerschoten
125 ml	grüne Zucchini, in lange, schmale Streifen geschnitten
125 ml	gelbe Zucchini, in lange, schmale Streifen geschnitten

Nudelteig wie angegeben verarbeiten und zu Vermicelli-Nudeln schneiden.

Butter in einem Topf erhitzen, Mehl hineinstreuen und zwei Minuten bei niedriger Temperatur kochen. Milch hinzufügen und köcheln, bis die Sauce dick wird. Käse und Pfeffer hineinrühren und zusätzlich fünf Minuten köcheln lassen.

Öl in einem großen Topf erhitzen und das Gemüse weichdünsten, mit Sauce vermengen und warm stellen.

Nudeln in einem Kochtopf mit kochendem Wasser al dente kochen. Abtropfen lassen, auf Servierteller legen, Sauce und Gemüse dazugeben und servieren.

6 PORTIONEN

KALBFLEISCH-CAPPELLETTI MIT GERÄUCHERTEM HÜHNERFLEISCH, SONNEN-GETROCKNETEN TOMATEN & PILZEN IN MORNAYSAUCE

1 Portion	Nudelteig (siehe Seite 426)
2 Eßl.	Olivenöl
345 g	Gehacktes vom Kalb
60 g	feingehackter Prosciutto
60 g	frisch geriebener Parmesankäse
¼ Teel.	Rosmarin
¼ Teel.	schwarzer Pfeffer
1	Ei
1 Eßl.	ungesalzene Butter
80 g	geschnittene Pilze
225 g	gekochtes, geräuchertes, gewürfeltes Hühnerfleisch
6	grobgehackte, sonnengetrocknete Tomaten
750 ml	Mornaysauce (siehe Seite 111)

Nudelteig wie angegeben verarbeiten und ausrollen. Mit einem Plätzchenschneider in 7,5 cm große Quadrate schneiden. Teig mit einem feuchten Tuch bedecken.

Öl in einem Topf erhitzen. Kalbfleisch darin gut durchbraten. Überschüssiges Fett abgießen. Fleisch in eine große Rührschüssel legen und abkühlen lassen. Prosciutto, Käse, Rosmarin, Pfeffer und Eier mit dem Fleisch vermengen.

Einen Teelöffel Füllung auf jede Quadratmitte legen. Die Seiten mit etwas Wasser befeuchten und zu einem Dreieck über der Füllung fest zusammendrücken. Einen Teigrand um die Füllung lassen. Die Nudel um den Zeigefinger wickeln und beide Seiten mit dem Daumen zusammenpressen. Den Teigrand nach außen umklappen. Es sollte ein kleiner Teighut entstehen (cappelletti).

Die Cappelletti-Nudeln in einem großen Topf mit kochendem, gesalzenem Wasser kochen, bis sie schwimmen. Auf Servierteller geben, Sauce darübergeben und servieren.

SAUCE:

Butter in einem Topf erhitzen und die Pilze darin dünsten. Hühnerfleisch, Tomaten und Mornaysauce hinzufügen und bei reduzierter Temperatur zehn Minuten köcheln lassen.

6 PORTIONEN

Kalbfleisch-Cappelletti mit geräuchertem Hühnerfleisch, sonnengetrockneten Tomaten & Pilzen in Mornaysauce

KÜRBIS-RICOTTA-GNOCCHI

450 g	Kürbis, klein
225 g	Ricottakäse
2	geschlagene Eier
¼ Teel.	gemahlene Muskatnuß
¼ Teel.	gemahlener Zimt
220 g	Mehl
2 Eßl.	Butter
120 g	Schinken, in feine Streifen geschnitten
500 ml	Radicchio, in feine Streifen geschnitten

Kürbis halbieren, mit Folie abdecken. Im vorgeheizten Ofen 35-40 Minuten bei 220°C backen, bis das Fleisch weich ist. Aus dem Ofen nehmen, abkühlen lassen und das Fleisch herauslöffeln.

Kürbisfleisch mit dem Käse im Mixer fein pürieren. Eier und Gewürze hinzufügen. 110 g Mehl hineinstreuen und kneten. Nach und nach das restliche Mehl dazugeben, zu einem glatten Teig kneten, der jedoch noch formbeständig ist.

Teelöffelgroße Gnocchi-Klöße auf eine bemehlte Arbeitsfläche geben. Klöße mit einer Gabel eindrücken.

Klöße in einen großen Topf mit kochendem, gesalzenem Wasser geben. Wenn sie schwimmen, noch drei Minuten kochen. Auf eine warme Servierplatte legen.

Butter in einem Topf erhitzen, Schinken und Radicchio eine Minute dünsten und über die Gnocchi-Klöße geben, durchmengen und servieren.

6 PORTIONEN

Kürbis-Ricotta-Gnocchi

KREOLISCHE HÜHNERFLEISCH-RAVIOLI

1 Portion	Nudeln mit gemahlenem, schwarzem Pfeffer (siehe Seite 432)
450 g	rohes Gehacktes vom Huhn
125 g	scharfes, würziges italienisches Wurstbrät
25 g	Paniermehl
1 Eßl	Olivenöl
125 g	gehackte Zwiebeln
75 g	gehackte, grüne Paprikaschoten
1	feingehackter Knoblauch
2	Eier
¼ Teel.	Oregano
1 Prise	Cayennepfeffer
500 ml	heiße Kreolensauce (siehe Seite 121)

Den Nudelteig wie angegeben verarbeiten. Dünn ausrollen und mit einem feuchten Tuch abdecken, bis er benötigt wird.

Öl in einem Topf erhitzen und Zwiebeln, Paprikaschoten und Knoblauch weichdünsten, bis die Flüssigkeit verdunstet ist. Abkühlen lassen.

Hühnerfleisch, Wurst, Paniermehl, Gemüse, Eier und Gewürze miteinander vermengen.

Auf einer Teigplatte gleichmäßig eßlöffelgroße Häufchen Füllung auftragen. Den Teig um die Füllung leicht befeuchten. Die zweite Teigplatte darauflegen. Mit einem Teigschneider den Teig zwischen den Füllungen durchschneiden.

Ravioli-Nudeln nach und nach in einen Topf mit kochendem, gesalzenem Wasser geben. Wenn sie schwimmen, noch drei bis vier Minuten kochen. Auf Servierteller legen, Kreolensauce darübergeben und servieren.

6 PORTIONEN

Kreolische Hühnerfleisch-Ravioli

Grosse Teigmuscheln mit Krebsfleisch Mornay

GROSSE TEIGMUSCHELN MIT KREBSFLEISCH MORNAY

12	große Teigmuscheln
3 Eßl.	ungesalzene Butter
1	fein gewürfelte Zwiebel
40 g	geschnittene Pilze
450 g	gekochtes Krebsfleisch
115 g	Ricottakäse
1	Ei
½ Teel.	gemahlener, schwarzer Pfeffer
2 Eßl.	Mehl
125 ml	entrahmte Sahne
250 ml	Hühnerbrühe (siehe Seite 77)
40 g	frisch geriebener Parmesankäse

Teigmuscheln 12-14 Minuten in 4 Liter kochendem, gesalzenem Wasser kochen und mit kaltem Wasser abschrecken.

Einen Eßlöffel Butter in einem großen Topf schmelzen und Zwiebeln und Pilze dünsten, bis sie weich sind und die Flüssigkeit verkocht ist. Abkühlen lassen.

Krebsfleisch, Ricottakäse, gedünstete Zwiebeln, Eier und Pfeffer vermengen. Die Füllung in jede Teigmuschel drücken und in eine leicht gefettete Kasserolle geben.

Die restliche Butter in einem Topf erhitzen. Mehl hineinstreuen und zwei Minuten bei niedriger Temperatur kochen. Hühnerbrühe und Sahne einrühren und köcheln lassen, bis die Sauce dick wird. Parmesankäse hinzugeben und noch zwei Minuten köcheln.

Sauce über die gefüllten Teigmuscheln gießen und im vorgeheizten Ofen bei 180°C 20 Minuten backen. Servieren.

6 PORTIONEN

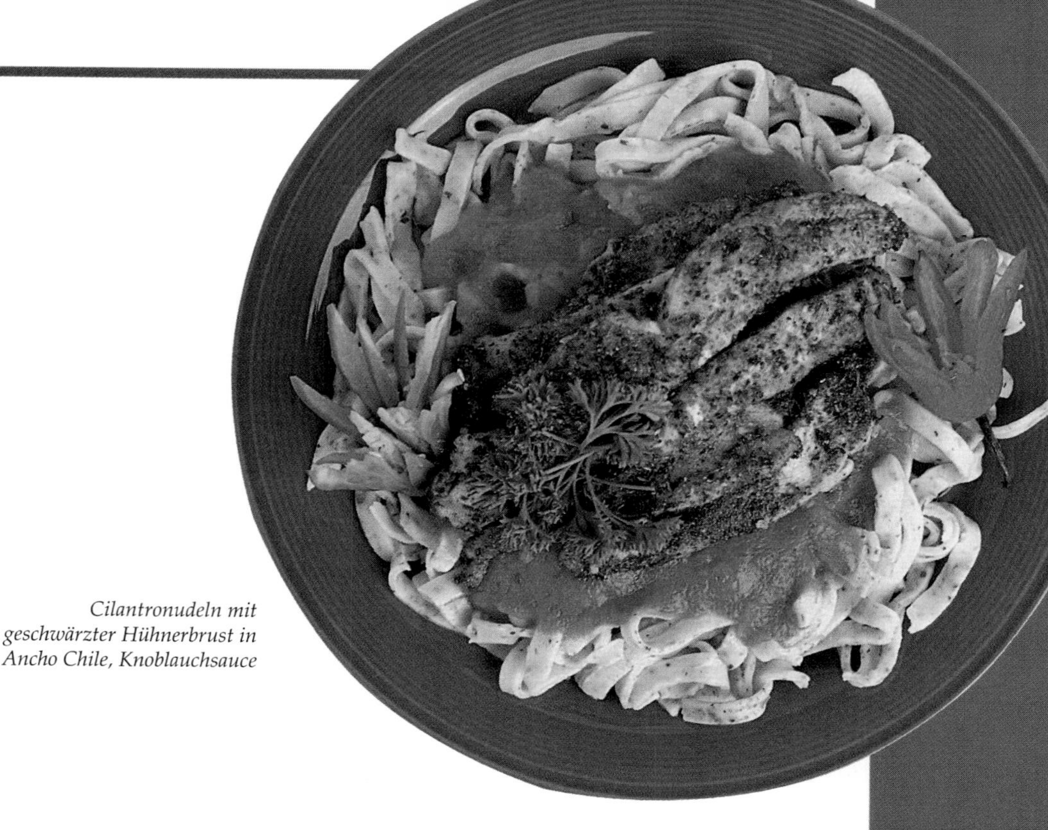

Cilantronudeln mit geschwärzter Hühnerbrust in Ancho Chile, Knoblauchsauce

CILANTRO-NUDELN MIT GESCHWÄRZTER HÜHNERBRUST IN ANCHO CHILE, KNOBLAUCH-SAUCE

1 Portion	Cilantronudeln (siehe Seite 429)
450 g	knochenlose Hühnerbruststreifen
je ½ Teel.	Organo, Basilikum, Thymian, Zwiebelpulver
1 Teel.	Knoblauchpulver
je ¼ Teel.	Cayennepfeffer, schwarzer Pfeffer, weißer Pfeffer
1 Teel.	Chilipulver
1 Teel.	Salz
4 Eßl.	Olivenöl
3	gehackte Ancho-Chilischoten
3	feingehackte Knoblauchzehen
500 ml	Tomatenpüree

Nudelteig wie angegeben verarbeiten und in die gewünschte Form schneiden.

Alle Gewürze vermischen. Einen Eßlöffel Gewürze zur Seite legen.

Hühnerfleisch mit den Gewürzen bestreuen. Drei Eßlöffel Öl in einer Pfanne stark erhitzen und das Fleisch nach und nach zwei Minuten von jeder Seite braten. Warm stellen.

Das restliche Öl in einem Topf erhitzen, Chilischoten und Knoblauch dünsten. Tomatenpüree und die restlichen Gewürze hinzugeben und 20 Minuten köcheln lassen.

Nudeln in einem großen Topf mit kochendem Wasser al dente kochen. Nudeln abtropfen lassen, mit der Sauce verrühren und das Hühnerfleisch darauflegen. Servieren.

6 PORTIONEN

GNOCCHI MIT RINDERFILET IN GRÜNER PFEFFERKORN-SAUCE

1 Portion	Gnocchi-Nudeln (nach Wahl)
3 Eßl.	Olivenöl
1	feingewürfelte Zwiebel
120 g	geschnittene Pilze
675 g	gehacktes Filet
2 Eßl.	Butter
3 Eßl.	Mehl
500 ml	Rinderbrühe (siehe Seite 85)
60 ml	Sherry
2 Teel.	grüne Pfefferkörner

Gnocchi-Nudeln wie angegeben zubereiten und kochen.

Öl in einer Pfanne erhitzen. Zwiebeln und Pilze weichdünsten. Fleisch dazugeben und anbraten.

Butter hinzufügen und eine Minute kochen lassen. Mehl hineinstreuen, gut verrühren und zwei Minuten kochen. Rinderbrühe, Sherry und Pfefferkörner hinzufügen und köcheln lassen, bis die Sauce dick wird.

Nudeln mit der Sauce bedecken und sofort servieren.

6 PORTIONEN

Gnocchi mit Rinderfilet in grüner Pfefferkornsauce

SHANGHAI-NUDELN

450 g	breite Nudeln
3 Eßl.	Erdnußöl
2 Teel.	feingehackte Ingwerwurzel
1	feingehackte Knoblauchzehe
450 g	Geschnetzeltes vom Schwein
225 g	Krabben
120 g	geschnittene Pilze
3 Eßl.	Hoisin-Sauce
½ Teel.	Cayennepfeffer
2 Eßl.	Sojasoße
1 Eßl.	Sherry
2 Teel.	Stärkemehl

Nudeln in einem großen Topf mit kochendem Wasser kochen, abtropfen lassen und zur Seite stellen.

Öl in einer großen Pfanne erhitzen. Ingwer und Knoblauch zügig braten. Fleisch, Krabben und Pilze hinzufügen und durchbraten. Nudeln dazugeben und von jeder Seite eine Minute braten.

Hoisin-Sauce, Sojasoße, Cayennepfeffer, Sherry und Stärkemehl vermengen und über die Nudeln geben. Noch ein bis zwei Minuten braten und servieren.

6 PORTIONEN

LINGUINI MIT OLIVENÖL, KNOBLAUCH & FRISCHEN KRÄUTERN

1 Portion	Grüne Nudeln (siehe Seite 436)
3	feingehackte Knoblauchzehen
4 Eßl.	Olivenöl
1 Eßl.	frisch gehackte Thymianblätter
2 Eßl.	gehackte glatte Petersilie
1 Eßl.	frisch gehackte Basilikumblätter

Nudelteig wie angegeben verarbeiten, zu Linguini schneiden und in einem großen Topf mit kochendem, gesalzenem Wasser kochen. Abtropfen lassen.

Knoblauch, Thymian und glatte Petersilie im Mixer pürieren. Öl hinzufügen und zusätzlich 10 Sekunden mixen. Heiße Nudeln im Pesto (Käuteröl) wenden. Servieren.

6 PORTIONEN

Linguini mit Olivenöl, Knoblauch & frischen Kräutern

Pizza

Nehmen Sie einen Brotfladen, belegen ihn mit etwas Sauce und ein paar anderen Zutaten, und warten Sie einfach ab, wie er die Welt im Sturm erobert. Das ist die Geschichte und der Ruf der Pizza.

In Frankreich wird Pizza als „pissaladière" bezeichnet, im Nahen Osten wird sie „pita" genannt, und in Mexiko besteht sie aus einer Tortilla, die mit Köstlichkeiten belegt ist. Im Wesentlichen ist eine Pizza nichts weiter als ein gebackenes, belegtes Brot. Aber, was für ein belegtes Brot!

Pizza ist eine kulinarische Erfindung aus Neapel in Italien, (der Heimat jener anderen beliebten italienischen Speise, Spaghetti) und wurde zuerst als „Pizza Napoletana Verace" (die wahre neapolitanische Pizza) bezeichnet. Ursprünglich bestand sie aus einem fladenartigen Brot, mit Tomaten, Knoblauch, Olivenöl und Oregano belegt. Das Gericht wurde dann im heißen Backofen gebacken und auf der Straße verkauft. Käse wurde erst später hinzugefügt, und dadurch begann das erste kulinarische Gerangel. Bald konnte man alle nur erdenklichen Zutaten auf eine Pizza geben und war auf dem besten Weg, kulinarisch erfolgreich zu sein.

Pizza hat die Armen auf den Straßen Italiens ernährt und hat die Wohlhabenden unterhalten (wie es in Wolfgang Pucks Restaurant, Spago, noch immer der Fall ist). Eins ist jedoch sicher, mit Pizza wird ein zwangloses Essen immer unterhaltsam, spannend und preiswert. Pizza ist zu dem Essen geworden, das ewige Freundschaft entstehen läßt. Alle Nationalitäten genießen gemütliche Kameradschaft und vertraute Gesellschaft um diese Speise, die das einflußreichste und beliebteste aller Gerichte darstellt.

Pizzen gibt es als Calzone oder Panzarotti (eine Art Pizza, die einer Apfeltasche ähnelt) oder als Pastete mit doppeltem Teig, wo die Füllung ganz und gar umhüllt ist. Wie sie auch heißen mögen, Ihre Gäste werden sie *einfach köstlich* nennen.

Sie können erwarten, innerhalb der Seiten dieses Kapitels auf eine Auswahl von Pizzen zu stoßen, die in keinem Restaurant auf der ganzen Welt zu finden sind. Jede Pizza ist eine originelle Kreation der Spannung, die Ihre Gäste auch erfahren werden, sobald sie den ersten Bissen schmecken -- totale Begeisterung vereint mit dem Ruf nach Nachschlag.

Pizzen wie die „Calzone Quattro Stagioni" werden Sie entzücken. Oder faszinieren Sie Ihre Gäste mit unserer „Louisiana Pizza". Ja, man kann den Gästen sogar Dessertpizzen anbieten. Oder aber, kreieren Sie Ihre eigenen Pizzen! Auf diesen Seiten befinden sich alle grundlegenden Rezepte für schöpferische Pizzen. Die Party, die Sie veranstalten, wird zufriedene Gäste hervorbringen, Gäste, die entschlossen sind, Ihre Rezepte zu bekommen. Schließlich sind diese ja *einfach köstlich.*

Quattro Formaggi „Pizza der vier Käsearten"

EINFACHER PIZZATEIG

1 Teel.	Zucker
250 ml	warmes Wasser
1 Eßl.	Trockenhefe
2 Eßl.	Butter, zerlassen und gekühlt
390 g	Mehl
⅛ Teel.	Salz
2	Eier, geschlagen

Zucker in einer großen Schüssel im warmem Wasser auflösen. Hefe hineinstreuen und Wasser 10 Minuten stehenlassen, oder bis es schaumig wird. Butter einrühren.

Eier, Salz und die Hälfte des Mehls damit verrühren. Nach und nach genügend vom restlichen Mehl einrühren, so daß sich ein etwas klebriger Ball bildet.

Den Teig auf einer leicht bemehlten Fläche etwa 5 Minuten kneten, bis er geschmeidig und elastisch wird.

Den Teig in eine gefettete Schüssel geben und 15 Minuten gehen lassen. Dann flach schlagen und halbieren. Jedes Stück Teig in einen 28 cm ø Kreis ausrollen, nochmals 15 Minuten gehen lassen.

Auf eine gefettete 35 cm ø Pizzaform legen. Mit den Fingerspitzen den Teig von der Mitte der Form aus zum Rand hin unter Pressen ausbreiten, um die Hälfte der Form damit zu belegen. Den Teig 10 weitere Minuten gehen lassen, dann noch einmal pressen und ausbreiten, bis er die ganze Form bedeckt.

Teig ist jetzt für Sauce und Belag bereit.

KOMMENTAR: Um den einfachen Teig in süßen Teig zu wechseln, der Hefemischung nach der ersten Zugabe des Mehls die folgenden Zutaten hinzugeben und den Anweisungen entsprechend fortfahren.

60 g	Zucker
1 Eßl.	Vanilleextrakt
1 Eßl.	Zitronenschale
1 Teel.	Zimt

2 x 35 cm ø PIZZABODEN

HEIDELBEER-PIZZA

340 g	Frischkäse
4	Eier
60 ml	Creme fraiche
450 g	Zucker
2 Teel.	Zitronenschale
2 l	Heidelbeeren, frisch
½ Portion	Süßer Teig (siehe vorangehendes Rezept: Einfacher Pizzateig)
2 Eßl.	Zitronensaft
125 ml	Apfelsaft
60 g	Stärkemehl

Backofen auf 180°C vorheizen.

Frischkäse weich rühren, dann schaumig schlagen. Eier nacheinander in den Käse schlagen. Sahne, Zitronenschale und 110 g Zucker hinzufügen, dann 1 l Heidelbeeren und 2 Eßlöffel Stärkemehl unterheben.

*Teig laut Anweisung auf die Pizzaform verteilen.

Das Gemisch auf den Teig gießen. 45 Minuten backen. Vor dem Servieren 4-6 Stunden kalt stellen.

Restliche Beeren, Zucker und Zitronensaft in einen Kochtopf geben. Stärkemehl und Apfelsaft verrühren. Diese Flüssigkeit zu der Heidelbeersauce gießen. Unter geringer Hitzezufuhr kochen, bis die Mischung dick wird. Abkühlen lassen und vor dem Servieren auf die Pizzaschnitte löffeln.

* Für bogenförmige Ränder eine Tortenform benutzen.

2 x 20 cm ø PIZZABODEN
oder 1 x 35 cm ø PIZZABODEN

Heidelbeerpizza

Pissaladière – Französische Pizza

PISSALADIÈRE— FRANZÖSISCHE PIZZA

TEIG:	
2 Eßl.	Trockenhefe
60 ml	warmes Wasser
250 g	Mehl
1 Teel.	Salz
80 ml	Olivenöl
2	Eier

Hefe im Wasser in einer großen Rührschüssel auflösen, 10 Minuten stehenlassen. Salz, Öl und 110 g Mehl hinzufügen. Zu einem geschmeidigen Teig schlagen. 55 g Mehl und die Eier dazugeben und gut durchrühren.

Den Teig auf eine bemehlte Fläche geben. Unter Kneten das restliche Mehl langsam einarbeiten. Zu einem glatten Ball verkneten.

In eine eingefettete Schüssel geben, zudecken und 1½ Stunden gehen lassen. Flach schlagen und in zwei Portionen teilen. Zu Scheiben ausrollen und in Pizzaformen geben. Der Teig ist jetzt fürs Belegen bereit.

BELAG:	
6	große spanische Zwiebeln
125 ml	Olivenöl
je ½ Teel.	Basilikum, Oregano, Fenchel
20	Sardellenfilets
70 g	schwarze Oliven, in Scheiben geschnitten
225 g	geriebener Gruyerekäse
60 g	geriebener Parmesankäse
60 g	geriebener Romanokäse

Während derTeig 1½ Stunden aufgeht, Zwiebeln hacken und Öl in einer großen Bratpfanne erhitzen. Zwiebeln darin andünsten. Pfanne zudecken, bis die Zwiebeln weich werden, dann Hitze höher drehen, Deckel entfernen und Zwiebeln weiter kochen, bis sie braun werden (karamelisieren). Zwiebeln gründlich abtropfen lassen.

Teig mit Kräutern, dann mit Zwiebeln bestreuen. Sardellen und Oliven daraufgeben, dann Käse darüberstreuen.

Im auf 200°C vorgeheizten Backofen etwa 15 Minuten goldbraun backen. Sofort servieren.

4 x 20 cm ø PIZZA
oder 2 x 25 cm ø PIZZA

KRÄUTERKRUSTE

2 Eßl.	Trockenhefe
375 ml	warmes Wasser
etwa 450 g	Mehl
1 Teel.	Salz
je ½ Teel.	Basilikum, Thymian, Oregano, Knoblauchpulver, Zwiebelpulver, Kerbel, gemahlener schwarzer Pfeffer
60 ml	Olivenöl

Hefe im warmen Wasser in einer großen Rührschüssel auflösen. 10 Minuten stehenlassen, oder bis das Wasser schaumig wird. 220 g Mehl mit Salz und Gewürzen einrühren und zu einem geschmeidigen Teig verarbeiten. Öl einrühren. Unter Rühren weitere 110 g Mehl zufügen und zu einem Ball formen. Genug Mehl dazugeben, um einen geschmeidigen Teig zu ergeben. Dieser sollte nicht klebrig sein.

Teig 5 Minuten lang verkneten, dann 15 Minuten ruhen lassen. Teig in zwei Portionen teilen, diese zu 28 cm ø Scheiben ausrollen. Teig weitere 15 Minuten liegen lassen. Teig in 35 cm ø Pizzaformen geben, mit den Fingerspitzen von der Mitte aus bis hin zum Rand unter Pressen ausbreiten, bis die Form gänzlich mit Teig bedeckt ist.

Teig ist jetzt für Sauce und Belag bereit.

4 x 20 cm ø PIZZABODEN
oder 2 x 35 cm ø PIZZABODEN

Calzone Quattro Stagioni „Vier Jahreszeiten Calzone"

PIZZASAUCE

3 Eßl.	Pflanzen- oder Olivenöl
2	feingehackte Knoblauchzehen
1	kleingewürfelte Zwiebel
1	kleingewürfelte Selleriestange
½	kleingewürfelte grüne Paprikaschote
1,3 kg	enthäutete, entkernte und gehackte Tomaten
1 Teel.	Oreganoblätter
1 Teel.	Thymianblätter
1 Teel.	Basilikumblätter
1 Teel.	Salz
½ Teel.	gemahlener Pfeffer
1 Eßl.	Worcestersauce
160 ml	Tomatenmark

Öl in einem großen Topf erhitzen, Gemüse darin weichdünsten.Tomaten, Gewürze, Worcestersauce und Tomatenmark hinzufügen. Hitze niedriger schalten und 2 Stunden bei milder Hitze kochen, oder aber bis die Sauce sehr dick wird. Dabei gelegentlich rühren. Abkühlen lassen.

Nach Bedarf verwenden.

ERGIBT 500 ml

QUATTRO FORMAGGI „PIZZA DER 4 KÄSEARTEN"

½ Portion	einfacher Pizzateig (siehe Seite 452) oder Vollkornkruste (siehe Seite 456) oder Knoblauch-Parmesan-Kruste (siehe Seite 460) oder Kräuterkruste (siehe Seite 453)
500 ml	Pizzasauce (siehe Rezept auf dieser Seite)
170 g	geriebener Hartkäse (Brick)
170 g	harter Mozzarellakäse, gerieben
115 g	geriebener Parmesankäse
115 g	geriebener Provolonekäse

Backofen auf 230°C vorheizen. Teig laut Anweisungen in die Formen geben.

Sauce bis auf 1,5 cm vom Rand der Form auf den Teig löffeln. Gleichmäßig mit Käse bestreuen

15 Minuten backen, oder aber bis die Kruste golden wird. Aus der Form nehmen, aufschneiden und servieren.

2 x 20 cm ø PIZZA
oder 1 x 35 cm ø PIZZA

CALZONE QUATTRO STAGIONI „VIER JAHRESZEITEN CALZONE"

1 Portion	Feinschmeckerkruste (siehe Seite 455)
250 ml	Pizzasauce (siehe Rezept auf dieser Seite)
80 g	Pilze, in Scheiben geschnitten und gedünstet
150 g	Schinken, in lange, schmale Streifen geschnitten
340 ml	marinierte Artischockenherzen, abgetropt und in lange, schmale Streifen geschnitten
70 g	schwarze Oliven, in Scheiben geschnitten
230 g	Ricottakäse
115 g	harter Mozzarellakäse, gerieben
35 g	geriebener Provolonekäse
1	Ei, geschlagen

Teig zu vier Scheiben ausrollen. Zwei Scheiben davon in zwei 20 cm ø Pizzaformen geben. Backofen auf 230°C vorheizen.

Sauce auf diese zwei Scheiben geben. Pilze, Artischocken, Schinken und Oliven darauflegen. Käsesorten mischen und auf die Pizzen streuen.

Pizzen mit den übrigen zwei Scheiben Teig bedecken und Ränder zusammendrücken, um sie fest abzudichten. Mit Ei bestreichen. Mit einer Gabel lochen, um dem Dampf einen Ausgang zu lassen.

15-20 Minuten goldbraun backen.

4 PORTIONEN

TIP: Die Pilze in der Artischockenmarinade dünsten.

PERNODPIZZA MIT AUSTERN & GARNELEN

4 Eßl.	Butter
500 ml	ausgeschälte Austern -- die Flüssigkeit aufbewahren
500 ml	große Garnelen, ohne Schale und Darm
60 ml	Pernod
3 Eßl.	Mehl
125 ml	Hühnerbrühe (siehe Seite 77)
250 ml	Creme fraiche
½ Teel.	Salz
¼ Teel.	weißer Pfeffer
60 ml	Sherry
170 g	geriebener Provolonekäse
½ Portion	einfacher Pizzateig (siehe Seite 452) oder Feinschmeckerkruste (Rezept folgt)

Butter in einem Kochtopf erhitzen, darin Austern und Garnelen schnell dünsten. Gut durchgaren und mit Pernod flambieren. Austern und Garnelen aus dem Topf nehmen und zur Seite stellen.

Mehl einrühren und 2 Minuten auf kleiner Flamme kochen. Brühe, Sahne, Salz, Pfeffer und Sherry dazugeben. Hitze zurückschalten und kochen, bis die Sauce dickflüssig wird. Meeresfrüchte einrühren.

Teig laut Anweisung in die Formen geben. Sauce löffelweise auf den Teig verteilen, mit Käse bestreuen.

Im auf 230°C vorgeheizten Backofen 15 Minuten backen, oder bis die Kruste goldbraun wird. Pizzas aus den Formen nehmen, aufschneiden und servieren.

2 x 20 cm ø PIZZA

FEINSCHMECKER-KRUSTE

2 Eßl.	Zucker
60 ml	warmes Wasser
2 Eßl.	Trockenhefe
500 ml	Milch
1 Teel.	Salz
3 Eßl.	Butter
710 g	Mehl
1	Ei, geschlagen
60 ml	Creme fraiche

1 Teelöffel Zucker ins warme Wasser einrühren. Hefe im Wasser auflösen und 10 Minuten einweichen lassen.

Milch, den Rest des Zuckers, Salz und Butter in einem Kochtopf vermischen. Abkochen, abkühlen lassen, dann in eine Rührschüssel geben.

Hefemischung und 330 g Mehl damit verrühren. 2 Minuten schlagen. Zudecken und 1 Stunde aufgehen lassen, dann Ei, Creme fraiche und das restliche Mehl in die Mischung schlagen.

Im Mixer 8 Minuten verkneten, dann zudecken und gehen lassen.

Teig gleichmäßig in entweder zwei oder vier Massen aufteilen. Diese in gut eingefettete Formen geben (falls es das Pizzarezept verlangt), 15 Minuten ruhen lassen. Teig gleichmäßig auf die Formen verteilen, dabei mit den Fingerspitzen von der Mitte zum Rand hin pressen (oder Teig mit einer Teigrolle ausrollen), um die ganze Form zu bedecken.

Laut Anweisungen in Ihrem Rezept benutzen.

4 x 20 cm ø PIZZABODEN
oder 2 x 35 cm ø PIZZABODEN

PANZAROTTI MIT KRABBEN

½ Portion	Feinschmeckerkruste (vorangehendes Rezept)
500 ml	Pizzasauce (siehe Seite 454)
60 g	kleingewürfelte Zwiebeln
75 g	kleingewürfelte grüne Paprikaschoten
40 g	Pilze, in Scheiben geschnitten
500 ml	gekochte Krabben, ohne Schale und Darm*
225 g	harter Mozzarellakäse, gerieben
1	Ei, geschlagen

Teig den Anweisungen entsprechend ausrollen, aber nicht in eine Form geben. Zu vier Scheiben ausrollen und Sauce auf die Hälfte jeder Scheibe geben.

Sauce mit Zwiebeln, Paprikaschoten, Pilzen, Krabben und Käse bestreuen. Pizzen zusammenfalten und Ränder zusammendrücken, um sie abzudichten. Auf ein gefettetes Backblech legen und mit Ei bestreichen.

Im auf 230°C vorgeheizten Backofen etwa 15 Minuten goldbraun backen. Servieren.

*Man kann die Krabben durch beliebiges anderes Fleisch oder aber durch mehr oder anderes Gemüse ersetzen.

4 PORTIONEN

Panzarotti mit Krabben

VOLLKORN-KRUSTE

1 Eßl.	Trockenhefe
180 ml	warmes Wasser
120 g	Vollweizenmehl
170 g	ungebleichtes Mehl
1	Ei
½ Teel.	Salz
3 Eßl.	Olivenöl

Hefe im Wasser in einer großen Rührschüssel auflösen. 10 Minuten stehenlassen, oder bis es schaumig wird. Vollweizenmehl, 55 g ungebleichtes Mehl, Ei, Salz und Öl dazugeben und glattrühren.

Das restliche Mehl langsam damit verkneten und den Teig zu einem glatten Ball verarbeiten.

Teig 15 Minuten ruhen lassen, dann in zwei Massen aufteilen. Auf einer leicht bemehlten Fläche zu Scheiben ausrollen.

In Pizzaformen geben, noch weitere 15 Minuten ruhen lassen. Mit den Fingerspitzen den Teig von der Mitte aus bis hin zum Rand unter Pressen ausbreiten, bis die Form ganz mit Teig bedeckt ist.

Teig ist für Sauce und Belag bereit.

4 x 20 cm ø PIZZABODEN
oder 2 x 35 cm ø PIZZABODEN

KALIFORNISCHE HÄHNCHENPIZZA

80 ml	Olivenöl
350 g	gewürfeltes Hühnerfleisch, ohne Knochen
1 Teel.	Oregano
je ½ Teel.	Basilikum, Thymian, Pfeffer, Salz
1 Portion	Vollkornkruste (vorangehendes Rezept)
150 ml	rehydrierte, sonnengetrocknete Tomaten, in lange, schmale Streifen geschnitten
500 ml	gekochte Krabben, ohne Schale und Darm
1	geschälte, gewürfelte Avocado
1	kleingewürfelte, entkernte Jalapeño-Schote
250 ml	rote Johannisbeerkonfitüre
340 g	geriebener Monterey Jack Käse

Die Hälfte des Öls in einer Bratpfanne erhitzen. Hühnerfleisch darin bräunen und gut durchgaren. Dabei Fleisch mit Kräutern und Salz würzen. Überschüssiges Öl abgießen.

Backofen auf 230°C vorheizen.

Teig laut Anweisung in die Form geben, mit dem restlichen Öl bestreichen. Hühnerfleisch löffelweise auf den Teig geben. Tomaten, Krabben, Avocado und Jalapeño darauf verteilen. Johannisbeerkonfitüre daraufgießen. Pizza mit Käse bestreuen.

15-20 Minuten goldbraun backen. Aus der Form nehmen, aufschneiden und servieren.

2 x 20 cm ø PIZZA
oder 1 x 35 cm ø PIZZA

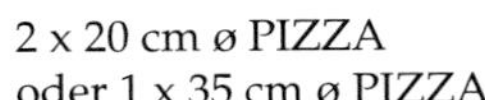

Doppelkrustenüberraschung

DOPPELKRUSTEN-ÜBERRASCHUNG

3 Eßl.	Olivenöl
450 g	mageres Gehacktes vom Rind
115 g	gewürfelter, durchwachsener Speck
225 g	Wurstbrät
1	feingewürfelte Zwiebel
1	feingewürfelte grüne Paprikaschote
2	feingewürfelte Selleriestangen
80 g	Pilze, in Scheiben geschnitten
1	feingehackte Knoblauchzehe
½ Teel.	Salz
je ¼ Teel.	Basilikum, Oregano, Thymian, schwarzer Pfeffer
250 ml	Pizzasauce (siehe Seite 454)
230 g	harter Mozzarellakäse, gerieben
60 g	frisch geriebener Parmesankäse
½ Portion	Feinschmeckerkruste (siehe Seite 455)
1	Ei

Öl in einem großen Topf oder flachen Brattopf erhitzen und darin Rindfleisch, Speck und Wurstbrät braten. Überschüssiges Fett abgießen. Gemüse dazugeben und weichdünsten. Gewürze und Pizzasauce hinzufügen. Hitze zurückschalten und 30 Minuten bei geringer Hitzezufuhr kochen. Auf Zimmertemperatur abkühlen lassen.

Teig ausrollen und in zwei Portionen aufschneiden. Die eine in eine 23 cm ø Springform geben. Die Form mit der Mischung füllen, Käse darauf streuen und mit dem Rest des Teigs zudecken. Ränder zusammendrücken, um sie abzudichten. Überflüssigen Teig abschneiden und zur Verzierung verwenden. Ei schlagen und Teig damit bestreichen. 25-30 Minuten im auf 230°C vorgeheizten Ofen backen, oder bis die Kruste goldbraun ist. Aus der Form nehmen, in Stücke schneiden und servieren.

8 PORTIONEN

Kalifornische Hähnchenpizza

Texanische Pizza

TEXANISCHE PIZZA

SAUCE:	
½ Portion	Kräuterkruste (siehe Seite 453)
900 g	Tomatillos
80 ml	Wasser
5	feingehackte Knoblauchzehen
½ Teel.	Kümmelkörner
½ Teel.	Salz
1 Teel.	gemahlener schwarzer Pfeffer
½ Teel.	scharfe Pfeffersoße
1 Teel.	Worcestersauce
1	Zwiebel, feingehackt
1 Bund	glatte Petersilie, gehackt

Tomatillos schälen, waschen, innen säubern und vierteln. Mit Knoblauch, Gewürzen, scharfer Pfeffersoße und Worcestersauce in einen Topf mit dem Wasser geben. Bei mittlerer Hitze 30 Minuten kochen. Zwiebel und glatte Petersilie zufügen und weitere 60 Minuten kochen, oder bis die Sauce sehr dickflüssig ist.

BELAG:	
2	rote Paprikaschoten
2	gewürfelte Anaheim-Peperoni
225 g	gewürfeltes, geräuchertes Rindfleisch
250 ml	Shiitake-Pilze, in Scheiben geschnitten und gedünstet
340 g	geriebener Monterey Jack Käse

Paprikaschoten und Peperoni auf ein Backblech geben und im auf 200°C vorgeheizten Ofen unter häufigem Wenden rösten, bis die Schalen Blasen bilden. In eine Papiertüte geben, diese gut verschließen und 20 Minuten liegen lassen. Die Schale sollte sich sehr leicht abziehen lassen. In lange, schmale Streifen schneiden.

Teig laut Anweisung in die Form geben.

Sauce bis auf 1,5 cm vom Rand der Form auf den Teig verteilen. Mit gewürfeltem Rindfleisch, Paprikaschoten, Peperoni, Pilzen und Käse bedecken.

Im auf 230°C vorgeheizten Backofen 15 Minuten backen, bis die Kruste golden wird und der Käse Blasen wirft.

Aus der Form nehmen, aufschneiden und servieren.

2 x 20 cm ø PIZZABODEN
oder 1 x 35 cm ø PIZZABODEN

MAISBROTPASTETE

3 Eßl.	Olivenöl
795 g	mageres Gehacktes vom Schwein
1	feingewürfelte spanische Zwiebel
2 Teel.	Chilipulver
1½ Teel.	Salz
500 ml	enthäutete, entkernte und gewürfelte Tomaten
500 ml	Pinto-Bohnen, 8 Stunden lang eingeweicht
250 ml	Pizzasauce (siehe Seite 454)
80 g	kernlose Rosinen
170 g	geriebener Cheddarkäse
170 g	geriebener Monterey Jack Käse
½ Portion	Knoblauch-Parmesankruste (siehe Seite 460)

Öl in einer großen Bratpfanne erhitzen. Schweinefleisch und Zwiebel darin bräunen. Gut durchgaren, überschüssiges Fett abgießen. Restliche Zutaten außer dem Käse zufügen, Hitze reduzieren und bei niedriger Temperatur kochen, bis die Mischung sehr dick wird.

Backofen auf 230°C vorheizen.

Teig laut Anweisung in die Form geben. Mit der Mischung belegen und mit Käse bestreuen. 15 Minuten backen, oder bis die Kruste golden wird. Aus der Form nehmen, aufschneiden und servieren.

2 x 35 cm ø PASTETEN

Maisbrotpastete

NUSSPIZZA MIT MANDELN & ROSINEN

400 g	feingemahlene Mandeln
450 g	Puderzucker
2	Eiweiß
125 ml	Amaretto
½ Portion	Süßer Teig (siehe Einfacher Pizzateig Seite 452)
375 g	Himbeermarmelade
160 g	kernlose Rosinen
125 g	geröstete Mandelhälften

Zucker, Eiweiß, Likör und gemahlene Mandeln verrühren. Backofen auf 180°C vorheizen. Teig laut Anweisung in die Formen geben.

Himbeermarmelade auf den Teig streichen, Füllung löffelweise darauf verteilen. Mit Rosinen und Mandeln bestreuen.

Die Ränder in Alufolie einschlagen, Pizza in der Mitte des Backofens 35-40 Minuten backen, oder bis sie schön braun ist. Vor dem Servieren kalt stellen.

2 x 20 cm ø PIZZA
oder 1 x 35 cm ø PIZZA

KNOBLAUCH-PARMESAN-KRUSTE

2 Eßl.	Trockenhefe
250 ml	warmes Wasser
390 g	ungebleichtes Mehl
4	feingehackte Knoblauchzehen
60 g	frisch geriebener Parmesankäse
2	geschlagene Eier
60 ml	Olivenöl

Hefe im warmen Wasser in einer großen Rührschüssel auflösen. 10 Minuten stehenlassen, oder bis das Wasser schaumig wird. 220 g Mehl, Knoblauch, Parmesankäse, Eier und Öl einrühren. Zu einem geschmeidigen Teig verarbeiten.

Vom übrigen Mehl langsam soviel einrühren und verkneten, daß ein glatter Ball entsteht. In eine gefettete Schüssel geben, zudecken und 15 Minuten stehenlassen. Deckel entfernen, Teigmasse halbieren und auf einer leicht bemehlten Fläche zu Scheiben ausrollen. In Formen geben und weitere 15 Minuten ruhen lassen. Teig mit den Fingerspitzen von der Mitte aus bis hin zum Rand unter Pressen ausbreiten, bis die Form gänzlich mit Teig bedeckt ist.

Teig ist jetzt für Sauce und Belag bereit.

4 x 20 cm ø PIZZA
oder 2 x 35 cm ø PIZZA

Nußpizza mit Mandeln & Rosinen

LOUISIANA PIZZA

3 Eßl.	Olivenöl
225 g	gewürfeltes Hühnerfleisch, ohne Knochen
115 g	gewürfelte, geräucherte Andouillewurst
2	feingehackte Knoblauchzehen
1	kleingewürfelte, mittlere Zwiebel
2	kleingewürfelte, grüne Paprikaschoten
75 g	kleingewürfelte Pilze
4	große, enthäutete, entkernte, gewürfelte Tomaten
½ Teel.	Salz
¼ Teel.	gemahlener schwarzer Pfeffer
¼ Teel.	scharfe Pfeffersoße
je ½ Teel.	Basilikum, Thymian, Oregano, Paprika, Chilipulver, Knoblauchpulver, Zwiebelpulver
60 ml	gehackte, grüne Zwiebeln
2 Eßl.	gehackte Petersilie
280 g	harter Mozzarellakäse, gerieben
460 g	gekochte Langustenschwänze oder Krabben
60 g	frisch geriebener Parmesankäse
½ Portion	Knoblauch-Parmesan- Kruste (vorangehendes Rezept)

Öl in einem großen Topf oder flachen Brattopf erhitzen. Hühnerfleisch darin bräunen und gründlich durchgaren. Wurst, Knoblauch und Gemüse dazugeben und dünsten. Tomaten, Gewürze und scharfe Pfeffersoße hinzufügen. Hitze zurückschalten und Sauce bei geringer Hitzezufuhr kochen, bis sie sehr dick wird. Grüne Zwiebeln und Petersilie einrühren.

Teig laut Anweisung in die Form geben.

Die Mischung bis auf 1,5 cm vom Rand des Forms auf den Teig verteilen. Mit Langustenschwänzen bestreuen und mit Käse belegen.

Im auf 230°C vorgeheizten Backofen 15 Minuten backen, oder bis die Kruste goldbraun ist. Aus der Form nehmen, aufschneiden und servieren.

2 x 20 cm ø PIZZA
oder 1 x 35 cm ø PIZZA

Louisiana Pizza

CRÊPES

Was ist klein, dünn und schmeckt so köstlich? Die Crêpes! Der dünne, französische Eierkuchen ist nicht mehr nur ein Dessert. Auch wenn er viele verschiedene Namen hat, Crêpes ist und bleibt Crêpes. Die Juden nennen ihn „Blintz" und die Ungarn „Palacinken". Vielleicht ist er Ihnen als der rußische „Blini" oder unter einem anderen Namen bekannt. Fest steht, daß er in allen Ländern der Welt immer wohlschmeckend ist.

Crêpes eignen sich zu jedem Gericht. Sie passen auch in jedes Budget und sind daher ein Menüteil, den Sie nicht übersehen sollten. Sie können auch ein fünf-Gang-Menü nur mit Crêpes zusammenstellen. Zum Beispiel:

Appetithappen	*Hühnerleberpastetenrollen*
Suppe	*Consommé Celestine*
Salat	*Krabben, Obst und Käserollen*
Hauptgang	*Fajita Crêpes oder Coquille St. Jacques Crêpes*
Dessert	*Schwarzwald Crêpes*

Dieses Kapitel enthält nicht nur Dessert-Crêpes. Sie können vom herzhaften Gang, wie „Hasen Crêpes Provencale" oder dem Gourmetgericht, „Florentiner Apfelcrêpes mit geräuchertem Lachs", wählen. Es enthält neue Eierkuchenkreationen, wie „Crêpes mit Steak und Pilzen" sowie traditionelle „Crêpes Suzette".

Crêpes sind schnell und einfach, jedoch sehr flexibel. Kreative Köche wissen, daß Reste am besten mit Crêpes aufgebraucht werden können, indem sie neue kulinarische Ideen einfließen lassen. Ob nun Ihr Anlaß formell oder zwanglos ist, mit Crêpes im Menü können Sie überzeugt sein, daß Sie die genau richtige Wahl für Ihre Gäste getroffen haben. Es sind Crêpes, die jeder mag, da sie *einfach köstlich* sind.

Erdbeer-Romanoff -Crêpes

KRABBEN, OBST & KÄSEROLLEN

225 g	Havartikäse
225 g	Frischkäse
225 g	gekochte, gehackte Krabben
60 ml	Sherry
200 g	weiche, getrocknete, gewürfelte Aprikosen
125 ml	weiche, getrocknete, gewürfelte Apfelringe
12	Crêpes (siehe Crêpesteig Seite 469)

Käse cremig schlagen und mit den Krabben, Sherry, Aprikosen und Äpfeln mischen.

Crêpes mit der Füllung belegen, aufrollen und 2,5 cm dicke Stücke schneiden. Servieren.

6 PORTIONEN

ASIATISCHE CRÊPES

675 g	mageres, knochenloses Lammfleisch
60 g	Butter
40 g	feingehackte Zwiebeln
80 ml	Hühnerbrühe (siehe Seite 77)
½ Teel.	Kurkuma
1½ Teel.	gemahlener Koriander
je ½ Teel.	gemahlener Kümmel, gemahlener Ingwer, Paprika
1 Teel.	Salz
125 ml	Joghurt
375 ml	Tomaten, gepellt, entkernt, gewürfelt
12	Crêpes (siehe Crêpesteig Seite 469)

Fett vom Lammfleisch entfernen und Fleisch in 5 cm lange Streifen schneiden.

Butter in einer großen Pfanne erhitzen und die Zwiebeln drei Minuten darin dünsten. Brühe, Gewürze, Joghurt und Tomaten hinzufügen. Temperatur reduzieren und 1½ Stunden köcheln lassen, bis alles sehr dick ist.

Füllung auf die Crêpes verteilen, aufrollen und servieren.

6 PORTIONEN

CRÊPES MEERESFRÜCHTE-ÜBERRASCHUNG

2 Eßl.	Butter
30 g	Mehl
500 ml	Milch
500 ml	gekochtes Krebsfleisch
450 g	gekochte Krevetten
16	Crêpes (siehe Crêpesteig Seite 469)
je ½ Teel.	Thymianblätter, Basilikum, Oregano, Pfeffer
1 Teel.	Paprika
1 Teel.	Salz
260 g	feines Paniermehl
2	Eier
1 l	Distelöl

Butter in einem Topf erhitzen, Mehl hineinstreuen und zwei Minuten bei niedriger Temperatur kochen lassen. 250 ml Milch dazugießen und langsam köcheln lassen, bis die Flüssigkeit sehr dick wird. Abkühlen lassen.

Krebsfleisch und Krevetten unterrühren. Die Crêpes mit der Füllung belegen, aufrollen und zwei Stunden kalt stellen.

Öl auf 190°C erhitzen und jeweils zwei Crêpesrollen frittieren. Warm stellen, bis alle Crêpes fertig sind. Heiß servieren. Veronique Sauce schmeckt dazu ausgezeichnet (siehe Seite 114).

8 PORTIONEN

Asiatische Crêpes

Crêpes Meeresfrüchteüberraschung

Schwarwald Crêpes

MEERESFRÜCHTE CRÊPES

2 Eßl.	Olivenöl
1	feingewürfelte, grüne Paprikaschote
1	feingewürfelte, kleine Zwiebel
1	kleine, feingehackte Knoblauchzehe
250 ml	Tomatensauce (siehe Seite 106)
2 Teel.	frisch gehackte Basilikumblätter
½ Teel.	Salz
¼ Teel.	Pfeffer
100 g	kleine Brokkoliröschen
225 g	große Garnelen, ohne Schale und Darm
225 g	Jakobsmuscheln
125 ml	saure Sahne
12	Crêpes (siehe Crêpesteig Seite 469)

Öl in einer großen Pfanne erhitzen und Paprikaschote, Zwiebel und Knoblauch weichdünsten. Tomatensauce und Gewürze hinzugeben und 10 Minuten köcheln lassen.

Brokkoli und Meeresfrüchte hinzufügen, zudecken und 10 Minuten köcheln. Saure Sahne hineinrühren und unbedeckt zusätzliche 5 Minuten köcheln.

Füllung auf die Crêpes geben und aufrollen. Mit einem Salat sofort servieren.

6 PORTIONEN

Orangen-Crêpes

ORANGEN CRÊPES

3	Orangen
375 g	Aprikosenmarmelade
60 ml	Curacao
12	Dessert-Crêpes (siehe Crêpesteig Seite 469)
25 g	Puderzucker

Orangen schälen, Scheiben trennen und weiße Haut und Kerne entfernen. Aprikosenmarmelade erhitzen und mit Orangenscheiben und Likör verrühren.

Crêpes damit belegen, aufrollen und mit Puderzucker bestreuen. Servieren.

6 PORTIONEN

SCHWARZWALD CRÊPES

1 l	Vanilleeis
500 ml	Kirschfüllung für Torten
12	Dessert-Crêpes (siehe Crêpesteig Seite 469)
500 ml	Fondantsauce
250 ml	geschlagene Sahne

Eiscreme und Kirschenfüllung in Lagen auf die Crêpes schichten und aufrollen. Mit der Sauce bedecken und mit einem Sahnehäufchen krönen. Servieren.

6 PORTIONEN

Jubiläumskirschencrêpes

CRÊPES A LA CREME PATISSERIE

500 ml	entrahmte Sahne
1 Teel.	Vanilleextrakt
5	Eigelb
110 g	Zucker
4 Eßl.	Mehl
1 Eßl.	Butter
16	Dessert-Crêpes (siehe Crêpesteig Seite 469)
500 ml	Orangenbrandy-Sauce (siehe Seite 107)

Sahne und Vanille im Wasserbad erhitzen. Eigelb mit dem Zucker schlagen und langsam in die heiße Sahne geben.

Mehl und Butter cremig rühren und in die Sahne schlagen. Die Masse durch ein Sieb gießen und zum Abkühlen schlagen. Creme in den Kühlschrank stellen.

Creme auf die Crêpes geben. Crêpes aufrollen, auf Servierteller legen und mit Orangenbrandy-Sauce begießen. Servieren.

6 PORTIONEN

CRÊPES DEJAZET

170 g	Puderzucker
1 Eßl.	Kakaopulver
75 g	Butter
1 Eßl.	extra starker, kalter Kaffee
12	Dessert-Crêpes (siehe Crêpesteig Seite 469)
4	Eiweiß
230 g	Zucker
250 ml	Orangenbrandy-Sauce (siehe Seite 107)

Puderzucker und Kakaopulver dreimal durchsieben. Butter mit dem Kaffee cremig rühren, Kakaozucker dazugeben und alles cremig und leicht schlagen. Crêpes damit belegen und stapeln.

Eiweiß steifschlagen. Den Zucker langsam hineinstreuen und zu einem steifen Baiser schlagen. Baiser auf die Crêpes legen und kurz im Grill bräunen.

Aufschneiden und mit Orangenbrandy-Sauce servieren.

6 PORTIONEN

JUBILÄUMS-KIRSCHEN CRÊPES

375 ml	Schlagsahne
½ Teel.	Vanilleextrakt
30 g	Puderzucker
12	Dessert-Crêpes (siehe Crêpesteig Seite 469)
70 g	Zucker
4 Eßl.	Butter
2 x 285 g	Dosen Kirschen
60 ml	Kirschbrandy
1½ Teel.	Stärkemehl

Sahne steif schlagen, Vanille und Puderzucker hineinrühren. Sahne auf die Crêpes löffeln, aufrollen und kalt stellen.

Zucker in einem Topf karamelisieren und Butter hinzufügen. Kirschen abtropfen lassen und zum Zucker geben. (Den Kirschsaft aufheben).

Kirschen mit dem Brandy flambieren. Stärkemehl und Kirschsaft vermengen und zu den Kirschen geben. Köcheln lassen, bis die Mischung dick wird.

Crêpes auf Servierteller legen und heiße Kirschen darübergeben. Sofort servieren.

6 PORTIONEN

SCHOKOLADEN-CREMEROLLEN

450 g	Ricottakäse
1 Teel.	Vanilleextrakt
30 g	Puderzucker
55 g	kandiertes Obst
65 g	Schokololadenstückchen
12	Dessert-Crêpes (siehe Crêpesteig auf dieser Seite)
250 ml	Kiwi-Papaya-Sauce

Käse im Mixer cremig rühren. Vanille und Zucker dazugeben und mixen. Masse herausnehmen und Früchte und Schokoladenstückchen einrühren.

Crêpes mit der Käsefüllung belegen und aufrollen. Auf Servierteller geben, Sauce darübergeben und sofort servieren.

6 PORTIONEN

UNGARISCHE PALACINKEN

110 g	Puderzucker
2 Eßl.	gemahlener Zimt
1 Portion	Crêpesteig (siehe Crêpesteig auf dieser Seite)
375 g	erwärmte Aprikosenmarmelade

Zucker und Zimt zusammensieben.

Crêpes gemäß der Rezeptanleitung herstellen. Wenn die Crêpes noch warm sind, mit Aprikosenmarmelade bestreichen und in Zigarrenform aufrollen In Zimt-Zucker rollen und servieren.

6 PORTIONEN

CRÊPESTEIG

110 g	Mehl
¼ Teel.	Salz
2 Eßl.	Distelöl
250 ml	Milch
60 ml	Mineralwasser
1	Ei
½ Teel.	Vanilleextrakt (nur für Dessert-Crêpes)

Mehl und Salz zusammensieben. Öl, Milch und Wasser einrühren. Das Ei schlagen und in die Flüssigkeit geben. Vanille dazugeben, wie für Dessert-Crêpes angegeben. Die trockenen Zutaten hineinrühren und zu einem dünnen, glatten Teig schlagen.

Um die Crêpes zu backen, drei Eßlöffel Teig in eine leicht gefettete, heiße Pfanne verteilen. 1½ Minuten backen, wenden und eine weitere Minute bei mittlerer Temperatur backen. Crêpes nach Wunsch verwenden.

ERGIBT 16 CRÊPES

Schololadencremerollen

FAJITA CRÊPES

675 g	Steak aus der Oberschale
3	Knoblauchzehen
2	geschnittene, spanische Zwiebeln
2	feingehackte Serranochilischoten
60 ml	gehackte, glatte Petersilie
80 ml	Limonensaft
60 ml	Zitronensaft
3 Eßl.	Butter
2 Eßl.	Distelöl
1	geschnittene, grüne Paprikaschote
1	geschnittene, rote Paprikaschote
1	geschnittene, gelbe Paprikaschote
80 g	geschnittene Pilze
1 Teel.	Salz
1 Teel.	Worcestersauce
1 Teel.	Chilipulver
12	Crêpes (siehe Crêpesteig Seite 469)
125 ml	saure Sahne
250 ml	Guacamole (siehe Seite 115)
250 ml	Salsa (siehe Seite 115)

Steak in dünne Streifen schneiden. Lagen von Fleisch, Knoblauch, einer Zwiebel, Chilischoten und glatter Petersilie in einer Kasserolle machen. Säfte darübergießen, abdecken und drei bis vier Stunden kalt stellen. Gründlich abtropfen lassen.

Butter und Öl in einer großen Pfanne erhitzen. Restliche Zwiebel, Paprikaschoten und Pilze dünsten. Gemüse mit etwas Salz und Worcestersauce würzen. Auf einen sehr heißen Servierteller legen und warm stellen.

Steakstreifen auf einem heißen Grill drei bis vier Minuten braten, mit Chilipulver und dem restlichen Salz würzen. Auf eine zweite Warmhalteplatte geben.

Steakstreifen, Gemüse, Crêpes, saure Sahne, Guacamole und Salsa einzeln servieren, so können Ihre Gäste sich nach eigenem Wunsch bedienen.

Bemerkung: Wenn Garnelen und Hummer verwendet werden, nicht marinieren. Hühnerfleisch kann nach diesem Rezept verarbeitet werden.

6 PORTIONEN

HÜHNERLEBER-PASTETENROLLEN

450 g	Hühnerleber
180 ml	Hühnerbrühe (siehe Seite 77)
125 ml	Weißwein
30 g	feingehackte Zwiebel
1 Eßl.	gehackte, glatte Petersilie
¼ Teel.	gemahlener Ingwer
1 Eßl.	helle Sojasoße
½ Teel.	Worcestersauce
je ¼ Teel.	Paprika, Oregano, Thymian, weißer Pfeffer, Basilikum
½ Teel.	Salz
110 g	weiche Butter
1 Eßl.	Weinbrand
8	Crêpes (siehe Crêpesteig Seite 469)

Hühnerleber waschen und Fett abschneiden. Leber in der Brühe mit Wein, Zwiebeln, glatter Petersilie, Ingwer, Sojasoße und Worcestersauce kochen. Alles gründlich in der Brühe abkühlen lassen. Abtropfen lassen und Brühe zur Seite stellen.

Leber in einen Mixer geben und mit zwei Eßlöffeln Brühe verarbeiten. Gewürze, Butter und Weinbrand hinzufügen und zu einer leichten, glatten Mischung rühren. Falls nötig, mehr Brühe hinzugeben, um eine glatte Mischung zu erhalten. Alles in eine gekühlte Schale geben und bis zum Servieren in den Kühlschrank stellen.

Mischung auf die Crêpes geben, und aufrollen (wie eine Bisquitrolle). 2,5 cm dicke Stücke schneiden, auf eine Servierplatte legen und servieren.

4 PORTIONEN

Hühnerleberpastetenrollen

Fajita Crêpes

Orangenbrandy Mousse-Becher

Crêpes Hollandaise mit gegrillter Hühnerbrust

CRÊPES HOLLANDAISE MIT GEGRILLTER HÜHNERBRUST

450 g	knochenlose Hühnerbrust
60 ml	Distelöl
1	feingehackte Knoblauchzehe
2 Eßl.	Zitronensaft
2 Eßl.	Weißwein
1 Teel.	Salz
½ Teel.	weißer Pfeffer
1 Teel.	gehacktes Basilikum
8	Crêpes (siehe Crêpesteig Seite 469)
180 ml	Hollandaise (siehe Seite 114)

Ofen auf 200°C vorheizen.

Hühnerbrust waschen, trockentupfen und in 1 cm breite Streifen schneiden. Auf ein flaches Backblech legen.

Öl, Knoblauch, Zitronensaft, Wein, Salz, Pfeffer und Basilikum in einer Rührschüssel gut mischen. Flüssigkeit über das Hühnerfleisch geben, zudecken und eine Stunde mariniern. Abtropfen lassen.

Fleisch drei bis vier Minuten auf einem heißen Grill braten. Crêpes damit belegen und aufrollen.

Crêpes in eine gefettete Kasserolle geben, Hollandaise darübergeben und 7-10 Minuten im Ofen backen, oder bis sie goldbraun sind.

4 PORTIONEN

ORANGEN-BRANDY MOUSSE BECHER

6	Dessert-Crêpes (siehe Crêpesteig Seite 469)
2 Eßl.	zerlassene Butter
90 g	Gelatine mit Orangengeschmack
125 ml	Orangenbrandy
250 ml	kochender Orangensaft
250 ml	Schlagsahne
125 ml	Orangenspalten

Crêpes in kleine Kuchenförmchen (ca. 7 cm ø) geben und mit zerlassener Butter bestreichen. Im vorgeheizten Ofen bei 180°C zehn Minuten backen. Aus dem Ofen nehmen und abkühlen lassen.

Gelatine im Orangenbrandy einweichen. Orangensaft hineingießen und rühren, bis die Gelatine aufgelöst ist. Kalt stellen und fast fest werden lassen.

Sahne schlagen und zur Gelatine geben. In die Crêpes gießen und fest werden lassen.

Crêpes auf Servierteller geben und mit Orangenscheiben verzieren.

6 PORTIONEN

KLOSTER-CRÊPES

250 ml	Wasser
110 g	Zucker
6	Birnen, geschält, entkernt, gewürfelt
12	Dessert-Crêpes (siehe Crêpesteig Seite 469)
375 ml	Schokoladenfondantsauce
115 g	geröstete, geschnittene Mandeln

Wasser mit Zucker in einem Topf verrühren, aufkochen und köcheln lassen. Birnen darin weich pochieren. Abtropfen lassen und Birnen abkühlen.

Crêpes mit den Birnen belegen und aufrollen, Sauce darübergeben und mit Mandeln bestreuen. Servieren.

6 PORTIONEN

COQUILLE ST. JACQUES CRÊPES

250 ml	Weißwein
450 g	große Meeresjakobsmuscheln
60 g	Butter
1	gewürfelte, kleine Zwiebel
80 g	geschnittene Pilze
3 Eßl.	Mehl
250 ml	Creme fraiche
80 ml	Sherry
½ Teel.	Salz
½ Teel.	weißer Pfeffer
½ Teel.	Paprika
340 g	gekochte kleine Krabben
12	Crêpes (siehe Crêpesteig Seite 469)
60 g	geriebener Schweizer Käse
55 g	geriebener, mittelalter Cheddarkäse
30 g	frisch geriebener Parmesankäse

Wein in einem Topf erhitzen. Jakobsmuscheln hinzugeben und sechs Minuten köcheln lassen. Muscheln herausnehmen, den Wein zur Seite stellen.

Butter in einem Topf erhitzen und das Gemüse darin weichdünsten. Mehl hineinstreuen und zwei Minuten kochen. Creme fraiche, Sherry und Gewürze hinzugeben und köcheln, bis die Sauce dick ist. Jakobsmuscheln abtropfen lassen und mit den Krabben in die Sauce geben. Alles gut verrühren. Den Ofen auf 200C vorheizen.

Die Füllung auf die Crêpes auftragen, aufrollen und in eine gefettete Kasserolle legen. Mit Käse bestreuen und 10 Minuten backen. Sofort servieren.

6 PORTIONEN

Coquille St. Jacques Crêpes

CRÊPES MIT RINDFLEISCH & BURGUNDER

3 Eßl.	Olivenöl
20	Silberzwiebeln
680 g	kleingewürfeltes Steak
3 Eßl.	Mehl
500 ml	Rotwein
250 ml	Rinderbrühe (siehe Seite 85)
3 Eßl.	Tomatenmark
½ Teel.	Thymian
1	Lorbeerblatt
1 Teel.	gehackte Petersilie
½ Teel.	gemahlener, schwarzer Pfeffer
115 g	junge Champignons
12	Crêpes (siehe Crêpesteig Seite 469)

Öl in einem großen Topf erhitzen. Zwiebeln darin dünsten, dann herausnehmen. Fleisch in die Pfanne geben und anbraten.

Mehl über das Fleisch streuen und zwei Minuten kochen. Wein, Brühe, Tomatenmark, Thymian, Lorbeerblatt, Petersilie und Pfeffer hineinrühren. Temperatur reduzieren und 1½ Stunden köcheln lassen.

Zwiebeln und Champignons hinzufügen und zusätzlich 30 Minuten köcheln.

Rindfleisch auf die Crêpes löffeln, zusammenrollen und mit Reispilaf servieren.

6 PORTIONEN

CHILI CON CARNE CRÊPES

450 g	mageres Gehacktes vom Rind
70 g	Butter
250 g	feingewürfelte Zwiebeln
2	feingehackte Knoblauchzehen
2	feingewürfelte Selleriestangen
1	feingewürfelte, grüne Paprikaschote
75 g	geschnittene Pilze
875 ml	zerdrückte Tomaten
3 Eßl.	Tomatenmark
375 ml	rote Bohnen (aus der Dose oder acht Stunden eingeweicht)
je ½ Teel.	Thymian, Oregano, Kerbel, Pfeffer, Salz, Kümmel, Zwiebelpulver
je 2 Teel.	Paprika, Chilipulver
5 Tropfen	scharfe Pfeffersoße
1 Teel.	Worcestersauce
12	Crêpes (siehe Crêpesteig Seite 469)
170 g	geriebener Cheddarkäse

Fleisch in einer Pfanne anbraten, überschüssiges Fett abtropfen lassen.

Butter in einem großen Topf erhitzen und Zwiebeln, Knoblauch, Sellerie, Paprikaschoten und Pilze dünsten. Fleisch, Tomaten, Tomatenmark und Bohnen hinzufügen und eine Stunde köcheln lassen. Gewürze, scharfe Pfeffersoße und Worcestersauce dazugeben. Temperatur reduzieren und eine Stunde köcheln lassen.

Füllung auf die Crêpes löffeln, aufrollen und in eine gefettete Kasserolle legen. Mit Käse bestreuen und im vorgeheizten Ofen bei 200°C 15 Minuten backen. Servieren.

6 PORTIONEN

Chili Con Carne Crêpes

CRÊPES SOUFFLÉ A LA CHEF K.

500 ml	frisches Papayasorbet (siehe Seite 658)
500 ml	Zitronensorbet (siehe Seite 547)
500 ml	Orangenschokoladensorbet (siehe Seite 571)
12	Dessert-Crêpes (siehe Crêpesteig Seite 469)
8	Eiweiß
340 g	Zucker
500 ml	Kirschsoße

Die drei verschiedenen Sorbets in jeweils vier Crêpes löffeln und abwechselnd in Pyramidenform aufstapeln. Ins Tiefkühlfach legen.

Eiweiß steif schlagen, langsam den Zucker hineinstreuen. Crêpes mit dem Eierschnee umhüllen und kurz im sehr heißen Ofen bräunen.

Crêpes schneiden und mit Kirschsoße servieren.

6 PORTIONEN

CRÊPES DURORA

750 ml	Erdbeereis
12	Dessert-Crêpes (siehe Crêpesteig Seite 469)
500 ml	Sabayon (siehe Seite 106)
60 ml	Curacao

Crêpes mit Eis belegen und aufrollen.

Sabayon mit dem Likör vermengen und über die Crêpes gießen. Servieren.

6 PORTIONEN

Crêpes Cheri Rose

CRÊPES CHERI ROSE

500 ml	Schlagsahne
80 g	Puderzucker
1 Teel.	Rosenextrakt
½ Teel.	rote Lebensmittelfarbe
12	Dessert-Crêpes (siehe Crêpesteig Seite 469)
750 ml	gewaschene, entstielte, geschnittene Erdbeeren
60 g	Zucker
1 Prise	gemahlener Zimt

Sahne schlagen und Zucker, Extrakt und Farbstoff hineinrühren. Über die Crêpes verteilen und aufrollen.

Crêpes mit den Erdbeeren auf Servierteller legen. Puderzucker mit Zimt vermischen und die Crêpes bestreuen. Servieren.

6 PORTIONEN

BANANENCRÊPES RÖLLCHEN

3	Bananen
12	Dessert-Crêpes (siehe Crêpesteig Seite 469)
70 g	Butter
50 g	brauner Zucker
½ Teel.	gemahlener Zimt
3 Eßl.	Bananenlikör
75 ml	dunkler Rum
60 ml	Walnüsse

Bananen schälen und vierteln. Crêpes um jeweils ein Bananenstück wickeln.

Butter mit dem braunen Zucker in einer Pfanne erhitzen. Zimt hinzugeben und kochen, bis der Zucker aufgelöst ist. Likör und Rum hineinrühren. Pfanne schräg vom Körper halten und flambieren.

Nüsse dazugeben. Crêpes in die Sauce legen und 2 Minuten erhitzen. Auf Servierteller legen, Sauce darübergeben und sofort servieren.

6 PORTIONEN

ITALIENISCHE CRÊPES

170 g	Prosciutto, fein durchgedreht
170 g	gekochtes, mildes, italienisches Wurstfleisch, gehackt
4 Eßl.	ungesalzene Butter
3	Eier
25 g	Paniermehl
30 g	frisch geriebener Romanokäse
12	Crêpes (siehe Crêpesteig Seite 469)
230 g	Ricottakäse
1 Eßl.	Olivenöl
1	kleine, gewürfelte Zwiebel
500 ml	gepellte, entkernte, gewürfelte Tomaten
1	feingehackte Knoblauchzehe
2 Teel.	frisch gehackte Basilikumblätter
1 Eßl.	frisch gehackte Petersilie
55 g	geriebener Provolonekäse

Fleisch mit drei Eßlöffeln Butter, Eiern, Paniermehl und Romanokäse gründlich vermengen. Eine Stunde kühlen.

Füllung auf die Crêpes streichen, mit Ricottakäse belegen und aufrollen. Crêpes in eine gefettete Kasserolle legen.

Öl mit der restlichen Butter im Topf erhitzen, Zwiebeln und Knoblauch weichdünsten. Tomaten und Kräuter hinzugeben.Temperatur reduzieren und 15 Minuten köcheln lassen. Sauce über die Crêpes gießen und mit Provolone bestreuen. Crêpes im vorgeheizten Ofen bei 180°C 35 Minuten backen.

6 PORTIONEN

Italienische Crêpes

Klassische Crêpes Suzette

KLASSISCHE CRÊPES SUZETTE

70 g	Zucker
70 g	Butter
1 Eßl.	abgeriebene Zitronen- und Orangenschale
125 ml	Grand Marnier
250 ml	frisch gepreßter Orangensaft
3 Eßl.	Zitronensaft
18	Dessert-Crêpes (siehe Crêpesteig Seite 469)
6 Bällchen	Vanilleeis

Zucker in einem Topf bräunen, aber nicht anbrennen. Butter und geriebene Schale hinzugeben und rühren, bis die Butter geschmolzen ist. Topf vom Körper weg anschrägen und mit der Hälfte des Likörs flambieren.

Orangen- und Zitronensaft hineingießen und köchelnd zur Hälfte reduzieren. Crêpes in Dreiecke falten und eine Minute in der Sauce köcheln lassen. 3 Crêpes auf jeden Teller legen, mit Sauce begießen und mit einem Eisbällchen krönen.

Den restlichen Likör in einem Topf flambieren und über die Crêpes gießen. Sofort servieren.

6 PORTIONEN

AHORN-WALNUSS CRÊPES

1 l	Vanilleeis
12	Dessert-Crêpes (siehe Crêpesteig Seite 469)
130 g	Walnußstücke
375 ml	heißer Ahornsirup

Eis auf die Crêpes löffeln und aufrollen. Mit Walnüssen betreuen und mit Sirup begießen. Servieren.

6 PORTIONEN

LASAGNE CRÊPES

450 g	italienische Wurst
3 Eßl.	Olivenöl
1	feingewürfelte Zwiebel
1	feingewürfelte, grüne Paprikaschote
1	feingewürfelte Selleriestange
75 g	feingeschnittene Pilze
2	gehackte Knoblauchzehen
500 ml	Tomatensauce (siehe Seite 106)
2 Teel.	Basilikum
450 g	Ricottakäse
1	Ei
60 ml	gehackte Petersilie
30 g	frisch geriebener Parmesankäse
16	Crêpes (siehe Crêpesteig Seite 469)
60 g	geriebener Provolonekäse
140 g	harter Mozzarellakäse, gerieben

Wurst in kleine Würfel schneiden. Öl in einer großen Pfanne erhitzen und die Wurst anbraten. Zwiebeln, Paprikaschote, Sellerie, Pilze und Knoblauch weichdünsten und überschüssiges Fett abgießen.

Tomatensauce und Basilikum hinzugeben, Temperatur reduzieren und 30 Minuten köcheln lassen.

Während die Sauce köchelt, Ricottakäse, Ei, Petersilie und Parmesankäse vermengen.

In eine Kasserolle eine dünne Schicht Sauce einfüllen. Abwechselnde Schichten von Crêpes, Käsemischung, Crêpes und Sauce machen. Diesen Vorgang wiederholen und mit einer Schicht Crêpes abschließen.

Provolone- und Mozzarellakäse über die Crêpes streuen. Im vorgeheizten Ofen bei 200°C 30 Minuten backen. Mit Cäsarsalat servieren.

6 PORTIONEN

Lasagne Crêpes

HASEN-CRÊPES PROVENÇALE

450 g	knochenloses Hasenfleisch
1 Eßl.	Butter
1 Eßl.	Distelöl
115 g	gewürfelter durchwachsener Speck
1	feingehackte Knoblauchzehe
1	gewürfelte, spanische Zwiebel
1	gewürfelte, grüne Paprikaschote
80 g	geschnittene Pilze
3 Eßl.	Mehl
½ Teel.	frisch gehacktes Basilikum
½ Teel.	Thymianblätter
½ Teel.	Marjoran
1 Eßl.	gehackte Petersilie
250 ml	gepellte, entkernte, gewürfelte Tomaten
375 ml	Hühnerbrühe (siehe Seite 77)
2 Teel.	Dijonsenf
12	Crêpes (siehe Crêpesteig Seite 469)

Hasenfleisch in mundgerechte Würfel schneiden. Butter und Öl in einer großen Pfanne erhitzen und das Fleisch anbraten.

Speck in einer zweiten Pfanne braten, überschüssiges Fett abgießen. Hasenfleisch mit dem Gemüse darin weichdünsten, mit Mehl bestreuen und weitere zwei Minuten kochen. Gewürze, Tomaten, Brühe und Senf hinzugeben.

Temperatur reduzieren und 35-40 Minuten köcheln, oder bis das Fleisch weich und die Sauce dick ist. Crêpes mit dem Fleisch und Sauce belegen, aufrollen und servieren.

6 PORTIONEN

FLORENTINER APFELCRÊPES MIT GERÄUCHERTEM LACHS

280 g	frischer Spinat
6 Eßl.	Butter
3 Eßl.	Mehl
375 ml	entrahmte Sahne
1 Eßl.	frisch gehacktes Basilikum
170 g	Äpfel, geschält, entkernt, gewürfelt
2	Eigelb
225 g	dünn geschnittener, geräucherter Lachs
12	Crêpes (siehe Crêpesteig Seite 469)
375 ml	geriebener Havartikäse

Spinat waschen, trockentupfen und die Stiele entfernen. Die Hälfte der Butter in einem Topf erhitzen und den Spinat weichdünsten. Abkühlen lassen.

Restliche Butter in einem zweiten Topf erhitzen, Mehl hineinstreuen und zwei Minuten bei niederiger Temperatur kochen lassen. Sahne, Basilikum und Äpfel hinzufügen und köcheln, bis die Sauce leicht dick ist. Den Topf vom Herd nehmen, Eigelb hineinschlagen und den Lachs dazugeben.

Ofen auf 200°C vorheizen. Crêpes mit gleichen Mengen Füllung belegen und aufrollen. In eine gefettete Kasserolle legen, mit Käse bestreuen und 10 Minuten backen. Servieren.

6 PORTIONEN

ERDBEEREN-CRÊPES ROMANOFF

500 ml	Schlagsahne
80 g	Puderzucker
60 ml	Grand Marnier
750 ml	gewaschene, entstielte, geschnittene Erdebeeren
12	Dessert-Crêpes (siehe Crêpesteig Seite 469)
24	in Schokolade getauchte Erdbeeren

Sahne schlagen. Zucker, Likör und Erdbeeren hineinrühren. Crêpes belegen und aufrollen. Auf eine Servierplatte legen und mit den Schokoladenerdbeeren dekorieren. Servieren.

6 PORTIONEN

HASELNUSS-ROLLEN

500 ml	Schlagsahne
80 g	Puderzucker
½ Teel.	Haselnuß- oder Mandelextrakt
12	Dessert-Crêpes (siehe Crêpesteig Seite 469)
125 ml	warme Aprikosenmarmelade
190 g	grobgehackte Haselnüsse

Sahne steif schlagen. Zucker und Extrakt unterrühren. Crêpes belegen und aufrollen.

Crêpes mit Aprikosenmarmelade bestreichen und in den Nüssen wenden.

6 PORTIONEN

Florentiner Apfelcrêpes mit geräuchertem Lachs

Haselnußrollen

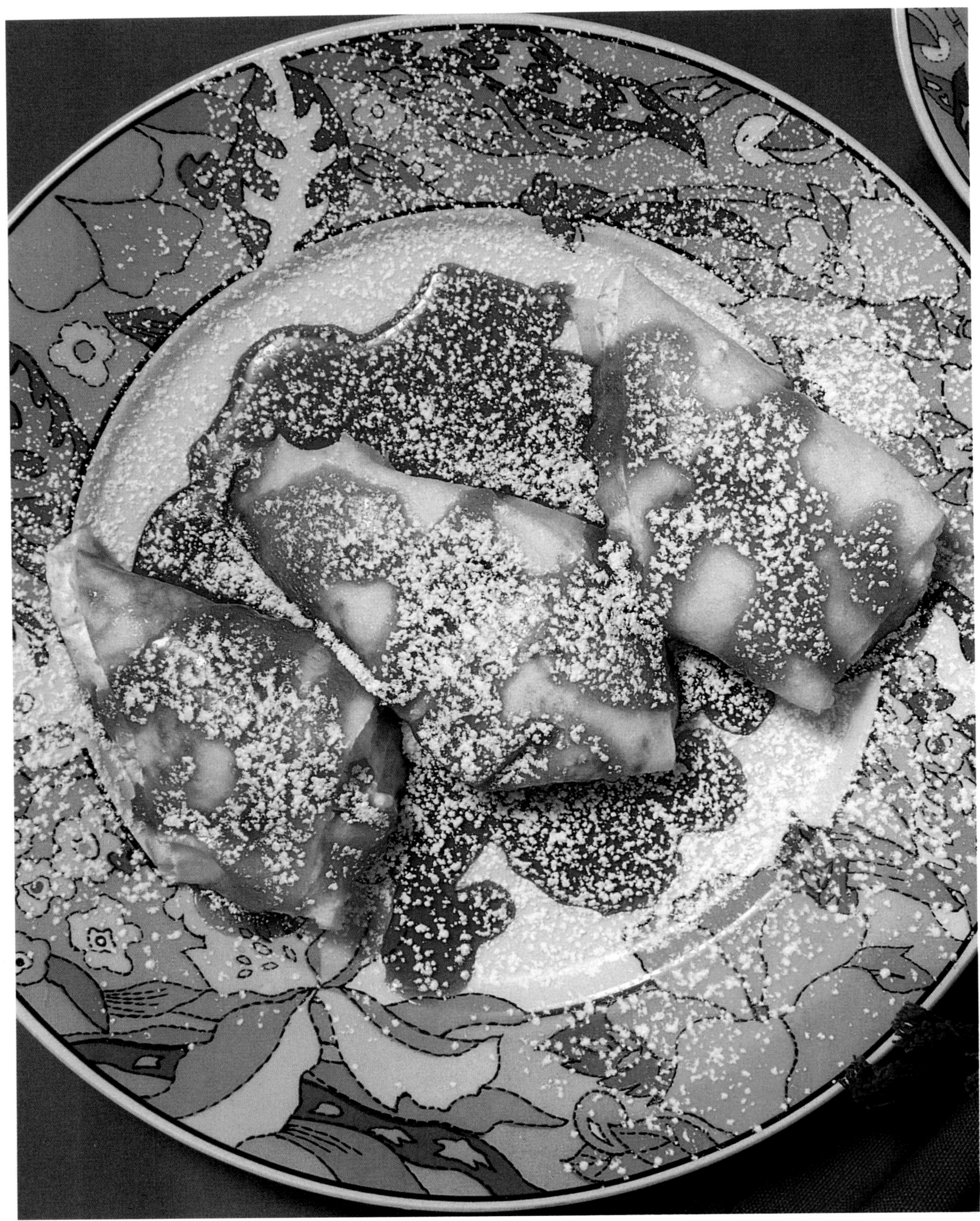

Kaiserreich-Crêpes

INGWERSTEAK CRÊPES

675 g	Rumpsteak
2 Eßl.	Butter
1½ Teel.	frische, feingehackte Ingwerwurzel
2 Eßl.	abgebrühte Mandeln
1 Teel.	Chilipulver
1 Teel.	frischer, feingehackter Knoblauch
3 Eßl.	feingehackte Zwiebel
3 Eßl.	Mehl
375 ml	Rinderbrühe (siehe Seite 85)
3 Eßl.	Sherry
3 Eßl.	Pflaumenkonfitüre
12	Crêpes (siehe Crêpesteig Seite 469)
	Zweige glatte Petersilie zum Garnieren

Steak in 5 cm lange Streifen schneiden. Butter in einer Pfanne erhitzen und das Fleisch anbraten. Ingwer, Mandeln, Chilipulver, Knoblauch und Zwiebeln hinzugeben und weitere zwei Minuten dünsten.

Mehl hineinstreuen und zwei Minuten kochen lassen. Brühe, Sherry und Konfitüre hineinrühren. Bei reduzierter Temperatur köcheln, bis die Sauce dick ist.

Crêpes mit der Füllung belegen, aufrollen und mit der glatten Petersilie dekorieren.

6 PORTIONEN

Apfel-Crêpes

APFEL-CRÊPES

4	große Kochäpfel
3 Eßl.	Butter
3 Eßl.	Zucker
½ Teel.	Zimt
12	Crêpes (siehe Crêpesteig Seite 469)
500 ml	geschlagene Sahne

Äpfel schälen, entkernen und in Scheiben schneiden.

Butter in einer großen Pfanne erhitzen. Äpfel, Zucker und Zimt acht Minuten bei mittlerer Temperatur kochen.

Crêpes mit den Äpfeln belegen, aufrollen und auf Servierteller legen. Mit Schlagsahne dekorieren und servieren.

6 PORTIONEN

KAISERREICH CRÊPES

375 ml	Schlagsahne
1 Teel.	Vanilleextrakt
250 ml	zerdrückte Makronen
250 ml	kleingeschnetzelte Ananas, gut abgetropft
55 g	Puderzucker
12	Dessert-Crêpes (siehe Crêpesteig Seite 469)
125 ml	erwärmte, rote Johannisbeerkonfitüre

Sahne und Vanille schlagen. Makronen, Ananas und Zucker hineinrühren. Crêpes mit der Füllung belegen und aufrollen.

Crêpes mit der Konfitüre bestreichen und servieren.

6 PORTIONEN

Crêpes mit Steak und Pilzen

APFEL-BROMBEEREN-CRÊPES

170 g	Äpfel, geschält, entkernt, gewürfelt
2 Eßl.	Butter
60 g	Zucker
500 ml	gewaschene, entstielte Brombeeren
60 ml	Apfelsaft
1 Teel.	Stärkemehl
12	Dessert-Crêpes (siehe Crêpesteig Seite 469)
500 ml	geschlagene Sahne

Butter in einer Pfanne erhitzen. Äpfel dünsten, mit Zucker bestreuen und drei Minuten kochen. Brombeeren hinzufügen und weitere fünf Minuten kochen.

Apfelsaft mit dem Stärkemehl verrühren und über das Obst gießen. Aufkochen, Temperatur reduzieren und köcheln, bis die Sauce dickflüssig wird. Sauce auf die Crêpes geben und Crêpes aufeinander stapeln. Restliche Sauce über den Crêpesstapel gießen. Mit einem Sahnehäufchen dekorieren.

6 PORTIONEN

CRÊPES MIT STEAK UND PILZEN

3 Eßl.	Distelöl
450 g	Rumpsteak, in 6 mm dicke Streifen geschnitten
80 g	geschnittene Pilze
250 ml	Espagnole Sauce (siehe Seite 111)
12	Crêpes (siehe Crêpesteig Seite 469)

Öl in einer großen Pfanne erhitzen. Fleisch und Pilze zügig anbraten und Espagnole Sauce hinzufügen. Temperatur reduzieren und fünf bis acht Minuten köcheln lassen.

Crêpes mit der Füllung belegen, aufrollen und sofort servieren.

6 PORTIONEN

KÖNIGLICHE ANANAS-BANANEN

3 Eßl.	dunkelbrauner Zucker
2 Eßl.	Stärkemehl
375 ml	kleingeschnetzelte Ananas mit Saft
5 Eßl.	Butter
je ¼ Teel.	geriebene Zitronen- und Orangenschale
6	feste, reife Bananen
12	Dessert-Crêpes (siehe Crêpesteig Seite 469)
750 ml	Erdbeer-Bananen-Eis (siehe Seite 641)

Zucker mit dem Stärkemehl in einem kleinen Topf vermengen. Ananas und ein Eßlöffel Butter hineingeben. Aufkochen, Temperatur reduzieren und köcheln, bis die Sauce dick wird. Vom Herd nehmen und die geriebene Schale hineinrühren.

Bananen halbieren und jeweils mit einer Crêpe umrollen. Restliche Butter in einer Pfanne erhitzen. Crêpes vorsichtig dünsten, um die Bananenstücke zu erwärmen. Auf Servierteller legen, Eis daraufgeben und mit der Sauce begießen. Sofort servieren.

6 PORTIONEN

Königliche Ananas-Bananen

HUMMER-CHEDDARKÄSE-CRÊPES

3 Eßl.	Butter
450 g	Hummerfleisch
250 ml	Mornaysauce (siehe Seite 111)
110 g	geriebener, milder Cheddarkäse
8	Crêpes (siehe Crêpesteig Seite 469)

Ofen auf 180°C vorheizen.

Butter in einer großen Pfanne erhitzen und den Hummer darin dünsten. Mornaysauce und die Hälfte des Cheddarkäses hineinrühren. Temperatur reduzieren und drei Minuten köcheln lassen.

Crêpes mit der Füllung belegen, aufrollen und in eine gefettete Kasserolle legen. Mit dem restlichen Käse bestreuen und 15 Minuten backen. Sofort servieren.

4 PORTIONEN

STUFATU CRÊPES

4 Eßl.	Olivenöl
1	große, gehackte Zwiebel
3	feingehackte Knoblauchzehen
340 g	grobgewürfeltes, mageres Rindersteak
340 g	grobgewürfeltes, mageres Schweinefleisch
60 ml	gewürfelter durchwachsener Speck
500 ml	gepellte, entkernte, gehackte Tomaten
125 ml	Weißwein
1 Teel.	Salz
½ Teel.	gemahlener, schwarzer Pfeffer
500 ml	Rinderbrühe (siehe Seite 85)
12	Crêpes (siehe Crêpesteig Seite 469)
80 g	geriebener Gruyerekäse

Öl in einer großen Pfanne erhitzen. Zwiebeln und Knoblauch weichdünsten. Rind- und Schweinefleisch anbraten. Überschüssiges Fett abtropfen lassen.

Tomaten, Wein, Gewürze und Brühe hinzufügen. Temperatur reduzieren und zwei Stunden köcheln lassen.

Crêpes mit dem Fleisch belegen, aufrollen und in eine gefettete Kasserolle legen. Mit Käse bestreuen und 15 Minuten im vorgeheizten Ofen bei 180°C backen. Servieren.

6 PORTIONEN

Hummer-Cheddarkäse-Crêpes

Muschel Crêpe Soufflé

MUSCHEL CRÊPE SOUFFLÉ

3 Eßl.	Butter
3 Eßl.	Mehl
310 ml	Hühnerbrühe (siehe Seite 77)
310 ml	entrahmte Sahne
60 g	frisch geriebener Parmesankäse
3	Scheiben durchwachsener Speck
1	feingewürfelte, kleine Zwiebel
1	feingewürfelte Selleriestange
250 ml	frische, gehackte Muscheln
16	Crêpes (siehe Crêpesteig Seite 469)
170 g	geriebener Cheddarkäse

Butter in einem Topf erhitzen, Mehl hineinstreuen und zwei Minuten bei niedriger Temperatur kochen lassen.

Hühnerbrühe und Sahne angießen. Temperatur reduzieren und köcheln, bis die Sauce dickt wird. Käse dazugeben und weitere zwei Minuten köcheln lassen.

Speck würfeln und in einer Pfanne braten. Zwiebeln und Sellerie weichdünsten. Muscheln hinzufügen und drei Minuten kochen. Überschüssiges Fett abtropfen lassen. Die Füllung in die Sauce rühren.

Crêpes abwechselnd mit der Füllung in eine runde Auflaufform schichten und mit Käse bestreuen. Im vorgeheizten Ofen 35 Minuten bei 180°C backen. Sofort servieren.

6 PORTIONEN

SÜSS-SAURE HÜHNER CRÊPES

675 g	knochenloses Hühnerfleisch, in 1,5 cm große Würfel geschnitten
3 Eßl.	Distelöl
2 Eßl.	Mehl
180 ml	Ananassaft
3 Eßl.	gewürfelte, grüne Paprikaschote
½ Teel.	scharfer Senf
2 Eßl.	Knoblauchweinessig
¼ Teel.	Knoblauchpulver
2 Eßl.	dunkle Sojasoße
1 Eßl.	Melasse
125 ml	Chilisoße
12	Crêpes (siehe Crêpesteig Seite 469)

Öl in einer Pfanne erhitzen und das Hühnerfleisch darin anbraten. Mit Mehl bestreuen und zwei Minuten kochen. Die restlichen Zutaten, mit Ausnahme der Crêpes, hineinrühren. Temperatur reduzieren und 15 Minuten köcheln lassen.

Crêpes mit der Füllung belegen, aufrollen und servieren.

6 PORTIONEN

NALESNIKI

450 g	Hüttenkäse
230 g	Ricottakäse
4	Eier
je ¼ Teel.	Salz, Pfeffer, Kerbel, Majoran, Thymian
12	Crêpes (siehe Crêpesteig Seite 469)
140 g	Paniermehl
1Eßl.	Paprika
je 1 Teel.	Oregano, Thymian, Salbei, Knoblauchpulver, Zwiebelpulver, schwarzer Pfeffer, Majoran, Chilipulver
190 ml	Milch
500 ml	Distelöl
375 ml	gewürfelter, gebratener, durchwachsener Speck
250 ml	saure Sahne

Käse mit 3 Eiern vermengen und die zuerst aufgeführten Gewürze hinzufügen. Crêpes halbieren, mit der Käsefüllung belegen und aufrollen.

Paniermehl und die restlichen Gewürze vermischen. Das übrige Ei mit der Milch verquirlen. Crêpes in Milch tauchen und im Paniermehl wenden.

Öl auf 190°C erhitzen und die Crêpes in jeweils geringen Mengen fritieren und warm stellen. Auf eine Servierplatte legen und mit Speck und saurer Sahne servieren.

6 PORTIONEN

Nalesniki

CRÊPES MARCHAND DE VIN

2 Eßl.	Butter
80 ml	feingewürfelter Schinken
30 g	feingewürfelte Pilze
80 ml	feingehackte, grüne Zwiebel
250 ml	Demi-Glace (siehe Seite 123)
125 ml	Rotwein
4 Eßl.	Distelöl
450 g	Rinderfiletspitzen
1	geschnittene, spanische Zwiebel
8	Crêpes (siehe Crêpesteig Seite 469)
3 Eßl.	gehackte Petersilie

Butter in einem Topf erhitzen. Schinken, Pilze und grüne Zwiebel weichdünsten. Demi-Glace und Wein hinzugeben. Temperatur herunterschalten und die Sauce auf 375 ml reduzieren.

Öl in einer Pfanne erhitzen. Rindfleisch mit den Zwiebeln nach Wunsch braten. Crêpes mit dem Fleisch belegen und aufrollen.

Crêpes auf Sevierteller legen, Sauce darübergeben und mit Petersilie garnieren.

4 PORTIONEN

Crêpes Marchand de Vin

Crêpes mit pikantem Fleisch in Honig

PFIRSICH-MELBA CRÊPES

250 ml	Schlagsahne
30 g	Puderzucker
12	Dessert-Crêpes (siehe Crêpesteig Seite 469)
500 ml	warme Himbeerkonfitüre
75 g	geschnittene Pfirsiche
375 ml	Aprikosen-Himbeersauce (siehe Seite 108)

Sahne schlagen und den Zucker hineinstreuen. Crêpes mit Himbeerkonfitüre bestreichen und mit jeweils einer Schicht Pfirsiche und Schlagsahne belegen. Aufrollen und auf Servierteller legen. Aprikosen-Himbeersauce darübergeben und servieren.

6 PORTIONEN

CRÊPES MIT PIKANTEM FLEISCH IN HONIG

675 g	mageres Schweinefleisch
55 g	Mehl
2 Eßl.	Distelöl
1	geschnittene, große Zwiebel
2	feingehackte Knoblauchzehen
3	gepellte, entkernte, gehackte Tomaten
1	entkernte, feingewürfelte Jalapeño-Schote
½ Teel.	Salz
je ¼ Teel.	Pfeffer, Kerbel, Thymian, Oregano, Kümmel, Paprika
2 Teel.	Worcestersauce
¼ Teel.	scharfe Pfeffersoße
500 ml	Hühnerbrühe (siehe Seite 77)
12	Crêpes (siehe Crêpesteig Seite 469)
170 g	geriebener Cheddarkäse

Schweinefleisch in 2,5 cm lange Streifen schneiden und mit Mehl bestreuen.

Öl in einem großen Topf erhitzen und das Fleisch in jeweils kleinen Mengen anbraten. Vom Herd nehmen und zur Seite stellen. Zwiebeln und Knoblauch weichdünsten. Tomaten, Jalapeño-Schote, Gewürze, Worcestersauce, scharfe Pfeffersoße und Brühe hinzugeben und aufkochen.

Fleisch hineinlegen, Temperatur reduzieren und 45 Minuten köcheln lassen.

Crêpes mit der Füllung belegen und aufrollen. In eine gefettete Kasserolle geben, mit Käse bestreuen und im vorgeheizten Ofen 15 Minuten bei 180°C backen. Mit Reispilaf servieren.

6 PORTIONEN

Pfirsich-Melba Crêpes

ESSERTS

Ein guter Koch ist stets bemüht, jedes Essen außergewöhnlich gut zu gestalten. Unvergeßlich wird es jedoch erst zum Abschluß, denn die Speise, die Ihre Gäste als Letztes verzehren, bleibt ihnen am längsten in Erinnerung. Also sollte man jedes Menü mit einem unvergeßlichen Nachtisch abschließen.

Ein solches Dessert zu finden ist nicht mehr unmöglich. Schauen Sie nur in die folgenden Seiten, und die Suche ist beendet. Die Zubereitung ist genau so leicht. Folgen Sie einfach den Anweisungen Schritt für Schritt, und Sie werden einen Abschluß für das Essen schaffen, der *einfach köstlich* sein wird. Von Kuchen bis Käsekuchen, von Pies bis Dessertnudeln (ja, Dessertnudeln), Ihnen stehen jetzt unvergeßliche Desserts zur Verfügung.

Mit den Desserts in *Einfach Köstlich Kochen 2* können Sie beweisen, daß Sie das Zeug zum Koch haben. Großartige Desserts sind nicht unmöglich, sie können so einfach sein wie unser Schokoladengetränk „Erdbeerfelder" (man siehe Seite 769) oder aber so kunstvoll wie unser „Bananen-Split Käsekuchen" mit drei Schichten. Es gibt einen Nachtisch für jede Gelegenheit.

Denken Sie nie, daß Sie solche Desserts nicht zubereiten könnten. Wir haben alle genau richtig gemacht. Unsere Pies werden Sie an die Ihrer Mutter erinnern, unsere Kuchen an die des kleinen romantischen Bistros, wohin nur Sie beide essen gehen. Die Kinder werden sich über die Plätzchen freuen. Dann gibt es noch die „genau richtigen, kalorienarmen" Desserts. Unsere Obstdesserts sind vollkommen frisch. Es gibt gut 275 Rezepte, also wird sich Ihr Lieblingsnachtisch wohl darunter befinden. Wenn nicht, so hoffen wir, daß Sie ein neues Lieblingsdessert in diesem Kapitel finden.

Schokoladenliebhaber kommen voll auf ihre Kosten, denn unsere Schokoladennachtische gehören zu den Allerbesten. Das Verlangen nach Schokolade wird garantiert durch eins unserer Desserts befriedigt, egal ob es sich um die reichhaltige „Schweizer Schokoladentorte" handelt, oder aber um den absolut sündhaften „Grand-Marnier-Käsekuchen mit weißer Schokolade".

Von „Heidelbeereis" zu „Brennende Birnen", Ihr Finale wird unübertrefflich sein. Ihr geheimes Werkzeug dabei ist immer *Einfach Köstlich Kochen.*

Rosinen-Pie

Marmorierter Käsekuchen mit Creme de Menthe und Kahlua

Affenspeise-Kuchen mit Bananen-Kahlua-Zuckerguß

MARMORIERTER KÄSEKUCHEN MIT CREME DE MENTHE UND KAHLUA

BODEN:	
350 g	zerbröselte Schokoladenwaffeln
60 ml	zerlassene Butter

FÜLLUNG:	
1,25 kg	Frischkäse
340 g	Zucker
625 ml	Creme fraiche
4	Eier
60 ml	Kahlua Likör
60 ml	starker Kaffee
60 ml	Creme de Menthe

BODEN:

Die Waffelkrümel mit der Butter mischen. Seiten und Boden einer 25 cm ø Springform damit auskleiden. Kalt stellen.

FÜLLUNG:

Käse und Zucker cremig rühren. Sahne einrühren. Nach und nach Eier zugeben und gründlich unterrühren. Masse halbieren. Kahlua und Kaffee unter die eine Masse rühren, und Creme de Menthe unter die andere. Kahluafüllung auf den vorbereiteten Kuchenboden geben. Im vorgeheizten Ofen bei 160°C 45 Minuten backen. Kahluafüllung mit der Creme-de-Menthe-Füllung marmorieren. Weitere 75 Minuten backen. Ofen ausschalten, Ofentür etwas öffnen und 30 Minuten geöffnet halten. Danach Kuchen zum Abkühlen auf ein Gitter stellen. 12 Stunden oder über Nacht abkühlen lassen. Schokoladensauce dazu servieren.

AFFENSPEISE-KUCHEN

115 g	Butter
170 g	Zucker
2	Eier
230 g	zerdrückte Bananen
60 ml	Irish Cream
1 Teel.	Natron
220 g	Mehl
1 Teel.	Backpulver
⅛ Teel.	Salz

Butter und Zucker schaumig und hell rühren. Eier einzeln dazugeben und nach jedem Zusatz gut verrühren.

Bananenbrei in die Mischung rühren, Irish Cream unterziehen. Natron, Backpulver, Mehl und Salz zusammensieben und unter den Kuchenteig heben.

Teig in eine gefettete und bemehlte 23 cm ø Springform geben. Im vorgeheizten Ofen bei 180°C 40 Minuten backen. 10 Minuten abkühlen lassen, Kuchen auf ein Gitter geben, stürzen und vollkommen abkühlen lassen. Mit Bananen-Kahlua-Zuckerguß überziehen. (Rezept folgt).

BANANEN-KAHLUA-ZUCKERGUSS

115 g	Butter
140 g	Puderzucker
2	Eier
230 g	Zucker
30 g	Mehl
¼ Teel.	Salz
3 Eßl.	Bananenlikör
3 Eßl.	Irish Cream
90 g	halbbittere Schokolade, geschmolzen

Butter in einer Rührschüssel cremig rühren und Puderzucker unterschlagen.

Eier, Zucker, Mehl, Salz, Liköre und Schokolade ins Wasserbad geben und schlagen. 10 Minuten kochen, abkühlen lassen. In die Sahne/Butter-Mischung einrühren. Kuchen damit glasieren.

OBSTPIZZA

BODEN:	
250 ml	weiße Kuchenkrümel
250 ml	Makronen, zerbröselt
¼ Teel.	Zimt
60 ml	Butter, zerlassen

Zutaten vermengen und in eine gefettete 23 cm ø Pie-Form drücken. Im vorgeheizten Ofen bei 180°C 5 Minuten backen.

FÜLLUNG:	
1 Eßl.	aromafreie Gelatine
60 ml	Orangensaft
120 g	Frischkäse
250 ml	Schlagsahne
55 g	Puderzucker
½ Teel.	Vanilleextrakt
1 Teel.	Orangenschale, gerieben

Gelatine im Orangensaft aufweichen. Saft in einem kleinen Kochtopf erhitzen, bis die Gelatine sich auflöst. Käse cremig rühren und Orangensaft dazugeben. Sahne schlagen, Zucker, Vanilleextrakt und Orangenschale unterheben. Die Mischung mit dem Frischkäse verrühren. Auf den Boden geben und 3 Stunden kalt stellen.

BELAG:	
250 ml	Erdbeeren , gewaschen, entstielt und in Scheiben geschnitten
230 g	Pfirsiche, in Scheiben geschnitten
250 ml	Kiwifrüchte, geschält und in Scheiben geschnitten, oder Bananen, in Scheiben geschnitten
250 ml	rote, kernlose Weintrauben, halbiert
190 g	Apfelgelee

Obst auf die gekühlte Füllung schichten. Gelee erwärmen und auf das Obst streichen. Vor dem Servieren eine Stunde kalt stellen.

6 PORTIONEN

GEFRORENER HEIDELBEER-KÄSEKUCHEN

1½ Eßl.	weiche Butter
500 ml	frische Heidelbeeren
110 g	Zucker
1	Packung Gelatine, ohne Aroma
160 ml	Schlagsahne
1	Ei
375 g	Frischkäse (Zimmertemperatur)
30 g	Puderzucker

Eine 23 cm ø Pie-Form mit reichlich Butter einfetten. Etwa 375 ml Heidelbeeren behutsam in die Butter drücken, um die Form damit auszulegen. Mit 2 Eßlöffeln Streuzucker bestreuen.

In einem mittelgroßen Topf Gelatine in gut 80 ml Sahne einweichen. Ei und die restlichen 75 g Streuzucker einrühren. Bei mittlerer Hitze und unter ständigem Rühren erhitzen, bis die Mischung leicht dicklich wird. Zum Kochen bringen.

Frischkäse glattrühren. Gelatinemischung langsam unter Rühren dazugeben. Gut durchrühren. Die restlichen 80 ml Schlagsahne steif schlagen, unter das Frischkäsegemisch heben. Auf den Heidelbeerboden füllen und 3-4 Stunden kalt stellen. Vor dem Servieren mit den übrigen Heidelbeeren und gesiebtem Puderzucker bestreuen.

Obstpizza

Italienischer Mokkakuchen

ITALIENISCHER MOKKAKUCHEN

6	Eier, getrennt
230 g	Zucker
2 Eßl.	Zitronensaft
1 Teel.	Zitronenschale, gerieben
1 Teel.	instant Kaffeepulver
2 Eßl.	heißes Wasser
60 g	feines Mehl
2 Teel.	Backpulver
¼ Teel.	Salz
16	mit Schokolade überzogene Kaffeebohnen

Eigelb schlagen, Zucker, Zitronensaft und -schale unterschlagen. Kaffeepulver im heißen Wasser auflösen, der Eimischung zugeben.

Mehl, Backpulver und Salz zusammensieben, unter die Eimischung ziehen. Eiweiß steif schlagen. Unter die Eimischung heben, aber nicht zuviel rühren. In zwei 23 cm ø, mit Wachspapier ausgelegte, eingefettete, bemehlte runde Kuchenformen geben. Im vorgeheizten Ofen bei 180°C 20 Minuten backen. Auf ein Gitter geben und 10 Minuten abkühlen lassen. Kuchen aus der Form stürzen und vollkommen abkühlen lassen.

Mit Mokkacremefüllung (siehe Seite 506) füllen und glasieren. Mit den Kaffeebohnen verzieren.

WEICHE SCHOKOLADEN-PLÄTZCHEN

80 g	halbbittere Schokolade
225 g	Butter
450 g	Zucker
2	Ei
⅛ Teel.	Salz
410 g	Mehl
2 Eßl.	Kakaopulver
1 Eßl.	Backpulver
180 ml	Milch
1 Teel.	Vanilleextrakt

Schokolade im Wasserbad schmelzen. Butter cremig rühren, dann Zucker und Eier unterrühren.

Salz, Mehl, Kakao- und Backpulver zusammensieben. Abwechselnd mit der Milch unter die Creme rühren. Vanilleextrakt hinzufügen und 4 Stunden kalt stellen. Zu einer zigarrenförmigen Rolle verarbeiten, dann in Scheiben schneiden.

10-12 Minuten bei 200°C im vorgeheizten Ofen backen. Aus dem Ofen nehmen und abkühlen lassen.

ERGIBT 2 DUTZEND PLÄTZCHEN

HEIDELBEER-TORTE

TORTENBODEN:	
300 g	feines Mehl
110 g	Zucker
115 g	Butter, weich
3	Eigelb
1 Teel.	Zitronenschale, gerieben
¼ Teel.	Salz

Mehl in eine Rührschüssel geben. Mit dem Knethaken Zucker und Butter mit dem Mehl mischen. Eigelb, Zitrone und Salz hinzufügen. Alles gut verarbeiten aber nicht zuviel verkneten. Teig 30 Minuten ruhen lassen, dann 3 mm dick ausrollen. Eine gefettete 25 cm Tortenform damit auskleiden. Bei 180°C 15 Minuten im Ofen blindbacken (Siehe Wörterverzeichnis für Blindbacken).

FÜLLUNG:	
400 g	Zucker
40 g	Stärkemehl
2	Eier
1 Eßl.	Butter
375 ml	Milch
1 Teel.	Vanilleextrakt
750 ml	Heidelbeeren, frisch
95 g	Apfelgelee

Stärkemehl, 230 g Zucker und Eier im Wasserbad verrühren. Butter, Milch und Vanille dazugeben. Mischung kochen, bis sie sehr dick wird. Auf den Tortenboden geben. Den restlichen Zucker mit den Heidelbeeren mischen, auf der Cremefüllung verteilen. Torte wieder in den Ofen stellen und weitere 25 Minuten backen. Aus dem Ofen nehmen, abkühlen lassen. Apfelgelee erwärmen und auf die Heidelbeeren streichen. Kalt stellen.

8-10 PORTIONEN

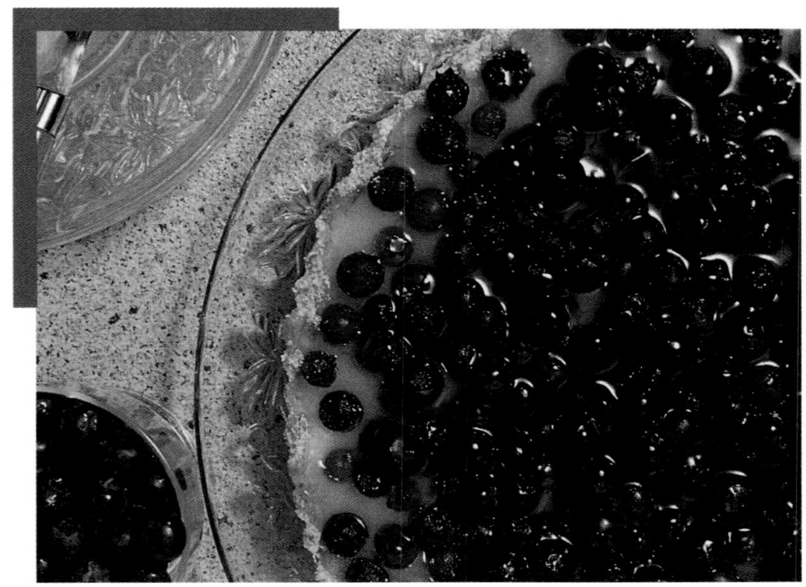

Heidelbeertorte

GEFRORENE SCHOKOLADEN-ZABAGLIONE

6	Eigelb
115 g	Zucker
60 g	halbbittere Schokolade
80 ml	Sherry (Creme)
60 ml	Creme fraiche

Eigelb und Zucker in ein Wasserbad geben und bei milder Hitze schaumig schlagen.

Schokolade in einem zweiten Wasserbad schmelzen. Sherry und Sahne angießen. Die Mischung langsam zu den Eiern geben, dabei ununterbrochen rühren, bis sie dickflüssig wird. Abkühlen lassen, dann kalt stellen. In eine Eismaschine geben und laut Anweisungen des Herstellers einfrieren.

4 PORTIONEN

GOURMET KÜRBIS-PIE

½ Portion	Feinschmeckerteig (siehe Seite 541)
430 ml	Kürbis, aus der Dose
100 g	brauner Zucker, zusammengepreßt
85 g	Honig
½ Teel.	Ingwer, gemahlen
1 Teel.	Zimt
¼ Teel.	Gewürznelken, gemahlen
2	Eier, geschlagen
250 ml	Kondensmilch
125 ml	Wasser

Teig ausrollen und eine 23 cm ø Tortenform damit auslegen. Teig mit einem Bogenrand versehen.

Kürbis in einen Kochtopf geben und 10 Minuten kochen. Zucker, Honig und Gewürze damit verrühren. Vom Herd nehmen. Eier, Milch und Wasser einquirlen. Glattrühren. In die Form gießen. Bei 230°C im vorgeheizten Ofen 45 Minuten backen, oder bis eine hineingestochene Messerklinge beim Ausziehen sauber bleibt.

6 PORTIONEN

Gourmet Kürbis-Pie

ERDBEER-KÄSEKUCHEN

BODEN:	
500 ml	weiße Kuchenkrümel
30 g	feines Paniermehl
60 ml	Butter, zerlassen

Zutaten vermengen. Mischung auf Boden und Rand einer 23 cm ø Springform drücken.

FÜLLUNG:	
500 ml	frisches Erdbeerpüree
750 g	Frischkäse
340 g	Zucker
3	Eier
2 Teel.	Vanilleextrakt, weiß

Erdbeeren, Käse und Zucker cremig rühren. Eier einzeln dazugeben und nach jedem Zusatz gut verrühren. Vanille einrühren, die Füllung in die vorbereitete Springform gießen. 75 Minuten im auf 160°C vorgeheizten Ofen backen. Ofen ausschalten, Ofentür etwas öffnen und 30 Minuten geöffnet lassen. Danach Kuchen auf ein Gitter geben und auf Zimmertemperatur abkühlen lassen.

BELAG:	
500 ml	frische Erdbeeren, halbiert
190 g	Aprikosenmarmelade

Erdbeeren kreisförmig auf dem abgekühlten Kuchen anordnen. Aprikosenmarmelade in einem kleinen Kochtopf erhitzen und auf die Erdbeeren streichen. Kuchen vor dem Servieren 6-8 Stunden kalt stellen.

Erdbeerkäsekuchen

B-52 Torte mit B-52 Zuckerguß

B-52 TORTE

2 Eßl.	Kakaopulver
240 g	feines Mehl
1 Teel.	Backpulver
¼ Teel.	Salz
115 g	Butter
340 g	Zucker
2	geschlagene Eier
80 g	geschmolzene halbbittere Schokolade
80 ml	Milch
30 ml	Orangenbrandy
30 ml	Irish Cream
30 ml	Kaffeelikör

Kakaopulver, Mehl, Backpulver und Salz dreimal zusammensieben.

Butter mit Zucker zu einer sehr hellen Creme rühren. Eier nach und nach zugeben und gründlich unterrühren. Schokolade und Milch mit den Likören mischen.

Mehl und die Flüssigkeit zu Dritteln mit der Creme verrühren. In zwei runde, gefettete, bemehlte 20 cm ø Formen gießen. Im vorgeheizten Ofen bei 180°C 35-40 Minuten backen.

10 Minuten abkühlen lassen, aus der Form auf ein Gitter stürzen. Mit B-52 Zuckerguß (Rezept folgt) füllen und überziehen.

B-52 ZUCKERGUSS

85 g	halbbittere Schokolade
30 ml	Irish Cream
30 ml	Orangenbrandy
30 ml	Kaffeelikör
1 Teel.	Butter, zerlassen
2	Eigelb
220 g	Puderzucker

Schokolade mit Butter und Likören im Wasserbad zerlassen. Eigelb unterschlagen. Unter Rühren kochen, bis die Sauce dickflüssig wird. Sofort vom Herd nehmen. In einen Mixer geben und Zucker einrühren. Laut Anweisung verwenden.

CAPPUCCINO NUDELN

½ Portion	Kaffeenudeln (siehe Seite 436)
½ Portion	Kakaonudeln (siehe Seite 429)
55 g	Zucker
250 ml	entrahmte Sahne
1 Teel.	Vanilleextrakt
170 g	halbbittere Schokolade

Nudelteig nach Anweisung verarbeiten, in Capellini (Fadennudeln) schneiden.

Zucker in der Sahne auflösen, Vanille dazugeben.

Sahne im Wasserbad erhitzen. Schokolade zufügen.

Nudeln in einem großen Topf kochendem Wasser kochen. Abtropfen lassen und auf Servierteller geben. Sauce darübergießen, servieren.

6 PORTIONEN

Engelsspeisekuchen

ENGELSSPEISE-KUCHEN

10	Eiweiß
1 Teel.	Weinstein
225 g	Vanillezucker*
110 g	Mehl
¼ Teel.	Salz
1 Teel.	Vanilleextrakt

Eiweiß sehr schaumig schlagen. Weinstein, dann Zucker langsam einrühren. Salz und Mehl viermal zusammensieben, und unter das Eiweiß ziehen. Vanille hinzufügen. In eine ungefettete hohe Kranzform geben. Im vorgeheizten Ofen bei 190°C 35-40 Minuten backen. Form stürzen, über ein Glas oder Rohr hängen, bis der Kuchen von selbst herausfällt. Abgekühlten Kuchen mit Marshmallow-Fondant-Zuckerguß (Seite 572), Doppelschokoladenzuckerguß (Seite 561) oder beliebigem Zuckerguß überziehen.

* Um Vanillezucker herzustellen, 400 g Zucker und 3 Vanilleschoten in ein Gefäß geben und zwei Wochen lang gut verschlossen halten.

KAFFEENUDELN FRANGELICO

1 Portion	Kaffeenudeln (siehe Seite 436)
55 g	Zucker
250 ml	entrahmte Sahne
2 Teel.	instant Kaffeepulver
60 g	Frangelico Likör
60 g	halbbittere Schokolade
25 g	gehackte Haselnüsse

Nudelteig laut Anweisung verarbeiten, zu Capellini (Fadennudeln) schneiden.

Zucker in der Sahne im Wasserbad auflösen. Kaffee und Likör zugießen. Schokolade im gleichen Topf schmelzen.

Nudeln in einem großen Topf kochendem Wasser kochen, Wasser abgießen. Abtropfen lassen.

Sauce über die Nudeln geben, Nüsse darauf streuen. Servieren.

6 PORTIONEN

APFEL-PIE MIT AHORNZUCKER

1 Portion	Vollweizen-Pie-Boden (Rezept folgt)
8	große, säuerliche Äpfel
250 ml	Ahornzucker
1 Eßl.	Mehl
je ¼ Teel.	Muskatnuß, Gewürznelken
1 Teel.	Zimt, gemahlen
2 Eßl.	Butter
1	Ei, geschlagen

Teig ausrollen, eine 23 cm ø Pie-Form damit auskleiden. Äpfel schälen und vom Kerngehäuse befreien. Zucker, Mehl und Gewürze mischen. Die Hälfte davon auf den Teig streuen. Form mit den Äpfeln füllen, den restlichen Zucker darauf streuen. Butter tupfenartig darauf verteilen. Restlichen Teig ausrollen, Pie damit bedecken und Ränder unterschlagen. Teig mit einem Bogenrand versehen. Teigdecke aufschneiden, damit der Dampf entweichen kann. Mit Ei bestreichen. Im vorgeheizten Ofen bei 215°C etwa 45 Minuten goldbraun backen. Vor dem Servieren abkühlen lassen.

6 PORTIONEN

VOLLWEIZEN-PIE-BODEN

120 g	Vollweizenmehl
110 g	Mehl
1 Teel.	Salz
145 g	Backfett
80 ml	Eiswasser

Mehl und Vollweizenmehl zweimal mit dem Salz zusammensieben. Backfett ins Mehl schneiden. Wasser eßlöffelweise mit dem Mehl verrühren, bis dieses gerade feucht wird. Teigmasse halbieren, zudecken und kalt stellen. Nach Bedarf verwenden.

Apfel-Pie mit Ahornzucker

ZITRONEN- ODER LIMONEN-PIE MIT BAISER

½ Portion	Pie-Teig (siehe Seite 616)
510 g	Zucker
55 g	Stärkemehl
410 ml	kochendes Wasser
3	Eier, getrennt
80 ml	Zitronen- oder Limonensaft mit Fruchtfleisch
1 Teel.	Zitronen- oder Limonenschale, gerieben
1 Eßl.	Butter
2 Tropfen	grüne Lebensmittelfarbe, für Limonenpie

Teig ausrollen und eine 23 cm ø Pie-Form damit auskleiden. Mit einem Bogenrand versehen und blindbacken. (Siehe Wörterverzeichnis für Blindbacken). Abkühlen lassen.

285 g Zucker mit Stärkemehl mischen. Wasser unter Rühren dazugeben, damit keine Klumpen entstehen. Bei mäßiger Hitze kochen, bis die Mischung dickflüssig wird. Vom Herd nehmen und Eigelb nach und nach unterziehen. Weitere 2 Minuten kochen. Saft, Fruchtfleisch und Butter (eventuell Lebensmittelfarbe für Limonen-Pie) hinzufügen.

Völlig abkühlen lassen. In die vorbereitete Pie-Form gießen. Eiweiß steif schlagen. Den Rest des Zuckers 2 Eßlöffel auf einmal damit verrühren. Eiweiß strudelnd über den Pie verteilen. Im vorgeheizten Ofen bei 230°C 10-12 Minuten backen, oder bis die Baisermasse goldgelb wird.

6 PORTIONEN

DUNKLER SCHOKOLADEN-KUCHEN

2 Eßl.	Kakaopulver
240 g	feines Mehl
1 Teel.	Natron
¼ Teel.	Salz
115 g	Butter
340 g	Zucker
2	Eier
120 g	halbbittere Schokolade, geschmolzen
250 ml	Buttermilch

Kakaopulver, Mehl, Natron und Salz dreimal zusammensieben. Butter und Zucker zu einer sehr hellen Creme rühren. Eier nach und nach zugeben. Schokolade hinzufügen. Mehl und Buttermilch zu Dritteln damit verrühren. Teig in zwei runde, eingefettete, bemehlte, 20 cm ø Kuchenformen geben. Im vorgeheizten Ofen bei 180°C 35-40 Minuten backen. Kuchen 10 Minuten abkühlen lassen, dann auf ein Gitter stürzen. Weiter abkühlen lassen und mit Mokkacremefüllung (Rezept folgt) überziehen.

MOKKACREME-FÜLLUNG

115 g	Zucker
60 ml	sehr starker, schwarzer Kaffee
60 ml	Kaffeelikör
3	Eigelb
140 g + 2 Eßl.	Butter, ungesalzen

Zucker, Kaffee und Likör in einem kleinen Kochtopf erhitzen und zu einem dicken Sirup reduzieren. Eigelb schlagen, den Sirup langsam damit verquirlen.

Butter zu einer hellen, schaumigen Creme rühren. Unter die Ei/Kaffee-Mischung heben. Nach Bedarf verwenden.

KOMMENTAR: Um Irish-Cream-Füllung zuzubereiten, Kaffeelikör durch Irish Cream ersetzen.

Zitronen- oder Limonen-Pie mit Baiser

Dunkler Schokoladenkuchen mit Mokkacreme-Füllung

Buttertörtchenschnitten

PINA-COLADA-KÄSEKUCHEN

BODEN:	
80 g	Kokosflocken
250 ml	geröstete Haselnüsse, gemahlen
75 g	Zucker
60 ml	Butter, zerlassen

Zutaten mischen. Mischung auf den Boden einer 23 cm ø Springform drücken. 10 Minuten kalt stellen. Im vorgeheizten Ofen bei 180°C 7 Minuten backen.

FÜLLUNG:	
680 g	Frischkäse
230 g	Zucker
60 ml	Kokosnußcreme*
250 ml	Creme fraiche
375 ml	kleingeschnetzelte Ananas, gut abgetropft
3	Eier
60 ml	Kokosrum (falls erwünscht)
2 Teel.	Rumextrakt
80 g	geröstete Kokosnuß, geraspelt

Käse und Zucker zu einer glatten Creme rühren. Kokoscreme, Sahne und Ananas einrühren. Eier nach und nach zugeben und gründlich unterrühren. Rumextrakt unterziehen. Die Füllung auf dem Kuchenboden verteilen. Im vorgeheizten Ofen bei 160°C 90 Minuten backen. Ofen ausschalten, Ofentür ein wenig öffnen und 30 Minuten offen halten. Danach Kuchen aus dem Ofen nehmen, mit Kokosflocken bestreuen und auf ein Gitter geben. Auf Zimmertemperatur abkühlen lassen. Vor dem Servieren 8 Stunden oder über Nacht kalt stellen.

HONIGTORTE MIT WEISSER SCHOKOLADE

140 g	Mehl
2 Teel.	Backpulver
½ Teel.	Salz
230 g	Zucker
3	Eier, getrennt
125 ml	Milch
180 ml	Öl
60 g	weiße Schokolade, geschmolzen, abgekühlt
1½ Teel.	Vanilleextrakt, weiß
250 g	Honig
60 ml	weiße Creme de Cacao

Mehl, Backpulver und Salz zweimal zusammensieben. Zucker mit Eiern zu einer sehr hellen Creme rühren. Mehl, Milch und Öl abwechselnd zu Dritteln zugeben. Schokolade und Vanille unterheben. Teig in eine gefettete, bemehlte 23 cm ø Springform geben. Im vorgeheizten Ofen bei 180°C 30 Minuten backen. Zum Abkühlen auf ein Gitter geben. Torte auf eine große Platte geben. Honig mit Likör verrühren und über die Torte gießen. 24 Stunden durchziehen lassen. Ungesüßte, geschlagene Schlagsahne dazu reichen.

BUTTERTÖRTCHEN-SCHNITTEN

115 g	Butter
110 g	Mehl
285 g	brauner Zucker
2	Eier, geschlagen
40 g	Haferflocken
¼ Teel.	Salz
½ Teel.	Backpulver
1 Teel.	Vanilleextrakt
125 ml	grobgehackte Pekannüsse
90 g	Rosinen

Butter ins Mehl schneiden und 2 Eßlöffel Zucker damit vermischen. In eine gefettete, 22,5 x 23 cm große Kuchenform drücken. Im vorgeheizten Ofen bei 180°C 15 Minuten backen.

Eier mit dem Rest des Zuckers schlagen. Haferflocken, Salz und Backpulver dazugeben, gut durchrühren. Vanille, Nüsse und Rosinen einrühren. In die vorbereitete Form gießen, diese zurück in den Ofen schieben und weitere 20 Minuten backen. Kuchen abkühlen lassen, dann in Quadrate schneiden.

ERGIBT 20 SCHNITTEN

Honigtorte mit weißer Schokolade

WALNUSS-MANDARINEN-KUCHEN

115 g	Butter
230 g	Zucker
2	Eigelb
180 g	feines Mehl
2¼ Teel.	Backpulver
30 g	Kakaopulver
2 Eßl.	heißes Wasser
125 ml	Milch
1 Teel.	Vanilleextrakt
65 g	Walnüsse, gehackt
250 ml	Mandarinenspalten

Butter cremig rühren, Zucker zufügen, und Eier nach und nach zugeben. Zu einem sehr hellen Schaum schlagen. Mehl und Backpulver zusammensieben. Kakaopulver, heißes Wasser, Milch und Vanille mischen.

Abwechselnd ⅓ Mehl und ⅓ Milch unterrühren. Walnußstücke und Orangenspalten einrühren. In zwei 23 cm ø eingefettete und bemehlte Kuchenformen geben. Im vorgeheizten Ofen bei 180°C 25-30 Minuten backen, oder bis ein Zahnstocher, der in den Kuchen gesteckt wird, sauber herauskommt. 10 Minuten abkühlen lassen, auf ein Gitter stellen. Völlig abkühlen lassen, mit Ananascremeglasur (Rezept folgt) bestreichen.

ANANASCREME-GLASUR

250 ml	Schlagsahne
25 g	Puderzucker
625 ml	kleingeschnetzelte Ananas, mit Saft
90 g	Instant Puddingpulver, mit Ananas- oder Vanillearoma

Sahne steif schlagen. Puderzucker unterrühren. Ananas in den Pudding schlagen, bis dieser fest wird. Schlagsahne unterheben. Den Kuchen damit überziehen.

SCHOKOLADEN-MOUSSE

120 g	halbbittere Schokolade, gerieben
6	große Eier, getrennt, (Zimmertemperatur)
¼ Teel.	Salz

Schokolade im Wasserbad schmelzen. Etwas abkühlen lassen. Eigelb zu Schaum schlagen. Zerlaufene Schokolade langsam einrühren. Eiweiß mit Salz steif schlagen. Behutsam unterheben. Die Mousse löffelweise in Servierschalen geben, mit Frischhaltefolie zudecken und 6 Stunden kalt stellen.

6 PORTIONEN

Walnuß-Mandarinen-Kuchen mit Ananascremeglasur

B-52 Käsekuchen

Zucker-Gewürz-Einsiedler

ROSINENNUSS-HAFERFLOCKEN-PLÄTZCHEN

1 Teel.	Backpulver
1 Teel.	Natron
1 Teel.	Salz
195 g	Backfett
200 g	brauner Zucker, zusammengepreßt
230 g	Zucker
2	Eier
1 Teel.	Vanilleextrakt
240 g	Instant Haferflocken
95 g	Rosinen
65 g	Walnußstücke

Ofen auf 180°C vorheizen.

Backpulver, Natron und Salz zusammensieben. Backfett und Zucker zu einer sehr hellen, schaumigen Creme rühren. Eier nach und nach zugeben und gründlich unterrühren. Vanille einmischen. Trockene Zutaten hinzufügen. Haferflocken, Rosinen und Nüsse einrühren.

Zu Bällchen formen und in Abständen von 5 cm auf ein gefettetes Backblech geben. 10-12 Minuten backen.

ERGIBT 3 DUTZEND PLÄTZCHEN

ZUCKER-GEWÜRZ-EINSIEDLER

170 g	Butter
165 g	brauner Zucker
2	Eier
¾ Teel.	Natron
1 Eßl.	heißes Wasser
280 g	Mehl
½ Teel.	Salz
1 Teel.	Zimt
¼ Teel.	Muskatnuß
¼ Teel.	Gewürznelken
190 g	Rosinen

Butter mit Zucker cremig rühren. Eier, Natron und Wasser unterschlagen. Restliche Zutaten unterheben. Teig mit einem Eßlöffel in Abständen von 5 cm auf ein gefettetes Backblech geben. Im vorgeheizten Ofen bei 180°C 10-12 Minuten backen.

ERGIBT 40 PLÄTZCHEN

B - 52 KÄSEKUCHEN

BODEN:	
300 g	zerbröselte Schokoladenwaffeln
3 Eßl.	Zucker
60 ml	Butter, zerlassen

Zutaten mischen und auf den Boden und die Seiten einer gefetteten 23 cm ø Springform drücken.

FÜLLUNG:	
675 g	Frischkäse
230 g	Zucker
6	Eier
85 g	halbbittere Schokolade, geschmolzen
60 ml	Kahlua Likör
60 ml	Grand Marnier
2 Teel.	Orangenschale, gerieben
60 ml	Irish Cream

Frischkäse mit Zucker cremig rühren, Eier nach und nach zugeben und gründlich unterrühren. Mischung in drei Massen aufteilen. Schokolade und Kahlua in den einen Teil einrühren, Grand Marnier und Orangenschale in den zweiten und Irish Cream in den letzten.

Schokoladenmasse auf den Kuchenboden geben. 30 Minuten im auf 160°C vorgeheizten Ofen backen. Dann Irish-Cream-Masse auf den Kuchen geben und weitere 20 Minuten backen. Schließlich die Grand Marnier-Masse auf das Ganze geben und weitere 45 Minuten backen. Ofen ausschalten, Ofentür ein wenig aufmachen und 30 Minuten geöffnet halten. Kuchen herausnehmen und auf ein Gitter stellen. Auf Zimmertemperatur abkühlen lassen. 8 Stunden oder über Nacht kalt stellen. Mit Orangenbrandy-Sauce (siehe Seite 107) servieren.

FONDANT-SCHNITTEN

60 g	halbbittere Schokolade
75 g	Butter
230 g	Zucker
3	Eier
80 g	Mehl
1 Teel.	Backpulver
1 Teel.	Vanille
130 g	Walnußstücke
1 Portion	Doppelschokoladenglasur (siehe Seite 561)

Schokolade und Butter im Wasserbad schmelzen, vom Herd nehmen. Zucker und Eier in die Schokolade/Butter-Mischung schlagen. Mehl und Backpulver zusammensieben und unterheben. Vanille und Walnüsse zufügen. Masse in eine gefettete, 20 cm große quadratische Form geben. Im vorgeheizten Ofen bei 180°C 12-15 Minuten backen. Etwas abkühlen lassen. Mit Zuckerguß überziehen und in kleine Quadrate schneiden.

ERGIBT 2 DUTZEND SCHNITTEN

SCHILDKRÖTEN-SCHNITTEN

60 ml	Butter, zerlassen
100 g	zerbröselte Schokoladenwaffeln
80 g	geraspelte Kokosnuß
300 g	halbbittere Schokoladenstückchen
180 g	Karamellen
500 ml	Kondensmilch, gesüßt
250 ml	Pekannußstücke

Butter mit den Waffelkrümeln mischen und in eine gefettete, 32,5 x 23 cm große Form drücken. Mit Kokosraspeln, Karamellen und der Hälfte der Schokoladenstückchen bestreuen. Milch darübergießen, Nüsse darauf streuen. Im vorgeheizten Ofen bei 180°C 30 Minuten backen. Abkühlen lassen. Den Rest der Schokolade im Wasserbad schmelzen, über den Kuchen gießen. Völlig abkühlen lassen und in Rechtecke aufschneiden.

ERGIBT 24 SCHNITTEN

PFIRSICH-APFEL-PIE

PIE:	
½ Portion	Pie-Teig (siehe Seite 616)
4	große, säuerliche Kochäpfel, entkernt, geschält, in Scheiben geschnitten
450 g	frische Pfirsiche, in Scheiben geschnitten
25 g	Mehl
115 g	Zucker
½ Teel.	Zimt

BELAG:	
55 g	Mehl
½ Teel.	Zimt
55 g	hellbrauner Zucker
75 g	Butter

PIE:

Teig ausrollen und eine 25 cm ø Pie-Form damit auskleiden. Mit einem Bogenrand versehen.

Äpfel und Pfirsiche mischen. Mehl, Zucker und Zimt mischen und unter das Obst heben. Auf dem Pie-Boden verteilen.

BELAG:

Mehl, Zimt und Zucker mischen, Butter einschneiden, bis das Gemisch krümelig wird. Auf den Pie streuen. Im vorgeheizten Ofen bei 215°C 20 Minuten backen, Temperatur auf 160°C zurückschalten, und weitere 30 Minuten backen. Herausnehmen und akbühlen lassen. Servieren.

6 PORTIONEN

Pfirsich-Apfel-Pie

Schildkrötenschnitten

Prinzregententorte

PRINZREGENTEN TORTE

KUCHEN:	
400 g	Zucker
80 ml	heißes Wasser
360 g	feines Mehl
1 Eßl.	Backpulver
¼ Teel.	Salz
170 g	Butter
3	Eier
1 Teel.	Vanilleextrakt
160 ml	Milch

115 g Zucker in einen schweren Stieltopf geben und bei mittelgroßer Hitze unter ständigem Rühren bräunen. Von der Kochstelle nehmen, mit Wasser ablöschen und abkühlen lassen. Mehl, Backpulver und Salz zusammensieben. Butter und den restlichen Zucker zu einer sehr hellen Creme rühren.

Eier nach und nach in die Creme geben und gründlich unterrühren. Den gekühlten Sirup mit Vanille und Milch verrühren. Mehl und Flüssigkeit je zu Dritteln in die Creme einrühren.
20 cm ø Scheiben aus Wachspapier ausschneiden und auf Backbleche legen. Teig gleichmäßig in Mengen von je 180 ml auf die Wachspapierscheiben verteilen. Dabei einen 4 cm dicken Rand der Scheiben freilassen. 7-8 Minuten im vorgeheizten Ofen bei 180°C backen. Wachspapier entfernen. Jede Lage nach dem Abkühlen füllen und aufstapeln.

FÜLLUNG FÜR PRINZREGENTEN TORTE

230 g	Zucker
40 g	Stärkemehl
2	Eier
375 ml	Milch
1 Teel.	Vanilleextrakt
85 g	halbbittere Schokolade

Zucker in einem Kochtopf oder Wasserbad mit Stärkemehl und Eiern mischen. Milch und Vanille einquirlen. Bei mäßiger Temeperatur erhitzen. Schokolade einrühren und kochen, bis die Sauce sehr dick ist. Abkühlen lassen und auf die Kuchenscheiben streichen.

ÜBERZUG:	
300 g	halbbittere Schokolade
1½ Teel.	Öl

Schokolade im Wasserbad schmelzen, Öl einrühren. Noch heiß über den Kuchen gießen. Eine Stunde kalt stellen. Servieren.

Holländischer Apfelkäsekuchen

TEUFELSÄPFEL

285 g	Zucker
310 ml	Wasser
1	Vanilleschote
6	große Äpfel, geschält, entkernt
375 ml	Creme fraiche
125 ml	saure Sahne
55 g	Puderzucker
80 ml	Calvados

Zucker, Wasser und Vanilleschote zusammen zum Kochen bringen. Temperatur zurückschalten. Gut rühren, bis der Zucker sich auflöst. Äpfel darin pochieren, bis sie zart sind. Sahne schlagen, bis sie dick, aber nicht steif ist, dann saure Sahne und Puderzucker unterheben. Äpfel auf Teller legen, reichlich Sahne darübergeben. Calvados erhitzen und anzünden. Sofort servieren.

6 PORTIONEN

APFEL-GEWÜRZ-KUCHEN

500 ml	Apfelsaft
340 g	Zucker
250 ml	Öl
1 Eßl.	Zimt
¾ Teel.	Gewürznelken
1 Teel.	Muskatnuß
190 g	Rosinen
165 g	Äpfel, geschält, entkernt, geschnetzelt
480 g	feines Mehl
2 Teel.	Backpulver
250 ml	Pekannüsse, gehackt

Apfelsaft, Zucker, Öl, Gewürze, Rosinen und Äpfel bei mäßiger Hitze 5 Minuten kochen. Vom Herd nehmen und auf Zimmertemperatur abkühlen lassen. Mehl, Backpulver und Nüsse einrühren. Gut durchrühren. Teig in eine gefettete, bemehlte 25 x 10 cm große Kastenform geben. 1½ Stunden lang bei 180°C im vorgeheizten Ofen backen. 15 Minuten abkühlen lassen, auf ein Gitter stürzen.

HOLLÄNDISCHER APFEL-KÄSEKUCHEN

BODEN:	
350 g	zerbröselte Grahamkräcker
1 Eßl.	Zimt
60 ml	zerlassene Butter

Zutaten mischen, die Mischung auf den Boden und die Seiten einer gefetteten, 25 cm ø Springform drücken. Kalt stellen. Ofen auf 160°C vorheizen.

FÜLLUNG:	
230 g	Äpfel, geschält, entkernt, gewürfelt
135 g	Walnüsse, gehackt
95 g	Rosinen
450 g	Frischkäse
170 g	Zucker
4	Eier
1 Teel.	Vanilleextrakt

Äpfel, Nüsse und Rosinen vermengen, auf dem Kuchenboden verteilen. Käse und Zucker zu einer hellen und schaumigen Creme rühren. Eier nach und nach zugeben und gründlich unterrühren. Vanille einrühren. Mischung über die Äpfel gießen. 45 Minuten backen.

BELAG:	
55 g	Mehl
1 Teel.	Zimt
55 g	hellbrauner Zucker
75 g	Butter

Mehl, Zimt und Zucker zusammensieben. Butter cremig rühren, mit Mehl vermengen. Das Gemisch auf den Kuchen streichen. Weitere 45 Minuten backen. Ofentür ein wenig öffnen, Ofen ausschalten und Kuchen noch 30 Minuten im Ofen lassen. Kuchen auf ein Gitter stellen und abkühlen lassen. 6-8 Stunden kalt stellen.

Apfel-Gewürzkuchen

Pekantropfen

PFIRSICH-KÄSEKUCHEN

BODEN:	
500 ml	weiße Kuchenkrümel
90 g	feines Paniermehl
60 ml	Butter, zerlassen

Zutaten mischen. Mischung auf den Boden und die Seiten einer gefetteten 23 cm ø Springform drücken. 5 Minuten kalt stellen, 7 Minuten bei 180°C im vorgeheizten Ofen backen. Kalt stellen.

FÜLLUNG:	
675 g	Frischkäse
230 g	Zucker
3	Eier
60 ml	Creme fraiche
500 ml	frisches Pfirsichpüree
1 Eßl.	Zitronensaft
2 Teel.	Vanilleextrakt

Käse mit dem Zucker cremig rühren. Nach und nach Eier zugeben und gründlich unterrühren. Sahne, Pfirsichpüree, Zitronensaft und Vanille einrühren. Auf dem Kuchenboden verteilen und im vorgeheizten Ofen bei 180°C 70 Minuten backen. Ofen ausschalten, Ofentür ein wenig öffnen. Kuchen nach 30 Minuten herausnehmen und auf ein Gitter stellen. Auf Zimmertemperatur abkühlen lassen.

BELAG:	
455 g	frische Pfirsiche, in Scheiben geschnitten
2 Eßl.	Zitronensaft
95 g	Aprikosenmarmelade

Pfirsiche 10 Minuten im Zitronensaft ziehen lassen. Eventuell übrigbleibende Flüssigkeit abgießen. Pfirsiche auf dem Kuchen anordnen. Aprikosenmarmelade erhitzen und Pfirsiche damit bestreichen. Kuchen vor dem Servieren 6-8 Stunden kalt stellen.

TIMOTHYS OBSTSCHALE

BODEN:	
300 g	zerbröselte Grahamkräcker
½ Teel.	Zimt, gemahlen
3 Eßl.	Zucker
60 ml	Butter, zerlassen

Alle Zutaten mischen. Mischung auf den Boden und die Seiten einer gefetteten 23 cm ø Pie-Form drücken. 5 Minuten bei 180°C im vorgeheizten Ofen backen. Abkühlen lassen, dann kalt stellen.

FÜLLUNG:	
500 ml	Kirschfüllung (für Torten)
½ Portion	Kiwi-Mango-Sorbet (siehe Seite 580)
1 Portion	**Erdbeer-Bananen-Eis (siehe Seite 641)**

Kirschfüllung auf dem Tortenboden verteilen. Abwechselnd Lagen von Sorbet und Speiseeis daraufgeben. Vor dem Servieren 4 Stunden einfrieren.

8-10 PORTIONEN

PEKANTROPFEN

55 g	Butter
115 g	Zucker
2	Eier, getrennt
2 Teel.	Backpulver
¼ Teel.	Salz
110 g	Mehl
250 ml	Pekannüsse, gehackt
60 ml	Milch
1 Teel.	Vanilleextrakt

Butter mit Zucker cremig rühren, Eigelb unterschlagen. Eiweiß steif schlagen. Backpulver, Salz und Mehl zusammensieben. Mehl und Eierschnee in die Creme geben. Nüsse, Milch und Vanille einrühren. Teelöffelgroße Stücke Teig auf ein gefettetes Backblech geben. 10-12 Minuten bei 180°C im vorgeheizten Ofen backen.

ERGIBT 30 PLÄTZCHEN

Timothys Obstschale

BANANEN-SPLIT KÄSEKUCHEN

BODEN:	
80 g	Kokosflocken
250 ml	geröstete Haselnüsse, gemahlen
55 g	Zucker
60 ml	Butter, zerlassen

Zutaten mischen. Mischung auf den Boden und die Seiten einer gefetteten 23 cm ø Springform drücken. 5 Minuten kalt stellen, 7 Minuten bei 180°C im vorgeheizten Ofen backen. Kalt stellen.

FÜLLUNG:	
675 g	Frischkäse
230 g	Zucker
3	Eier
1 Teel.	Vanilleextrakt
150 g	Banane, zerdrückt
125 ml	Erdbeerpüree
60 g	halbbittere Schokolade, geschmolzen
1 Eßl.	Kakaopulver

Käse mit Zucker cremig rühren. Nach und nach Eier zugeben und gründlich unterrühren. Vanille einrühren. Mischung in drei Massen aufteilen. Banane in den ersten Teil einrühren, Erdbeerpüree in den zweiten, und Schokolade und Kakao in den dritten.

Schokoladenmasse auf dem Kuchenboden verteilen, 25 Minuten backen. Bananenmasse vorsichtig darauf geben, weitere 25 Minuten backen. Zuletzt Erdbeermasse darübergießen und 30 Minuten backen. Ofen ausschalten und Ofentür ein wenig öffnen. Kuchen nach 30 Minuten herausnehmen und auf ein Gitter stellen. Auf Zimmertemperatur abkühlen lassen. 8 Stunden oder über Nacht im Kühlschrank kalt stellen. Mit Schokoladensauce servieren.

RUM-FRÜCHTEKUCHEN

8	Eier, getrennt
680 g	Zucker
450 g	Butter
2 Teel.	Vanilleextrakt
360 g	feines Mehl
80 ml	Rum

Eiweiß steif schlagen. Langsam 230 g Zucker unterheben, so daß eine steife Baisermasse entsteht. Butter mit dem restlichen Zucker cremig rühren. Eigelb nach und nach zugeben und gründlich unterrühren. Vanille hinzufügen. Mehl und Rum zu Dritteln abwechselnd unterheben. Baisermasse unterheben. Teig in eine 10 x 25 cm große Kastenform geben. Bei 180°C 1½ Stunden im vorgeheizten Ofen backen. 15 Minuten abkühlen lassen, dann aus der Form auf ein Gitter stürzen. Nach Wunsch mit Zuckerguß überziehen und verzieren.

WILDBEEREN-PIE

1½	Portion Pie-Teig (siehe Seite 616)
2 kg	gefrorene Beerenmischung oder je 675g frische Heidelbeeren, Erdbeeren, Logan-Beeren
170 g	Zucker
4 Eßl.	gekörnte, schnell-kochende Tapioka
2 Eßl.	Zitronensaft
1	Ei

Teig ausrollen und eine 23 cm ø Pie-Form damit auslegen. Beeren waschen und auslesen. Andere Zutaten mit Ausnahme des Eis vermengen und unter die Beeren rühren. Diese auf dem Pie-Boden verteilen. Ei verquirlen und den Teigrand damit anfeuchten. Den Teigdeckel auf den Pie legen. Ränder zusammendrücken und mit einem Bogenrand versehen. Teigdeckel mit dem restlichen Ei bestreichen. Öffnungen in den Deckel schneiden, damit der Dampf entweichen kann.

Im auf 180°C vorgeheizten Ofen 45 Minuten backen. Abkühlen lassen und kalt stellen.

Rum-Früchtekuchen

Bananen-Split Käsekuchen

Kürbis-Chiffon

KÜRBISCHIFFON

1 Eßl.	Gelatine, ohne Aroma
2 Eßl.	Ahornsirup
375 ml	Kürbis
120 g	brauner Zucker
½ Teel.	Salz
1 Teel.	Zimt, gemahlen
¼ Teel.	Gewürznelken
¼ Teel.	Muskatnuß
80 ml	Milch
3	Eier, getrennt
75 g	Zucker
125 ml	Schlagsahne

Gelatine in Ahornsirup aufweichen. Kürbis, braunen Zucker, Salz, Gewürze und Milch in einem Kochtopf vermengen. Bei milder Hitze zum Kochen bringen. Eigelb in die Mischung schlagen und weitere 2 Minuten kochen. Ahornsirup einrühren. Kalt stellen, bis das Gemisch fast geliert ist. Eiweiß steif schlagen, Zucker langsam dazugeben. Eierschnee unter das Kürbisgemisch heben. Sahne schlagen und auch unterheben. Mischung in Serviergläser gießen und kalt stellen, bis sie fest wird. Sehr kalt servieren.

KOMMENTAR: Diese Füllung kann auch für Kürbis-Pie verwendet werden. Eine halbe Portion Pie-Teig zubereiten (siehe Seite 616) und eine 23 cm ø Pie-Form damit auslegen. Kürbischiffon laut Rezept zubereiten, aber dabei Gelatine und Schlagsahne auslassen. Die Füllung in die Form gießen und im vorgeheizten Ofen bei 180°C 45 Minuten backen. Pie nach dem Abkühlen mit Schlagsahne krönen und servieren.

8 PORTIONEN

Key-Limonenkäsekuchen

KEY-LIMONEN-KÄSEKUCHEN

BODEN:	
200 g	zerbröselte Grahamkräcker
55 g	Zucker
80 ml	Butter, zerlassen

Zutaten mischen, in eine gefettete 23 cm ø Springform hineindrücken. 5 Minuten bei 180°C im vorgeheizten Ofen backen. Abkühlen lassen.

FÜLLUNG:	
680 g	Frischkäse
170 g	Zucker
3	Eier
80 ml	Limonensaft
1 Teel.	Vanilleextrakt, weiß
1 Eßl.	Limonenschale, gerieben
1 Teel.	Zitronenextrakt

Käse mit Zucker cremig rühren. Eier nach und nach zugeben und gründlich unterrühren. Restliche Zutaten einrühren. Füllung in die vorbereitete Pie-Form geben und 35-40 Minuten bei 180°C backen.

BELAG:	
500 ml	saure Sahne
55 g	Zucker
1 Teel.	Vanille

Zutaten mischen und auf den Kuchen streichen. Weitere 10 Minuten backen. Kuchen auf ein Gitter stellen, eine Stunde abkühlen lassen. Dann glasieren.

GLASUR:	
115 g	Zucker
1½ Eßl.	Stärkemehl
¼ Teel.	Salz
125 ml	Wasser
125 ml	Limonensaft
2 Teel.	Limonenschale, gerieben
1	Eigelb
5 Tropfen	grüne Lebensmittelfarbe
1 Eßl.	Butter

Zucker, Stärkemehl und Salz in einem Kochtopf vermengen und bei mittelgroßer Temperatur erhitzen. Alle anderen Zutaten außer der Butter unterrühren. Kochen, bis die Mischung dick wird. Butter damit verquirlen. Etwas abkühlen lassen, bis die Mischung nur noch warm ist. Kuchen damit übergießen. 6-8 Stunden kalt stellen. Servieren.

ZITRONEN-BISKUITKUCHEN

6	Eier, getrennt
680 g	Zucker
2 Teel.	Zitronenschale, gerieben
2 Eßl.	Zitronensaft
180 ml	Wasser
360 g	feines Mehl
1 Eßl.	Backpulver
½ Teel.	Salz

Eiweiß steif schlagen. Eigelb sehr glatt rühren. Wasser, Zucker, Zitronenschale und -saft und das mit Salz und Backpulver zusammengesiebte Mehl mit dem Eigelb verrühren. Eiweiß unterheben. In zwei gefettete, bemehlte, 20 cm ø Formen geben und im vorgeheizten Ofen bei 180°C 30-35 Minuten backen. Kuchen 10 Minuten abkühlen lassen, dann auf ein Gitter stürzen. Weiter abkühlen lassen, dann mit Zitronenfüllung füllen und mit Zitronenzuckerguß (Rezepte folgen) überziehen.

ZITRONEN-ZUCKERGUSS

2	Eigelb
140 g	Puderzucker
3 Eßl.	Zitronensaft
1 Eßl.	Zitronenschale, gerieben

Eigelb sehr glatt schlagen. Zucker nach und nach hinzufügen. Zitronensaft und - schale unterschlagen. Nach Bedarf verwenden.

ZITRONEN-FÜLLUNG

2 Teel.	Gelatine
1 Eßl.	kaltes Wasser
1½ Eßl.	heißes Wasser
2	Eiweiß
55 g	Zucker
2 Eßl.	Zitronensaft
1 Eßl.	Zitronenschale, gerieben

Gelatine im kalten Wasser aufweichen, dann heißes Wasser einrühren.

Eiweiß steif schlagen, Zucker nach und nach zugeben. Gelatinewasser, Zitronensaft und -schale langsam einquirlen. Als Füllung für Kuchen verwenden.

KOKOSNUSS KÜSSE

340 ml	gesüßte Kondensmilch
1 Teel.	Vanille
240 g	geraspelte Kokosnuß
¼ Teel.	Salz

Milch mit Vanille verrühren. Kokosnuß und Salz einrühren. Teelöffelgroße Stücke Teig auf ein gefettetes Backblech geben. 10 Minuten bei 180°C im vorgeheizten Ofen backen.

ERGIBT 30 PLÄTZCHEN

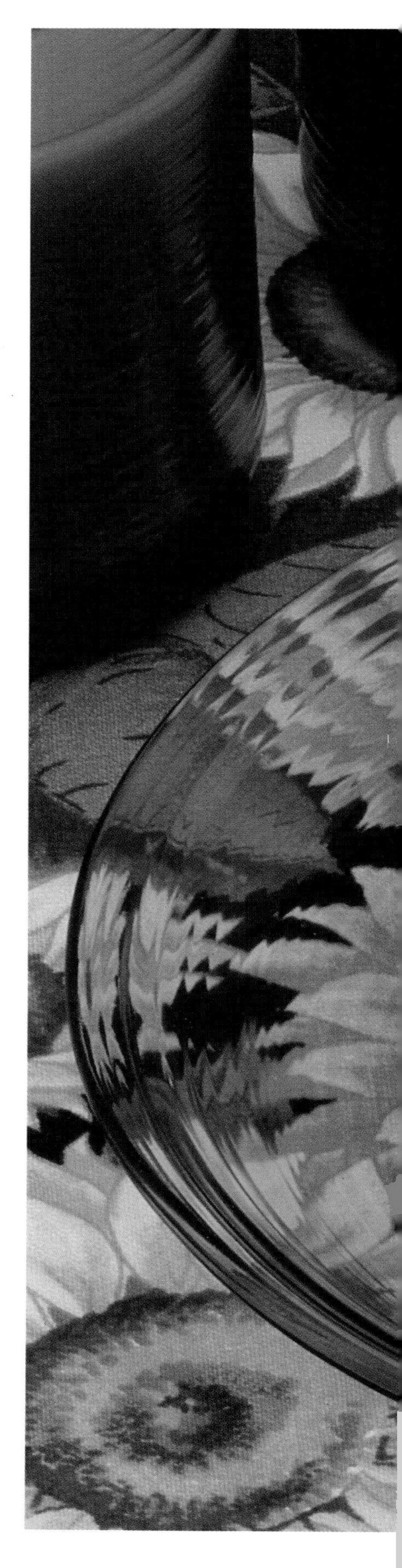

Zitronenbiskuitkuchen

Pamelas Schokoladen-Nuß-Fondant

PAMELAS SCHOKOLADEN-NUSS-FONDANT

60 g	Blockschokolade
455 g	Zucker
250 ml	entrahmte Sahne
1 Teel.	Maissirup, weiß
¼ Teel.	Salz
2 Eßl.	Butter
1 Teel.	Vanilleextrakt
1 Teel.	Orangenschale, gerieben
125 ml	Walnüsse

Schokolade, Zucker, Sahne, Sirup, Salz und Butter in einem Kochtopf mischen, bei mittlerer Hitze erhitzen. Unter gelegentlichem Rühren kochen, und auf 111°C erhitzen (Zuckerthermometer benutzen). Vanille und Orangenschale einrühren. Mischung in einer Pfanne kaltem Wasser auf 50°C abkühlen. Cremig schlagen. Nüsse einrühren. In eine gefettete, 20 x 20 cm große Form geben. Quadrate markieren, abkühlen lassen.

ERGIBT 675 g

BUTTER-PEKAN-TORTE

180 g	feines Mehl
2 Teel.	Backpulver
¼ Teel.	Salz
75 g	Butter
170 g	Zucker
2	Eier
125 ml	Milch
1 Teel.	Vanilleextrakt
125 ml	Pekannüsse, gehackt

Mehl, Backpulver und Salz zweimal zusammensieben.

Butter und Zucker zu einer sehr hellen, schaumigen Creme rühren. Eier nach und nach zugeben und gründlich unterrühren. Mehl und Milch zu Dritteln mit der Creme verrühren. Vanille und Nüsse einrühren.

In eine gefettete und bemehlte 20 cm ø Springform geben. Im vorgeheizten Ofen bei 180°C 45 Minuten backen, oder bis ein Zahnstocher, der in den Kuchen hineingesteckt wird, sauber herauskommt. Kuchen auf ein Gitter stellen, 10 Minuten abkühlen lassen, dann stürzen und völlig abkühlen lassen. Mit Pralinenzuckerguß (Rezept folgt) überziehen.

Butter-Pekan-Torte mit Pralinenzuckerguß

PRALINEN-ZUCKERGUSS

PRALINEN:	
455 g	Zucker
190 ml	Milch
335 g	Honig
500 ml	Pekannußkerne, gehackt

Zucker, Milch und Honig in einem schweren Kochtopf zum Kochen bringen. Unter Benutzung eines Zuckerthermometers auf 113°C erhitzen, oder bis sich ein weicher Ball bildet. Von der Kochstelle nehmen und etwas abkühlen lassen. Dabei die Mischung sehr cremig schlagen. Nüsse einrühren. Mischung auf gefettetes Wachspapier streichen. Abkühlen und hart werden lassen, dann zerstoßen und mit dem Zuckerguß verrühren.

ZUCKERGUSS:	
165 g	brauner Zucker
125 ml	kochendes Wasser
2	Eiweiß
1 Teel.	Vanilleextrakt

Zucker und Wasser in einem schweren Kochtopf unter Benutzung eines Zuckerthermometers auf 116°C erhitzen, oder bis sich ein weicher Ball bildet. Vom Herd nehmen und abkühlen lassen. Eiweiß steif schlagen. Den Sirup in ununterbrochenem Strahl langsam unter Rühren in den Eierschnee gießen. Vanille dazugeben und Pralinen einrühren. Die Butter-Pekan-Torte damit bestreichen.

Schokoladentraum-Pie

FRISCHE OBSTSCHALE

2 Eßl.	aromafreie Gelatine
80 ml	kaltes Wasser
180 ml	Aprikosenpüree
80 g	Puderzucker
375 ml	Schlagsahne
1 Teel.	Öl
375 ml	Himbeeren oder Brombeeren, gewaschen und entstielt
250 ml	Heidelbeeren, gewaschen
340 g	frische Pfirsichscheiben
375 ml	Erdbeerhälften

Gelatine im Wasser aufweichen, mit Aprikosenpüree mischen und in einem Kochtopf zum Kochen bringen. Sofort von der Kochstelle nehmen, Zucker einrühren. 180 ml Sahne zugießen. Abkühlen lassen und kalt stellen, bis die Mischung sehr dick, aber noch nicht fest ist. Restliche Sahne schlagen und unterheben. Eine 1,75 l große Kastenform mit eng anliegender Frischhaltefolie auskleiden. Mit Öl bepinseln. Eine Auswahl an Obst auf dem Boden der Form verteilen und das übrige Obst unter die Mischung heben. Diese in die Form geben und 8 Stunden kalt stellen. Form auf eine Platte stürzen, Frischhaltefolie behutsam entfernen. Mit Schokoladen-Himbeersauce (siehe Seite 115) servieren.

SCHOKOLADEN-TRAUM-PIE

1	Pie-Boden aus Schokoladenwaffeln
120 g	halbbittere Schokolade
2 Eßl.	Butter
35 g	Mehl
230 g	Zucker
¼ Teel.	Salz
625 ml	Milch, abgekocht
3	Eigelb
1 Teel.	Vanilleextrakt
250 ml	Schlagsahne
60 ml	Vollmilchschokoladenspäne

Schokolade und Butter im Wasserbad schmelzen. Mehl, Zucker und Salz einrühren und zu einer glatten Paste verarbeiten. Milch dazugeben und die Sauce dabei ständig rühren, bis sie dick wird. Eigelb in die Sauce schlagen, weitere 2 Minuten kochen. Von der Kochstelle nehmen und Vanille zufügen. In den Pie-Boden gießen und kalt stellen. Sahne schlagen und auf den Pie spritzen. Mit Schokoladenspänen bestreuen. Servieren.

6 PORTIONEN

SCHOKOLADEN-DINGSBUMS

160 ml	gesüßte Kondensmilch
160 g	Kokosnuß, mittelgroß geraspelt
1 Teel.	Vanilleextrakt
1 Prise	Salz
65 g	Walnußstücke
270 g	gehackte Datteln
60 ml	Maraschinokirschen
60 g	geschmolzene halbbittere Schokolade
165 g	Puderzucker
55 g	Butter
½ Teel.	Orangenextrakt
1 Eßl.	Milch
60 g	geschmolzene weiße Schokolade

Kondensmilch, Kokosnuß, Vanille, Salz, Nüsse, Datteln, Kirschen und halbbittere Schokolade vermengen. In eine gefettete 22,5 x 23 cm große Form geben. 30 Minuten lang bei 180°C im vorgeheizten Ofen backen. Kuchen aus dem Ofen nehmen und abkühlen lassen.

Puderzucker mit Butter, Orangenextrakt und Milch verrühren. Die Mischung auf den Kuchen streichen. Mit weißer Schokolade besprenkeln, abkühlen lassen, in Quadrate schneiden.

ERGIBT 36 SCHNITTEN

Frische Obstschale

Zitronenrolle mit Zitronenfüllung

ZITRONENROLLE

5	Eier, getrennt
170 g	Zucker
¼ Teel.	Salz
60 g	feines Mehl
3 Eßl.	zerlassene Butter
1 Teel.	Vanilleextrakt
1 Portion	Zitronenfüllung (siehe Seite 526)

Eiweiß steif schlagen.

Eigelb und Zucker im Wasserbad verrühren, auf ca. 60°C erhitzen und vom Herd nehmen. Die Mischung schlagen, bis sie glatt und cremig ist. Salz und Mehl vermengen und hineinrühren. Butter und einen Eßlöffel Vanille dazugeben. Eiweiß leicht unterheben. Mischung in eine mit Wachspapier ausgelegte Backform (37,5 x 25 cm) geben. Im vorgeheizten Ofen 18 Minuten bei 180°C backen.

Backform herausnehmen. Kuchen auf Wachspapier (mit Puderzucker bestreut) stürzen und das Wachspapier vom Kuchenboden entfernen. Zügig mit Zitronenfüllung bestreichen. Ränder gleichmäßig zuschneiden, den Kuchen aufrollen und in Wachspapier legen, bis er abgekühlt ist. Mit Puderzucker bestäuben und servieren.

Schokoladen-Marshmallowkuchen mit Marshmallowglasur

SCHOKOLADEN-MARSHMALLOW-KUCHEN

170 g	Butter
455 g	Zucker
240 g	feines Mehl
4 Teel.	Backpulver
8	Eiweiß
125 ml	Milch
120 g	halbbittere Schokolade, geschmolzen
1 Teel.	Vanilleextrakt

Butter und Zucker schlagen, bis die Mischung glatt und cremig ist. Mehl mit dem Backpulver durchsieben. Eiweiß in die cremige Butter schlagen Mehl, Milch und Schokolade in drei Portionen dazugeben. Vanille hineinschlagen. Teig in eine gefettete und bemehlte Backform (22,5 cm) geben und im vorgeheizten Ofen 20 - 25 Minuten bei 180°C backen. 10 Minuten abkühlen lassen und auf ein Kuchengitter legen. Marshmallowglasur auftragen (siehe nachfolgendes Rezept).

MARSHMALLOW-GLASUR

250 ml	Marshmallows
230 g	Zucker
80 ml	Wasser
2	Eiweiß
2 Teel.	Zitronensaft
1 Teel.	Vanilleextrakt

Marshmallows im Wasserbad schmelzen. Zucker und Wasser kochen, bis der Sirup Fäden zieht.

Eiweiß steif schlagen. Sirup unter ständigem Schlagen langsam in das Eiweiß gießen. Zitronensaft und Vanille hinzugeben. Marshmallows in die Mischung schlagen und den Kuchen damit glasieren.

SCHOKOLADEN-HIMBEER-INSELN

4	Eiweiß
230 g	Zucker
60 ml	Himbeermarmelade
60 g	halbbittere, geschmolzene Schokolade
500 ml	Orangenbrandy-Sauce (siehe Seite 107)

Eiweiß steif schlagen. Zucker nach und nach unterschlagen. Himbeermarmelade und Schokolade vorsichtig unterheben. Eßlöffelgroße Mengen in köchelndes Wasser geben und zwei bis drei Minuten pochieren. Auf Servierteller geben und Orangenbrandy-Sauce darübergießen.

6 PORTIONEN

BAYRISCHER PFIRSICH

1 Eßl.	Gelatine, ohne Aroma
60 ml	kaltes Wasser
230 g	feingewürfelte Pfirsiche
60 ml	Pfirsichsirup
1 Eßl.	Zitronensaft
55 g	Zucker
180 ml	Schlagsahne

Gelatine im kalten Wasser aufweichen. Mit Pfirsichen, Sirup, Zitronensaft und Zucker in einem kleinen Topf aufkochen. Vom Herd nehmen und abkühlen lassen, bis die Mischung dick, aber nicht fest ist. Sahne schlagen, mit den Pfirsichen vermengen und in eine Form oder Schüssel geben. Kalt stellen, bis die Mischung fest wird. Aus der Form stürzen und servieren.

4 PORTIONEN

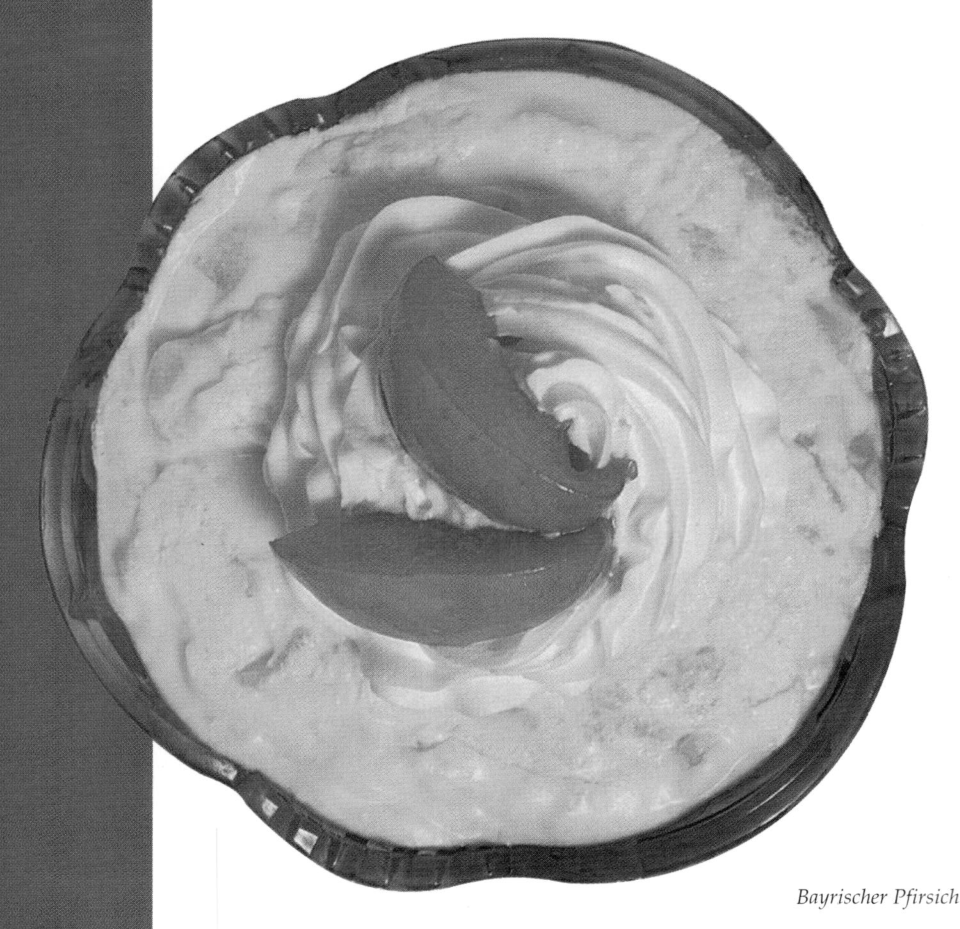

Bayrischer Pfirsich

MÖHRENKUCHEN

4	Eier
230 g	Zucker
250 ml	Pflanzenöl
225 g	Mehl
1½ Teel.	Backpulver
1 Teel.	Salz
2 Teel.	Zimt
300 g	geriebene Möhren
100 g	geschälte, entkernte, geriebene Äpfel
190 g	Rosinen
115 g	Mandelsplitter

Eier in einer großen Schüssel sehr schaumig schlagen. Zucker nach und nach hineingeben und sehr hell schlagen. Öl nach und nach unterrühren.

Mehl, Backpulver, Salz und Zimt zusammensieben und langsam in die Eimischung rühren. Möhren, Äpfel, Rosinen und Nüsse dazugeben.

Mischung in eine gefettete 22,5 cm ø Springform geben und im vorgeheizten Ofen 1½ - 2 Stunden bei 180°C backen (bis ein in den Teig gesteckter Zahnstocher sauber herauskommt).

10 -15 Minuten in der Backform abkühlen lassen. Kuchen stürzen und völlig abkühlen lassen. Mit Frischkäseglasur bestreichen (Rezept nachfolgend).

FRISCHKÄSE-GLASUR

255 g	weicher Frischkäse
170 g	weiche Butter
1½ Teel.	Vanilleextrakt
445 g	gesiebter Puderzucker

Frischkäse, Butter und Vanille schlagen, bis die Masse sehr glatt und cremig ist. Puderzucker nach und nach hinzugeben, bis die Glasur streichfähig wird.

Möhrenkuchen mit Frischkäseglasur

Vandermint-Torte mit Vandermint-Kaffeeglasur

VANDERMINT-TORTE

165 g	Butter
315 g	brauner Zucker
3	gut geschlagene Eier
125 ml	kochendes Wasser
60 ml	Vandermint-Likör
90 g	edelbittere Schokolade
270 g	feines Mehl
1½ Teel.	Natron
¾ Teel.	Backpulver
¾ Teel.	Salz
180 ml	Buttermilch

Butter und Zucker sehr hell und schaumig rühren. Eier unter ständigem Schlagen dazugeben. Schokolade in einen Topf geben und mit Wasser und Likör begießen. Bei mittlerer Temperatur zu einem Sirup erhitzen. Abkühlen lassen. Eiermischung hineingeben. Mehl, Natron, Backpulver und Salz dreimal zusammensieben. Mehl und Buttermilch in die cremige Masse rühren (in drei Portionen). Teig in eine gefettete, mit Mehl bestreute Backform (23 cm) geben. Im vorgeheizten Ofen 25-30 Minuten bei 180°C backen. 10 Minuten abkühlen lassen und auf ein Kuchengitter legen. Mit Vandermint-Kaffeeglasur bestreichen (Rezept nachfolgend).

VANDERMINT-KAFFEEGLASUR

80 ml	entrahmte Sahne
230 g	Zucker
90 g	edelbittere Schokolade
1 Eßl.	Vandermint-Likör
½ Teel.	instant Kaffeepulver
1Eßl.	heißes Wasser
2 Eßl.	Butter

Sahne, Zucker, Schokolade, Likör und Kaffee (im heißen Wasser aufgelöst) im Wasserbad kochen. Butter hinzugeben und sechs Minuten kochen. Ständig schlagen, bis die Glasur streichfähig ist.

ERDNUSSBUTTER-FONDANT-SCHNITTEN

115 g	Butter
180 ml	weiche Erdnußbutter
375 ml	halbbittere Schokoladenstückchen
1 Teel.	Vanille
100 g	kleine Marshmallows

Butter, Erdnußbutter, Schokolade und Vanille zusammen im Wasserbad schmelzen. Vom Herd nehmen. Marshmallows einrühren und in eine gefettete Form (20 x 20 cm) geben. Zum Erkalten in den Kühlschrank stellen, anschließend in Vierecke schneiden.

ERGIBT 20 SCHNITTEN

HOLLÄNDISCHER APFEL-PIE

PIE:	
½ Portion	Pie-Teig (siehe Seite 616)
8	geschälte, entkernte, geschnittene Kochäpfel
3 Eßl.	zerlassene Butter
170 g	Zucker
½ Teel.	Zimt

BELAG:	
55 g	Mehl
½ Teel.	Zimt
80 ml	hellbrauner Zucker, zusammengepreßt
80 ml	Butter

PIE:

Teig ausrollen und in eine 23 cm Tortenform geben. Rand wellen.

Äpfel, Butter, Zucker und Zimt vermengen und auf den Teig geben.

BELAG:

Mehl, Zimt und Zucker zusammensieben. Butter cremig rühren und zur Mehlmischung geben. Torte damit bestreuen.

Im vorgeheizten Ofen 20 Minuten bei 215°C backen. Temperatur auf 160°C reduzieren und zusätzlich 30 Minuten backen. Herausnehmen und vor dem Servieren abkühlen lassen.

6 PORTIONEN

Dattel-Nuß-Kuchen

TRADITIONELLER APFEL-PIE

6	große Äpfel
150 g	Zucker
¼ Teel.	Salz
2 Eßl.	Mehl
1 Portion	Pie-Teig (siehe Seite 616)
1 Eßl.	Butter
2 Eßl.	Milch

Äpfel schälen und in Scheiben schneiden. Zucker, Salz und Mehl zusammensieben.

Den Teig in eine runde Pie-Form (23 cm) legen und mit der Hälfte der trockenen Mischung bestreuen. Die restliche Menge unter die Äpfel rühren. Äpfel auf dem Teig verteilen und mit Butterflocken belegen. Mit einem zweiten Teigkreis bedecken und die Ränder zusammendrücken. Im Teig Einschnitte machen, damit der Dampf entweichen kann. Mit Milch bestreichen.

Im vorgeheizten Ofen bei 215°C 10 Minuten backen. Temperatur auf 180°C reduzieren. Weitere 30 Minuten backen, bis der Pie goldbraun ist. Vor dem Servieren abkühlen lassen.

DATTEL-NUSS-KUCHEN

225 g	Butter
335 g	brauner Zucker
4	geschlagene Eier
360 g	feines Mehl
1 Eßl.	Backpulver
¼ Teel.	Salz
1 Teel.	germahlener Zimt
½ Teel.	gemahlene Gewürznelken
½ Teel.	gemahlener Muskat
250 ml	Wasser
360 g	entkernte, gehackte Datteln
380 g	Rosinen
250 ml	Walnüsse

Butter mit dem braunen Zucker cremig rühren. Eier hineinschlagen. Die trockenen Zutaten dreimal zusammensieben. Zusammen mit dem Wasser in die Crememischung einrühren (in drei Portionen).

Datteln, Rosinen und Nüsse leicht unterheben. Den Teig in eine, mit Wachspapier ausgelegte Kastenform (13,75 x 25 cm) geben. Im vorgeheizten Ofen zwei Stunden bei 150°C backen. 15 Minuten abkühlen lassen, dann aus der Form nehmen und auf ein Kuchengitter legen.

Holländischer Apfel-Pie & traditioneller Apfel-Pie

Diannas Bananencreme-Pie

Jack Daniels Walnuß-Pie

DIANNAS BANANENCREME-PIE

½ Portion	Pie-Teig (siehe Seite 616)
5 Eßl.	Mehl
115 g	Zucker
500 ml	abgekochte Milch
2	Eigelb
½ Teel.	Bananen- oder Vanilleextrakt, (weiß)
3	reife Bananen, in Scheiben geschnitten
2 Eßl.	Zitronensaft
250 ml	Schlagsahne
30 g	Puderzucker

Teig ausrollen, in eine Tortenform (23 cm) geben und blindbacken. (Siehe Wörterverzeichnis). Abkühlen lassen.

Mehl, Zucker und Milch im Topf bei mittlerer Temperatur kochen, bis die Masse dick ist. In ein Wasserbad umfüllen, Eigelb und Extrakt hineinschlagen. Zwei Minuten kochen, abkühlen lassen, bis die Masse lauwarm ist. Während die Mischung abkühlt, Bananen schneiden und in Zitronensaft legen. Wenn die Mischung abgekühlt ist, Bananen hineinrühren und die Füllung auf den gebackenen Tortenboden geben. Erkalten lassen. Schlagsahne steif schlagen, Zucker hineinrühren und den Pie dekorieren. Servieren.

6 PORTIONEN

JACK DANIELS WALNUSS-PIE

½ Portion	Gourmetteig (Rezept nachfolgend)
3	Eier
115 g	Zucker
250 ml	dunkler Maissirup
3 Eßl.	Jack Daniels
200 g	Walnußstücke

Teig ausrollen und in eine Tortenform (23 cm) geben. Ränder wellen.

Eier, Zucker, Sirup und Jack Daniels vermengen. Teig mit Nüssen bestreuen und Eiermischung hineingießen. Im vorgeheizten Ofen 45 Minuten bei 160°C backen. Vor dem Servieren abkühlen lassen und kalt stellen.

6 PORTIONEN

GOURMET-TEIG

1 l	gesiebtes Mehl
1 Teel.	Salz
2 Teel.	Backpulver
100 g	Backfett
60 ml	heißes Wasser
115 g	Butter
1 Teel.	Zitronensaft
1	geschlagenes Eigelb

Mehl, Salz und Backpulver zusammensieben. Backfett in das Mehl schneiden. Heißes Wasser mit Butter und Zitronensaft vermengen, dann das Eigelb hineinschlagen. Masse mit den trockenen Zutaten verkneten. Abkühlen lassen. Nach Bedarf verwenden.

SCHOKOLADEN ROCKY ROAD TERRINE

225 g	geriebene, halbbittere Schokolade
170 g	Butter
55 g	Puderzucker
3	Eier, getrennt (Zimmertemperatur)
½ Teel.	Vanille
1 Prise	Salz
45 g	Walnußstücke
50 g	kleine Marshmallows
65 g	halbbittere Schokoladenstückchen

Geriebene Schokolade im Wasserbad schmelzen und abkühlen lassen.

Butter und Zucker cremig und hell schlagen. Eigelb einzeln hinzugeben und sehr cremig schlagen. Nach und nach die geschmolzene Schokolade und Vanille hineinrühren.

Eiweiß mit Salz steif schlagen und unter die Mischung heben. Nüsse, Marshmallows und Schokoladenstückchen hineinrühren. Mischung in eine gefettete Form (4 l) geben, mit Folie abdecken. Über Nacht kalt stellen.

Aus der Form nehmen, in Scheiben schneiden und mit Schokoladensauce servieren.

6 PORTIONEN

JEANNIES SCHOKOLADEN-PLÄTZCHEN

225 g	Butter
230 g	Zucker
2	Eier
2 Teel.	Vanillearoma
225 g	Mehl
100 g	Kakao
1 Teel.	Natron
½ Teel.	Salz
95 g	weiße Schokoladenstückchen
250 ml	gehackte Pekannüsse

Butter und Zucker cremig rühren. Eier einzeln hinzugeben und kräftig schlagen. Vanille einrühren. Mehl, Kakao, Natron, Salz, weiße Schokoladenstückchen und Pekannüsse in einer zweiten Schüssel gut miteinander vermischen, dann in die Eiercreme hineingeben.

Teig löffelweise auf ein gefettetes Backblech fallen lassen. Plätzchen sollen Wallnußgröße haben. Während des Backens verdoppelt sich die Größe. Plätzchen im vorgeheizten Ofen 12-15 Minuten bei 180°C backen. Herausnehmen, sofort vom Backblech nehmen und auf ein Kuchengitter legen.

ERGIBT 24 PLÄTZCHEN

ERDBEEREN VICTORIA

55 g	Butter
55 g	Zucker
750 ml	frische, gewaschene, entstielte, halbierte Erdbeeren
80 ml	Curacao
125 ml	Orangensaft
500 ml	Schokoladeneis
375 ml	Sabayon (siehe Seite 106)

Butter mit Zucker erhitzen und karamelisieren. Erdbeeren in den heißen Sirup legen. Mit Likör beträufeln und flambieren. Orangensaft hineingießen und drei Minuten köcheln. Eis und Erdbeeren in übergroße Sektgläser geben und mit Sabayon begießen. Sofort servieren.

4 PORTIONEN

Schokoladen Rocky Road Terrine

Jeannies Schokoladenplätzchen

GRAND MARNIER KUCHEN

170 g	Butter
340 g	Zucker
8	Eier
250 g	Mehl
4 Teel.	Backpulver
250 ml	Milch
125 ml	Grand Marnier
¼ Teel.	Salz
1 Teel.	Orangenextrakt

Butter und Zucker zu einer sehr leichten Creme rühren. Eier nach und nach zugeben und gründlich unterrühren. Milch mit Grand Marnier und Orangenextrakt verquirlen.

Mehl mit Salz und Backpulver zusammensieben.

Mehl und die Flüssigkeit (in drei Portionen) in die Eimischung hineinrühren und gut vermengen. Teig in eine gefettete und bemehlte Backform (23 cm) geben. Im vorgeheizten Ofen 20-25 Minuten bei 180°C backen.

10 Minuten ruhen lassen. Aus der Backform nehmen, auf ein Kuchengitter legen und erkalten lassen. Mit Orangenbrandy-Glasur bestreichen (Rezept nachfolgend).

ORANGEN-BRANDY GLASUR

115 g	Butter
140 g	Puderzucker
2	Eier
30 g	Mehl
230 g	Zucker
½ Teel.	Salz
375 ml	abgekochte Milch
60 ml	Orangenbrandy - Grand Marnier
120 g	edelbittere Schokolade, geschmolzen
1 Teel.	Vanille

Butter cremig rühren. Puderzucker hinzufügen.

Eier schlagen. Mehl, Zucker, Salz, Milch, Orangenbrandy und Schokolade in die Eimasse geben. Die Mischung 10 Minuten im Wasserbad kochen. Abkühlen lassen. Vanille hineinrühren und die Mischung in die Buttercreme leicht unterheben. Als Kuchenfüllung und Glasur verwenden.

FRANZÖSISCHER VANILLE-MINZE-KÄSEKUCHEN

BODEN:	
350 g	zerbröselte Grahamkräcker
1 Eßl.	Zimt
60 ml	zerlassene Butter
FÜLLUNG:	
1,0 kg	Frischkäse
455 g	Zucker
375 ml	Creme fraiche
2 Eßl.	Zitronensaft
1 Eßl.	Vanille
2 Eßl.	Pfefferminzextrakt, weiß
4	Eier (Zimmertemperatur)
375 ml	saure Sahne

BODEN:

Zutaten mischen. Den Boden und die Seiten einer gefetteten Springform (25 cm) damit belegen und fest andrücken. Kalt stellen. Den Ofen auf 160°C vorheizen.

FÜLLUNG:

Frischkäse und Zucker weich und cremig schlagen. Creme fraiche, Zitronensaft, Vanille und Pfefferminzextrakt hinzugeben und schlagen, bis die Masse gut vermischt ist. Unter ständigem Schlagen die Eier einzeln hinzufügen. Saure Sahne hineinrühren.

Füllung in die vorbereitete Tortenform geben und im Ofen ca. 90 Minuten backen, bis die Mitte fest geworden ist. Ofentemperatur abstellen und die Ofentür leicht öffnen.

Nach 30 Minuten auf ein Kuchengitter legen. Über Nacht abkühlen lassen. Allein oder mit Schokoladen-Minze-Sauce servieren.

Französischer Vanille-Minze-Käsekuchen

Grand Marnier Kuchen

Ausgewählte Eissorten

DIANNAS AHORN-WALNUSS EIS

750 ml	entrahmte Sahne
2 Eßl.	Mehl
3 Eßl.	Ahornsirup
3	Eigelb
250 ml	Ahornzucker
1½ Teel.	Ahornextrakt
65 g	Walnußstücke

Sahne im Wasserbad abkochen. Mehl und Ahornsirup vermengen und zu der Sahne geben. Eigelb mit dem Zucker verquirlen und langsam in die Sahne geben. Während die Mischung kocht, ständig rühren, bis sie dick wird. Vom Herd nehmen und abkühlen lassen. Gemäß den Anleitungen zur Eiszubereitung einfrieren. Wenn die Masse leicht angefroren ist, Extrakt und Nüsse einrühren und weiter gefrieren lassen.

ERGIBT 1,25 LITER

FRANZÖSICHES VANILLE- ODER ZIMTEIS

1 l	Sahne
1	Vanilleschote*
5	Eigelb
180 ml	Zucker

Sahne und Vanilleschote im Wasserbad kochen. Eigelb und Zucker verquirlen und nach und nach in die Sahne schlagen. Während des Kochens ständig rühren, bis die Mischung dick ist. (Nicht zu lange kochen, da sonst das Eigelb gerinnt). Vanilleschote herausnehmen. Topf vom Herd nehmen und erkalten lassen. Gemäß den Anleitungen zur Eiszubereitung einfrieren.

* Für Zimteis die Vanilleschote durch eine Zimtstange ersetzen.

ERGIBT 1,25 LITER

ZITRONEN-SORBET

125 ml	Zitronensaft
115 g	Zucker
500 ml	Milch

Zitronensaft mit Zucker in einem Topf vermengen. Bei mittlerer Temperatur zwei Minuten kochen. Abkühlen lassen. Milch hinzufügen. Mischung in eine Eismaschine gießen und gemäß den Anleitungen zur Eisherstellung einfrieren.

ERGIBT 750 ml

NEAPEL-EISBOMBE

½ Portion	Orangenschokoladensorbet (siehe Seite 571)
½ Portion	Erdbeer-Bananeneis (siehe Seite 641)
½ Portion	Zitronensorbet (vorheriges Rezept)
125 ml	kleingeschnetzelte Ananas

Eine 2 Liter Eisbombenform umgekehrt in eine Schüssel mit Eiswürfeln geben. Spitze und Seiten der Bombe mit Orangenschokoladensorbet, Erdbeer-Bananeneis und Zitronensorbet beschichten. Deckel auf die Form legen und mit Wachspapier abdecken. Vier bis sechs Stunden tief kühlen. Um die Form zu entfernen, kurz in heißes Wasser tauchen und Eisbombe auf einen Servierteller stürzen.

8 PORTIONEN

Bayrische Apfeltorte

BAYRISCHE APFELTORTE

BODEN:	
225 g	weiche Butter
75 g	Zucker
¼ Teel.	Vanille
110 g	Mehl
95 g	Himbeermarmelade

FÜLLUNG:	
500 g	Frischkäse (Zimmertemperatur)
115 g	Zucker
1 Teel.	Vanilleextrakt
2	Eier

BELAG:	
150 g	Zucker
1 Teel.	Zimt
460 g	Apfelscheiben
115 g	geschnittene Mandeln

BODEN:

Butter, Zucker und Vanille cremig rühren. Mehl hinzugeben und gut mischen. Den Boden einer Springform (25 cm) mit dem Teig auslegen. Den Teig mit Marmelade bestreichen.

FÜLLUNG:

Frischkäse, Zucker und Vanille glatt rühren. Eier nach und nach zugeben und gut unterrühren. Gleichmäßig auf der Marmelade verteilen.

BELAG:

Zucker und Zimt mischen und Apfelstücke dazugeben. Äpfel auf die Käseschicht geben und mit Mandeln bestreuen. Im vorgeheizten Ofen bei 180°C 75 Minuten backen, oder bis der Kuchen goldfarben ist. 8 Stunden kalt stellen.

Kürbis-Ahorn-Käsekuchen

KÜRBIS-AHORN-KÄSEKUCHEN

BODEN:	
375 ml	fein zerdrückte Lebkuchenplätzchen
80 ml	Butter, zerlassen

FÜLLUNG:	
500 g	Frischkäse (Zimmertemperatur)
250 ml	Ahornzucker
125 ml	Ahornsirup
1¼ Teel.	Zimt
180 ml	Schlagsahne
1 Teel.	Vanilleextrakt
4	Eier
500 ml	Kürbispüree
180 ml	saure Sahne

BODEN:

Zerdrückte Plätzchen und Butter gut vermengen. Den Boden einer gefetteten Springform (23 cm) damit belegen und andrücken. Zur Seite stellen.

FÜLLUNG:

Frischkäse, Zucker und Zimt glattrühren. Ahornsirup, Schlagsahne und Vanille nach und nach hineingeben. Eier einzeln zugeben und gründlich unterrühren. Kürbispüree und saure Sahne hineinrühren.

Füllung in die vorbereitete Backform geben und den Kuchen 75 Minuten bei 160°C backen. Temperatur ausschalten und die Ofentür etwas öffnen. Den Kuchen 30 Minuten im Ofen ruhen lassen, dann auf ein Kuchengitter legen. Etwa 4 Stunden abkühlen lassen. Nach Belieben dekorieren.

Calypso-Kaffee-Pie

MARSHMALLOW-FONDANT-EIS

60 g	halbbittere Schokoladenstückchen
100 g	kleine Marshmallows
625 ml	entrahmte Sahne
3	Eigelb
170 g	Zucker
2 Teel.	Vanilleextrakt

Schokolade und Marshmallows im Wasserbad schmelzen und Sahne abkochen. Eigelb mit dem Zucker verquirlen, nach und nach mit Vanille in die Sahne schlagen. Die Masse kochen, bis sie dick wird. Abkühlen lassen und gemäß den Anleitungen zur Eiszubereitung einfrieren. Mit Ihrem Lieblingsobst servieren.

ERGIBT 1½ LITER

KOKOSNUSS-SCHNITTEN

115 g	Butter
125 g + 2 Eßl.	Mehl
25 g	Puderzucker
250 g	brauner Zucker
¼ Teel.	Salz
80 g	Kokosnuß, geraspelt
2	Eier, geschlagen
¼ Teel.	Backpulver
1 Teel.	Kokosnußextrakt
250 ml	Pekannußstücke

Butter mit Puderzucker und 125 g Mehl mischen. Den Boden der Backform (32 x 23 cm) mit der Masse belegen und gut andrücken. Im vorgeheizten Ofen 20 Minuten bei 180°C backen. Die restlichen Zutaten gut vermengen und den Kuchenboden damit belegen. Zusätzlich 20 Minuten backen. In Vierecke schneiden.

ERGIBT 32 SCHNITTEN

CALYPSO-KAFFEE-PIE

115 g	Butter
140 g	Puderzucker
2	Eier
230 g	Zucker
30 g	Mehl
¼ Teel.	Salz
250 ml	Milch, abgekocht
60 ml	Kahlua likör
60 ml	dunkler Rum
60 ml	starker Kaffee
60 g	halbbittere Schokolade
1	blindgebackener Pie-Boden oder Grahamkrümelboden
375 ml	gesüßte, geschlagene Schlagsahne
250 ml	Schokoladenspäne

Butter cremig rühren. Puderzucker hinzugeben. Eier schlagen und Zucker, Mehl, Salz, Milch, Kalhua, Rum, Kaffee und Schokolade hineinrühren. Im Wasserbad 10 Minuten kochen. Abkühlen lassen, dann in die cremige Butter hineinschlagen. Füllung auf den vorgebackenen Tortenboden oder Grahamkrümelboden legen. 2 Stunden kalt stellen. Mit süßer Schlagsahne und Schokoladenspänen servieren.

Marshmallow-Fondant-Eis

„Creme au Praline" Schokoladentorte

SCHWARZWÄLDER KIRSCHTORTE CHEF K.

KUCHEN:	
2 Eßl.	Kakaopulver
240 g	feines Mehl
1 Teel.	Backpulver
¼ Teel.	Salz
120 g	halbbittere Schokolade
115 g	Butter
340 g	Zucker
2	Eier
250 ml	Milch

Kakao, Mehl, Backpulver und Salz dreimal zusammensieben.

Die Schokolade im Wasserbad schmelzen.

Butter und Zucker locker und cremig rühren. Eier nach und nach zugeben und gründlich unterrühren.

Schokolade hineinrühren. Mehl und Milch (in 3 Portionen) dazugeben. Teig in zwei runde, gefettete und bemehlte Kuchenformen (20 cm) geben.

Den Teig 35-40 Minuten im vorgeheizten Ofen bei 180°C backen. 10 Minuten abkühlen lassen, dann auf ein Kuchengitter legen. Kuchen aus der Form nehmen und erkalten lassen. Füllen und glasieren.

FÜLLUNG UND GLASUR:	
500 ml	entkernte, schwarze Kirschen, (Konserve)
125 ml	Saft von den Kirschen
2 Eßl.	Stärkemehl
60 ml	Kirschwasser oder Kirschbrandy
500 ml	Schlagsahne
55 g	Puderzucker
250 ml	Schokoladenspäne

Kirschen im Topf erhitzen. Kirschsaft und Stärkemehl verquirlen und zu den Kirschen geben. Kochen, bis sie dick sind. Masse lauwarm abkühlen lassen.

Kuchen mit Kirschbrandy bespritzen.

Den unteren Boden mit Kirschen belegen, den zweiten Boden darauf legen. Schlagsahne schlagen und den Zucker unterheben. Kuchen mit der Sahne bestreichen oder die Sahne mit einer Spritztülle dekorierend auf den Kuchen spritzen. Mit Schokoladenspänen garnieren.

Schwarzwälder Kirschtorte Chef K.

„CREME AU PRALINE" SCHOKOLADEN-TORTE

1 Portion	Pralinen (siehe Pralinenzuckerguß, Seite 529)
500 ml	entrahmte Sahne
1 Eßl.	Vanilleextrakt
5	Eigelb
115 g	Zucker
30 g	Mehl
115 g	halbbittere Schokolade, geschmolzen
16	Crêpes (siehe Crêpesteig auf Seite 469)

Pralinen zerdrücken. Sahne mit Vanille im Wasserbad erhitzen. Eier mit Zucker und Mehl verquirlen und nach und nach unter ständigem Rühren in die Sahne geben. Schokolade hinzufügen. Mischung kochen, bis sie dick wird.

Topf vom Herd nehmen. Die Mischung durch ein Sieb drücken und erkalten lassen. Die zerdrückten Pralinen hineinrühren.

Crêpes damit bestreichen und als Kuchen aufeinanderstapeln. Restliche Mischung über die Crêpes gießen. Erkalten lassen, in Scheiben schneiden und servieren.

8 PORTIONEN

ZUCKERORANGEN KUCHEN

225 g	Butter
230 g	Zucker
250 ml	Orangensaft
2	Eier
1 Teel.	Vanilleextrakt
300 g	feines Mehl
1 Teel.	Natron
1 Teel.	Backpulver
2 Teel.	geriebene Orangenschale
125 ml	Walnüsse
250 ml	Orangenspalten

Butter und Zucker zu einer sehr lockeren Creme rühren. Orangensaft, Eier und Vanille einrühren. Mehl, Natron und Backpulver zusammensieben und in die flüssige Mischung geben. Orangenschale, Walnüsse und Orangenspalten unterheben. Teig in eine gefettete Kranzform gießen. Kuchen 50-60 Minuten im vorgeheizten Ofen bei 180°C backen. 10 Minuten abkühlen lassen und auf ein Kuchengitter legen. Den Zuckerguß wie folgt herstellen.

230 g	Zucker
250 ml	Orangensaft

Orangensaft mit dem Zucker verrühren und den Kuchen damit bestreichen.

HIMBEER-MARSHMALLOW-FONDANT-EISBOMBE

1 Portion	Marshmallow-Fondant-Eis
½ Portion	Bayrische Himbeeren (siehe Seite 666)

Eine 2 Liter Eisbombenform umgekehrt in eine große Schüssel mit Eiswürfeln stellen. Spitze und Seiten der Form mit Marshmalloweis belegen. Die Mitte mit Bayrischen Himbeeren und dem restlichen Eis füllen. Form mit dem Deckel verschließen und mit Wachspapier abdecken. 4-6 Stunden tiefkühlen. Zum Entfernen der Eisbombe die Form kurz in heißes Wasser tauchen. Das Eis schneiden und servieren.

8 PORTIONEN

SÜDLICHES PFIRSICHEIS

750 ml	Sahne
2 Eßl.	Mehl
2 Eßl.	Milch
3	Eigelb
230 g	Zucker
1 Teel.	weißer Vanilleextrakt
375 ml	gepellte, entsteinte, pürierte Pfirsiche

Sahne im Wasserbad abkochen. Mehl mit Milch verrühren und in die heiße Sahne geben. Eier und Zucker verquirlen und nach und nach in die heiße Sahne gießen. Vanille hinzufügen und kochen, bis die Masse dick wird. Abkühlen lassen, kalt stellen. Pfirsiche hineinrühren und gemäß den Anleitungen zur Eisherstellung tiefkühlen.

ERGIBT 1,5 LITER

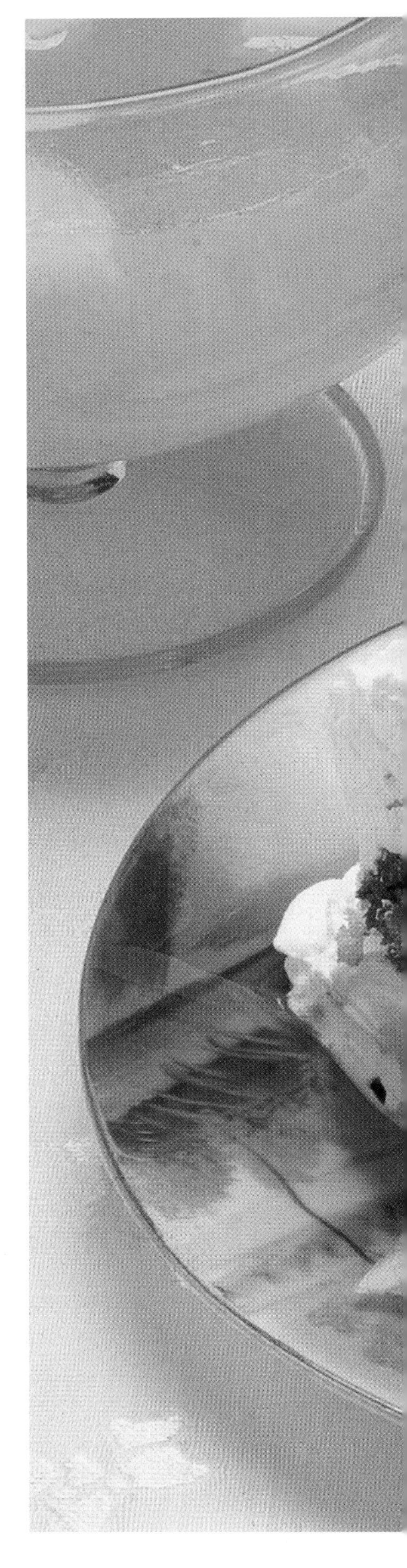

Zuckerorangenkuchen

Heidelbeergewürzkuchen

HEIDELBEER-GEWÜRZKUCHEN

115 g	Butter
335 g	brauner Zucker
3	getrennte Eier
240 g	feines Mehl
¼ Teel.	Salz
1 Teel.	Backpulver
2 Teel.	gemahlener Zimt
½ Teel.	Gewürznelken
¼ Teel.	Muskat
250 ml	Buttermilch
250 ml	frische Heidelbeeren, mit Mehl bestäubt

Butter und Zucker cremig und glatt schlagen. Eigelb einzeln hineinrühren. Eiweiß steif schlagen. Zur Seite stellen.

Die trockenen Zutaten zweimal zusammensieben. Das Mehl und die Buttermilch (in drei Portionen) in die Eimischung geben. Eiweiß und Heidelbeeren leicht unterheben. Teig in eine viereckige, gefettete, mit Wachspapier ausgelegte und bemehlte Kuchenform geben. Im vorgeheizten Ofen 60 Minuten bei 180°C backen. 10 Minuten abkühlen lassen. Den Kuchen schneiden und warm mit heißer, würziger Heidelbeersauce (siehe nachfolgendes Rezept) servieren, oder kalt mit kalter Heidelbeersauce.

WÜRZIGE HEIDELBEER-SAUCE

900 g	Heidelbeeren
1 Eßl.	Stärkemehl
1 Teel.	Zimt
¼ Teel.	Gewürznelken
1 Eßl.	Orangensaft
55 g	Zucker

Beeren waschen und auslesen. 250 ml Beeren zur Seite stellen. Die verbleibende Menge im Mixer pürieren. Stärkemehl mit etwas Beerensaft vermengen. Beerenpüree, Gewürze, Orangensaft und Zucker im Topf erhitzen. Aufkochen. Temperatur reduzieren. Das Stärkemehl hineinrühren und köcheln, bis die Sauce dick wird. Auf Zimmertemperatur abkühlen lassen. Die restlichen Beeren dazugeben. Zum Heidelbeergewürzkuchen servieren.

IM MUNDE SCHMELZENDE MÜRBETEIG-PLÄTZCHEN

225 g	Butter
80 g	Puderzucker
270 g	feines Mehl
85 g	Stärkemehl

Butter mit Zucker zu einer sehr lockeren Creme rühren.

Mehl und Stärkemehl zusammensieben und in die Butter rühren. Teig ausrollen und in gewünschte Formen schneiden. 35 Minuten im vorgeheizten Ofen bei 105°C backen. Nach Wunsch mit Zucker bestreuen.

6 PORTIONEN

Im Munde schmelzende Mürbeteigplätzchen

Oops

OOPS

100 g	kleine Marshmallows
380 g	Schokoladenstückchen
125 ml	Erdnußbutter
2 Eßl.	Butter
650 ml	Rice Krispies™
190 g	Himbeermarmelade
80 g	Puderzucker

Marshmallows, Erdnußbutter und 190 g Schokoladenstückchen im Wasserbad schmelzen. Rice Krispies hineinrühren. Die Mischung in eine gefettete Form (20 x 20 cm) geben.

Restliche Schokoladenstückchen und Butter schmelzen und in die Himbeermarmelade mengen. Zucker hineinschlagen und über die Rice Krispies gießen. Vor dem Anschneiden eine Stunde in den Kühlschrank stellen.

ERGIBT 20 SCHNITTEN

BROWNIES

225 g	Butter
115 g	ungesüßte Schokolade
4	Eier
1 Prise	Salz
455 g	Zucker
115 g	Mehl
1 Teel.	Backpulver
1 Teel.	Vanilleextrakt
250 ml	gehackte Pekannüsse

Ofen auf 170° C vorheizen. Eine viereckige Backform (23 cm) fetten.

Butter und Schokolade in einem kleinen Topf schmelzen und gut verrühren. Abkühlen lassen.

Eier hellgelb schlagen und Salz, Zucker, Mehl und Backpulver hinzufügen und gut vermischen. Die abgekühlte Schokolade, Vanille und Pekannüsse hineinrühren und gut vermischen.

Teig in die vorbereitete Backform geben und 35-45 Minuten backen.

Vor dem Schneiden abkühlen lassen.

ERGIBT 36 PLÄTZCHEN

DOPPELTER SCHOKOLADEN-KÄSEKUCHEN

BODEN:	
225 g	Mehl
115 g	Zucker
1 Teel.	Vanilleextrakt
180 ml	Butter, zerlassen
1	Eigelb

Zutaten im Mixer verarbeiten. Den Boden und die Seiten einer gefetteten Springform (25 cm) mit der Mischung bedecken und andrücken. Im vorgeheizten Ofen sieben Minuten bei 200°C backen. Kuchenform herausnehmen.

FÜLLUNG:	
1 kg	Frischkäse
340 g	Zucker
3 Eßl.	Mehl
1 Eßl.	Orangenschale, gerieben
½ Teel.	Zitronenextrakt
5	Eier
125 ml	Schlagsahne
3 Eßl.	Kakaopulver
120 g	halbbittere Schokolade, geschmolzen
120 g	weiße Schokolade, geschmolzen

Käse und Zucker cremig rühren. Mehl, Orangenschale, Extrakt und Eier nach und nach hineinrühren. Die Schlagsahne hineinschlagen. Den Teig in ⅔ und ⅓ aufteilen. In die größere Menge Kakaopulver und die halbbittere Schokolade geben. In die kleinere Menge die weiße Schokolade unterheben. Die größere Teigmenge in die gebackene Kuchenkruste geben und 35 Minuten im vorgeheizten Ofen bei 160° backen. Dann den restlichen Teig mit kreisenden Bewegungen hineinrühren. Weitere 45 Minuten backen. Ofentür öffnen, Temperatur abschalten und den Kuchen 30 Minuten ruhen lassen. Zum Abkühlen auf ein Kuchengitter legen. 8 Stunden oder über Nacht kalt stellen.

Doppelter Schokoladenkäsekuchen

Ananassorbet

SAURE SAHNE & EXTRAKTKUCHEN

225 g	Butter
680 g	Zucker
6	Eier
½ Teel.	Rumextrakt
¼ Teel.	Mandelextrakt
½ Teel.	Zitronenextrakt
1 Teel.	Vanilleextrakt
1 Teel.	Butterextrakt
360 g	feines Mehl
¼ Teel.	Backpulver
1 Teel.	Salz
125 ml	Milch
250 ml	saure Sahne

Butter und Zucker cremig rühren. Eier einzeln hineinschlagen und Extrakte hinzufügen.

Mehl, Backpulver und Salz sieben. Abwechselnd mit der Milch und der sauren Sahne zu Dritteln unter die Mischung heben. Teig in eine gut gefettete Kranzform geben und im vorgeheizten Ofen 70 Minuten bei 150 °C backen.

Aus dem Ofen nehmen und 10 Minuten abkühlen lassen. Aus der Form auf ein Kuchengitter stürzen. Mit „Doppelter Schokoladenglasur" (Rezept folgt) bestreichen.

DOPPELTE SCHOKOLADEN-GLASUR

60 g	edelbittere Schokolade
60 g	Vollmilchschokolade
125 ml	Creme fraiche
1 Teel.	Butter, zerlassen
1	Eigelb
220 g	Puderzucker
½ Teel.	Vanilleextrakt

Schokolade im Wasserbad schmelzen. Die restlichen Zutaten hinzufügen und gut rühren. Nach Bedarf verwenden.

ANANAS-SORBET

115 g	Zucker
180 ml	Wasser
60 ml	Limonensaft
500 ml	frische, geschälte, gewürfelte Ananas

Zucker und Wasser im Topf erhitzen. Rühren, bis der Zucker aufgelöst ist. Aufkochen und den Topf vom Herd nehmen. Abkühlen lassen. Limonensaft und Ananas in einen Mixer geben und pürieren. Masse in den Zuckersirup geben und verrühren. Erkalten lassen und gemäß den Anleitungen zur Eisherstellung einfrieren.

ERGIBT 875 ml

Saure Sahne & Extraktkuchen

LE GATEAU AU CHOCOLAT BLANC

BODEN:	
200 g	Mandeln
2	Eiweiß
55 g + 2 Eßl.	Butter
230 g	Zucker
1½ Teel.	feines Mehl
2 Eßl.	Vanilleextrakt
1 Teel.	Zimt
1 Teel.	abgeriebene Zitronenschale
1 Prise	Salz

Mandeln im Mixer zu einer Paste verarbeiten. Eiweiß steif schlagen.

Zucker und 55 g Butter cremig rühren. Mehl, Vanillezucker, Zimt, Zitronenschale und Salz hinzufügen. Eiweiß gut unterheben.

Mandelpaste, Mehl, Zucker, Zimt, Eiweiß und Salz vermischen. Masse in 2,5 cm große Bällchen rollen, mit der Hand flachdrücken und auf ein mit Butter eingefettetes Backblech legen. Im vorgeheizten Ofen 25 Minuten bei 180C backen. Nicht zu stark bräunen. Abkühlen lassen, dann zerdrücken und mit der restlichen Butter vermengen. Die Seiten und den Boden einer gefetteten Springform (23 cm) damit belegen und andrücken. Kalt stellen.

FÜLLUNG:	
120 g	geriebene, weiße Schokolade
170 g	ungesalzene Butter (ohne Farbstoff)
170 g	Zucker
1 Teel.	weißer Vanilleextrakt
¼ Teel.	Salz
6	Eier, getrennt (Zimmertemperatur)
	frisches Obst

Schokolade, Butter, Zucker, Vanille und Salz im Wasserbad verrühren und bei niedriger Temperatur schmelzen. Vom Herd nehmen und abkühlen lassen.

Eigelb einzeln hineinschlagen.

Eiweiß steif schlagen und vorsichtig unter den Teig heben. Füllung in den Kuchenboden gießen und 40 Minuten im vorgeheizten Ofen bei 160°C backen. Eine Stunde auf einem Kuchengitter abkühlen lassen. Oder den Kuchen abdecken und über Nacht stehenlassen (nicht in den Kühlschrank stellen). Während des Erkaltens kann der Kuchen leicht sinken.

Mit frischem Obst servieren.

Le Gateau au Chocolat Blanc

Zuckerplätzchen

Dreilagen-Minze-Schnitten

BAISER PLÄTZCHEN

4	Eiweiß
½ Teel.	Weinstein
170 g	Zucker
¼ Teel.	Mandelaroma (wahlweise)
	bunte Zuckerstreusel

Ofen auf 200°C vorheizen.

Eiweiß und Weinstein in eine Rührschüssel geben und steif schlagen. Nach und nach den Zucker hineinrühren, bis der Baiser steif und der Zucker aufgelöst ist. Nach Wunsch Mandelaroma hinzufügen.

Eine große Teigtüte mit einer Sternspitze mit Baisermasse füllen. 5 cm große Plätzchen auf ein gefettetes Backblech spritzen. Die Plätzchenoberfläche dekorativ drehen.

Mit den bunten Zuckerstreuseln verzieren. 7-8 Minuten im vorgeheizten Ofen backen, oder bis der Baiser hellbraun ist.

Auf Zimmertemperatur abkühlen lassen, Zugluft vermeiden.

ZUCKER-PLÄTZCHEN

225 g	Butter
230 g	Zucker
2	getrennte Eier
240 g	feines Mehl
2 Teel.	Backpulver
1 Teel.	Salz
1 Eßl.	Milch
1 Teel.	weißer Vanilleextrakt

Butter zu einer sehr lockeren Creme rühren. Zucker und Eigelb hinzugeben. Eiweiß steif schlagen. Mehl, Backpulver und Salz zusammensieben und mit dem Eiweiß in die cremige Mischung rühren. Milch und Vanille dazugeben. Teig ausrollen und die gewünschte Plätzchenform schneiden. Mit Zucker bestreuen und im vorgeheizten Ofen bei 180°C backen. Plätzchen servieren oder noch bunt verzieren.

ERGIBT 30 PLÄTZCHEN

DREILAGEN MINZE-SCHNITTEN

170 g	Butter
55 g	Zucker
1	Ei
25 g	Kakaopulver
200 g	zerbröselte Grahamkräcker
80 g	Kokosnuß, geraspelt
65 g	Walnußstücke
3 Eßl.	Milch
2 Teel.	Minzeextrakt
2 Eßl.	Instant Vanillepuddingpulver
1,21 kg	Puderzucker, gesiebt
120 g	halbbittere Schokolade
1 Teel.	Öl

Zucker, Ei, Kakaopulver und 115 g Butter im Wasserbad vermengen und zu einer dicken Sauce kochen. Vom Herd nehmen, Grahamkräckerkrümel, Kokosnuß und Nüsse hineinrühren. Mischung auf ein gefettetes Backblech (23 x 23 cm) geben. Die restliche Butter cremig schlagen und Milch, Minzeextrakt und Puddingpulver hinzugeben. Puderzucker hineinschlagen und auf den Teig streichen. Schokolade schmelzen, mit dem Öl vermengen und über den Kuchen gießen. Eine Stunde kalt stellen. In Rechtecke schneiden und servieren.

ERGIBT 20 SCHNITTEN

SCHOKOLADEN-KOKOSNUSS-KUCHEN

240 g	feines Mehl
1 Teel.	Backpulver
½ Teel.	Salz
285 g	Zucker
115 g	weiche Butter
125 ml	saure Sahne
60 ml	Kokosnußcreme
3	Eier
85 g	halbbittere Schokolade, geschmolzen, abgekühlt

Mehl, Backpulver und Salz zweimal zusammensieben. Zucker und Butter cremig schlagen. Saure Sahne und Kokosnußcreme verquirlen. Mehl und saure Sahne abwechselnd (in drei Portionen) in die cremige Butter rühren. Eier einzeln hineinschlagen. Schokolade unterheben.

Teig in eine 2 l große, gefettete Kranzform geben. 50-60 Minuten im vorgeheizten Ofen bei 180°C backen. 10 Minuten ruhen lassen, dann auf ein Kuchengitter legen. Mit gebräunter Kokosnußglasur bedecken (nachfolgendes Rezept).

GEBRÄUNTE KOKOSNUSS-GLASUR

3 Eßl.	Butter
55 g	Puderzucker
4 Eßl.	gesüßte Kondensmilch
80 g	Kokosnuß, geraspelt
1½ Teel.	Vanilleextrakt

Butter und Zucker cremig schlagen. Die restlichen Zutaten hineinrühren. Mischung über den Kuchen gießen und im Ofengrill goldfarben bräunen.

BAYRISCHE ORANGENCREME

1 Eßl.	aromafreie Gelatine
60 ml	kaltes Wasser
250 ml	Orangensaft
2 Teel.	Zitronensaft
115 g	Zucker
180 ml	Schlagsahne

Gelatine im kalten Wasser auflösen und in einem kleinen Topf erhitzen, bis sie geschmolzen ist. Orangen-, Zitronensaft und Zucker hineingießen. Aufkochen und vom Herd nehmen. Abkühlen lassen und kalt stellen, bis die Mischung dick, aber nicht steif ist. Sahne schlagen und unter die Mischung heben. In eine Form oder Schüssel füllen und kalt stellen, bis die Mischung fest wird. Aus der Form stürzen und servieren.

4 PORTIONEN

Bayrische Orangencreme

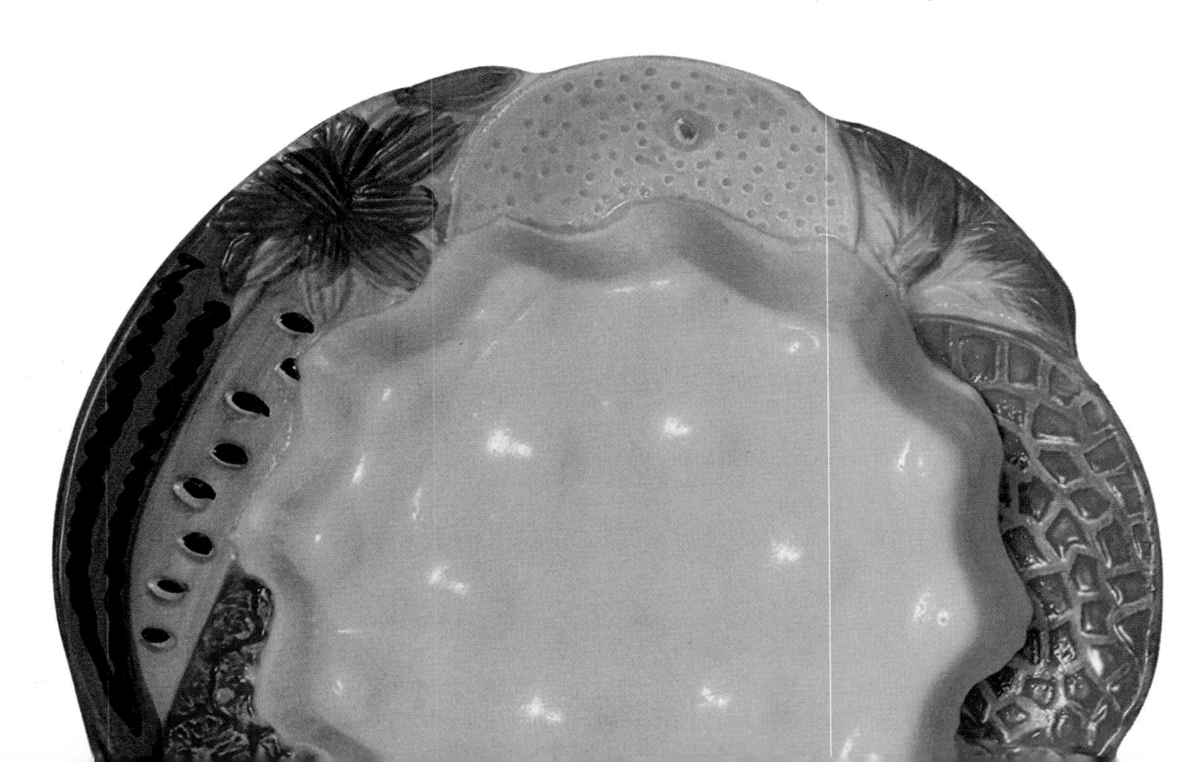

Schokoladen-Kokosnußkuchen

Copacabana

KÜHLSCHRANK-PLÄTZCHEN

115 g	Butter
335 g	brauner Zucker
2	Eier
45 g	Walnußstücke
45 g	gehackte Datteln
65 g	Rosinen
1 Teel.	Vanilleextrakt
1 Teel.	Weinstein
1 Teel.	Natron
300 g	feines Mehl
½ Teel.	Salz

Butter und Zucker cremig schlagen. Eier und die restlichen Zutaten hinzufügen und gut vermischen. Rollen von 4 cm Durchmesser formen. Mit Wachspapier belegen und 8 Stunden oder über Nacht in den Kühlschrank stellen. 2,5 cm dicke Scheiben schneiden und auf ein gefettetes Backblech legen. 10-12 Minuten im vorgeheizten Ofen bei 200°C backen.

ERGIBT 5 - 6 DUTZEND

Kühlschrankplätzchen

COPACABANA

6	mittelgroße Bananen
55 g	Zucker
60 ml	Weinbrand
½ Teel.	Vanilleextrakt
1 l	französisches Vanilleeis (siehe Seite 547)
375 ml	Schokoladensauce (siehe Seite 123)
60 g	geröstete Mandelscheiben

Bananen in eine große Pfanne geben. Zucker, Weinbrand und Vanilleextrakt hinzufügen. Bananen 3-5 Minuten pochieren. Herausnehmen und abkühlen lassen. Bananen auf das Eis legen, Schokoladensauce darübergeben und mit Mandeln bestreuen. Sofort servieren.

6 PORTIONEN

AMARETTO-MOUSSE

2 Teel.	aromafreie Gelatine
60 ml	Amaretto
4 Eßl.	Butter
5	Eier
230 g	Zucker
375 ml	Schlagsahne
60 g	geröstete Mandelscheiben

Gelatine im Likör aufweichen. Butter im Wasserbad zerlassen.

Eier, Zucker und Likör gut verrühren und zur zerlassenen Butter geben. Unter ständigem Rühren kochen, bis die Masse dick wird. Abkühlen lassen, bis sie sehr dickflüssig ist. Sahne schlagen und vorsichtig unterheben. Mousse in Weingläser füllen und kühlen, damit die Creme fest wird. Vor dem Servieren mit Mandelscheiben bestreuen.

8 PORTIONEN

Mandarinen-Schokoladen-Mousse

MANDARINEN-SCHOKOLADEN-MOUSSE

150 g	kleine Marshmallows
125 ml	entrahmte Sahne
80 g	halbbittere Schokolade
2 Eßl.	Orangensaftkonzentrat
375 ml	Schlagsahne
2	Eiweiß
250 ml	Mandarinenspalten

Marshmallows, Sahne und Schokolade im Wasserbad schmelzen. Orangensaft dazugeben. Topf vom Herd nehmen und abkühlen lassen.

Sahne schlagen und unter die Mischung heben. Eiweiß steif schlagen und unterheben. Die Mandarinenspalten hinzufügen. Mousse in 6 Servier- oder Parfaitschalen geben. Vor dem Servieren 3 Stunden kalt stellen.

6 PORTIONEN

ORANGEN-SCHOKOLADEN-SORBET

30 g	halbbittere Schokolade
2 Eßl.	Kakaopulver
230 g	Zucker
500 ml	Orangensaft
1 l	Milch

Kakao, Zucker und Orangensaft mischen und fünf Minuten kochen. Milch hinzufügen und sieben Minuten kochen. Abkühlen lassen und gemäß den Anleitungen zur Eiszubereitung tiefkühlen.

ERGIBT 1,5 LITER

KÖSTLICHER LIMONEN-KÄSEKUCHEN

310 ml	Zwiebackkrümel
2 Eßl.	Zucker
80 ml	zerlassene Butter
1 Eßl.	aromafreie Gelatine oder 2 Tüten
60 ml	kaltes Wasser
60 ml	Limonensaft
3	große Eier, getrennt
115 g	Zucker
1½ Teel.	geriebene Limonenschale
450 g	entrahmter, weicher Neufchâtelkäse*
	grüne Lebensmittelfarbe
500 ml	aufgetaute, cremige Dessertkrönung

Krümel, Zucker und Butter vermengen und auf den Boden einer Springform (23 cm) drücken. 10 Minuten im vorgeheizten Ofen bei 170°C backen. Abkühlen lassen.

Gelatine im Wasser aufweichen und bei niedriger Temperatur kochen, bis sie aufgelöst ist. Saft, Eigelb, 60 ml Zucker und die Limonenschale hineinrühren. 5 Minuten bei mittlerer Temperatur unter ständigem Rühren kochen lassen. Abkühlen lassen. Gelatinemischung nach und nach in den weichen Neufchâtelkäse mischen und gut vermengen. Nach Wunsch einige Tropfen grüne Lebensmittelfarbe hinzugeben.

Eiweiß schaumig schlagen. Den restlichen Zucker nach und nach hineinstreuen und das Eiweiß steif schlagen. Eiweiß und die Dessertkrönung unter den Neufchâtelkäse heben. Mischung in die mit Krumen belegte Springform füllen. Kalt stellen, bis die Mischung fest ist. Nach Wunsch mit Limonenschale dekorieren.

10 PORTIONEN

* Kleiner, franz. Käse (laibförmig), aus entrahmter Milch. Käse ist dunkelgelb. Schmeckt zwischen Oktober und Juni am besten. Im Delikatessengeschäft erhältlich.

ALTMODISCHER GOLDKUCHEN

170 g	Butter
230 g	Zucker
8	geschlagene Eigelb
300 g	feines Mehl
1 Eßl.	Backpulver
¼ Teel.	Salz
180 ml	Milch
¾ Teel.	Vanilleextrakt

Butter und Zucker locker und cremig schlagen. Eigelb unter Rühren hinzugeben. Mehl, Backpulver und Salz zweimal durchsieben und abwechselnd mit der Milch (in 3 Portionen) in die Eigelbmischung rühren. Vanille unterheben. Teig in drei runde, gefettete und bemehlte Kuchenformen gießen. Im vorgeheizten Ofen bei 180°C 20 Minuten backen. Den Kuchen 10 Minuten ruhen lassen, dann auf ein Kuchengitter legen. Glasieren und mit Marshmallow-Fondant (Rezept nachfolgend) oder Pralinenglasur (siehe Seite 529) füllen.

MARSHMALLOW-FONDANT-FÜLLUNG

455 g	Zucker
500 ml	Sahne
120 g	halbbittere Schokolade
55 g	Butter
1 Teel.	Vanille
250 ml	Marshmallows

Zucker, Sahne, Schokolade, Butter und Vanille in einem Topf verrühren. Aufkochen, bis die Mischung zu einem weichen Ball wird. Marshmallows im Wasserbad schmelzen und in die Fondantfüllung rühren. Nach Bedarf verwenden.

ÄPFEL CHATELAINE

310 ml	Wasser
285 g	Zucker
1	Vanilleschote
6	große, geschälte, entkernte Granny Smith Äpfel
3 Eßl.	zerlassene Butter
250 ml	halbierte Kirschen
125 ml	zerdrückte Makronen
60 ml	Vanillinzucker
4	Eigelb
250 ml	abgekochte Milch

Wasser, Zucker und Vanilleschote im Topf kochen. Flüssigkeit auf 310 ml reduzieren und in eine flache Backform gießen. Äpfel in die Form legen und mit Sirup und Butter bestreichen. Kirschen mit den Makronen vermengen und in die Apfelkernöffnung drücken. Äpfel im vorgeheizten Ofen 20 Minuten bei 180°C backen, oder bis sie weich sind. Auf eine Servierplatte legen.

Vanillinzucker und Eigelb cremig und hell schlagen. Die warme Milch hineinrühren und im Wasserbad kochen, bis die Masse dick wird. Vom Herd nehmen und die Creme über die Äpfel löffeln. Servieren.

6 PORTIONEN

Äpfel Chatelaine

Altmodischer Goldkuchen mit Pralinenglasur

Rosinen-Nußplätzchen

JENNIFERS LUSTIGE SCHNITTEN

300 ml	gesüßte Kondensmilch
60 g	ungesüßte Schokolade
½ Teel.	Salz
160 g	Kokosflocken
125 ml	Maraschinokirschen
65 g	Walnußstücke
1 Teel.	Vanilleextrakt

Milch und Schokolade im Wasserbad schmelzen. Die restlichen Zutaten hinzufügen und in eine gefettete, quadratische Kuchenform gießen. 18 Minuten im vorgeheizten Ofen bei 180°C backen. Abkühlen lassen. Mit Jennifers Glasur (nachfolgendes Rezept) bestreichen.

JENNIFERS GLASUR

3 Eßl.	Butter
220 g	Puderzucker
3 Eßl.	Milch
2 Teel.	Minzeextrakt
30 g	halbbittere Schokolade
1 Teel.	Öl

Butter cremig schlagen und die Hälfte des Zucker hineingeben. Den restlichen Zucker abwechselnd mit der Milch hineinrühren. Schlagen, bis alle Klumpen aufgelöst sind. Extrakt dazugeben. Glasur über die Schnitten streichen.

Schokolade und Öl im Wasserbad schmelzen und über die Glasur tröpfeln. In Rechtecke schneiden und servieren.

ERGIBT 24 SCHNITTE

ROSINEN-NUSS-PLÄTZCHEN

2 Teel.	Backpulver
270 g	feines Mehl
115 g	Butter
230 g	Zucker
2	Eier
1 Teel.	Vanilleextrakt
80 ml	Milch
95 g	Rosinen
65 g	Walnüsse
	Zucker zum Bestäuben

Mehl mit dem Backpulver sieben.

Butter cremig rühren. Zucker und Eier hineinschlagen. Mehl, Vanille und Milch dazugeben. Rosinen und Nüsse hineinrühren.

Eßlöffelgroße Teigmengen auf ein gefettetes Backblech fallen lassen. Mit Zucker bestäuben und im vorgeheizten Ofen 10-12 Minuten bei 180°C backen.

ERGIBT 18 PLÄTZCHEN

Jennifers lustige Schnitten

Dominos

GEFRORENES HIMBEER-KIWI SOUFFLÉ

500 ml	Himbeeren
55 g	Zucker
2 Eßl.	aromafreie Gelatine
2 Eßl.	kaltes Wasser
¼ Teel.	Salz
6	Eiweiß
500 ml	Schlagsahne
375 ml	geschälte, gehackte Kiwis

Himbeeren im Mixer pürieren. Durchsieben und die Körner entfernen. Püree im Topf kochen, auf 60 ml reduzieren. Zucker und Gelatine (im Wasser mit Salz aufgeweicht) hineinrühren. Auf Zimmertemperatur abkühlen lassen. Eiweiß steif schlagen. Sahne schlagen und zum Eiweiß geben. Sauce und Kiwi unter die Ei-Sahne heben. Mischung in eine Soufflé-Form (2 Liter) mit einem 15 cm hohen Kragen aus Alufolie geben. 6 Stunden oder über Nacht tiefkühlen. Kragen entfernen und servieren.

6 PORTIONEN

KAFFEE-MINZE SOUFFLÉ

30 g	Mehl
250 ml	Milch
230 g	Zucker
3 Eßl.	Butter
1 Teel.	instant Kaffeepulver
3 Eßl.	Kahlua-Likör
3 Eßl.	Creme de Menthe
4	Eier, getrennt
2	Eiweiß

Eine Soufflé-Form (1,5-2 l) einfetten. Boden und Seiten mit Zucker bestäuben. Milch in einen Topf geben und das Mehl hineinrühren. Aufkochen. Zucker, Butter, Kaffee und Liköre hineingeben. Topf vom Herd nehmen. Eigelb einzeln hineinschlagen. Eiweiß steif schlagen und unter die Mischung heben. Soufflé-Form füllen und 40 Minuten im vorgeheizten Ofen bei 200°C backen. Heiß mit einer Schokoladen-Fondantsauce servieren.

4 PORTIONEN

DOMINOS

65 g	gehackte Walnüsse
60 g	geschnittene Mandeln
70 g	gehackte Datteln
125 ml	Marzipanmasse*
1 Teel.	geriebene Orangenschale
60 ml	Orangensaft
¼ Teel.	Salz
30 g	feines Mehl
60 g	halbbittere Schokolade, geschmolzen
1 Teel.	Butter, zerlassen

Nüsse, Datteln, Marzipanmasse, Orangenschale, Saft und Salz im Mixer gut vermischen. Falls notwendig, mit etwas Mehl dicken.

Quadrate formen und sie in die mit Butter vermischte Schokolade tauchen.

* In den meisten Konditoreien oder Bäckereien erhältlich.

Gefrorenes Himbeer-Kiwi-Soufflé

Schokoladenkäsekuchen aus dem Kühlschrank

SCHOKOLADEN-KÄSEKUCHEN AUS DEM KÜHLSCHRANK

BODEN:	
200 g	zerbröselte Schokoladenwaffeln
2 Eßl.	Zucker
60 ml	Butter, zerlassen

Zutaten mischen. Den Boden einer Springform (23 cm) damit belegen und andrücken. Kalt stellen.

FÜLLUNG:	
1 Eßl.	aromafreie Gelatine
160 ml	Wasser
450 g	weicher Frischkäse
170 g	geschmolzene Schokoladenstückchen
250 ml	gesüßte Kondensmilch
1½ Teel.	Vanilleextrakt
180 ml	geschlagene Sahne
250 ml	Schokoladenspäne
375 ml	Himbeersauce (siehe Seite 107)

Gelatine im Wasser aufweichen und erhitzen, bis sie aufgelöst ist. Von der Kochstelle nehmen und abkühlen lassen.

Frischkäse mit der Schokolade, Milch und Vanille cremig rühren. Gelatine einrühren und die Schlagsahne unterheben. In eine Form geben und 4 Stunden kalt stellen.

Mit Schokoladenspänen verzieren und mit Himbeersauce servieren.

8-10 PORTIONEN

AMARETTO-KÄSEKUCHEN CHEF K.

BODEN:	
875 ml	gemahlene, italienische Makronen
60 ml	Butter, zerlassen

Zutaten mischen. Eine Springform (23 cm) einfetten und den Boden und die Seiten mit der Mischung belegen und andrücken. Kalt stellen. Den Ofen auf 160°C vorheizen.

FÜLLUNG:	
680 g	Frischkäse
170 g	Zucker
4	Eier
2 Eßl.	Mandelextrakt
60 ml	Amaretto

Käse mit dem Zucker cremig rühren. Eier einzeln hineinschlagen. Extrakt und Likör dazugeben. 90 Minuten im Ofen backen. Kuchen auf ein Kuchengitter legen und auf Zimmertemperatur abkühlen lassen.

ÜBERZUG:	
250 ml	Butterschmalz
230 g	halbbittere Schokolade
125 ml	Amaretto
60 g	geröstete, geschnittene Mandeln

Butter und Schokolade in einem Topf vermengen und erhitzen, jedoch nicht aufkochen. Topf vom Herd nehmen und Amaretto hineinrühren. Die Mischung über den Käsekuchen gießen. 2 Stunden kalt stellen. Mit Mandeln bestreuen und weitere 6-8 Stunden kalt stellen.

KIWI-MANGO-SORBET

170 g	Zucker
180 ml	Wasser
375 ml	Kiwis, geschält, gewürfelt, püriert
375 ml	Mangopüree
60 ml	Limonensaft

Zucker und Wasser in einen Topf gießen und aufkochen. Vom Herd nehmen und abkühlen lassen. Kiwi, Mango und Limonensaft verrühren und in den Sirup geben. Gemäß den Anleitungen zur Eisherstellung tiefkühlen.

ERGIBT 1 LITER

SCHOKOLADEN-KÄSEKUCHEN

BODEN:	
115 g	Butter
115 g	Zucker
150 g	zerbröselte Grahamkräcker
1 Eßl.	Kakaopulver

Butter mit dem Zucker verrühren. Kräckerkrumen und Kakaopulver hinzufügen. Den Boden und die Seiten einer Springform (23 cm) mit der Mischung belegen und andrücken. Im vorgeheizten Ofen 8 Minuten bei 205°C backen. Herausnehmen und abkühlen lassen.

FÜLLUNG:	
115 g	halbbittere Schokolade
450 g	Frischkäse
500 ml	saure Sahne
250 ml	Schlagsahne
230 g	Zucker
1 Teel.	Vanilleextrakt
3	Eier
750 ml	geschlagene Sahne
	Schokoladenspäne

Schokolade im Wasserbad schmelzen. Abkühlen lassen. Frischkäse cremig und locker rühren. Die abgekühlte Schokolade, saure Sahne und Schlagsahne hinzufügen. Zucker, Vanille und Eier einzeln unterrühren. Füllung auf dem Kuchenboden verteilen. 50-60 Minuten im vorgeheizten Ofen bei 205°C backen. Herausnehmen und 6 Stunden abkühlen lassen. Mit der Schlagsahne bestreichen und dekorieren. Mit Schokoladenspänen bestreuen. Servieren.

Schokoladenkäsekuchen

Kiwi-Mango-Sorbet

Heidelbeereis

FEIGEN-PLÄTZCHEN

PLÄTZCHEN:	
335 g	Mehl
2 Teel.	Backpulver
¼ Teel.	Salz
230 g	Zucker
65 g	Backfett
2	Eier
80 ml	Milch
½ Teel.	Vanilleextrakt

Mehl, Backpulver und Salz zusammensieben. Zucker und Backfett cremig rühren. Eier, Milch und Vanille hineinschlagen. Mehl unterziehen und gut vermengen.

Teig auf einer leicht bemehlten Fläche 6 mm dick ausrollen. In 10 cm breite Streifen schneiden und mit der Feigenmischung füllen (nachfolgendes Rezept). Den Teig übereinanderschlagen und Kreise schneiden. 12-15 Minuten im vorgeheizten Ofen bei 160°C backen. Abkühlen lassen und servieren.

FEIGENFÜLLUNG:	
340 g	Zucker
180 ml	Wasser
1 kg	blanchierte Feigen
270 g	gehackte Datteln
1 Eßl.	Zitronensaft
1 Teel.	geriebene Zitronenschale

Zucker und Wasser in einem Topf mischen. Feigen, Datteln, Zitronensaft- und schale hineingeben. Aufkochen, Temperatur reduzieren und 2 ½ Stunden köcheln lassen, oder bis die Füllung sehr dick ist. Vor dem Gebrauch abkühlen lassen.

* Bemerkung: Getrocknete Feigen eine ½ Stunde in kaltem Wasser einweichen. Die Kochzeit auf 20 Minuten reduzieren, wenn die Feigen im Mixer püriert werden.

ERGIBT 3 DUTZEND

Feigenplätzchen

HEIDELBEEREIS

750 ml	entrahmte Sahne
2 Eßl.	Mehl
2 Eßl.	Wasser
3	Eigelb
230 g	Zucker
1½ Teel.	weißer Vanilleextrakt
375 ml	frische Heidelbeeren

Sahne im Wasserbad kochen. Mehl mit Wasser verrühren und in die Sahne gießen. Eigelb mit Zucker verquirlen und nach und nach mit dem Extrakt in die Sahne schlagen. Die Mischung unter ständigem Rühren kochen, bis sie dick wird. Topf vom Herd nehmen und abkühlen lassen. Gemäß den Anleitungen zur Eisherstellung tiefkühlen. Heidelbeeren kurz bevor das Eis gefroren ist (in den letzten 5 Minuten), hineingeben.

ERGIBT 1,5 LITER

GRANOLA PLÄTZCHEN

115 g	Butter
125 ml	Öl
115 g	Zucker
85 g	brauner Zucker
1 Teel.	Vanilleextrakt
½ Teel.	Weinstein
½ Teel.	Natron
1	Ei
250 ml	Granola
40 g	geraspelte Kokosnuß
50 g	Hafermehl
210 g	feines Mehl
95 g	Rosinen
35 g	Walnußstücke

Butter und Öl cremig schlagen. Zucker und Vanille dazugeben. Weinstein, Natron und Eier hineinrühren. Die restlichen Zutaten hineinmengen. Teelöffelgroße Teigstücke auf ein gefettetes Backblech geben. Im vorgeheizten Ofen 12-15 Minuten bei 180°C backen.

ERGIBT 3 DUTZEND

KREOLISCHE PRALINEN

170 g	brauner Zucker
230 g	Zucker
125 ml	Sahne, entrahmt
2 Eßl.	Butter
100 g	Pekannüsse

Braunen und weißen Zucker in der Sahne in einem Kochtopf auflösen. Auf 115°C erhitzen (mit Zuckerthermometer kontrollieren). Vom Herd nehmen, Butter und Nüsse in die Creme schlagen, weiter schlagen, bis die Mischung dick wird. Auf ein mit gefettetem Wachspapier ausgelegtes Backblech geben. Dabei genügend Abstand zwischen den Pralinen lassen.

ERGIBT 675 g

WEIHNACHTS-PIE MIT EIER-FLIP

1 Eßl.	aromafreie Gelatine
3 Eßl.	kaltes Wasser
250 ml	Milch
3	Eier, getrennt
340 g	Zucker
2 Teel.	Rumextrakt
180 ml	Schlagsahne
115 g	kandiertes Obst, gehackt
1	Ingwerplätzchenboden (siehe Seite 603)
2 Eßl.	gehackte Pekannüsse

Gelatine im Wasser einweichen. Milch, Eigelb, Rumextrakt und 115 g Zucker im Wasserbad vermengen und erhitzen. Vom Herd nehmen, sobald die Mischung beginnt, dick zu werden. Gelatine einrühren und kalt stellen, bis die Mischung sehr dick, jedoch noch nicht fest ist. Sahne schlagen und unterheben. Eiweiß steif schlagen, Zucker dazugeben und weiter schlagen, bis sich Spitzen bilden. Den Eierschnee unter die Mischung heben. Kandiertes Obst einmischen. Die Füllung auf einen Pie-Boden geben und kalt stellen, bis sie fest wird. Mit Nüssen bestreuen. Servieren.

6 PORTIONEN

FRANKS ITALIENISCHER KÄSEKUCHEN

450 g	Frischkäse
450 g	saure Sahne
450 g	Ricottakäse
4	Eier
110 g	Butter, zerlassen
3 Eßl.	Mehl
3 Eßl.	Stärkemehl
340 g	Zucker
1 Eßl.	Vanilleextrakt
1 Eßl.	Zitronensaft

Boden und Seiten einer 30 cm ø Springform mit Alufolie auslegen. Die Folie mit Butter einfetten.

Ofen auf 170°C vorheizen. Saure Sahne und Käse in einer großen Schüssel vermengen und sehr cremig rühren. Eier nach und nach zugeben und gründlich unterrühren. Zerlassene Butter angießen.

Trockene Zutaten mischen und mit Vanille und Zitronensaft ins Käsegemisch einrühren. Gut verrühren. 1½ Stunden backen, Ofen ausschalten. Kuchen noch eine weitere Stunde darin stehenlassen, damit er fest wird (je nach Art des Ofens).

Über Nacht kalt stellen, mit Puderzucker bestreuen und servieren.

Kreolische Pralinen

Weihnachts-Pie mit Eier-Flip

Heuschrecken-Pie

HEUSCHRECKEN-PIE

BODEN:	
200 g	zerbröselte Schokoladenwaffeln
75 g	Butter
180 ml	Haselnüsse, gemahlen

Die Zutaten vermischen. Auf den Boden und die Seiten einer gefetteten 25 cm ø Pie-Form drücken. Im vorgeheizten Ofen bei 180°C 7 Minuten backen. Abkühlen lassen, dann kalt stellen.

FÜLLUNG:	
2 Eßl.	kaltes Wasser
1 Eßl.	aromafreie Gelatine
2	Eier, getrennt
125 ml	Milch
75 g	kleine Marshmallows
2 Teel.	Minzextrakt
250 ml	Schlagsahne
1 Teel.	grüne Lebensmittelfarbe
250 ml	Schokoladenspäne

Gelatine im kalten Wasser aufweichen, in ein Wasserbad geben. Eigelb und Milch zufügen, kochen, bis die Mischung dick wird. Die Marshmallows in einem anderen Wasserbad schmelzen, die Eimischung unterziehen. Vom Herd nehmen. Den Minzextrakt einrühren, abkühlen lassen. Die Sahne mit der Lebensmittelfarbe verquirlen, unter die abgekühlte Mischung heben. Eiweiße schlagen und auch unterheben. Die Füllung auf den Pie-Boden geben. 4-6 Stunden lang kalt stellen. Vor dem Servieren mit Schokoladenspänen garnieren.

KÜCHENCHEF K.S GRAND-MARNIER-KÄSEKUCHEN MIT WEISSER SCHOKOLADE

BODEN:	
200 g	zerbröselte Schokoladenwaffeln
2 Eßl.	Zucker
60 ml	Butter, zerlassen

Die Zutaten vermischen. Auf den Boden und die Seiten einer gefetteten 23 cm ø Springform drücken. Kalt stellen. Ofen auf 180°C vorheizen.

FÜLLUNG:	
180 g	weiße Schokolade
680 g	Frischkäse
170 g	Zucker
3	Eier
80 ml	Grand Marnier

Die Schokolade in einem Wasserbad schmelzen. Käse mit dem Zucker cremig rühren. Eier nach und nach in die Creme schlagen. Schokolade unterheben und Likör einrühren. Die Füllung auf den Kuchenboden geben, 45 Minuten backen.

BELAG:	
500 ml	saure Sahne
3 Eßl.	Zucker
1 Teel.	Vanilleextrakt

Zutaten zu einer sehr glatten Creme rühren. Löffelweise auf den Kuchen geben und weitere 10 Minuten backen. Kuchen aus dem Ofen nehmen und auf ein Gitter stellen. Eine Stunde abkühlen lassen.

GLASUR:	
115 g	Zucker
1½ Eßl.	Stärkemehl
¼ Teel.	Salz
125 ml	Wasser
60 ml	Grand Marnier
80 ml	Orangensaft
1 Teel.	Orangenschale, gerieben
1	Eigelb, geschlagen
1 Eßl.	Butter, zerlassen

Zucker, Stärkemehl und Salz in einem Kochtopf mischen. Auf mittelgroße Hitze stellen und die restlichen Zutaten außer der Butter einquirlen. Ein wenig abkühlen lassen, dann die Butter einrühren. Den Kuchen damit übergießen und 6 Stunden kalt stellen.

Küchenchef K.s Grand-Marnier-Käsekuchen mit weißer Schokolade

SCHOKOLADEN-CREME MIT GRAND MARNIER

120 g	weiße Schokolade, geraspelt
60 ml	Grand Marnier Creme Likör
55 g	Zucker
500 ml	Creme fraiche
½ Teel.	Orangenextrakt
18	mit Schokolade überzogene Orangenstücke

Schokolade und Likör in ein Wasserbad geben und bei milder Hitze schmelzen. Zucker einrühren, bis er sich auflöst. Vom Herd nehmen, abkühlen lassen und kalt stellen. Sahne mit Orangenextrakt steif schlagen. Unter die Schokoladenmischung heben. In 6 Servierschalen geben, mit Frischhaltefolie abdecken und entweder 8 Stunden oder über Nacht kalt stellen. Mit in Schokolade getauchten Orangenspalten (Rezept folgt) garnieren.

6 PORTIONEN

IN SCHOKOLADE GETAUCHTE ORANGENSPALTEN

120 g	halbbittere Schokolade
1 Eßl.	Butter, zerlassen
40	frische Orangenspalten

Die Schokolade mit der Butter bei schwacher Hitze im Wasserbad schmelzen. Die Orangenspalten in die Schokolade tauchen und dann auf Wachspapier legen. 10 Minuten kalt stellen, dann auf Zimmertemperatur aufwärmen lassen. Servieren oder als Garnierung verwenden.

TROPISCHER KÄSEKUCHEN

BODEN:	
100 g	zerbröselte Grahamkräcker
3 Eßl.	brauner Zucker
60 ml	Butter, zerlassen

FÜLLUNG:	
2	Tüten aromafreie Gelatine
60 ml	Kokosrum
1 Dose	(540 ml) kleingeschnetzelte Ananas, ohne Saft
70 g	Zucker
¼ Teel.	Salz
1	Ei
250 g	Frischkäse (Zimmertemperatur)
180 ml	Schlagsahne

BODEN:

Krümel, Zucker und Butter vermischen. Auf den Boden einer eingefetteten 23 cm ø Springform drücken. Im vorgeheizten Ofen bei 200°C 5 Minuten backen. Abkühlen lassen.

FÜLLUNG:

Kokosrum in eine kleine Schüssel gießen, Gelatine zum Aufweichen auf den Rum streuen. Ananas, Zucker, Salz und Ei in einem Kochtopf vermengen. Die aufgeweichte Gelatine einrühren, die Mischung erhitzen und rühren, bis sie dick wird. Beiseite stellen und auf Zimmertemperatur abkühlen lassen.

Schlagsahne und Frischkäse rühren, aber nur bis die Mischung glatt wird. Die Ananasmischung zufügen und gründlich unterrühren (ungefähr 2 Minuten rühren). Die Füllung in die vorbereitete Form geben und etwa 4 Stunden kalt stellen, bis sie geliert.

Schokoladencreme mit Grand Marnier und in Schokolade getauchte Orangenspalten

Fürst-Pückler-Käsekuchen

KNUSPRIGER KAFFEE-WALNUSS-KÄSEKUCHEN

BODEN:	
300 g	zerbröselte Schokoladenwaffeln
2 Eßl.	Zucker
60 ml	Butter, zerlassen

Alle Zutaten mischen. Auf den Boden und an die Seiten einer 23 cm ø Springform drücken. 5 Minuten kalt stellen. 7 Minuten bei 180°C im vorgeheizten Ofen backen.

FÜLLUNG:	
680 g	Frischkäse
230 g	Zucker
4	Eier
60 ml	doppeltstarker Kaffee
90 g	Karamelstückchen, geschmolzen
60 g	halbbittere Schokolade, geschmolzen
65 g	Walnüsse, gehackt

Käse mit dem Zucker cremig rühren, Eier nach und nach zugeben und gründlich unterrühren. Die Masse halbieren. Karamelstückchen in den einen Teil einrühren, Kaffee, Schokolade und Nüsse in den anderen. Die Schokoladen-Nuß-Masse auf den Kuchenboden geben. 30 Minuten bei 180°C im vorgeheizten Ofen backen. Die Karamelmasse auf den Kuchen geben und weitere 40 Minuten backen. Ofen ausschalten, Ofentür ein wenig aufmachen und 30 Minuten offen lassen. Kuchen herausnehmen und zum Abkühlen auf ein Gitter geben. 8 Stunden oder über Nacht kalt stellen. Servieren.

Knuspriger Kaffee-Walnuss-Käsekuchen

FÜRST-PÜCKLER-KÄSEKUCHEN

BODEN:	
300 g	zerbröselte Schokoladenwaffeln
2 Eßl.	Butter
60 ml	zerlassene Butter

Zutaten mischen und in eine gefettete 23 cm ø Springform hineindrücken. 5 Minuten bei 180°C im vorgeheizten Ofen backen. Abkühlen lassen.

FÜLLUNG:	
680 g	Frischkäse
230 g	Zucker
3	Eier
1 Teel.	Vanilleextrakt
60 g	halbbittere Schokolade, geschmolzen
1 Eßl.	Kakaopulver
250 ml	Erdbeerpüree

Käse und Zucker zusammen zu einer sehr lockeren Creme rühren. Eier nach und nach zugeben und gründlich unterrühren. Vanille einrühren. Die Mischung in drei gleichgroße Massen aufteilen. Schokolade und Kakaopulver in den einen Teil einrühren, die Erdbeeren unter den zweiten Teil rühren.

Die Schokoladenmasse in die vorbereitete Form geben. 20 Minuten backen, bis die Seiten fest werden. Die Erdbeermasse behutsam daraufgießen und 20 Minuten backen. Die restliche Mischung daraufgeben und weitere 35 Minuten backen. Ofen ausschalten, Ofentür ein wenig aufmachen und 30 Minuten offen lassen. Kuchen herausnehmen, auf ein Gitter geben und auf Zimmertemperatur abkühlen lassen. Vor dem Servieren 6-8 Stunden kalt stellen. Wie folgt glasieren:

GLASUR:	
115 g	Zucker
1½ Eßl.	Stärkemehl
¼ Teel.	Salz
125 ml	Wasser
125 ml	Limonensaft
2 Teel.	Limonenschale, gerieben
1	Eigelb
5 Tropfen	grüne Lebensmittelfarbe
1 Eßl.	Butter

Zucker, Stärkemehl und Salz in einem Kochtopf vermengen. Bei mittelgroßer Hitze alle übrigen Zutaten außer der Butter einrühren. Die Mischung kochen, bis sie dickflüssig wird. Butter unterschlagen. Mischung ein wenig abkühlen lassen und über den Kuchen gießen. Servieren.

Sonnenscheinkuchen mit Orangenbrandy

SONNENSCHEIN-KUCHEN MIT ORANGENBRANDY

8	Eiweiß
½ Teel.	Weinstein
½ Teel.	Salz
340 g	Zucker
5	Eigelb
110 g	Mehl
2 Eßl.	Wasser
je ½ Teel.	Mandel-, Zitronen- und weißer Vanilleextrakt

Ofen auf 180°C vorheizen.

Eiweiß, Weinstein und Salz vermischen und sehr steif schlagen. Eigelb mit Zucker sehr hell schlagen. Unter weiterem Rühren Mehl und Wasser nach und nach abwechselnd zugeben. Extrakte zufügen. Eierschnee unterheben. Den Teig in eine ungefettete Kranzform füllen. 60 Minuten backen, aus dem Ofen nehmen und stürzen. Den abgekühlten Kuchen mit Orangenbrandy-Sauce (Rezept folgt) überziehen.

Orangenbrandy-Sauce:

2 Eßl.	Orangenkonzentrat
560 ml	Mandarinen, aus der Dose
115 g	Zucker
4 Eßl.	Orangenbrandy

Saft von den Mandarinen, Orangenkonzentrat und Zucker in einen Kochtopf geben und kochen, bis die Mischung dick wird. Vom Herd nehmen, Orangenbrandy und Mandarinenspalten einrühren. Warm mit dem Kuchen servieren.

ANMERKUNG: Orangenbrandy kann durch 2 Eßlöffel Orangenbrandyaroma und 2 Eßlöffel Wasser ersetzt werden.

ALTBEKANNTER BUTTER-FRÜCHTE-KUCHEN

455 g	Zucker
225 g	Butter
4	Eier
2 Teel.	Vanilleextrakt
335 g	Mehl
½ Teel.	Backpulver
½ Teel.	Natron
½ Teel.	Salz
1 Eßl.	Zitronensaft
250 ml	Milch

Zucker mit der Butter cremig rühren. Eier nach und nach zugeben und gründlich unterrühren. Vanille zufügen. Mehl, Backpulver, Natron und Salz zusammen durchsieben. Zitronensaft mit der Milch verrühren. Mehl und die Flüssigkeit abwechselnd zu Dritteln unterheben, bis alles vermischt ist.

Teig in eine gefettete 10 x 25 cm große Form geben. Im vorgeheizten Ofen bei 180°C 1 Stunde und 10 Minuten backen. Den Kuchen 10 Minuten abkühlen lassen, dann auf ein Gitter geben.

Altbekannter Butter-Früchtekuchen

Sachertorte Chef K

SACHERTORTE CHEF K

KUCHEN:	
85 g	edelbittere Schokolade
60 g	halbbittere Schokolade
240 g	feines Mehl
¼ Teel.	Salz
6	Eier, getrennt
115 g	Butter
340 g	Zucker

Schokolade im Wasserbad schmelzen. Mehl und Salz zweimal zusammensieben. Eiweiß steif schlagen. Butter und Zucker zu einer sehr lockeren Creme rühren. Eigelb nach und nach zugeben und gründlich unterrühren. Mehl und Schokolade zu Dritteln unterheben. Eierschnee unterheben. Den Teig in eine gefettete und bemehlte 23 cm ø Springform geben. Bei 180°C im vorgeheizten Ofen 45 Minuten lang backen, oder bis ein Zahnstocher, der in den Kuchen hineingesteckt wird, sauber herausgezogen werden kann. Den Kuchen 10 Minuten abkühlen lassen, dann auf ein Gitter stellen.

ZUCKERGUSS:	
190 g	Aprikosenmarmelade
340 g	Marzipanmasse*
300 g	halbbittere Schokolade
1½ Teel.	Öl
250 ml	Schlagsahne

Aprikosenmarmelade erhitzen, bis sie dünnflüssig wird, auf den Kuchen streichen. Die Marzipanmasse auf einer mit Stärkemehl leicht bemehlten Fläche dünn ausrollen. Den ganzen Kuchen damit bedecken und auf den Kuchen zuschneiden.

Schokolade im Wasserbad erhitzen. Öl angießen und die Schokolade über den Kuchen gießen. Eine Stunde kalt stellen. Sahne schlagen und gesondert mit dem Kuchen servieren.

* Marzipanmasse ist in jeder Konditorei oder Bäckerei erhältlich.

ERDBEERSORBET

500 ml	Erdbeeren
455 g	Zucker
500 ml	Milch

Beeren waschen, entstielen und zerdrücken. Bei mittelgroßer Hitze mit dem Zucker kochen. Zum Kochen bringen und 10 Minuten lang kochen. Im Mixer pürieren, Körner und Fruchtfleisch aussieben. Den Saft in den Kochtopf zurückgießen, Milch einrühren und 5 Minuten stark kochen. Abkühlen lassen und kalt stellen. In der Eismaschine laut Anweisung einfrieren.

ERGIBT 1,5 LITER

ERDNUSSBUTTER-KÄSEKUCHEN

BODEN:	
300 g	zerbröselte Schokoladenwaffeln
3 Eßl.	Zucker
60 ml	Butter, zerlassen

Zutaten mischen. Auf den Boden und an die Seiten einer gefetteten 23 cm ø Springform drücken. Kalt stellen.

FÜLLUNG:	
680 g	Frischkäse
230 g	Zucker
4	Eier
85 g	halbbittere Schokolade, geschmolzen
1 Eßl.	Kakaopulver
180 ml	glatte Erdnußbutter

Käse mit dem Zucker cremig rühren. Eier nach und nach zugeben und gründlich unterrühren. Die Masse halbieren. Schokolade und Kakaopulver in den einen Teil schlagen, Erdnußbutter in den anderen. Die Schokoladenmasse auf den Kuchenboden geben und 30 Minuten bei 180°C im vorgeheizten Ofen backen. Die Erdnußbuttermasse auf den Kuchen geben und weitere 40 Minuten backen. Ofen ausschalten, Ofentür ein wenig aufmachen und 30 Minuten offen lassen. Kuchen herausnehmen, auf ein Gitter geben und auf Zimmertemperatur abkühlen lassen. Mit Belag überziehen.

BELAG:	
60 ml	weißer Maissirup
3 Eßl.	Wasser
2½ Eßl.	Butter
150 g	halbbittere Schokoladenstückchen
125 ml	gesalzene Erdnüsse
500 ml	Schlagsahne, geschlagen

Maissirup, Wasser und Butter in einem Kochtopf mischen. Zügig zum Kochen bringen und rühren, bis die Butter sich auflöst. Von der Kochstelle nehmen. Schokolade dazugeben und rühren, bis sie zerläuft. Auf Zimmertemperatur abkühlen lassen.

Schokolade über den Kuchen geben. Mit Schlagsahne verzieren und mit Nüssen bestreuen. Servieren.

HEIDELBEER-PIE

1 Portion	Pie-Teig (siehe Seite 616)
750 ml	Heidelbeeren
3 Eßl.	Mehl
170 g	Zucker
2 Eßl.	Zitronensaft
1 Teel.	Vanilleextrakt
1 Eßl.	Butter
1	Ei

Die Hälfte des Teigs ausrollen und eine 23 cm ø Pie-Form damit auskleiden. Die Beeren waschen und verlesen. Mehl und Zucker vermengen und auf den Teig in der Form stäuben. Die Beeren in die vorbereitete Form geben und mit dem restlichen Mehl/Zucker bestäuben. Zitronensaft und Vanille darübersprenkeln. Die Butter tupfenartig daraufgeben. Den Rest des Teigs ausrollen, zurechtschneiden und als Deckel darauflegen. Die Ränder anfeuchten und unter die untere Lage falten. Teigrand wellen. Eine Öffnung in den Deckel einschneiden, damit der Dampf entweichen kann. Mit geschlagenem Ei bestreichen. Im vorgeheizten Ofen bei 230°C 15 Minuten backen, Temperatur auf 160°C zurückschalten und weitere 20 Minuten backen. Vor dem Servieren völlig abkühlen lassen.

6 PORTIONEN

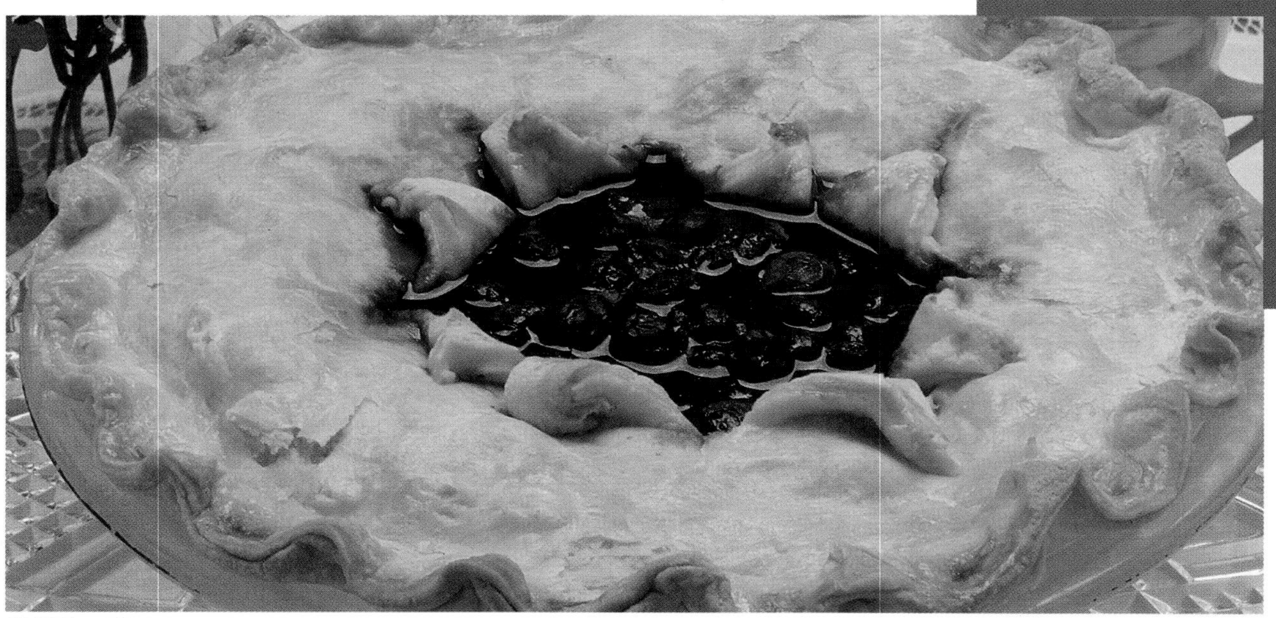

Heidelbeer-Pie

Erdnußbutter-Käsekuchen

Schweizer Schokoladentorte mit Vollmilchschokoladenglasur

SCHWEIZER SCHOKOLADEN-TORTE

90 g	feines Mehl
½ Teel.	Backpulver
¼ Teel.	Natron
½ Teel.	Salz
4	Eier
170 g	Zucker
80 g	geraspelte halbbittere Schokolade
1 Teel.	Vanilleextrakt
60 ml	kaltes Wasser

Mehl, Backpulver, Natron und Salz zweimal zusammensieben.

Eier schlagen und Zucker nach und nach unterschlagen, bis der Eierschnee das Dreifache des ursprünglichen Volumens erreicht. Mehl unterheben.

Schokolade in einem Kochtopf mit Vanille und Wasser schmelzen und unter den Teig heben. Teig in drei gefettete, bemehlte 23 cm ø Kuchenformen geben. 18-20 Minuten im vorgeheizten Ofen bei 180°C backen.

Kuchen 10 Minuten abkühlen lassen, dann auf ein Gitter stürzen, völlig abkühlen lassen. Mit Vollmilchschokoladenglasur (Rezept folgt) füllen und überziehen.

VOLLMILCH-SCHOKOLADEN GLASUR

120 g	Vollmilchschokolade
115 g	ungesalzene Butter
335 g	Puderzucker
80 ml	Milch
2	Eiweiß (Zimmertemperatur)
½ Teel.	Vanilleextrakt

Schokolade und Butter bei kleiner Hitze im Wasserbad schmelzen. Vom Herd nehmen und die restlichen Zutaten einquirlen. In eine Schüssel voller Eis stellen und sehr cremig schlagen.

SÜSSKARTOFFEL-PIE

115 g	Zucker
¼ Teel.	Salz
1 Teel.	Zimt
1 Teel.	Muskatnuß
½ Teel.	gemahlener Ingwer
500 ml	Süßkartoffeln, gekocht und glatt zerdrückt
250 ml	Milch
2	Eier
½ Portion	Pie-Teig (siehe Seite 616)
500 ml	Schlagsahne

Die trockenen Zutaten vermengen und unter die Süßkartoffeln mischen. Milch und Eier einrühren.

Teig ausrollen und eine 23 cm ø Pie-Form damit auslegen. Die Kartoffelmischung in die vorbereitete Form geben.

Im vorgeheizten Ofen bei 230°C 10 Minuten lang backen. Temperatur auf 180°C zurückschalten und weitere 35 Minuten backen. Abkühlen lassen, dann kalt stellen.

Schlagsahne auf den Pie spritzen, servieren.

8 PORTIONEN

Süßkartoffel-Pie

SCHOKOLADEN-PFEFFERMINZ-PLÄTTCHEN

500 ml	Kondensmilch, gesüßt
2 Teel.	Pfefferminzextrakt
10 Tropfen	grüne Lebensmittelfarbe
910 g	Puderzucker
120 g	halbbittere Schokolade
30 g	eßbares Speisewachs

Milch, Extrakt und Lebensmittelfarbe mischen. Nur soviel Zucker hinzufügen, daß ein fester, nicht klebriger Ball entsteht. Zu kleinen, gleichgroßen Bällen formen, diese flach drücken. Die Schokolade mit dem Wachs erhitzen. Die flachen Klopse auf Zahnstocher aufspießen, dann in die Schokolade tauchen. Auf ein Backblech legen und die Schokolade hart werden lassen.

ERGIBT 64 PLÄTTCHEN

PFEFFERMINZ-STANGEN-PIE

BODEN:	
300 g	zerbröselte Schokoladenwaffeln
3 Eßl.	Zucker
60 ml	Butter, zerlassen

Waffelkrümel, Zucker und Butter vermengen. Auf den Boden und an die Seiten einer 23 cm ø Springform drücken. Im vorgeheizten Ofen bei 180°C 7 Minuten backen. Abkühlen lassen, dann kalt stellen.

FÜLLUNG:	
180 g	Minzschokoladenstückchen
60 ml	Sahne
½ Portion	Cafe-Minzeis (siehe Seite 669)
½ Portion	Französisches Vanilleeis (siehe Seite 547)

Schokoladenstückchen und Sahne in einem Wasserbad zusammen erhitzen, kochen bis die Creme dick wird. Abkühlen lassen, dann kalt stellen.

Die Hälfte der Sauce auf den Pie-Boden geben. Abwechselnd vier Lagen Cafe-Minzeis und Vanilleeis daraufgeben. Restliche Sauce als Schlußlage darübergießen. Vier Stunden tiefkühlen. Servieren.

8-10 PORTIONEN

Schokoladenpfefferminzplättchen

Schokoladenmoussetorte mit Calvados

SCHOKOLADEN-MOUSSETORTE MIT CALVADOS

BODEN:	
200 g	zerbröselte Schokoladenwaffeln
60 ml	Butter, zerlassen

Zutaten mischen und in eine 20 cm ø Springform hineindrücken. Kalt stellen.

FÜLLUNG:	
450 g	halbbittere Schokolade, gehackt
6	große Eier
60 ml	Calvados oder Apfelbrandy
500 ml	Schlagsahne
¼ Teel.	Salz

Die Schokolade in einer großen Schüssel schmelzen, die auf leicht kochendem Wasser steht. Abkühlen lassen. Zwei ganze Eier und alle Eigelb in die Schokolade einquirlen. Calvados dazugeben und glattrühren. Die Sahne steif schlagen. Vier Eiweiß mit Salz steif schlagen, jedoch nicht trocken werden lassen. Abwechselnd geschlagene Sahne und Eierschnee unter die Schokoladenmischung ziehen. Die Mousse auf den Tortenboden geben. 3-4 Stunden einfrieren. Belag darauf verteilen.

BELAG:	
250 ml	Schlagsahne
3 Eßl.	Puderzucker
1 Eßl.	Calvados
125 ml	Schokoladenspäne

Sahne schlagen. Zucker und Likör einrühren. Den Belag auf den Kuchen streichen. 24 Stunden gefrieren lassen. Mit Schokoladenspänen garnieren.

ZITRONEN-CHIFFON-PIE

1 Eßl.	aromafreie Gelatine
60 ml	kaltes Wasser
4	Eier, getrennt
170 g	Zucker
¼ Teel.	Salz
60 ml	Zitronensaft
½ Teel.	Zitronenschale, gerieben
1	Ingwerplätzchenboden (Rezept folgt)

Die Gelatine im Wasser einweichen. Eigelb, 115 g Zucker, Salz, Zitronensaft und -schale im Wasserbad mischen und kochen, bis die Mischung dick wird. Abkühlen lassen und kalt stellen, bis die Mischung dick, aber noch nicht fest ist.

Eiweiß steif schlagen, Zucker nach und nach zugeben. Unter die Zitronenmischung heben. In die vorbereitete Pie-Form geben. Wenn die Füllung fest ist, aufschneiden und servieren.

6 PORTIONEN

INGWER-PLÄTZCHEN-BODEN

150 g	Ingwerplätzchen, fein zerstoßen
55 g	Butter, weich

Plätzchenkrümel und Butter gründlich vermischen. An die Seiten und auf den Boden einer 20 cm ø Pie-Form drücken. 10 Minuten lang bei 180°C im vorgeheizten Ofen backen. Nach Bedarf verwenden.

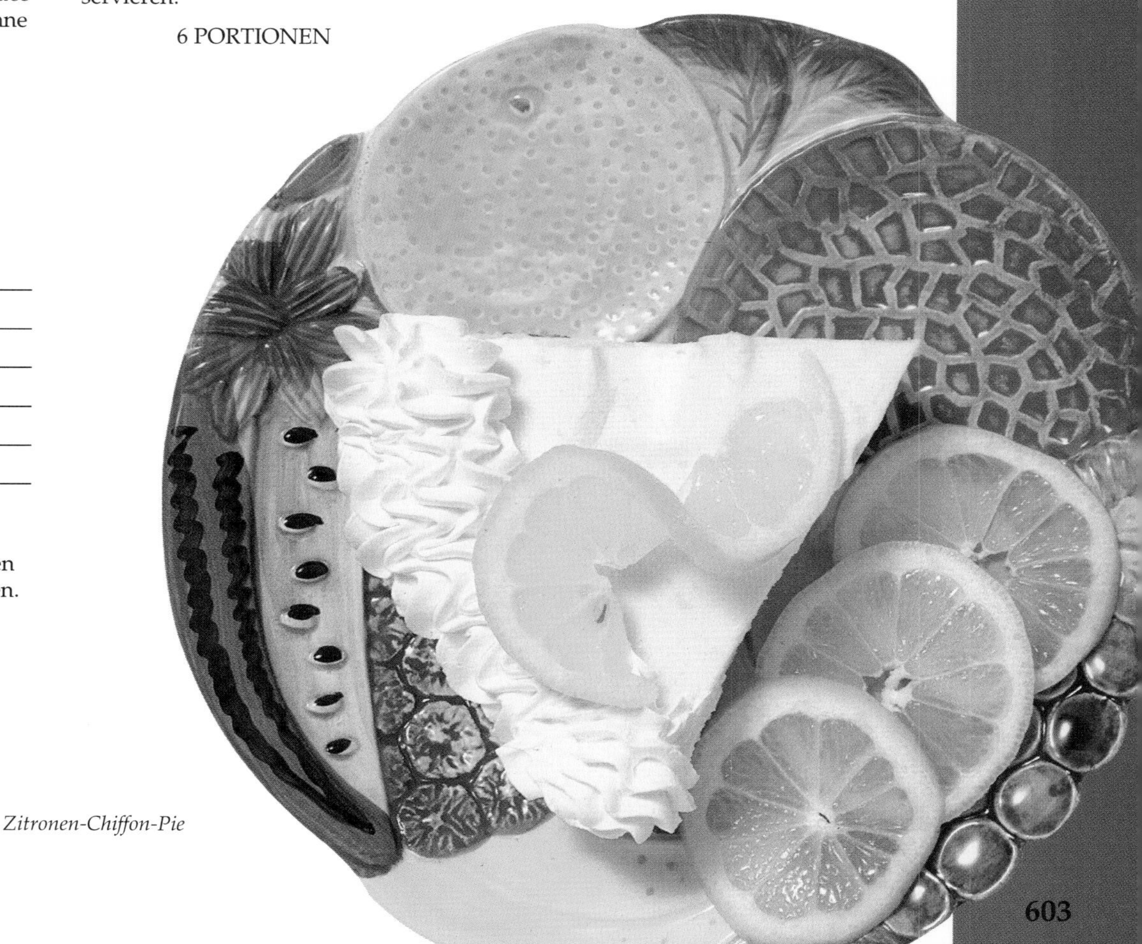

Zitronen-Chiffon-Pie

KAHLUA-RUMTORTE

115 g	Butter
335 g	brauner Zucker
3	Eier, getrennt
240 g	feines Mehl
¼ Teel.	Salz
2 Teel.	Backpulver
1 Teel.	Zimt
½ Teel.	Gewürznelken
¼ Teel.	Muskatnuß
60 ml	Kahlua-Likör
60 ml	dunkler Rum
125 ml	saure Sahne

Butter und Zucker zu einer sehr lockeren Creme rühren. Eigelb nach und nach zugeben und gründlich unterrühren. Eiweiß steif schlagen und zur Seite stellen. Mehl, Salz, Backpulver und Gewürze zweimal zusammensieben. Kahlua, Rum und saure Sahne vermengen. Diese Flüssigkeit und das Mehl zu Dritteln unter die Creme rühren. Eierschnee unterheben. Den Teig in eine gefettete, quadratische, 23 cm große Kuchenform geben. Im vorgeheizten Ofen bei 180°C 50 Minuten backen. Den Kuchen 10 Minuten abkühlen lassen, dann auf ein Gitter geben. In 3 Schichten schneiden und nach dem Abkühlen mit Calypso Kaffeeglasur (Rezept folgt) überziehen.

CALYPSO KAFFEEGLASUR

115 g	Butter (Zimmertemperatur)
335 g	Puderzucker
100 g	Kakao
2 Eßl.	Milch
60 ml	Kahlua-Likör
60 ml	dunkler Rum

Butter cremig rühren, Puderzucker zufügen. Langsam die flüssigen Zutaten und Kakao abwechselnd zu Dritteln zugeben und gründlich unterrühren. Die Mischung im Mixer 3 Minuten auf höchster Stufe zu einer hellen Creme verarbeiten. Laut Anweisung verwenden. Ausgezeichnet als Überzug für Kahlua-Rumtorte.

BRISTOL BIRNEN

310 ml	Wasser
285 g	Zucker
1 Teel.	Vanilleextrakt
6	Birnen, geschält, entkernt
750 ml	Französisches Vanilleeis (siehe Seite 547)
500 ml	Himbeersauce (siehe Seite 107)
500 ml	sehr kleine Erdbeeren, entstielt, gewaschen
375 ml	Schlagsahne, geschlagen

Wasser, Zucker und Vanille in einem Kochtopf verrühren. Zum Kochen bringen, Hitze reduzieren. Die Birnen im leicht kochenden Sirup pochieren, bis sie zart sind. Sirup abgießen, Birnen abkühlen lassen und kalt stellen. Je 125 ml Speiseeis in große Sektschalen geben. Jeweils eine Birne auf das Eis legen, reichlich Sauce darüberschütten und mit Erdbeeren bestreuen. Eine Rosette Schlagsahne darauf spritzen. Servieren.

6 PORTIONEN

Kahlua-Rumtorte

Bristol Birnen

Silbergräberkuchen

KARAMEL-SCHOKOLADEN-SCHNITTEN

170 g	Butter
120 g	brauner Zucker
75 g	Zucker
1	Ei
1	Eigelb
1½ Teel.	Vanilleextrakt
375 ml	Mehl, fein
¾ Teel.	Natron
¾ Teel.	Salz
180 ml	Karamelstückchen
145 g	Schokoladenstückchen
100 g	Walnüßstücke

Butter, braunen Zucker und Zucker zu einer hellen, lockeren Creme rühren. Ei, Eigelb und Vanille in die Creme schlagen. Mehl, Natron und Salz zusammensieben und unterheben. Karamel- und Schokoladenstückchen und Nüsse unterheben. Den Teig in eine 23 x 23 cm große, gefettete Form geben. Im vorgeheizten Ofen bei 180°C 40-45 Minuten backen, oder bis der Kuchen schön gebräunt ist. Abkühlen lassen und in Quadrate schneiden.

ERGIBT 36 SCHNITTEN

HONOLULU SCHNITTEN

340 g	Zucker
4	Eier, geschlagen
125 ml	Butter, zerlassen
180 g	Mehl, fein
40 g	Kokosnuß, geraspelt
180 ml	Makadamianußstücke
½ Teel.	Natron
½ Teel.	Salz
500 ml	Ananas, klein geschnetzelt, abgetropft

Zucker in einer Rührschüssel in die Eier schlagen. Die Butter cremig rühren und die restlichen Zutaten unterheben. Den Teig in eine gefettete, 32 x 23 cm große Form geben. Im vorgeheizten Ofen bei 180°C 30-35 Minuten backen. Abkühlen lassen, dann in Quadrate schneiden.

ERGIBT 2 DUTZEND SCHNITTEN

SILBERGRÄBER-KUCHEN

170 g	Butter
455 g	Zucker
240 g	feines Mehl
4 Teel.	Backpulver
¼ Teel.	Salz
8	Eiweiß
125 ml	Milch
1½ Teel.	Mandelextrakt

Butter mit dem Zucker cremig rühren. Eiweiß nach und nach zugeben und gründlich unterrühren. Mehl, Backpulver und Salz zusammensieben. Abwechselnd Mehl und Milch zu Dritteln gründlich einrühren. Extrakt hinzufügen. In zwei gefettete, bemehlte, 23 cm ø Kuchenformen geben. Bei 180°C 20-25 Minuten im vorgeheizten Ofen backen. Den Kuchen 10 Minuten abkühlen lassen, dann auf ein Gitter stürzen. Mit beliebiger Füllung füllen und nach Geschmack mit Glasur überziehen.

Karamel-Schokoladenschnitten

Larry Hohns Rocky Road Schnitten

SCHOKOLADEN-NUSS-MINZ-SCHNITTEN

165 g	Mehl
85 g	brauner Zucker
170 g	Butter
60 g	Kokosnuß, geraspelt
100 g	Walnußstücke
3 Eßl.	Sahne, entrahmt
165 g	Puderzucker
¾ Teel.	Minzaroma
½ Teel.	grüne Lebensmittelfarbe
85 g	ungesüßte Schokolade, geraspelt
2	Eigelb
55 g	Zucker
3 Eßl.	Wasser
1 Teel.	instant Kaffeepulver

Mehl und braunen Zucker vermengen. Butter in die Mischung schneiden. Kokosnuß und Walnüsse unterheben. Den Teig in eine ungefettete 23 x 23 cm Backform geben. 30 Minuten bei 180°C im vorgeheizten Ofen backen. Den Kuchen herausnehmen und völlig abkühlen lassen.

Sahne, Puderzucker, Minzaroma und Lebensmittelfarbe verrühren und auf den Kuchen streichen.

Die Schokolade bei sehr schwacher Hitze in einem Wasserbad schmelzen. Eigelb schaumig schlagen.

Zucker, Wasser und Kaffee in einen Kochtopf geben und eine Minute stark kochen. Vom Herd nehmen. Den Sirup in einem ununterbrochenen Strahl nach und nach ins Eigelb geben und gründlich unterrühren. 5 Minuten lang cremig rühren. Schokolade unterheben. Den Überzug über den Kuchen geben, kalt stellen, bis alles fest wird. In 36 Quadrate aufschneiden.

LARRY HOHNS ROCKY ROAD SCHNITTEN

100 g	Backfett
60 g	edelbittere Schokolade
230 g	Zucker
2	Eier, geschlagen
60 g	Mehl, fein
¼ Teel.	Backpulver
½ Teel.	Salz
1 Teel.	Vanilleextrakt
125 ml	gehackte Nüsse
100 g	kleine Marshmallows
85 g	halbbittere Schokolade
1 Teel.	zerlassene Butter

Backfett und edelbittere Schokolade im Wasserbad schmelzen. Zucker und Eier in die Schokolade einquirlen, die Mischung dann vom Herd nehmen.

Mehl, Backpulver und Salz zusammensieben und unterheben. Vanille und Nüsse einrühren. Den Teig in eine 20 x 20 cm quadratische Backform geben. Bei 160°C im vorgeheizten Ofen 25-30 Minuten backen.

Den Kuchen aus dem Ofen nehmen, mit Marshmallows bestreuen. Die halbbittere Schokolade im Wasserbad schmelzen, Butter einrühren. Die Schokolade über die Marshmallows gießen. Vor dem Servieren in Quadrate schneiden.

ERGIBT 20 SCHNITTEN

Schokoladen-Nuß-Minzschnitten

Blaubeeräpfel Rocky Mountains

BLAUBEERÄPFEL ROCKY MOUNTAINS

6	große rote Äpfel
3 Eßl.	Zitronensaft
230 g	Zucker
40 g	Stärkemehl
2	Eier
250 ml	Milch
60 ml	Calvados oder Apfelsaftkonzentrat
¼ Teel.	Salz
500 ml	frische Blaubeeren, gewaschen, entstielt
25 g	Puderzucker

Einen Deckel von den Äpfeln abschneiden, Kerngehäuse entfernen und das Fruchtfleisch herauslöffeln. 230 g davon zurückbehalten und zur Seite legen. Den Apfeldeckel und das Innere des Apfels mit Zitronensaft bestreichen. Zucker, Stärkemehl und Eier im Wasserbad vermengen. Milch und Calvados angießen und unter Rühren kochen, bis die Mischung sehr dickflüssig wird. Apfelfruchtfleisch und Salz einrühren. Die ausgehöhlten Äpfel mit der Mischung füllen. Abkühlen lassen, dann kalt stellen. Mit Häufchen von Blaubeeren krönen und mit Puderzucker bestäuben.

6 PORTIONEN

OBSTSALAT-KUCHEN

225 g	Mehl
340 g	Zucker
500 ml	Obstsalat, aus der Dose
2 Teel.	Natron
2	Eier, geschlagen
1 Prise	Salz
	Zuckerguß für Obstsalatkuchen (Rezept folgt)

Alle Zutaten in einer 23 x 32 cm großen Backform von Hand mischen. Bei 180°C im vorgeheizten Ofen etwa 40 Minuten backen.

8 PORTIONEN

ZUCKERGUSS FÜR OBSTSALAT-KUCHEN

340 g	Zucker
170 g	Butter
250 ml	unverdünnte Kondensmilch
50 g	Pekannüsse
40 g	Kokosnuß, geraspelt

Zucker, Butter und Milch zu einer dicken Sauce kochen. Vom Herd nehmen, Pekannüsse und Kokosnuß zugeben. Den heißen Kuchen damit überziehen.

BAYRISCHE SCHOKOLADEN-MOUSSE

1 Eßl.	aromafreie Gelatine
60 ml	kaltes Wasser
5	Eigelb
115 g	Zucker
250 ml	Sahne, entrahmt
1 Teel.	Vanilleextrakt
120 g	halbbittere Schokolade, gerieben
500 ml	Schlagsahne
65 g	geröstete Mandeln

Gelatine im kalten Wasser aufweichen. Eigelb mit dem Zucker schlagen, bis sie hell werden. Entrahmte Sahne und Vanille in einem Kochtopf abkochen. Gelatine zugeben und Eigelb langsam zufügen. Die Mischung kochen, bis sie dick wird, dann vom Herd nehmen. Schokolade einrühren und weiter rühren, bis die Schokolade zerlaufen ist. Abkühlen lassen, dann kalt stellen, bis die Mischung sehr dick, jedoch nicht fest wird. Die Sahne schlagen und unterheben. Mischung in eine Form oder Schüssel gießen und kalt stellen, bis sie geliert. Die Mousse aus der Form stürzen, mit gerösteten Mandeln bestreuen und servieren.

6-8 PORTIONEN

Bayrische Schokoladenmousse

SCHOKOLADEN-BIRNENTORTE KÜCHENCHEF K.

KUCHEN:	
240 g	Mehl, fein
55 g	Zucker
225 g	Butter
3	Eigelb

Mehl und Zucker vermengen und Butter in die Mischung einschneiden, um einen grobkörnigen Teig zu bilden. Eigelb unterrühren. Den Teig auf den Boden und bis zur Höhe von 2,5 cm an die Seiten einer gefetteten 25 cm ø Springform drücken. Bei 180°C im vorgeheizten Ofen 20-25 Minuten backen. Abkühlen lassen.

FÜLLUNG:	
190 g	Himbeermarmelade
180 g	halbbittere Schokolade, geraspelt
180 g	Frischkäse
3 Eßl.	Milch
335 g	Puderzucker
¼ Teel.	Salz
1 Teel.	Vanilleextrakt

Die Marmelade auf den Kuchen streichen. Die Schokolade im Wasserbad schmelzen. Den Käse mit der Milch cremig rühren, langsam Zucker, Salz und Vanille dazugeben. Die Schokolade gründlich in die Creme einrühren, diese über die Himbeermarmelade streichen. Kalt stellen.

BELAG:	
250 ml	Wasser
230 g	Zucker
1 Teel.	Vanilleextrakt
5	Birnen, geschält, entkernt, halbiert
225 g	halbbittere Schokolade, geschmolzen
1 Eßl.	Butter, zerlassen

Wasser, Zucker und Vanille in einem Kochtopf erhitzen, zum Kochen bringen und Temperatur zurückschalten. Die Birnen pochieren, bis sie zart sind. Sirup abgießen, Birnen abkühlen lassen und auf der Füllung anordnen. Eine Mischung von Schokolade und Butter über die Birnen gießen. Eine Stunde kalt stellen. Servieren.

Schokoladen-Birnentorte Küchenchef K.

Zitronencremetraum

Apfelmusschnitten

APFELMUS-SCHNITTEN

75 g	Butter
200 g	brauner Zucker, zusammengepreßt
1	Ei
125 ml	Apfelmus
2 Teel.	Apfelsaftkonzentrat
150 g	Mehl, fein
1 Teel.	Backpulver
½ Teel.	Natron
½ Teel.	Salz
80 g	Rosinen, kernlos
65 g	Walnußstücke

Butter und Zucker zusammen in einem Kochtopf erhitzen, bis der Zucker sich auflöst. Ei, Apfelsaft und -mus in den Sirup schlagen. Mehl, Natron, Backpulver und Salz zusammensieben und in die Sauce rühren. Rosinen und Walnüsse unterheben. Den Teig in eine gefettete, 23 x 25 cm große Form geben. 25 Minuten bei 180°C im vorgeheizten Ofen backen. Aus dem Ofen nehmen und mit Apfelglasur überziehen. Den Kuchen in Schnitten aufteilen.

APFELGLASUR:	
165 g	Puderzucker
2 Eßl.	Apfelsaftkonzentrat

Zutaten glatt rühren und die Glasur über die Schnitten gießen.

ZITRONENCREME-TRAUM

230 g	Zucker
1 Prise	Salz
1½ Eßl.	Stärkemehl
125 ml	kaltes Wasser
310 ml	Milch
3	Eier, getrennt
125 ml	Zitronensaft
1 Teel.	Zitronenschale, gerieben

Zucker, Salz und Stärkemehl mischen und in ein Wasserbad geben. Wasser und Milch einrühren. Zugedeckt 15 Minuten kochen.

Eigelb, Zitronensaft und -schale einquirlen und unter ständigem Rühren weitere 2 Minuten kochen. Auf Zimmertemperatur abkühlen lassen.

Eiweiß steif schlagen und unterheben. Die Mousse in Weingläser gießen und vor dem Servieren 3 Stunden kalt stellen.

4 PORTIONEN

KARAMELLEN

455 g	Zucker
¼ Teel.	Salz
500 ml	Maissirup
115 g	Butter
500 ml	Kondensmilch, gesüßt
1 Teel.	Vanilleextrakt

Zucker, Salz und Sirup in einem schweren Kochtopf vermengen und bei mittlerer Hitze zum Kochen bringen. Unter gelegentlichem Rühren auf 118°C erhitzen. Butter und Milch ganz langsam zugießen, so daß die Mischung ununterbrochen kocht. Weiterkochen, bis die Temperatur wieder 118°C erreicht. Vom Herd nehmen und Vanille einrühren. Die Flüssigkeit in eine gefettete, 23 x 23 cm große Form gießen. Völlig abkühlen lassen, dann aufschneiden und in Wachspapier einwickeln.

ERGIBT 900 g

KIRSCHKÄSE-PIE 1

½ Portion	Pie-Teig (Rezept folgt)
625 ml	Kirschfüllung für Torten
½ Teel.	Mandelextrakt
225 g	Frischkäse
1	Ei
115 g	Zucker
30 g	geröstete Mandeln, in Scheiben geschnitten

Teig ausrollen, zurechtschneiden und eine 23 cm ø Pie-Form damit auslegen. Den Boden blindbacken. (Siehe Wörterverzeichnis für Blindbacken). Abkühlen lassen.

Tortenfüllung mit dem Mandelextrakt verrühren und auf den Pie-Boden streichen.

Frischkäse, Ei und Zucker mischen. Die Mischung über die Kirschfüllung geben. 30 Minuten lang bei 180°C im vorgeheizten Ofen backen. Nach 25 Minuten mit Mandeln bestreuen. Abkühlen lassen, dann vor dem Servieren kalt stellen.

6 PORTIONEN

PIE-TEIG

180 g	gesiebtes Mehl
¼ Teel.	Salz
100 g	Backfett
60-75 ml	Wasser

Mehl und Salz in eine Rührschüssel zusammensieben. Das Backfett mit einer Gabel oder einem Teigschneider ins Mehl schneiden, bis sich walnußgroße Bällchen bilden. Nur genug Wasser unterrühren, um den Teig zu binden. Teigmasse halbieren und zugedeckt kalt stellen. Laut Anweisung verwenden.

KIRSCHKÄSE-PIE 2

225 g	Frischkäse
375 ml	süße Kondensmilch
80 ml	Zitronensaft
1 Teel.	Vanilleextrakt
1	Haferflockenboden (siehe Seite 627)
625 ml	Kirschfüllung für Torten

Frischkäse zu einer sehr lockeren Creme rühren. Milch langsam einrühren, Zitronensaft und Vanille damit verquirlen. Auf den Pie-Boden geben. 4 Stunden kalt stellen. Mit Kirschen belegen und servieren.

6 PORTIONEN

SCHOKOLADEN-MARSHMALLOW-SCHNITTEN

60 g	ungesüßte Schokolade
115 g	Butter
230 g	Zucker
2	Eier
60 g	Mehl, fein
1 Teel.	Vanilleextrakt
250 ml	gehackte Pekannüsse
16	große Marshmallows

Ofen auf 180°C vorheizen. Eine 29 x 18 cm große Backform einfetten.

Schokolade und Butter im Wasserbad schmelzen. Zur Seite stellen.

Zucker und Eier zu einer hellen, schaumigen Creme rühren. Mehl zufügen und weiterrühren. Flüssige Schokolade und Butter in die Mischung geben und gründlich unterrühren. Vanille und Pekannüsse einrühren.

Die Mischung in die vorbereitete Form gießen. 18 Minuten backen. Aus dem Ofen nehmen und mit Marshmallows bestreuen. In den Ofen zurückschieben und weiter backen, bis die Marshmallows etwas angebräunt sind.

Ein wenig abkühlen lassen und in Schnitte aufteilen.

ERGIBT 16 SCHNITTEN

Kirschkäse-Pie I

Pfirsich- & Pekanplätzchen nach südlicher Art

PFIRSICH-AUFLAUF

400 g	Zucker
2 Eßl.	Stärkemehl
½ Teel.	Zimt, gemahlen
250 ml	Wasser
2 Eßl.	Butter
1,14 kg	frische Pfirsiche, geschält, in Scheiben geschnitten
120 g	feines Mehl
1 Teel.	Backpulver
1 Teel.	Salz
1	Ei
50 g	Backfett
125 ml	Sahne, entrahmt
½ Teel.	Vanilleextrakt

Stärkemehl, Zimt und 230 g Zucker ins Wasser einrühren. Unter ständigem Rühren zum Kochen bringen. Butter in die Flüssigkeit einquirlen und Pfirsiche einrühren. Die Mischung in eine flache, gefettete 23 x 23 cm große Backform geben. Mehl, Backpulver und Salz zusammensieben. Den Rest des Zuckers einrühren. Die restlichen Zutaten dazugeben und alles zu einem sehr lockeren, glatten Teig verarbeiten. Den Teig auf den Pfirsichen verteilen. Bei 180°C im vorgeheizten Ofen etwa 35 Minuten goldbraun backen. Warm und mit Sahne servieren.

6 PORTIONEN

Pfirsich-Auflauf

PFIRSICH- & PEKANPLÄTZCHEN NACH SÜDLICHER ART

570 g	Pfirsichfruchtfleisch
115 g	Zucker
225 g	Mehl
½ Teel.	Salz
2 Teel.	Backpulver
½ Teel.	Zimt
100 g	Backfett
230 g	Zucker
1	Ei, geschlagen
250 ml	Pekannüsse, gehackt

Fruchtfleisch und 115 g Zucker in einem Kochtopf erhitzen. Bei milder Hitze auf 180 ml reduzieren. Auf Zimmertemperatur abkühlen lassen. Mehl, Salz, Backpulver und Zimt sieben.

Backfett und Zucker zu einer sehr lockeren Creme rühren. Ei und Pfirsichsauce dazugeben, gut durchrühren.

Mehl und Nüsse dazugeben und gut einrühren. Den Teig in teelöffelgroßen Mengen auf ein leicht gefettetes Backblech geben. 12-15 Minuten bei 200°C im vorgeheizten Ofen backen.

ERGIBT 4 DUTZEND

BANANEN-FETTUCCINI FOSTER

1 Portion	Bananennudeln (siehe Seite 433)
3 Eßl.	ungesalzene Butter
3 Eßl.	Zucker
2	Bananen, in Scheiben geschnitten
60 ml	Bananenlikör
60 ml	dunkler Rum
125 ml	Orangensaft

Nudelteig laut Anweisung verarbeiten und in Fettuccini aufschneiden.

Butter in einem Kochtopf erhitzen. Zucker hinzufügen und kochen, bis er eine goldene Farbe annimmt (karamelisiert).

Bananen dazugeben und eine Minute kochen. Liköre angießen, den Topf schräg weghalten und vorsichtig flambieren. Orangensaft angießen und 5 Minuten leicht kochen.

Nudeln in einem großen Topf mit siedendem Wasser kochen. Abgießen, mit der Sauce vermengen. Servieren.

6 PORTIONEN

Aprikosentorte Küchenchef K

APRIKOSENTORTE KÜCHENCHEF K

KUCHEN:	
230 g	Zucker
60 ml	Wasser
120 g	halbbittere Schokolade, geraspelt
75 g	Butter
8	Eier, getrennt
430 ml	gemahlene Haselnüsse
2 Eßl.	feines Paniermehl

Zucker und Wasser in einem Kochtopf erhitzen, kochen, bis sich der Zucker auflöst. Vom Herd nehmen und die Schokolade einrühren. Abkühlen lassen. Die Butter zu einer hellen, schaumigen Creme rühren. Eigelb nach und nach unter die Butter rühren Gut durchrühren. Abwechselnd Schokolade und Haselnüsse nach und nach zu Hälften unterheben, dann Paniermehl einrühren. Eiweiß steif schlagen und langsam unterheben. In eine gefettete 23 cm ø Springform geben. Bei 180°C im vorgeheizten Ofen 35-40 Minuten backen, 15 Minuten abkühlen lassen und auf ein Gitter geben. Weitere 2-3 Stunden abkühlen lassen und waagerecht halbieren.

FÜLLUNG:	
230 g	Zucker
40 g	Stärkemehl
2	Eier
250 ml	Milch
190 g	Aprikosenmarmelade
60 ml	Persiko (Pfirsichschnapps)

Zucker, Stärkemehl und Eier im Wasserbad verrühren. Milch, Marmelade und Likör einrühren und langsam zu einer sehr dicken Füllung einkochen. Abkühlen lassen, auf sowohl die obere als auch die untere Schicht des Kuchens verteilen.

BELAG:	
20	Aprikosen, geschält, entsteint
80 ml	Aprikosenmarmelade, erhitzt

Aprikosen halbieren und auf den Kuchen legen. Mit der Marmelade glasieren. Vor dem Servieren eine Stunde kalt stellen.

12 PORTIONEN

ROB BOY PLÄTZCHEN

100 g	Backfett
120 g	brauner Zucker
½ Teel.	Salz
¼ Teel.	Zimt
¼ Teel.	Gewürznelken, gemahlen
30 ml	Buttermilch
1	Ei
120 g	Mehl, fein
70 g	Instanthaferflocken
65 g	Walnußstücke
95 g	Rosinen
70 g	Datteln, gehackt
½ Teel.	Natron

Backfett mit braunem Zucker, Salz und Gewürzen cremig rühren. Milch und Ei unterschlagen. Die restlichen Zutaten einrühren.

Den Teig in teelöffelgroßen Mengen auf ein gefettetes Backblech geben. 12-15 Minuten bei 190°C im vorgeheizten Ofen backen.

ERGIBT 3 DUTZEND PLÄTZCHEN

Rob Boy Plätzchen

Kürbisschnitten

KÜRBIS-SCHNITTEN

500 ml	Kürbis
4	Eier, geschlagen
250 ml	Öl
225 g	Mehl
165 g	brauner Zucker
230 g	Zucker
¼ Teel.	Salz
1 Teel.	Backpulver
1 Teel.	Natron
1½ Teel.	Zimt
½ Teel.	Gewürznelken
½ Teel.	Muskatnuß

Kürbis, Eier und Öl in einer Rührschüssel mischen. Alle trockenen Zutaten vermengen, dann unter die Kürbismischung heben. In eine große, gefettete, quadratische Kuchenform geben. Bei 180°C im vorgeheizten Ofen 20-25 Minuten backen. Aus dem Ofen nehmen und auf Zimmertemperatur abkühlen lassen. Mit Frischkäseüberzug bestreichen.

FRISCHKÄSEÜBERZUG:	
85 g	Frischkäse, weich
80 ml	Butter
125 ml	Puderzucker
½ Teel.	Vanilleextrakt
1½ Teel.	Sahne, entrahmt

Frischkäse mit der Butter cremig rühren. Zucker, Vanille und entrahmte Sahne unterrühren. Auf die Kürbisschnitten (oben) streichen.

ERGIBT 20 SCHNITTE

CAFE AMARETTO FETTUCCINI

1 Portion	Kaffeenudeln (siehe Seite 436)
55 g	Zucker
180 ml	Orangensaft
1 Eßl.	Zitronensaft
1 Eßl.	ungesalzene Butter
1 Eßl.	Mehl
1 Eßl.	geriebene Orangenschale
60 g	gehackte, geröstete Mandeln
60 ml	Amaretto
60 ml	Schokoladenspäne

Nudelteig laut Anweisung verarbeiten und in Fettuccini schneiden.

Zucker im Orangen- und Zitronensaft auflösen. Butter in einem Kochtopf erhitzen. Mehl zufügen und 2 Minuten lang kochen, ohne es anzubräunen. Mit dem gezuckerten Saft ablöschen. Orangenschale, Mandeln und Amaretto einrühren. Temperatur zurückschalten, zu einer dünnflüssigen Sauce einkochen.

Nudeln in einem Topf mit kochendem Wasser al dente kochen. Mit der Sauce mischen, mit Schokolade bestreuen und servieren.

6 PORTIONEN

Regenbogen-Gewürzplätzchen mit saurer Sahne

REGENBOGEN-GEWÜRZ-PLÄTZCHEN MIT SAURER SAHNE

115 g	Butter
335 g	brauner Zucker
2 Teel.	Zimt
½ Teel.	Gewürznelken
½ Teel.	Muskatnuß
¼ Teel.	Salz
1 Teel.	Vanilleextrakt
125 ml	saure Sahne
2	Eier
390 g	Mehl
1 Teel.	Backpulver
1 Teel.	Natron
250 ml	bunte Schokoladenstückchen

Butter, Zucker und Gewürze cremig rühren. Salz, Vanille, saure Sahne und Eier unter die Creme rühren. Mehl, Backpulver und Natron zusammensieben und unter die Creme mischen. Schokoladenstückchen hinzufügen.

Den Teig in teelöffelgroßen Mengen auf ein gefettetes Backblech geben. 10-12 Minuten bei 180°C im vorgeheizten Ofen backen.

ERGIBT 5 DUTZEND PLÄTZCHEN

STACHELBEER-NARR

750 ml	Stachelbeeren
170 g	Zucker
1 Teel.	Vanilleextrakt
375 ml	Schlagsahne

Stachelbeeren, Zucker und Vanille bei schwacher Hitze in einem Kochtopf erhitzen, bis die Mischung dick wird. Im Mixer pürieren, dann durch ein Sieb streichen. Abkühlen lassen, dann kalt stellen. Die Sahne schlagen und unterheben. Die Mousse in gekühlte Sektgläser gießen und servieren.

6 PORTIONEN

PFEFFERMINZ-KAHLUA-SCHNITTEN

55 g	Butter
200 g	brauner Zucker, zusammengepreßt
1	Ei
60 ml	Kahlua-Likör
60 ml	weiße Creme de Menthe
180 g	Mehl, fein
½ Teel.	Backpulver
½ Teel.	Natron
190 g	halbbittere Schokoladenstückchen
2 Eßl.	grüne Creme de Menthe
110 g	Puderzucker

Butter, Zucker und Ei cremig schlagen. Liköre außer der grünen Creme de Menthe einrühren. Mehl, Backpulver und Natron zusammensieben und unter die Creme rühren. Schokoladenstückchen unterheben. Den Teig in eine gefettete, 23 x 23 cm große Backform geben. Bei 180°C im vorgeheizten Ofen 20-25 Minuten backen.

Grüne Creme de Menthe mit dem Puderzucker verrühren. Den Kuchen mit diesem Zuckerguß bestreichen, abkühlen lassen und aufschneiden.

ERGIBT 20 SCHNITTEN

Pfefferminz-Kahluaschnitten

Brennende Birnen

MÖHREN-APFEL-GEWÜRZ-SCHNITTEN

115 g	Butter
230 g	Zucker
2	Eier
120 g	Mehl, fein
1 Teel.	Backpulver
½ Teel.	Natron
½ Teel.	Salz
1 Eßl.	Kakaopulver
1 Teel.	Zimt
½ Teel.	Muskatnuß, gerieben
¼ Teel.	Gewürznelken
95 g	Haferflocken
120 g	Äpfel, geschält, entkernt, geraspelt
150 g	Möhren, geschält, geraspelt
65 g	Walnüßstücke

Butter und Zucker zu einer sehr hellen, schaumigen Creme rühren. Eier nach und nach zugeben und gründlich unterrühren. Mehl, Backpulver, Natron, Salz, Kakaopulver und Gewürze zusammensieben, mit den Haferflocken unter die Creme heben. Äpfel, Möhren und Nüsse einrühren. Den Teig in eine 30 x 40 cm große, gefettete Backform geben. Bei 190°C im vorgeheizten Ofen 25 Minuten backen, oder bis ein Zahnstocher, der in den Kuchen hineingesteckt wird, sauber herausgezogen werden kann. Mit Frischkäseüberzug (siehe Kürbisschnitten, Seite 623) überziehen, dann aufschneiden.

ERGIBT 48 SCHNITTEN

BRENNENDE BIRNEN

4	(Bartlett)-Birnen
55 g	Butter
55 g	Zucker
3 Eßl.	Korinthen
80 ml	Calvados
1 Teel.	Zimt
500 ml	Französisches Vanilleeis (siehe Seite 547)

Birnen schälen, entkernen und vierteln. Butter in einer Bratpfanne erhitzen und die Birnen darin dünsten. Mit Zucker bestreuen und weiter dünsten, bis sie karamelisieren. Korinthen, Likör und Zimt hinzufügen. Die Pfanne schräg vom Körper weghalten und flambieren. Sofort auf das Eis geben und servieren.

4 PORTIONEN

HAFERFLOCKEN-BODEN

95 g	Haferflocken
35 g	Mehl
65 g	brauner Zucker, zusammengepreßt
½ Teel.	Salz
80 ml	Backfett, geschmolzen

Ofen auf 190°C vorheizen.

Haferflocken, Mehl, Zucker und Salz in einer Rührschüssel vermengen. Backfett zufügen und verarbeiten, bis alles krümlig wird. Auf den Boden und an die Seiten einer 23 cm ø Pie-Form drücken. Eine mit trockenen Bohnen oder Erbsen gefüllte, 20 cm ø Pie-Form in die erste 23 cm ø Form setzen. 15 Minuten backen. 5 Minuten stehenlassen. Die kleine Form entfernen. Den Boden abkühlen lassen, nach Bedarf verwenden.

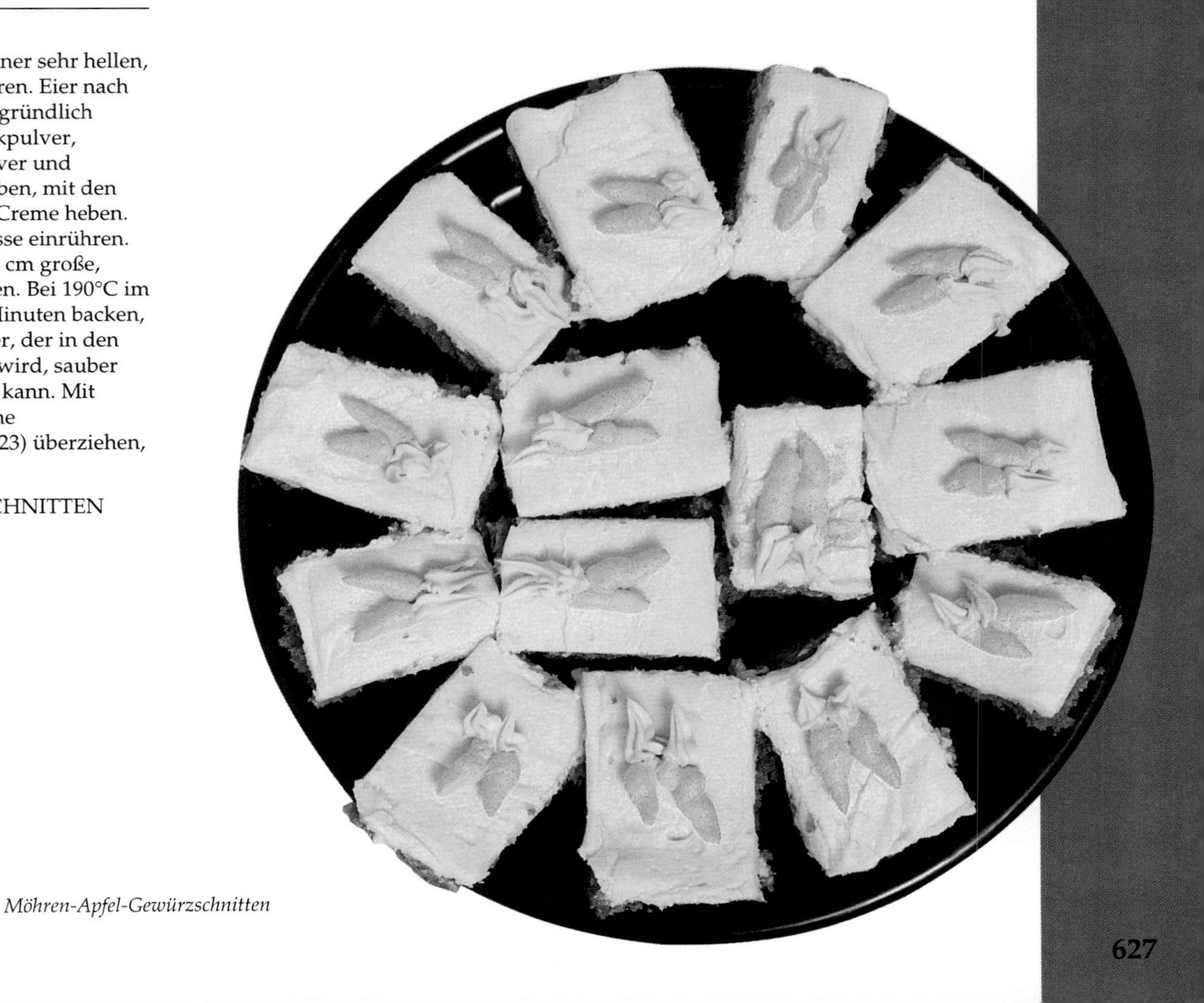

Möhren-Apfel-Gewürzschnitten

KALTER KIRSCH-KÄSEKUCHEN

BODEN:	
200 g	zerbröselte Schokoladenwaffeln
2 Eßl.	Zucker
80 ml	Butter, zerlassen

Alle Zutaten mischen und in eine 20 cm ø Springform drücken. Kalt stellen.

FÜLLUNG:	
1 Eßl.	aromafreie Gelatine
80 ml	Wasser
450 g	Frischkäse
375 ml	Kondensmilch
2 Teel.	weißer Vanilleextrakt
250 ml	geschlagene Schlagsahne
900 g	Kirschfüllung für Torten

Gelatine im Wasser aufweichen und erhitzen, bis sie sich auflöst. Vom Herd nehmen und abkühlen lassen.

Käse mit Milch und Vanille cremig rühren. Gelatine einrühren. Schlagsahne unterheben. Auf den Schokoladenboden gießen und 4 Stunden kalt stellen.

Kirschfüllung darauf verteilen und servieren.

10 PORTIONEN

Haselnuß-Honigplätzchen

HASELNUSS-HONIGPLÄTZCHEN

115 g	Butter
55 g	brauner Zucker
165 g	Honig
1	Ei
1 Teel.	Vanilleextrakt
180 g	Mehl, fein
1 Teel.	Backpulver
½ Teel.	Natron
55 g	Haselnußstücke

Butter, Zucker, Honig und Ei zusammen cremig rühren. Vanille einrühren.

Mehl, Backpulver und Natron zusammensieben und mit den Nüssen unter die Creme heben. Den Teig in teelöffelgroßen Mengen auf ein gefettetes Backblech geben. Bei 200°C im vorgeheizten Ofen 12-15 Minuten backen.

ERGIBT 3 DUTZEND PLÄTZCHEN

KARAMEL-PUDDING

165 g	brauner Zucker
500 ml	Milch
25 g	Mehl
2	Eier
250 ml	Schlagsahne

Den Zucker mit 375 ml Milch verrühren. Im Wasserbad abkochen, bis sich der Zucker auflöst. Mehl in die restliche Milch einrühren und diese in die Eigelb schlagen. Die Mischung in die heiße Milch einrühren und weiterkochen, bis sie dickflüssig wird. Abkühlen lassen. Eiweiß schlagen und unterheben. Den Pudding kalt stellen, bis er fest wird. Sahne schlagen und zum Pudding servieren.

8 PORTIONEN

Kalter Kirschkäsekuchen

Dunkler Früchtekuchen

DUNKLER FRÜCHTEKUCHEN

195 g	Backfett
230 g	Zucker
4	Eier
340 g	Melasse
250 ml	starker Kaffee oder Rum
390 g	Mehl
je 1 Teel.	Salz, Muskatnuß, Natron und Zimt
¼ Teel.	Gewürznelken
375 g	Erdbeermarmelade
225 g	Kirschen, kandiert
225 g	gemischtes Obst
je 900 g	Rosinen, Datteln, Korinthen
450 g	Marzipanmasse

Backfett und Zucker cremig rühren. Geschlagene Eier, Melasse und Kaffee oder Rum zugeben und gründlich unterrühren. Gewürze und Mehl vermengen und zufügen. Zuletzt Erdbeermarmelade und Obst zugeben. Teig auf zwei gefettete, bemehlte, große Backformen (2,25 kg) verteilen. 3 Stunden bei 150-160°C im vorgeheizten Ofen backen. Die Marzipanmasse ausrollen, zurechtschneiden und den Kuchen damit belegen. Über Nacht kalt stellen oder nach Bedarf verwenden.

ANMERKUNG: Falls Rum statt des Kaffees benutzt wird, Obst über Nacht darin ziehen lassen, um einen besseren Geschmack zu erhalten.

ANANAS-GRANOLARIEGEL

5	Granolariegel
55 g	Butter
375 ml	Schlagsahne
25 g	Puderzucker
½ Teel.	Vanilleextrakt
500 ml	kleingeschnetzelte Ananas, ohne Saft
4	Eiweiß
230 g	Zucker

Die Granolariegel zerstoßen und mit der Butter vermengen. Die Mischung auf den Boden und an die Seiten einer gefetteten, 23 cm x 23 cm großen Backform drücken. Sahne schlagen. Puderzucker, Vanille und Ananas unterheben. Die Füllung in die vorbereitete Form geben. Eiweiß steif schlagen und den Zucker nach und nach einrühren. Eierschnee über die Ananasfüllung geben. 7-10 Minuten bei 260°C im vorgeheizten Ofen backen. Servieren.

6 PORTIONEN

BAISERBODEN

4	Eiweiß
¼ Teel.	Salz
¼ Teel.	Weinstein
230 g	Zucker
1 Teel.	weißer Vanilleextrakt

Ofen auf 150°C vorheizen. Eine 23 cm ø Pie-Form einfetten.

Eiweiß mit dem Salz sehr schaumig schlagen. Unter Zusatz des Weinsteins weiter schlagen, bis der Eierschnee steif wird. Zucker je 2 Eßlöffel auf einmal zugeben und weiter schlagen, bis die Baisermasse sehr dick wird. Vanille dazugeben. Baisermasse in die Pie-Form spritzen. 45 Minuten im Ofen backen. Dabei nicht bräunen. Baisermasse loslösen, aus der Form heben, abkühlen lassen, dann nach Bedarf mit Füllung versehen.

NIAGARA PFIRSICH-PIE

½ Portion	Pie-Teig (siehe Seite 616)
900 g	Pfirsiche, geschält, entsteint, halbiert
115 g	Zucker
3 Eßl.	Stärkemehl
¾ Teel.	Zimt
180 ml	Creme fraiche
1 Teel.	Vanilleextrakt

Teig ausrollen und eine 23 cm ø Pie-Form damit auslegen. Rand wellen.

Pfirsiche auf dem Pie-Boden anrichten.

Zucker, Stärkemehl, Zimt, Sahne und Vanille verrühren. Die Mischung über die Pfirsiche geben. Bei 200°C im vorgeheizten Ofen 40 Minuten backen. Kalt stellen, dann aufschneiden und servieren.

6 PORTIONEN

FRISCHER ERDBEER-PIE

½ Portion	Pie-Teig (siehe Seite 616)
1 l	Erdbeeren, gewaschen, entstielt, halbiert
230 g	Zucker
1 Teel.	Vanilleextrakt, weiß
55 g	Stärkemehl
1 Eßl.	Zitronensaft
250 ml	Schlagsahne
25 g	Puderzucker

Teig ausrollen und eine 23 cm ø Pie-Form damit auslegen. Rand wellen und blindbacken. (Siehe Wörterverzeichnis für Blindbacken) Abkühlen lassen.

Erdbeeren in eine Rührschüssel geben. Mit Zucker bestreuen und 6 Stunden kalt stellen. Flüssigkeit abgießen. Genug Wasser angießen, um 440 ml Flüssigkeit zu erhalten. Vanille zufügen.

Stärkemehl mit der Flüssigkeit und Zitronensaft verrühren. Kochen, bis die Sauce dick und klar wird. In ein Wasserbad geben und weitere 15 Minuten kochen.

Die Sauce über die Erdbeeren gießen. Abkühlen lassen und in die vorbereitete Pie-Form geben. Die Sahne schlagen, Zucker einrühren und auf den Pie spritzen. Mit ganzen Erdbeeren garnieren. Servieren.

6 PORTIONEN

Frischer Erdbeer-Pie

Niagara Pfirsich-Pie

MARYS KONFEKTTRÜFFEL

125 ml	leichter Maissirup
60 ml	Wasser
70 g	Butter
340 g	Schokoladenstückchen, halbbitter

Sirup, Wasser und Butter in einem Topf zügig aufkochen. Dabei den sich bildenden Zucker nach unten rühren. 3½ Minuten kochen, vom Herd nehmen.

Schokolade dazugeben und etwas abkühlen lassen. Die Mischung mit einem Löffel auf ein gefettetes Pergamentpapier geben. Runde Bällchen formen. Abkühlen lassen und einige Stunden kaltstellen, bis die Trüffel fest sind.

VARIATION:

Wenn die Schokoladentrüffelmischung leicht abgekühlt ist, einen Teelöffel Rum hinzufügen. Abkühlen lassen. Mischung zu walnußgroßen Bällchen rollen und in Schokoladenstreusel wälzen. Kühlen und servieren.

ALTBEKANNTER REISPUDDING

70 g	Reis (Rundkorn)
1 l	Milch
¼ Teel.	Salz
75 g	Zucker
2 Eßl.	Butter
80 g	Rosinen
1 Teel.	Zimt

Alle Zutaten (Zimt ausgenommen) mischen und eine 23 x 23 cm große Backform geben. 1½-2 Stunden im vorgeheizten Backofen backen. Alle 15 Minuten durchrühren. Mit Zimt bestreuen, heiß oder kalt servieren.

6 PORTIONEN

REICHE TRÜFFEL

340 g	Halbbitterschokolade
180 ml	ungesalzenes Butterschmalz
60 ml	Creme fraiche
60 g	Kakaopulver zum Bestäuben

Schokolade und Butter in einem Topf schmelzen. Nicht aufkochen. Leicht abkühlen lassen. Creme fraiche unter die Schokolade rühren und einige Stunden kaltstellen. Gelegentlich durchrühren, bis die Schokolade fest genug ist, um sie mit leicht eingefetteten Händen zu formen. Kleine Bällchen rollen und im Kakaopulver wälzen. Im Kühlschrank aufbewahren, kalt servieren.

ERGIBT 36 STÜCK

Marys Konfekttrüffel & Reiche Trüffel

Altbekannter Reispudding

Ahorn-Walnuß-Blancmange

MARASCHINO-SCHNITTEN

110 g	feines Mehl
115 g	Butter
2 Eßl.	Puderzucker
250 g	brauner Zucker
½ Teel.	Vanilleextrakt
2	Eier
110 g	gewürfelte Maraschinokirschen
125 g	geraspelte Kokosnuß
125 ml	Pekannußstücke
½ Teel.	Backpulver

Mehl, Butter und Puderzucker verrühren. Teig auf ein 23 x 23 cm großes Backblech geben. 10 Minuten im vorgeheizten Backofen bei 180°C backen.

Zucker, Vanille und Eier vermischen. Kirschen, Kokosnuß, Nüsse und Backpulver dazugeben. Gebackenen Kuchenboden mit Füllung belegen und 30 Minuten bei 180°C backen. Abkühlen lassen, dann in Quadrate schneiden.

ERBIBT 20 SCHNITTEN

PFIRISCH- UND SAHNE-BAISER

500 ml	abgetropfte, geschnittene Pfirsiche
1	Baiserboden (siehe Seite 632)
85 ml	Pfirsichgelatine
125 ml	heißer Orangensaft
225 g	Frischkäse
440 ml	Schlagsahne
250 ml	zerbrochene Eisstücke

Pfirsichscheiben in die Mitte des Baiserbodens legen. Gelatine, Orangensaft und Sahnekäse im Mixer mischen. Bei laufender Maschine nach und nach Sahne und Eis dazugeben. Mischen, bis die Füllung sehr dick ist. Füllung auf die Pfirsiche geben. Kaltstellen, bis sich die Mischung setzt. Servieren.

6 PORTIONEN

AHORN-WALNUSS BLANCMANGE

440 ml	Milch
60 ml	Ahornsirup
¼ Teel.	Salz
60 ml	Ahornzucker
2 Eßl.	Stärkemehl
1	geschlagenes Ei
125 ml	Schlagsahne
25 g	Walnußstücke

375 ml Milch im Wasserbad aufkochen. Sirup hinzufügen. Salz, Zucker und Stärkemehl mit restlicher Milch verrühren und in die kochende Milch gießen. Während des Kochens ständig rühren, bis Mischung cremig und glatt ist. Eier hineinschlagen. Topf vom Herd nehmen und abkühlen lassen. Sahne schlagen. Die Hälfte der Sahne und Nüsse leicht unter die Mischung rühren. In Servierschalen gießen und mit der restlichen Sahne verzieren. Vor dem Servieren kühlen.

4 PORTIONEN

Maraschinoschnitten

HIMBEER-BROMBEERTORTE

BODEN:	
220 g	Mehl
55 g	Zucker
230 g	Butter
3	Eiergelb

Mehl und Zucker mischen. Butter dazugeben und groben Teig herstellen. Eigelb hineinschlagen. Boden und Seiten einer 23 cm ø großen Springform mit dem Teig belegen. Teig gut andrücken. 20-25 Minuten im vorgeheizten Backofen bei 180°C backen. Abkühlen lassen.

FÜLLUNG:	
1	Ei
3	Eigelb
110 g	Zucker
1 Eßl.	Mehl
250 ml	Milch
75 g	geriebene Mandeln
1 Eßl.	Butter
2 Teel.	Orangenextrakt
1 Teel.	Rumextrakt

Eier, Eigelb, Zucker und Mehl cremig und glatt schlagen. Milch und Mandeln aufkochen, vom Herd nehmen und 10 Minuten stehenlassen. Durch ein Sieb abgießen und Mandeln in die Eimischung rühren. Nach und nach warme Milch in die Eimischung schlagen. Mischung im Wasserbad erhitzen und schlagen, bis sie dick wird. Butter und Extrakte hineinrühren. Auf den Kuchenboden füllen. Abkühlen lassen.

BELAG:	
225 g	frische, gewaschene, entstielte Himbeeren
225 g	frische, gewaschene, entstielte Brombeeren
80 ml	heißes Apfelgelee

Beeren auf die Füllung legen und mit Apfelgelee bestreichen. Vor dem Servieren zwei Stunden kaltstellen.

ERDBEER-BLANCMANGE

440 ml	Milch
60 ml	Erdbeersirup
¼ Teel.	Salz
55 g	Zucker
2 Eßl.	Stärkemehl
1	geschlagenes Ei
125 ml	Schlagsahne

375 ml Milch im Wasserbad abkochen. Sirup hineingießen. Salz, Zucker und Stärkemehl mit restlicher Milch vermengen. Die gekochte Milch hineinrühren, bis Mischung dick und glatt ist. Vom Herd nehmen und Ei hineinschlagen. Abkühlen lassen. Sahne schlagen und eine Hälfte unter den Pudding heben. In Servierschalen gießen und mit der restlichen Sahne dekorieren. Bis zum Servieren kaltstellen.

4 PORTIONEN

Erdbeer-Blancmange

Klassische Creme Caramel

GRAHAM-KRÄCKER ODER SCHOKOLADEN-WAFFELBÖDEN

430 ml	Grahamkräcker oder Schokoladenwaffeln - zerkrümelt
25 g	gemahlene Mandeln
½ Teel.	gemahlener Zimt
¼ Teel.	gemahlene Gewürze
125 ml	zerlassene Butter

Alle Zutaten gut vermischen. Boden und Seiten einer 23 cm ø großen Springform damit auslegen und Teig andrücken. Abkühlen lassen. Nach Bedarf verwenden.

Erdbeer-Bananen-Sahneeis

MAKRONENTORTE

310 ml	feinzerdrückte Sodakräcker
125 ml	feingehackte Datteln
225 g	Zucker
115 g	Pekannußstücke
3	Eiweiß

Kekskrumen, Datteln, Zucker und Nüsse gut vermengen.

Eiweiß steif schlagen und in die Mischung rühren.

Mischung in eine gefettete 23 cm ø große Tortenform geben und 30 Minuten im vorgeheizten Backofen bei 180°C backen. Abkühlen lassen und servieren.

8 PORTIONEN

ERDBEER-BANANEN-SAHNEEIS

750 ml	entrahmte Sahne
250 ml	pürierte Bananen
3	Eigelb
165 g	Zucker
1 Teel.	weißer Vanilleextrakt
250 ml	pürierte Erdbeeren

Sahne mit Bananen im Wasserbad abkochen. Eigelb mit Zucker verquirlen, nach und nach in heiße Sahne schlagen. Kochen, bis die Masse dick wird. Vanille und Erdbeeren unterrühren. Abkühlen lassen und gemäß Anleitungen für die Eismaschine einfrieren.

1½ LITER

KLASSISCHE CREME CARAMEL

940 ml	Milch
375 ml	Vanillezucker
5	Eier
4	Eigelb
1 Eßl.	Vanilleextrakt

Milch aufkochen und 20 Minuten abkühlen lassen. Im Topf 180 ml Zucker unter ständigem Rühren karamelisieren. Nicht anbrennen lassen. Masse in eine warme Form gießen, Boden und Seiten damit bedecken. Eier und Eigelb mit restlichem Zucker verquirlen. Nach und nach Milch und Vanille hineinschlagen. Eimischung in die mit Karamel bedeckte Form gießen. Form in einen Topf mit heißem Wasser geben. Sie sollte zur Hälfte im Wasser stehen. 45 Minuten im Backofen bei 160°C backen. Abkühlen lassen. Auf eine Servierplatte stürzen.

6 PORTIONEN

Altbekannter Kirschencobbler

ALTBEKANNTER KIRSCHENCOBBLER

110 g	Zucker
2 Eßl.	Stärkemehl
125 ml	Kirschsaft
500 ml	Sauerkirschen
165 g	Mehl
2 Teel.	Backpulver
½ Teel.	Salz
55 g	brauner Zucker
100 g	Backfett
1	geschlagenes Ei
2 Eßl.	Milch
1 Eßl.	geschmolzene Butter
2 Teel.	Vanilleextrakt

Zucker, Stärkemehl, Saft und Kirschen im Topf köcheln, bis alles dick wird. In eine gefettete 23 x 23 cm große Form gießen.

Mehl, Backpulver und Salz mischen. 60 g braunen Zucker untermengen. Backfett hineinschneiden. Eier mit Milch verquirlen, Butter und Vanille dazugeben. Alles in die Mehlmischung rühren. Teig ausrollen, auf die Kirschen legen und mit restlichem Zucker bestreuen.

25-30 Minuten im vorgeheizten Backofen bei 200°C goldbraun backen.

6 PORTIONEN

MARY GIFFORDS SCHOKOLADEN & MINZEKUCHEN

Zwei 23 cm große Schokoladenkuchen werden benötigt. Kuchen jeweils horizontal durchschneiden. (4 Hälften insgesamt).

FÜLLUNG:	
500 ml	Milch
125 ml	Stärkemehl
250 g	Zucker
¼ Teel.	Pfefferminzextrakt
	grüne Lebensmittelfarbe
345 g	Butter (Raumtemperatur)

125 ml Milch, Stärkemehl und Zucker in kleiner Schüssel verquirlen. Restliche Milch im Topf aufkochen. Stärkemehlmischung unter ständigem Rühren in kochende Milch gießen, bis sie dick und glatt ist.

Vom Herd nehmen. Extrakt und Lebensmittelfarbe hinzugeben. Topf mit Pudding auf Eis stellen, und unter ständigem Rühren abkühlen.

Butter schlagen und in gekühlten Pudding rühren. Eine Kuchenhälfte mit der Schnittfläche nach oben auf eine Servierplatte legen. Mit ⅓ der Füllung belegen und eine weitere Kuchenhälfte darauf plazieren. Diese mit ⅓ der Füllung belegen. Dritte Kuchenhälfte darauf plazieren und mit Rest der Füllung belegen. Letzte Kuchenhälfte mit der Schnittfläche auf die Füllung legen.

SPEZIELLE SCHOKOLADENGLASUR:	
250 ml	Kornsirup
125 ml	Wasser
150 g	Butter
840 g	Halbbitter-Schokoladenstückchen

Sirup, Wasser und Butter in einem Topf zum Kochen bringen und 2½ Minuten weiterkochen. Vom Herd nehmen und Schokoladensplitter hineinrühren. Zudecken, während die Glasur auf Zimmertemperatur abkühlt. Glasur über Schokoladen- und Minzekuchen gießen.

Anmerkung: Kuchen mit Cremefüllungen lassen sich am besten mit einem scharfen Brotmesser schneiden. Die Klinge vor jedem Schnitt in warmes Wasser tauchen.

Mary Giffords Schokoladen und Minzekuchen

Pina Colada Käsekuchen mit Ananas-Walnußglasur

PINA COLADA KÄSEKUCHEN MIT ANANAS-WALNUSS-GLASUR

BODEN:	
80 g	Kokosflocken
100 g	gemahlene, geröstete Haselnüsse
75 g	Zucker
50 g	zerlassene Butter

FÜLLUNG:	
680 g	Frischkäse
225 g	Zucker
60 ml	Kokoscreme
250 ml	Schlagsahne
375 ml	zerdrückte, gut abgetropfte Ananas
3	Eier
2 Teel.	Rumextrakt

GLASUR:	
250 ml	Ananassaft
165 g	brauner Zucker
6 Eßl.	Stärkemehl
6 Eßl.	Ananasgelatine
250 ml	kochendes Wasser
750 ml	Ananasstücke
125 g	Walnußstücke
120 g	geröstete, geraspelte Kokosnuß

BODEN:

Alle Zutaten miteinander vermengen. Mischung in eine eingefettete 23 cm ø große Springform geben und andrücken. 10 Minuten kaltstellen. 7 Minuten im vorgeheizten Backofen bei 180°C backen.

FÜLLUNG:

Käse mit Zucker cremig und glatt rühren. Kokoscreme, Sahne und Ananas hineingeben. Nach und nach Eier hineinschlagen. Extrakt hinzufügen und gut verrühren. Füllung auf den Kuchenboden gießen und 90 Minuten bei 180°C backen.

Kuchen auf ein Kuchengitter legen. Abkühlen lassen, 8 Stunden kaltstellen.

GLASUR:

Saft, Zucker, Stärkemehl und Gelatine in einem Topf aufkochen. Kochendes Wasser hineingießen und weiterkochen, bis die Sauce dick wird.

Ananas- und Walnußstücke hinzufügen. Abkühlen lassen und über den gekühlten Kuchen streichen. Mit gerösteten Kokosflocken bestreuen. Servieren.

8 PORTIONEN

KARAMEL-APFEL-NUSS-PIE

½ Portion	Pieteig (siehe Seite 616)
750 ml	Apfelscheiben
20	Karamellen
½ Teel.	Vanilleextrakt
40 g	Mehl
¼ Teel.	Zimt
3 Eßl.	Zucker
3 Eßl.	Butter
35 g	gehackte Pekannüsse

Teig ausrollen und in eine 23 cm ø große Tortenform geben. Mit einem Bogenrand versehen.

Teig mit Äpfeln belegen. Karamellen im Wasserbad schmelzen. Vanilleextrakt hinzugeben und über die Äpfel gießen.

Mehl, Zimt und Zucker mischen. Butter hineinschneiden und Pekannüsse einstreuen. Teig krümelig kneten und über die Äpfel streuen. 40 Minuten im vorgeheizten Backofen bei 180°C backen. Abkühlen lassen, servieren.

6 PORTIONEN

AHORN-NUSS BRUCH

250 ml	Ahornzucker
125 ml	Wasser
1 Eßl.	Butter
1 Teel.	Salz
1 Teel.	Ahornaroma
55 g	Cashewnüsse
70 g	Erdnüsse
70 g	Haselnüsse

Zucker, Wasser, Butter und Salz im Topf bei mittlerer Temperatur auf 149°C (Zuckerthermometer) erhitzen. Nüsse hineinrühren. Mischung in eine gefettete Kuchenform geben. Erhärten lassen und beim Herausnehmen in Stücke brechen.

Nach dem Kochen Ahornaroma dazugeben.

ERBIBT 675 G

ROSINENPIE

1 Portion	Vollweizen-Pieboden (siehe Seite 504)
310 g	kernlose Rosinen
500 ml	kochendes Wasser
80 ml	Honig
75 g	brauner Zucker
2⅛ Teel.	Stärkemehl
¼ Teel.	Salz
1 Eßl.	geraspelte Zitronenschale
60 ml	Orangensaft
2 Eßl.	Butter

Eine Hälfte Teig ausrollen und in eine 23 cm ø große Tortenform geben.

Rosinen, Wasser und Honig in einem Topf 5 Minuten aufkochen. Zucker, Stärkemehl und Salz verrühren und zu den Rosinen geben. Nochmals aufkochen und 1 Minuten kochen lassen. Zitronenschale und Orangensaft hinzugeben. Mischung auf den Pieboden gießen. Restlichen Teig ausrollen und darauflegen. Ränder nach unten drücken und Seitenrand wellen. Butter schmelzen und die Torte damit bestreichen. Löcher in den Teig schneiden, damit der Dampf entweichen kann. 40 Minuten im vorgeheizten Backofen bei 215°C backen. Vor dem Servieren auf Zimmertermperatur abkühlen lassen.

6 PORTIONEN

Ahorn-Nuß-Bruch

Karamel-Apfelnuß-pie

Dattelplätzchen

SCHOKOLADEN-SOUFFLÉ

60 g	Halbbitterschokolade, gerieben
30 g	Mehl
250 ml	Milch
75 g	Zucker
3 Eßl.	Butter
1 Teel.	Vanilleextrakt
4	Eier, getrennt
2	Eiweiß

Souffléform (1,5–2 l) einfetten und mit Zucker bestreuen. Schokolade, Mehl und Milch in einem kleinen Topf zum Kochen bringen. Zucker, Butter und Vanilleextrakt einrühren und vom Herd nehmen. Eigelb nach und nach unterrühren. Eiweiß steif schlagen und unterheben. Vorsichtig in die Souffléform geben und im auf 200°C vorgeheizten Ofen backen. Mit Himbeersoße (siehe Seite 107) servieren.

4 PORTIONEN

PEKANNUSS-ROSINEN PIE

½ Portion	Pie-Teig (siehe Seite 616)
3	Eier, getrennt
3 Eßl.	Butter, zerlassen
1 Teel.	Vanilleextrakt
165 g	brauner Zucker
85 g	Rosinen
60 g	Pekannüsse, gehackt

Pastetenteig ausrollen und in eine 23 cm ø Kuchenform legen.

Eigelb, Butter, Vanilleextrakt, Zucker, Rosinen und Pekannüsse mischen. Unter ständigem Rühren im Wasserbad erhitzen, bis die Masse dick wird. Vom Herd nehmen und abkühlen lassen.

Eiweiß steif schlagen und unter die Eiermischung heben. In die Kuchenform geben. Im auf 190°C vorgeheizten Ofen 45 Minuten backen. Kühlen und servieren.

6 PORTIONEN

DATTELPLÄTZCHEN

250 g	brauner Zucker
250 ml	saure Sahne
2	Eier
1 Teel.	Natron
1 Prise	Salz
220 g	feines Mehl
1 Teel.	Zimt
½ Teel.	Gewürznelken
¼ Teel.	Muskatnuß
225 g	gehackte Datteln
180 ml	Walnußstücke

Zucker, saure Sahne und Eier verquirlen.

Natron, Salz, Mehl und Gewürze zusammensieben. Unter die cremige Mischung heben, Datteln und Nußstücke hineinmischen. Teelöffelgroße Teigmengen auf ein gefettetes Backblech geben. Im auf 180°C vorgeheizten Backofen backen.

ERGIBT 3 DUTZEND

Pekannuß-Rosinen Pie

KUCHEN-BROWNIES

115g	Butter
125 ml	Öl
250 ml	Wasser
4 Teel.	ungezuckerter Kakao
220 g	Mehl
450 g	Zucker
2	Eier
1 Teel.	Natron
125 ml	Buttermilch
1 Teel.	Vanilleextrakt

Glasur:

115g	Butter
3 Teel.	ungezuckerter Kakao
80 ml	Buttermilch
450 g	Puderzucker
125 g	gehackte Walnüsse
1 Teel.	Vanilleextrakt

Backofen auf 180°C vorheizen. Ein 23 x 33 cm großes Backblech einfetten und mit Mehl bestäuben.

Butter, Öl, Wasser und Kakao in einem kleinen Topf mischen und zum Kochen bringen. Diese Mischung in Mehl und Zucker anrühren und cremig schlagen.

Eier, Natron, Buttermilch und Vanilleextrakt hinzufügen. Gut mischen. Auf das vorbereitete Backblech geben. 20 Minuten backen. Während die Brownies backen, die Glasur zubereiten. Alle Zutaten für die Glasur in einen kleinen Topf geben und erhitzen. Nicht kochen.

Zuckerguß sofort auftragen, wenn die Brownies aus dem Backofen kommen. Abkühlen lassen und in Vierecke schneiden.

ERGIBT 24 BROWNIES

Erdbeerbaiser Torte

ALTBEKANNTE BLANCMANGE

500 ml	Milch
¼ Teel.	Salz
55 g	Zucker
1½ Eßl.	Stärkemehl
1	Ei, geschlagen
1½ Teel.	Vanilleextrakt
125 ml	Schlagsahne

In einem Wasserbad 430 ml Milch abkochen. Die übrige Milch mit Salz, Zucker und Stärkemehl verrühren und in die heiße Milch einrühren. Unter ständigem Rühren kochen, bis die Masse cremig wird. Vom Herd nehmen. Eier und Vanilleextrakt unterschlagen. Abkühlen lassen. Sahne schlagen und zur Hälfte in die Mischung unterheben. In Förmchen füllen und mit der restlichen Schlagsahne bedecken. Bis zum Servieren kaltstellen.

4 PORTIONEN

ERDBEERBAISER TORTE

1	Silbergräberkuchen (siehe Seite 607)
750 ml	Erdbeeren
4	Eiweiß
¼ Teel.	Salz
¼ Teel.	Weinstein
225 g	Zucker
1 Teel.	Vanilleextrakt
125 ml	Aprikosenmarmelade

Kuchen halbieren. Die zwölf schönsten Erdbeeren zur Seite legen. Die restlichen Erdbeeren pürieren und auf eine Hälfte des Kuchens geben. Die andere Hälfte darauflegen.

Eiweiß steif schlagen. Salz und Weinstein einmischen. Nach und nach Zucker und Vanilleextrakt hinzugeben. Mischung in eine Spritztülle füllen und auf die Torte spritzen. In einen 220°C heißen Backofen stellen, bis der Baiser goldbraun wird, herausnehmen. Aprikosen erhitzen, Erdbeeren hineintauchen und die Torte damit kranzförmig dekorieren.

Altbekannte Blancmange

Schokoladencreme Brulée

Kokosnußcreme-Pie

KOKOSNUSS CREME-PIE

55 g	Zucker
30 g	Mehl
¼ Teel.	Salz
500 ml	entrahmte Sahne
1 Teel.	Vanilleextrakt
3	Eigelb
250 ml	geraspelte Kokosnuß
1	Haferflockenboden (siehe Seite 627)
250 ml	Schlagsahne
25 g	Puderzucker
60 ml	geröstete, geraspelte Kokosnuß

Zucker, Mehl, Salz und entrahmte Sahne im Wasserbad gut vermischen. Vanilleextrakt, Eigelb und Kokosnuß dazugeben. Kochen, bis die Mischung dick wird. Auf den Boden geben und abkühlen lassen. Sahne schlagen, Zucker dazugeben und auf den Pie spritzen. Mit den gerösteten Kokosflocken bestreuen. In Stücke schneiden und servieren.

6 PORTIONEN

SCHOKOLADEN-CREME BRULÉE

5	Eigelb
4 Eßl.	Zucker
1½ Teel.	Stärkemehl
310 ml	Schlagsahne
120 g	geriebene Halbbitterschokolade
85 g	gesiebter Puderzucker

Eigelb, Puderzucker und Stärkemehl in einem kleinen Topf und unter geringer Hitzezufuhr cremig rühren. Schlagsahne und Schokolade langsam einrühren. Unter ständigem Rühren 10 Minuten kochen. In Förmchen geben, abkühlen lassen und kaltstellen, bis es fest wird. Auf Servierteller stürzen, mit Puderzucker bestreuen oder mit abwechselnden Schichten von Schlagsahne oder Vanillepudding in Gläser geben.

4 PORTIONEN

MANDEL-PLÄTZCHEN

310 g	Mehl
225 g	Zucker
½ Teel.	Natron
½ Teel.	Salz
250 ml	Backfett
1	Ei, leicht geschlagen
2 Eßl.	Milch
1 Teel.	Mandelextrakt
24	abgebrühte Mandeln, halbiert

Mehl, Zucker, Natron und Salz miteinander vermischen. Backfett in das Mehl schneiden, bis die Mischung maismehlartig wird. Ei, Milch und Mandelextrakt mischen, zu der Mehlmischung geben. Gut vermischen. Aus dem Teig Bällchen von circa 2,5 cm ø formen und in 5 cm Abstand auf ein ungefettetes Backblech setzen. Die halbierten Mandeln auf jedes Plätzchen legen und vorsichtig andrücken. In einem auf 170°C vorgeheizten Backofen 16-18 Minuten backen.

ERGIBT 48 PLÄTZCHEN

ORANGEN CHIFFONKUCHEN

220 g	Mehl
340 g	Zucker
1 Eßl.	Backpulver
1 Teel.	Salz
125 ml	Pflanzenöl
5	ungeschlagenes Eigelb
125 ml	Orangensaft
60 ml	Wasser
1 Teel.	Vanilleextrakt
2 Eßl.	Orangenschale, feingerieben
250 ml	Eiweiß
½ Teel.	Weinstein

Backofen auf 170°C vorheizen. Eine fettfreie 25 cm ø Kranzform wählen.

Mehl, Zucker, Backpulver und Salz in einer Schüssel mischen. Pflanzenöl, Eigelb, Orangensaft, Wasser, Vanilleextrakt und Orangenschale hinzugeben. Gut vermischen. Eiweiß in einer anderen Schüssel schaumig rühren. Mit Weinstein bestreuen und sehr steif schlagen. Den Teig nach und nach unter das Eiweiß heben. Teig in die Kranzform füllen. Mit einem Messer durch den Teig schneiden, um Luftblasen zu vermeiden.

1¼ Stunden im Ofen backen. Den Kuchen sofort umstülpen, wenn er aus dem Backofen kommt. Abkühlen lassen. Mit einem Messer oder Teigspatel lösen und vorsichtig aus der Form schütteln. Mit Cremiger Orangenglasur überziehen (Rezept folgt).

CREMIGE ORANGENGLASUR

2 Eßl.	Butter, weich
55 g	Puderzucker
1 Prise	Salz
1	Eigelb
2 Teel.	Orangenschale, feingerieben
1 Eßl.	Orangensaft
165 g	Puderzucker

Butter cremig rühren, Zucker und Salz hinzugeben. Gut vermischen. Eigelb, Orangenschale und Orangensaft mischen und gründlich verquirlen. Zucker nach und nach unterrühren. Cremig schlagen.

GLASUR FÜR 1 x 23 cm ø KUCHEN

PEKAN PIE

½ Portion	Pie-Teig (siehe Seite 616)
250 ml	leichter Maissirup
100 g	brauner Zucker, zusammengepresst
¼ Teel.	Salt
1 Teel.	Vanilleextrakt
1 Eßl.	Zitronensaft
3	Eier, geschlagen
190 g	Pekannüsse - ganz und Stücke
500 ml	Schlagsahne

Pie-Teig ausrollen und den Teigrand wellen. Backofen auf 215°C vorheizen.

Alle übrigen Zutaten miteinander vermischen, jedoch nicht die Schlagsahne. Auf den Boden geben. 10 Minuten im Ofen backen. Hitze reduzieren und weitere 40 Minuten backen, oder bis sich die Füllung gesetzt hat. Die geschlagene Sahne auf den Pie spritzen. Vor dem Servieren völlig auskühlen lassen.

6 PORTIONEN

Pekan Pie

Abricot en Chemise

In Schokolade getauchte Zuckerrollen

IN SCHOKOLADE GETAUCHTE ZUCKERROLLEN

115 g	Butter
110 g	Puderzucker
125 ml	Milch
200 g	Mehl
1 Teel.	Vanilleextrakt
¼ Teel.	Salz
85 g	Halbbitterschokolade
1 Eßl.	Butter , zerlassen

Butter locker und cremig rühren. Zucker und Milch hinzugeben. Mehl, Vanille und Salz einrühren. Dünn auf ein gefettetes Backblech streichen. 8-10 Minuten im auf 200°C vorgeheizten Backofen backen. Schokolade im Wasserbad schmelzen und in die Butter rühren. Plätzchen vom Backblech nehmen und, solange sie noch heiß sind, in Vierecke schneiden. Zigarrenförmig aufrollen. Enden in geschmolzene Schokolade tauchen.

ERGIBT 2 DUTZEND

ABRICOT EN CHEMISE

12	frische Aprikosen, enthäutet, entkernt, halbiert
225 g	Zucker
450 g	Blätterteig (siehe Seite 689)
2	Eier
60 ml	Milch
110 g	Puderzucker

Aprikosen mit Zucker bestäuben. Blätterteig circa 0,6 cm dick ausrollen. In Vierecke schneiden und die Aprikosenhälften damit umhüllen. Ränder umschlagen und zusammmendrücken.

Eier und Milch mischen und den Teig damit bestreichen. 15-20 Minuten im auf 180°C vorgeheizten Backofen backen. Noch heiß mit Puderzucker bestäuben. Heiß oder kalt servieren.

ERGIBT 24 STÜCK

SCHOKOLADEN-HIMBEER KÄSEKUCHEN

375 ml	cremige Plätzchenkrümel*
2 Eßl.	Butter, zerlassen
900 g	Frischkäse, weich
28o g	Zucker
3	Eier
250 ml	saure Sahne
1 Teel.	Vanilleextrakt
170 g	Schokoladenstückchen, halbbitter, geschmolzen
160 ml	Schlagsahne
125 ml	frische Himbeeren
4	frische Minzeblätter

Krümel und Butter mischen, den Boden einer 23 cm ø großen Springform damit auslegen.

Im Mixer ⅔ Käse und Zucker auf mittlerer Stufe gut vermischen. Nach und nach Eier dazugeben, jeweils gut unterrühren. Saure Sahne und Vanilleextrakt zufügen, in den Boden gießen. Restlichen Käse mit der geschmolzenen Schokolade gründlich verrühren. Himbeeren hinzufügen und gut mischen. Gehäufte Eßlöffel der Schokoladen-Käse-Mischung auf den Sahne–Käse-Teig geben, nicht vermengen. 1 Stunde und 25 Minuten im auf 170°C vorgeheizten Backofen backen. Kuchen mit Messer oder Teigspatel vom Rand der Springform lösen, Form erst nach dem Abkühlen entfernen.

Schokoladenstückchen unter ständigem Rühren in der Schlagsahne schmelzen. Auf den Käsekuchen spritzen. Abkühlen lassen. Mit zusätzlich geschlagener Sahne, Himbeeren und frischen Minzeblättern nach Belieben verzieren.

*Plätzchenkrümel sollten aus 18 mit Creme gefüllten und zerkrümelten Plätzchen hergestellt werden.

10 PORTIONEN

FRISCHES PAPAYASORBET

165 g	Zucker
180 ml	Wasser
3 Eßl.	Zitronensaft
3 Eßl.	Limonensaft
625 ml	Papaya, püriert

Zucker und Wasser in einem kleinen Topf erhitzen. Unter ständigem Rühren zum Kochen bringen. Vom Herd nehmen und auf Zimmertemperatur abkühlen lassen. Sirup, Zitronen- und Limonensaft vermischen, sehr kalt stellen. Papaya einrühren. In die Eismaschine gießen und gefrieren lassen (laut Angaben des Herstellers).

ERGIBT 1 LITER

ALTBEKANNTE DATTELSCHNITTEN

60 g	Butter
165 g	brauner Zucker
1	Ei
85 g	Halbbitterschokolade, geschmolzen
85 g	Mehl
125 ml	Pekannußstücke
60 g	Walnußstücke
60 g	Mandelsplitter
¼ Teel.	Salz

Butter cremig rühren. Zucker und Ei hineinrühren. Schokolade, Mehl, Nüsse und Salz gut untermischen. In eine 20 cm große eingefettete Kuchenform geben. 20 Minuten im auf 180°C vorgeheizten Backofen backen. Aus dem Ofen nehmen und noch heiß aufschneiden.

ERGIBT 2 DUTZEND

Altbekannte Dattelschnitten

MOKKA-KÄSEKUCHEN MIT SCHOKOLADEN-STÜCKCHEN

540 ml	zerkrümelte Grahamkräcker
95 g	Schokoladenstückchen, halbbitter
225 g	Butter, zerlassen und abgekühlt
125 ml	Milch
4 Teel.	Instantkaffee
1 Pckg.	aromafreie Gelatine
450 g	Frischkäse, weich
400 g	gesüßte Kondensmilch
500 ml	Sahne, geschlagen

Zerkrümelte Grahamkräcker, 45 g Schokoladenstückchen und Butter in einer großen Schüssel gut mischen. In eine 23 cm große Springform drücken, so daß der Boden und 6,5 cm des Ringes bedeckt sind. Zur Seite stellen.

In einem kleinen Topf Milch und Instantkaffee vermischen, Gelatine darauf streuen. 1 Minute zur Seite stellen. Bei niedriger Temperatur und unter ständigem Rühren kochen, bis sich die Gelatine und der Kaffee auflösen. Zur Seite stellen.

Frischkäse in einer großen Schüssel cremig schlagen. Gesüßte Kondensmilch und Gelatinemischung unterrühren. Geschlagene Sahne und die restlichen 50 g Schokoladenstückchen unterheben. In die vorbereitete Form geben. Kaltstellen, bis der Kuchen fest wird (ca. 2 Stunden). Messer oder Teigspatel entlang des Kuchenrandes führen, um ihn von der Form zu lösen. Rand der Springform entfernen.

10 PORTIONEN

Frisches Papayasorbet

Erdnußbutterplätzchen

KÄSEKUCHEN NORDWEST

250 ml	zerkrümelte Grahamkräcker
1 Eßl.	Zucker
1 Eßl.	Butter, zerlassen
900 g	Frischkäse, weich
225 g	Zucker
1 Eßl.	Mehl
4	Eier
250 ml	saure Sahne
1 Teel.	Vanilleextrakt
605 g	Kirschfüllung für Torten

Zerkrümelte Grahamkräcker, Zucker und Butter mischen, in eine 23 cm ø große Springform drücken. 10 Minuten in einem auf 170°C vorgeheizten Backofen backen.

Frischkäse, Zucker und Mehl mit einem Handmixer bei mittlerer Stufe gut vermischen. Nach und nach Eier dazugeben und jeweils gut unterrühren. Saure Sahne und Vanilleextrakt hineinrühren. Auf den vorbereiteten Boden geben. 10 Minuten im auf 220°C vorgeheizten Backofen backen. Hitze auf 140°C verringern, eine weitere Stunde backen. Kuchenrand von der Springform lösen, nach Erkalten den Sprindformrand entfernen. Kirschfüllung kurz vor dem Servieren auf den Kuchen geben.

VARIATION: Zerkrümelte Grahamkräcker und 1 Eßl. Zucker können durch 375 g feingehackte Nüsse und 2 Eßlöffel Zucker ersetzt werden.

10 PORTIONEN

Soufflé Glace Grand Marnier

ERDNUSSBUTTER-PLÄTZCHEN

225 g	Zucker
165 g	brauner Zucker
250 ml	Erdnußbutter
225 g	Butter
3	Eier
½ Teel.	Salz
2 Teel.	Natron
330 g	Mehl
56	große Schokoladenstücke

Zucker, Erdnußbutter und Butter cremig rühren. Eier unterrühren. Salz, Natron und Mehl zusammensieben, in die cremige Mischung rühren und vermischen. Zu 2,5 cm große Bällchen rollen, auf ein gefettetes Backblech setzen und mit der Hand sanft flachdrücken. Ein Schokoladenstückchen auf jedes Plätzchen legen. 15-18 Minuten im auf 160°C vorgeheizten Backofen backen.

ERGIBT 54 PLÄTZCHEN

SOUFFLÉ GLACE GRAND MARNIER

3 Eßl.	Zucker
2 Eßl.	aromafreie Gelatine
60 ml	Grand Marnier Cream
¼ Teel.	Salz
6	Eiweiß
500 ml	Schlagsahne

Zucker, Gelatine, Likör und Salz in einem kleinen Topf mischen. Unter ständigem Rühren bei geringer Hitzezufuhr kochen, bis sich der Zucker aufgelöst hat. Abkühlen lassen. Eiweiß sehr steif schlagen. Sahne schlagen und unter das Eiweiß heben. Unter die Likörmischung heben. In eine 2 Liter Auflaufform mit einer 15 cm hohen Folienmanschette geben. 6 Stunden oder über Nacht einfrieren. Manschette entfernen und servieren.

6 PORTIONEN

ERDNUSSBUTTER-PIE MIT SCHOKOLADEN-STÜCKCHEN

1 Eßl.	aromafreie Gelatine
250 ml	kaltes Wasser
3	Eier
170 g	Honig
½ Teel.	Salz
125 ml	glatte Erdnußbutter
½ Eßl.	Vanilleextrakt
55 g	Zucker
95 g	Schokoladenstückchen
1	Grahamkräckerboden (siehe Seite 641)

Gelatine in 60 ml Wasser aufweichen. 60 ml Wasser, Eigelb, Honig und Salz im Wasserbad vermischen, Gelatine einrühren. Mit einem Handmixer dick und schaumig schlagen.

Erdnußbutter, 125 ml Wasser und Vanilleextrakt in einer Rührschüssel cremig schlagen. Eiermischung unterheben. Kaltstellen, bis die Mischung dickt aber nicht fest wird. Eiweiß steif schlagen, nach und nach Zucker dazugeben. Unter die Erdnußmischung heben. Schokoladenstücke unterheben und alles auf den Pieboden geben. Kalt stellen, bis der Pie fest wird. Schneiden und servieren.

6 PORTIONEN

Erdnußbutter-Pie mit Schokoladenstückchen

MANDEL-APRIKOSEN-TÖRTCHEN

TÖRTCHEN:	
330 g	Mehl
115 g	Butter
110 g	Zucker
1	Ei
1 Teel.	Zitronenschale, geraspelt

Mehl und Butter vermischen, Zucker, Ei und geraspelte Zitronenschale einrühren, gut mischen, aber nicht zu intensiv. Teig 30 Minuten ruhen lassen, dann zu einem 3 mm dicken Viereck ausrollen. Mit einem 5 cm ø Teigschneider runde Scheiben ausschneiden. In 3,75 cm ø große Törtchenformen geben. Törtchen im auf 180°C vorgeheizten Backofen blindbacken. Abkühlen lassen.

FÜLLUNG:	
225 g	Zucker
30 g	Stärkemehl
2	Eier
375 ml	Milch
1 Eßl.	Butter
¼ Teel.	Salz
1 Teel.	Mandelextrakt

Zucker, Stärkemehl und Eier im Wasserbad verrühren. Butter und Milch dazugeben, kochen, bis die Mischung sehr dick wird. Salz und Extrakt einrühren. Törtchen damit füllen und kaltstellen.

BELAG:	
8	frische Aprikosen, gepellt, entsteint, halbiert
190 g	Aprikosenmarmelade
115 g	geröstete Mandeln, gehobelt

Jedes Törtchen mit einer Aprikosenhälfte krönen. Mit Aprikosenmarmelade glasieren und Törtchenrand mit Mandeln bestreuen.

ERGIBT 15 TÖRTCHEN

Mandel-Aprikosentörtchen

Ambrosia

AMBROSIA

2	reife Bananen, in Scheiben geschnitten
1	roter Apfel, entkernt,ungeschält, in Scheiben geschnitten
1	Birne, entkernt, ungeschält, in Scheiben geschnitten
2	Orangen, geteilt
250 ml	frische Ananasstücke
2 Eßl.	Zitronensaft
250 ml	Sabayon (siehe Saucen)
400 g	Kokosflocken

Obst und Zitronensaft vermischen. 1 Stunde kaltstellen. Sabayon und Kokosflocken direkt vor dem Servieren einrühren.

6 PORTIONEN

VERRÜCKTER KUCHEN

165 g	Mehl
225 g	Zucker
3 Eßl.	Kakao
1 Teel.	Natron
½ Teel.	Salz
1 Teel.	Vanilleextrakt
1 Teel.	Essig
75 ml	Pflanzenöl
250 ml	kaltes Wasser

Mehl, Zucker, Kakao, Natron und Salz mischen. 3 Mulden in die Mehlmischung drücken. In eine Mulde Vanilleextrakt, in die zweite Essig und in die dritte Öl geben. Über alles kaltes Wasser gießen und solange verrühren, bis sich alle Klümpchen aufgelöst haben. Teig muß nicht mit dem Mixer geschlagen werden. In eine 20 x 20 cm große Backform geben. Im vorgeheizten Ofen bei 180°C ca. 30 Minuten backen oder bis der Kuchen auf Druck nur leicht nachgibt.

4 PORTIONEN

CAPPUCCINO KÄSEKUCHEN

375 ml	fein gehackte Nüsse
2 Eßl.	Zucker
3 Eßl.	Butter, zerlassen
900 g	Frischkäse, weich
225 g	Zucker
3 Eßl.	Mehl
4	Eier
250 ml	saure Sahne
1 Eßl.	instant Kaffeepulver
¼ Teel.	Zimt
60 ml	kochendes Wasser

Nüsse, Zucker und Butter mischen. In den Boden einer 23 cm ø Springform geben und gut andrücken. 10 Minuten im auf 170°C vorgeheizten Backofen backen, Temperatur auf 220°C erhöhen.

Frischkäse, Zucker und Mehl im Mixer auf mittlerer Stufe gut vermischen. Nach und nach Eier zugeben und gut unterrühren, saure Sahne einrühren. Kaffeepulver und Zimt im Wasser auflösen, abkühlen lassen. Zur Käsemischung geben und rühren, bis alles gründlich vermischt ist. Auf den vorbereiteten Boden gießen. 10 Minuten bei 220°C im Backofen backen. Temperatur auf 140°C reduzieren und eine weitere Stunde backen. Kuchen vom Rand der Springform lösen, abkühlen lassen, und erst dann den Rand der Springform entfernen. Kaltstellen. Nach Belieben mit Schlagsahne und mit Schokolade überzogenen Kaffeebohnen dekorieren.

10 PORTIONEN

Bayerische Himbeeren

BAYERISCHE HIMBEEREN

750 ml	Himbeeren
1 Eßl.	aromafreie Gelatine
60 ml	kaltes Wasser
75 g	Zucker
¼ Teel.	Salz
180 ml	Schlagsahne

Himbeeren im Mixer pürieren. Durch ein Sieb passieren, um die Kerne zu entfernen. Himbeeren in kleinen Topf geben und erhitzen, bis die Menge auf 250 ml reduziert ist. Gelatine im kalten Wasser auflösen, mit Zucker und Salz zu den Himbeeren geben. Aufkochen, vom Herd nehmen, abkühlen lassen und kaltstellen, bis die Masse dick aber nicht fest wird. Sahne schlagen und unter die Mischung heben. In eine Form oder Schüssel geben und kaltstellen, bis sie fest wird. Stürzen und servieren.

4 PORTIONEN

FRISCHE KIRSCHTÖRTCHEN

15	Törtchen (siehe Mandel-Aprikosentörtchen auf Seite 662)
115 g	Butter
110 g	Zucker
100 g	gemahlene Mandeln
1 Teel.	Mehl
3	Eier
3 Eßl.	Kirschbrandy
500 ml	weiße Kuchenkrümel
560 g	frische Kirschen, entsteint
125 ml	Johannisbeergelee

Butter und Zucker cremig und hell schlagen. Mandeln und Mehl unterheben. Nach und nach Eier und 30 ml Kirschbrandy unterrühren. Törtchen mit Kuchenkrümeln bestreuen, mit Kirschen füllen und die Mandelmischung über die Kirschen streuen. 20 Minuten im auf 200°C vorgeheizten Backofen backen. Mit Alufolie abdecken und weitere 20 Minuten backen oder bis die Oberfläche goldbraun wird. Johannisbeergelee mit dem restlichen Kirschbrandy erhitzen und sofort über die Törtchen verteilen.

ERGIBT 15

WEIHNACHTLICHER KÄSEKUCHEN MIT EIERFLIP

250 ml	zerkrümelter Grahamkräcker
55 g	Zucker
¼ Teel.	Muskat
55 g	Butter, zerlassen
1 Pckg.	aromafreie Gelatine
60 ml	kaltes Wasser
225 g	Frischkäse, weich
55 g	Zucker
250 ml	Eierflip („Eggnog")
250 ml	Sahne, geschlagen

Krümel, Zucker, Muskat und Butter vermischen, auf den Boden einer 23 cm ø großen Springform pressen.

Gelatine im Wasser aufweichen, bei geringer Hitze umrühren, bis sich die Gelatine auflöst. Frischkäse und Zucker gut verrühren. Gelatine und Eierflip hinzugeben und rühren, bis alles gut vermischt ist. Kaltstellen, bis die Mischung leicht dick wird, geschlagene Sahne unterheben. Auf den vorbereiteten Boden geben und kaltstellen, bis der Kuchen fest wird.

VARIATION: Zuckermenge auf 75 g erhöhen. Milch an Stelle von Eierflip verwenden. 1 Teelöffel Vanilleextrakt und ¾ Teelöffel Rumextrakt dazugeben. Wie beschrieben fortfahren.

10 PORTIONEN

Frische Kirschtörtchen

Apfel Helene

KAFFEE-MINZE-EIS

1 l	entrahmte Sahne
1½ Eßl.	instant Kaffeepulver
225 g	Zucker
4	Eigelb
2 Teel.	Minzextrakt

Entrahmte Sahne und Kaffeepulver im Wasserbad abkochen. Zucker und Eier gründlich verrühren. Nach und nach die Sahnemischung dazugeben. Kochen, bis die Mischung dick wird, Minzextrakt einrühren und abkühlen lassen. Kaltstellen, dann laut Anweisung zur Eiszubereitung einfrieren.

ERGIBT 1¼ LITER

APFEL HELENE

225 g	Zucker
250 ml	Wasser
1 Teel.	weißer Vanilleextrakt
3	große Äpfel, geschält, entkernt, halbiert
85 g	Halbbitterschokolade, geschmolzen
1 Eßl.	Butter, zerlassen
1 l	Französisches Vanilleeis (siehe Seite 547)
250 ml	Schokoladensauce (siehe Seite 123)

Zucker, Wasser und Vanilleextrakt kochen, bis sich der Zucker auflöst. Hitze reduzieren und die Äpfel darin pochieren, bis sie weich werden. Herausnehmen und abtropfen lassen. Schokolade mit der Butter verrühren, Äpfel in die Schokolade tauchen. Eis in große Sektschalen geben und mit einer Apfelhälfte krönen, Schokoladensauce getrennt servieren.

6 PORTIONEN

Kaffee-Minze-Eis

ELIZABETH SCHNITTEN

250 ml	kochendes Wasser
135 g	gehackte Datteln
240 g	Butter
½ Teel.	Salz
225 g	Zucker
1 Teel.	Natron
1	Ei
340 g	Mehl
1 Teel.	Backpulver
125 ml	gehackte Nüsse
125 g	brauner Zucker
1 Teel.	Vanilleextrakt
80 g	Butter
60 ml	Milch
70 g	Kokosnuß, geraspelt

Wasser und Datteln in einen kleinen Topf geben und bei mittlerer Temperatur kochen, bis die Datteln gar sind. Abkühlen lassen. Butter, Salz, Zucker, Natron, Ei, Mehl, Backpulver und Nüsse vermischen. Gleichmäßig auf 23 x 30 großes Backblech streichen. Abgekühlte Dattelmischung auf die erste Schicht verteilen. 30 Minuten im auf 180°C vorgeheizten Backofen backen. Währenddessen Zucker, Vanilleextrakt, Butter und Milch in einem kleinen Topf vermischen. 5 Minuten kochen, vom Herd nehmen und die Kokosflocken einrühren. Schnitten aus dem Backofen nehmen und den Überzug gleichmäßig über die Dattelmischung geben. Wieder in den Backofen geben und weitere 5 Minuten backen oder bis die Mischung überall Blasen wirft.

Zimt-Vanille-Flan

ZIMT-VANILLE-FLAN

4	Eier
450 g	Zucker
250 ml	entrahmte Sahne
2 Eßl.	Butter, zerlassen
¼ Teel.	Salz
2 Teel.	Vanilleextrakt
½ Teel.	Zimt
4 Eßl.	Mehl

Eier in einer Rührschüssel schlagen. Die übrigen Zutaten unterrühren. In eine 23 x 23 cm große Backform geben und 45 Minuten im auf 160°C vorgeheizten Backofen backen.

6 PORTIONEN

FRISCHER ERDBEERPIE 2

1.25 l	frische Erdbeeren
300 g	Zucker
1 Eßl.	Stärkemehl
375 ml	Wasser
3 Eßl.	Zitronensaft
85 g	Gelatine, Erdbeergeschmack
1	gebackener 23 cm ø Pie-Boden

Erdbeeren waschen und entstielen.

Zucker und Stärkemehl in einem mittelgroßen Topf mischen, Wasser und Zitronensaft hinzugeben. Bei hoher Temperatur zum Kochen bringen. Hitze reduzieren, 4-5 Minuten unter ständigem Umrühren kochen, bis die Mischung leicht eindickt und klar wird. Gelatine hinzugeben und umrühren, bis sie aufgelöst ist. Auf Zimmertemperatur abkühlen lassen. Erdbeeren einrühren, in bereitgestellte Formen geben. 4-6 Stunden abkühlen lassen, oder bis gesetzt. Falls gewünscht, mit geschlagener Sahne servieren.

6 PORTIONEN

SCHNELLER LEBKUCHEN

3	Eier
225 g	Zucker
340 g	Melasse
je 1 Teel.	Gewürznelken, Ingwer, Zimt, Salz
250 ml	Salatöl
235 g	Mehl
2 Teel.	Natron
30 ml	warmes Wasser
250 ml	heißes Wasser

Eier, Zucker, Melasse, Gewürze, Salz und Öl mischen und gründlich verrühren. Mehl hineinsieben und weiter schlagen, bis die Mischung locker wird. Natron im warmen Wasser auflösen, zur Mischung geben und gut unterrühren. Heißes Wasser hinzugeben, leicht und zügig unterrühren. In eine 23 x 23 große Backform geben. 40 Minuten im auf 180°C vorgeheizten Backofen backen oder bis ein Zahnstocher, der in die Mitte des Teigs gestochen wird, sauber herauskommt. Heiß mit geschlagener Sahne servieren.

VARIATIONEN: Lebkuchen etwa 25 Minuten in zwei runden Kuchenformen backen. Sobald der Lebkuchen aus dem Backofen kommt, eine Schicht mit geschnittenen Marshmallows bestreuen. Andere Schicht darauflegen und weitere 3 Minuten backen. Heiß mit geschlagener Sahne servieren.

Wenn es frische Blaubeeren gibt, 250 ml frische Blaubeeren mit 1 Eßlöffel Mehl bestäubt zum Teig geben.

Pralinen-Schokoladenbonbons

KOKOSNUSS-ANANASTRAUM

1 Eßl.	aromafreie Gelatine
60 ml	kaltes Wasser
180 ml	Ananassaft
60 ml	Kokosnektar
55 g	Zucker
180 ml	Schlagsahne

Gelatine in Wasser aufweichen. In einen kleinen Topf geben und Ananassaft hinzugießen, zum Kochen bringen. Vom Herd nehmen, Kokosnektar und Zucker unterrühren. Abkühlen lassen und kaltstellen, bis die Masse dickt, aber nicht fest wird. Sahne schlagen und unter die Ananasmischung heben. In Form oder Schüssel geben, kaltstellen und fest werden lassen. Aus der Form stürzen und servieren.

4 PORTIONEN

PRALINEN-SCHOKOLADEN-BONBONS

165 g	brauner Zucker
225 g	Zucker
285 g	Schokoladenstücke
125 ml	entrahmte Sahne
2 Eßl.	Butter
120 g	Pekannüsse

Zucker und Schokoladenstücke in einem kleinen Topf in der Sahne auflösen. Auf 115°C erhitzen (Zuckerthermometer). Vom Herd nehmen, Butter und Nüsse hineinrühren, und erhitzen, bis die Mischung dick wird. Auf ein Backblech geben, das mit gefettetem Wachspapier ausgelegt ist, und genügend Platz zwischen den Bonbons lassen.

ERBIBT ETWA
1 KILOGRAMM

KNUSPRIGE APFELMUFFINS

165 g	Mehl
110 g	Zucker
2 Teel.	Backpulver
½ Teel.	Salz
1½ Teel.	Zimt
50 g	Pflanzenfett
1	Ei, leicht geschlagen
125 ml	Milch
250 ml	säuerliche Äpfel*
	knuspriger Nußbelag

Mehl, Zucker, Backpulver, Salz und Zimt zusammen in Rührschüssel sieben.

Pflanzenfett ins Mehl schneiden, bis sich feine Streusel bilden. Ei und Milch mischen und auf einmal zu den trockenen Zutaten geben und nur leicht verrühren. Äpfel hineinrühren. Teig mit einem Löffel in 6,5 cm große Papier-Muffinformen geben, zu ⅔ füllen. Mit knusprigem Nußbelag bestreuen.

25 Minuten im auf 190°C vorgeheizten Backofen goldbraun backen. Heiß mit Butter und selbstgemachter Marmelade oder Gelee servieren.

KNUSPRIGER NUSSBELAG: 50 g gepreßten braunen Zucker, 60 ml gehackte Pekannüsse und ½ Teelöffel gemahlenen Zimt in einer kleinen Schüssel vermischen.

*Äpfel waschen und Kerngehäuse entfernen. Ungeschälte Äpfel für Rezept schnetzeln.

4 PORTIONEN

Kokosnuß-Ananastraum

Himbeer-Aprikosensoufflé

Erdbeeren in Pekannußschokolade

MELASSEMUFFINS AUS DEM KÜHLSCHRANK

440 g	Mehl
2 Teel.	Natron
je 1 Teel.	Salz, Zimt, Ingwer
¼ Teel.	gemahlene Gewürznelken, Piment, Muskatnuß
260 g	Pflanzenfett
225 g	Zucker
4	Eier, leicht geschlagen
340 g	Melasse
225 g	Butter
250 ml	saure Milch
170 g	Rosinen

Mehl, Natron, Salz, Zimt, Ingwer, Gewürznelken, Piment und Muskatnuß zusammensieben, zur Seite stellen.

Pflanzenfett und Zucker in einer Rührschüssel cremig schlagen, bis die Mischung locker und leicht ist. Eier hinzugeben und gut verrühren.

Melasse, Butter und saure Milch hineinrühren. Alle trockenen Zutaten dazugeben und nur leicht vermischen. Rosinen einrühren. Teig mit einem Löffel in gefettete 6,5 cm große Muffinformen geben, zur Hälfte füllen.

20 Minuten im auf 180°C vorgeheizten Backofen backen, oder bis sie goldbraun sind. Heiß mit Butter und Marmelade servieren.

ERGIBT 12

HIMBEER-APRIKOSEN-SOUFFLÉ

110 g	Zucker
30 g	Mehl
250 ml	Milch
125 ml	Aprikosen, püriert
95 g	Himbeermarmelade
2 Eßl.	Butter
4	Eier
2	Eiweiß

Eine 1,5–2 Liter große Auflaufform einfetten. Rand und Boden mit Zucker bestreuen.

Milch in einen kleinen Topf gießen und Mehl hineinschlagen, aufkochen. Aprikosen, Himbeermarmelade und Butter hineinquirlen, aufkochen und sofort vom Herd nehmen. Nach und nach Eigelb hineingeben. Eiweiß steif schlagen und unter die Mischung heben. In eine Auflaufform geben und 40 Minuten im auf 200°C vorgeheizten Backofen backen. Mit Aprikosenbrandysauce servieren.

4 PORTIONEN

ERDBEEREN IN PEKANNUSS-SCHOKOLADE

25	frische, große Erdbeeren
120 g	Halbbitterschokolade, gerieben
1 Eßl.	Butter, zerlassen
375 ml	Pekanstücke, fein gehackt

Erdbeeren waschen und trocknen. Schokolade im Wasserbad schmelzen und Butter unterrühren. Erdbeeren in Schokolade und fein gehackte Nußstücke tauchen. Auf Wachspapier legen und hart werden lassen, bevor sie auf Servierplatte gesetzt werden. Nicht kaltstellen.

BANANEN-PEKANNUSSBROT

115 g	Backfett oder Butter
125 g	brauner Zucker
55 g	Zucker
1 Prise	Salz
1	Ei
250 ml	Bananen, überreif und püriert
140 g	Mehl
½ Teel.	Backpulver
115 g	Butter
165 g	brauner Zucker
90 g	Pekannüsse, ganz

Butter, Zucker und Salz leicht und cremig schlagen. Ei und Bananen einrühren. Mehl und Backpulver sieben und unter Bananenmischung heben.

Butter in einem kleinen Topf erhitzen und braunen Zucker hinzugeben. Kochen, bis Mischung glatt wird. Eine 23 x 12 cm große Kastenform einfetten und mit Mehl bestäuben, Sauce hineingeben. Pekannüsse auf die Sauce streuen, Bananenbrotteig darauf verteilen. Oberfläche glätten und 30-35 Minuten im auf 190°C vorgeheizten Backofen backen.

Das Karamel, welches sich auf dem Kastenformboden gebildet hat, braucht etwas Zeit, um freigesetzt zu werden. Dazu Kastenform auf ein Kuchengitter setzen, 30 Sekunden warten, aus der Form nehmen. Die Nüsse sind im Boden des Kuchens eingebettet und der heiße Karamel wird vom Boden des Kuchens aufgesaugt und wird fest.

ANANASSCHNEE

1 Eßl.	aromafreie Gelatine
60 ml	kaltes Wasser
250 ml	geschnetzelte Ananas, ohne Saft
125 ml	Ananassirup
125 ml	Ananassaft
2 Eßl.	Zitronensaft
2	Eiweiß
55 g	Zucker

Gelatine im kalten Wasser einweichen und mit geschnetzelter Ananas, Sirup und Säften in einen kleinen Topf geben. Die Mischung aufkochen und vom Herd nehmen. Abkühlen lassen und kaltstellen, bis die Mischung fast fest ist. Eiweiß steif schlagen, Zucker langsam hinzugeben und unter die Ananas heben. In eine Form oder Schüssel geben. Kaltstellen, bis die Masse fest wird. Aus der Form stürzen und servieren.

4 PORTIONEN

BANANEN-WEINGUMMI-KUCHEN

195 g	Mehl, ungesiebt
½ Teel.	Natron
1½ Teel.	Backpulver
165 g	Zucker
145 g	Weingummi, in kleine Stücke geschnitten
1	Ei, geschlagen
60 ml	Öl
250 ml	zerdrückte Bananen (circa 3)
125 ml	Milch
2 Teel.	abgeriebene Orangenschale

Trockene Zutaten abwiegen und in eine Schüssel sieben. Weingummistücke hineinrühren. Restliche Zutaten vermischen und unter die trockenen Zutaten rühren, bis alles vermischt ist. In eine gefettete 23 x 12 cm große Backform geben. 50 Minuten im auf 180°C vorgeheizten Backofen backen.

ERGIBT 1 KUCHEN

Ananasschnee

Marshmallow Fondant Bonbons

Apfel-Kirsch-Pie

BROMBEERÄPFEL ROCKY MOUNTAINS

6	große, rote Äpfel
3 Eßl.	Zitronensaft
225 g	Zucker
30 g	Stärkemehl
2	Eier
250 ml	Milch
60 ml	Calvados oder Apfelsaftkonzentrat
1 Prise	Salz
0.5 l	frisch gewaschene und entstielte Brombeeren
110 g	Puderzucker

Von den Äpfeln einen Deckel abschneiden und Äpfel aushöhlen, 330 g des Fruchtfleisches beiseitestellen. Deckel und Inneres der Äpfel mit Zitronensaft einreiben.

Zucker, Stärkemehl und Eier im Wasserbad verrühren. Milch und Calvados hinzugeben, unter ständigem Rühren kochen, bis alles sehr dick wird. Apfelmus und Salz einrühren, Apfelrumpf mit der Mischung füllen. Abkühlen lassen, dann kalt stellen.

Auf Servierteller setzen, mit Brombeeren krönen und mit Puderzucker bestäuben.

6 PORTIONEN

APFEL-KIRSCH-PIE

1	Pie-Teig (siehe Seite 616)
230 g	Äpfel, in Scheiben geschnitten
500 ml	Sauerkirschen
½ Teel.	Mandelextrakt
40 g	Mehl
¼ Teel.	Zimt
165 g	Zucker
3 Eßl.	Butter

Eine Hälfte des Teigs ausrollen und in eine 23 cm große Pie-Form legen.

Teig mit den in Scheiben geschnittenen Äpfeln und Kirschen bestreuen.

Mandelextrakt, Mehl, Zimt und Zucker miteinander vermischen, Butter hineinschneiden, zu Streuseln mischen. Über die Früchte streuen.

Teigränder mit Wasser anfeuchten. Die andere Hälfte des Teigs ausrollen, in 1,5 cm breite Streifen schneiden. Gitterförmig auf dem Pie anordnen, wo nötig, anfeuchten. Ränder wellen.

45 Minuten im auf 180°C vorgeheizten Backofen backen, oder bis Teig goldbraun und Kirschen weich sind. Vor dem Servieren abkühlen lassen.

6 PORTIONEN

MARSHMALLOW FONDANT BONBONS

450 g	Zucker
500 ml	Sahne
225 g	Halbbitterschokolade, geschmolzen
55 g	Butter
1 Teel.	Vanilleextrakt
250 ml	Marshmallows
60 g	weiße Schokolade, geschmolzen

Zucker, Sahne, 120 g Schokolade, Butter und Vanilleextrakt in einem kleinen Topf verrühren. Zum Kochen bringen und weiterkochen, bis sich ein weicher Ball bildet (114°C). Marshmallows im Wasserbad schmelzen und mit dem Fondant vermischen.

Mischung auf ein gefettetes Backblech geben. Nachdem die Mischung abgekühlt ist, walnußgroße Stücke abbrechen und zu kleinen Bällchen rollen. Bällchen wieder auf ein Backblech geben und abkühlen lassen. In den Rest der Halbbitterschokolade tauchen, mit weißer Schokolade bestreuen.

ERGIBT 24 BONBONS

B ROT / BACKWAREN

Viele von uns erinnern sich an das Brot, das die Großmutter in ihrer gemütlichen Küche zu backen pflegte. Wohlduftende, goldene Laibe — knusprig, zart und lecker. Hausgemachtes Brot ist heute nicht mehr so geläufig, und das ist schade. Dabei ist das Brotbacken eine angenehme Beschäftigung und überraschenderweise sehr einfach.

Brot wird fast zu jeder Gelegenheit gereicht und ist ein unentbehrlicher Bestandteil der täglichen Kost vieler Menschen geworden. Gebacken aus Weizen, Reis, Mais oder Roggen, ist Brot die einzige Nahrung, die vom Beginn bis zum Ende einer Mahlzeit auf dem Tisch steht. Brot stellt die traditionelle Begleitung zu vielen Gerichten dar, während es die Aufnahme anderer Nahrungsmittel verlangsamt. Brot erleichtert die Verdauung und sättigt.

Es gibt zwei wesentliche Richtlinien für erfolgreiches Brotbacken: Sie sollten die Zutaten mit Sorgfalt auswählen und unsere leicht nachzuvollziehenden Arbeitsgänge befolgen. Diese garantieren ein *einfach köstliches* Produkt. Das Ergebnis ist eine knusprige Kruste, eine schöne, goldbraune Farbe und ein lockerer Teig — Zeichen für ein erfolgreich gebackenes Brot.

In *Einfach Köstlich Kochen 2* haben wir uns die Zeit genommen, für Sie einige Richtlinien über die Kunst des Brotbackens mit weißem Mehl und Vollkornmehl zusammenzustellen. Wenn Sie erst einmal sehen, wie leicht es ist, Ihr eigenes Brot zu backen, werden die Versuche mit verschiedenen Mehlsorten Ihr Weißbrot in Vollkornbrot verwandeln. Es kann auf deutsche oder wienerische Art gebacken werden, um nur einige Beispiele zu nennen. Kurz bevor der Teig in die Form gegeben wird, sollten Sie die Oberseite des Brotes in Mohn, Sesam oder Kümmel rollen. Wenn Sie Brot auf französische Art backen wollen, versuchen Sie etwas völlig Neues: flechten Sie doch einmal das Brot und legen es auf ein leicht mit Mehl bestäubtes Backblech. Die Möglichkeiten sind grenzenlos, der Aufwand gering, und das Lob Ihrer Gäste wird Sie für das Resultat belohnen. Denn als Ergebnis werden die Gäste sagen: „Können Sie mir bitte das *Einfach Köstliche* Brot reichen?!"

Bagels

Johannisbeer Teegebäck

DATTELBROT

170 g	Melasse
500 ml	lauwarme Milch
440 ml	lauwarmes Wasser
55 g	zerlassene Butter
410 g	gehackte Datteln
3 Eßl.	Trockenhefe
½ Teel.	Salz
660 g	Weizenvollkornmehl
660 g	Mehl

Melasse, Milch, Wasser, Butter und Datteln verrühren.

Trockenhefe und Salz mischen.

Mehlsorten mischen, 220 g zur Seite stellen. Restliches Mehl und Trockenhefe zusammensieben. Flüssige Mischung hinzugeben und zu einem weichen Teig verarbeiten. Zurückbehaltenes Mehl in kleinen Mengen hineingeben, bis der Teig fest und elastisch wird, und an der Schüssel nicht kleben bleibt (nur soviel Mehl wie dazu nötig verwenden). 5 Minuten kneten.

Teigschüssel in einen Topf mit warmem Wasser stellen, und Teig bis zur doppelten Größe gehen lassen. Auf eine leicht mit Mehl bestäubte Arbeitsfläche legen, gründlich kneten und zu drei Brotlaibern rollen. In drei gut gefettete Kastenformen legen, und den Teig bis zur doppelten Größe gehen lassen.

40 Minuten im auf 180°C vorgeheizten Backofen backen, bis Teig goldbraun und die Mitte des Teigs fest wird. Aus dem Backofen nehmen, 10 Minuten abkühlen lassen, dann zum weiteren Abkühlen auf ein Gitter stürzen. Vor dem Servieren auf Zimmertemperatur abkühlen lassen.

ERGIBT 3 LAIBER

Dattelbrot

JOHANNISBEER TEEGEBÄCK

275 g	Mehl
2 Teel.	Backpulver
½ Teel.	Salz
70 g	Butter
125 ml	Milch
1 Teel.	abgeriebene Orangenschale
1	geschlagenes Eigelb
4 Eßl.	rote Johannisbeermarmelade

Mehl, Backpulver und Salz zweimal zusammensieben. Butter hineinschneiden, bis ein feinkörniges Mehlgemisch entsteht. ⅓ der Mischung entnehmen und die Milch in die restliche Mischung rühren. Nur solange kneten, bis ein weicher Teig entsteht.

Abgeriebene Orangenschale, Eigelb und rote Johannisbeermarmelade in den zur Seite gestellten Teig kneten. Beide Teigmischungen leicht zusammenkneten. Auf einer leicht mit Mehl bestäubten Arbeitsfläche 1,5 cm dick ausrollen. Mit einem mehligen Teigschneider gewünschte Plätzchen ausschneiden.

15-18 Minuten im 200°C heißen Backofen backen.

ERGIBT 16 PLÄTZCHEN

ALTBEKANNTES KÄSEGEBÄCK

220 g	Mehl
2 Teel.	Backpulver
1 Prise	Salz
2 Eßl.	Butter
115 g	geriebener, mittelalter Cheddarkäse
190 ml	Milch

Mehl, Backpulver und Salz zusammensieben. Butter und Käse hineinschneiden. Milch nach und nach hinzugeben und kneten, bis ein weicher Teig entsteht.

Auf eine leicht mit Mehl bestäubte Arbeitsfläche geben und 30 Sekunden kneten. Teig 6 mm dick rollen. Mit einem runden Teigschneider in Kekse oder gleichmäßige Quadrate schneiden.

Auf ein ungefettetes Backblech setzen, und 15-18 Minuten im auf 200°C vorgeheizten Backofen backen.

ERGIBT 12 PLÄTZCHEN

ZIMTSCHNECKEN

1 Portion	Feinschmeckerteig (siehe Seite 541)
330 g	brauner Zucker
5 Teel.	Zimt
500 ml	Pekannuß, feingehackt

80 g braunen Zucker und 125 ml Pekannüsse gleichmäßig auf 12 gefettete mittelgroße Muffinförmchen verteilen. Backofen auf 190°C vorheizen.

Teig auf einer mehligen Fläche zu einem 23 cm großen Quadrat ausrollen.

Ausgerollten Teig mit 330 g Zucker, Zimt und 375 ml Pekannüssen bestreuen. Wie eine Biskuitroulade aufrollen, Enden zusammendrücken.

In 12 x 2 cm dicke Scheiben schneiden, mit der geschnittenen Seite nach unten in die Muffinformen geben.
12-15 Minuten backen. Sofort aus der Form nehmen.

ERGIBT 12 SCHNECKEN

ÖSTERREICHISCHE BRÖTCHEN

415 g	Mehl
1 Teel.	Salz
1 Eßl.	Trockenhefe
1 Teel.	Zucker
375 ml	Kaffeesahne
1	geschlagenes Ei
2 Eßl.	zerlassene Butter

Mehl, Salz, Trockenhefe und Zucker zusammensieben. Sahne und Eier hineingeben und zu einem glatten Teig kneten. Zudecken und bis zur doppelten Größe gehen lassen.

Teig auf eine leicht mit Mehl bestäubte Fläche geben, in 18 gleichgroße Stücke teilen. Stücke in glatte Bällchen rollen, auf ein leicht eingefettetes Backblech legen und bis zur doppelten Größe gehen lassen.

Brötchen mit zerlassener Butter bestreichen und 15-17 Minuten im auf 220°C vorgeheizten Backofen backen. Heiß oder kalt servieren.

ERGIBT 18 BRÖTCHEN

KNUSPRIGE SCHOKOLADEN-WALNUSS DONUTS

1 Eßl.	Kakaopulver
330 g	Mehl
225 g	Zucker
180 ml	Milch
2	Eier
2 Eßl.	Backfett
2 Teel.	Backpulver
1 Teel.	Natron
1 Tee.	Salz
60 g	Halbbitterschokolade
70 g	Walnußstücke

Kakaopulver, die Hälfte des Mehls und Zucker mischen. In eine Rührschüssel geben, restliche Zutaten hineinrühren. Unter ständigem Rühren nach und nach das restliche Mehl dazugeben, 1 Stunde kaltstellen, Teig 6 mm dick ausrollen. In Rechtecke schneiden. Bei 190°C in Öl braten. Nur einmal wenden, auf Küchenpapier abtropfen lassen. Mit Zucker bestreuen.

ERGIBT 24 DONUTS

Zimtschnecken

Ahorn-Cashew Gebäck

APFELKÜCHLEIN

165 g	Mehl
1½ Teel.	Backpulver
3 Eßl.	Zucker
1 Teel.	Zimt
2	Eier
¼ Teel.	Salz
1 Teel.	Vanilleextrakt
125 ml	Milch
230 g	Äpfel, geschält, entkernt, grob gewürfelt

Mehl, Backpulver, Zucker und Zimt zusammensieben. Eier mit Salz, Vanilleextrakt und Milch schlagen. Mehl einrühren, Äpfel dazugeben. Eßlöffelgroße Mengen Teig in 190°C heißes Öl geben, von beiden Seiten goldbraun braten. Herausnehmen und auf Küchenpapier abtropfen lassen. Noch heiß mit Zimtzucker bestäuben (Rezept folgt).

ZIMTZUCKER:

220 g	Puderzucker
1 Eßl.	gemahlener Zimt

Vermischen.

ERGIBT 1 DUTZEND

AHORN-CASHEW GEBÄCK

3 Eßl.	zerlassene Butter
125 ml	Ahornsirup
¼ Teel.	gemahlener Zimt
220 g	Mehl
1 Eßl.	Backpulver
½ Teel.	Salz
55 g	Butter
90 ml	Milch
125 ml	Cashewstücke

Butter, Sirup und Zimt vermischen. Je ½ Eßlöffel der Mischung in 8 Muffinformen geben.

Mehl, Backpulver und Salz zusammensieben. Butter in das Mehl schneiden, bis eine grobe Mischung entsteht. Milch unterheben.

Teig auf eine leicht mit Mehl bestäubte Fläche geben, 30 Sekunden leicht kneten. Zu einem 23 x 23 cm großen Quadrat ausrollen. Restlichen Sirup auf den Teig gießen und mit Nüssen bestreuen. Fest zusammenrollen und in acht gleichgroße Stücke schneiden.

Scheiben mit der geschnittenen Seite nach unten in die Muffinform geben. 15 Minuten im auf 200°C vorgeheizten Backofen backen.

ERGIBT 8 KEKSE

BUTTERMILCH BROTSTANGEN

2 Eßl.	Zucker
2 Eßl.	brauner Zucker
500 ml	Buttermilch
1 Teel.	Salz
2 Eßl.	Trockenhefe
550 g	Mehl
½ Teel.	Natron
115 g	zerlassene warme Butter

Zucker und Buttermilch verrühren.

Salz, Trockenhefe, Mehl und Natron zweimal zusammensieben. Flüssigkeit in das Mehl rühren, bis ein glatter Teig entsteht. Mit Butter bestreichen, zudecken und bis zur doppelten Größe gehen lassen.

Teig auf eine leicht mit Mehl bestreute Fläche geben und sehr dünn ausrollen. Mit Butter bestreichen und dreifach falten, in 5 cm breite Streifen schneiden. Streifen in sich drehen und auf ein leicht gefettetes Backblech legen. Teig bis zur doppelten Größe gehen lassen.

Mit Butter bestreichen und 20-25 Minuten im auf 190°C vorgeheizten Backofen backen.

ERGIBT 36 BROTSTANGEN

PEKAN ROSINENSCHNECKEN

330 g	Mehl
2 Eßl.	Backpulver
2 Eßl.	Zucker
1	Ei, geschlagen
250 ml	Kaffeesahne
1 Teel.	Salz
75 g	Butter
165 g	brauner Zucker
1 Teel.	gemahlener Zimt
125 ml	gehackte Pekannüsse
80 g	kernlose Rosinen

Mehl, Backpulver, Zucker und Salz zusammensieben.

Ei in die Sahne schlagen.

55 g Butter leicht und cremig schlagen, abwechselnd Mehl und Sahne zu Dritteln zugeben.

Teig auf einer leicht mit Mehl bestäubten Fläche ausrollen. Restliche Butter auf den Teig streichen.

Braunen Zucker, Zimt, Pekannüsse und Rosinen mischen und auf dem Teig verteilen. Teig sehr fest aufrollen. In 10-12 Stücke schneiden. Im Abstand von 6 mm auf ein gefettetes Backblech legen und 20-25 Minuten im auf 180°C vorgeheizten Backofen backen. Heiß oder kalt servieren.

ERGIBT 10-12 SCHNECKEN

Buttermilch-Honiggebäck

BUTTERMILCH-HONIGGEBÄCK

220 g	Mehl
2 Teel.	Backpulver
¼ Teel.	Natron
½ Teel.	Salz
50 g	Backfett
125 ml	Buttermilch
60 ml	flüssiger Honig

Mehl, Backpulver, Natron und Salz zusammensieben. Backfett in die Mischung schneiden, bis ein grober Teig entsteht.

Buttermilch und Honig einrühren und verkneten, bis ein weicher Teig entsteht. Teig zu einem 1,5 cm dicken Quadrat ausrollen. Mit einem bemehlten Teigschneider schneiden. 15-18 Minuten im auf 200°C vorgeheizten Backofen backen.

ERGIBT 12 PLÄTZCHEN

HÜTTENGEBÄCK

230 g	gesiebter Hüttenkäse
2 Eßl.	entrahmte Sahne
1	Ei, geschlagen
2 Eßl.	Butter
1 Prise	Basilikum
220 g	Mehl
½ Teel.	Salz
4 Teel.	Backpulver

Käse, Sahne, Ei und Butter cremig rühren.

Basilikum, Mehl, Salz und Backpulver mischen.

Cremige Mischung unter das Mehl heben und zu einem glatten Teig kneten. Teig auf eine leicht mit Mehl bestäubte Fläche legen, zu einem 1,5 cm dicken Viereck ausrollen. Mit einem bemehlten Teigschneider schneiden und auf ein ungefettetes Backblech legen. 15-18 Minuten im auf 200°C vorgeheizten Backofen backen.

ERGIBT 12 PLÄTZCHEN

Pekan-Rosinenschnecken

KALIFORNISCHES SAUERTEIGBROT

250 ml	Sauerteig (Rezept folgt)
375 ml	warmes Wasser
2 Eßl.	Zucker
660 g	Mehl
1 Eßl.	Salz
½ Teel.	Natron

Sauerteig, Wasser, Zucker und 330 g Mehl in einer großen Glas-, Holz- oder Plastikrührschüssel mischen. Mit Frischhaltefolie gut abdecken und 8-12 Stunden oder über Nacht stehen lassen.

Salz und Natron mit 110 g Mehl mischen und in denTeig kneten. Soviel restliches Mehl einarbeiten, bis ein sehr fester Teig entsteht. 10 Minuten kneten. Zu zwei runden Bällen formen, auf ein Backblech legen. Mit einem scharfem Messer die Teigoberfläche 6 mm tief einschneiden (falls erwünscht). Teig zudecken und 2 Stunden gehen lassen.

Mit Wasser leicht besprenkeln, 40-45 Minuten im auf 180°C vorgeheizten Backofen backen.

ERGIBT 2 BROTE

SAUERTEIG

220 g	Mehl
1 Eßl.	Trockenhefe
1 Eßl.	Zucker
500 ml	Kartoffelwasser

Zutaten in großer Glasschüssel mischen. Zudecken und 48 Stunden an einen warmen Platz stellen. Bei Bedarf verwenden oder zugedeckt kaltstellen. Um die Mischung aufzufüllen, 110 g Mehl und 250 ml Wasser einrühren, 48 Stunden an warmen Platz stellen, dann zugedeckt kaltstellen.

Kalifornisches Sauerteigbrot

HONIG-ORANGEN KÜCHLEIN MIT SAURER SAHNE

125 ml	flüssiger Honig
2	Eier
¼ Teel.	Salz
125 ml	saure Sahne
220 g	Mehl
2 Teel.	Backpulver
1 Eßl.	geriebene Orangenschale
1 Eßl.	Zitronensaft
125 ml	Orangensaft

Honig, Eier, Salz und saure Sahne verrühren. Mehl und Backpulver zusammensieben und in die saure Sahne rühren. Geriebene Orangenschale, Zitronen- und Orangensaft hineinmischen. Eßlöffelgroße Teigstücke in auf 190°C heißes Öl geben. Von allen Seiten goldbraun braten. Herausnehmen und auf Küchenpapier abtropfen lassen. Mit Orangenglasur bestreichen (Rezept folgt).

ORANGENGLASUR:

225 g	Zucker
125 ml	Orangensaft

Zutaten in einem kleinen Topf mischen, zum Kochen bringen, 5 Minuten köcheln lassen. Heißes Gebäck damit bestreichen.

REICHT FÜR 24 DONUTS

NACHMITTAGS TEEKUCHEN

190 ml	Milch
115 g	Butter
190 ml	Ahornsirup
385 g	Mehl
1 Eßl.	Trockenhefe
½ Teel.	Salz
1	Ei
80 g	brauner Zucker
90 ml	Ahornzucker
½ Teel.	gemahlener Zimt
60 g	Walnüsse, gehackt

Milch, Butter und 60 ml Ahornsirup in einem kleinen Topf erwärmen. Auf Zimmertemperatur abkühlen lassen.

330 g Mehl, Trockenhefe und Salz zusammensieben.

Ei schlagen und zur abgekühlten Flüssigkeit geben, unter das Mehl heben und verquirlen, bis ein glatter Teig entsteht. Genügend restliches Mehl einrühren, bis der Teig zu einem glatten Ball wird. Teig zudecken und bis zur doppelten Größe gehen lassen.

Während Teig geht, braunen Zucker und Ahornsirup mischen. Restliche Butter cremig schlagen und unter den Zucker heben. Restlichen Sirup, 2 Eßlöffel Mehl, Zimt und Nüsse einrühren.

Teig halbieren und beide Hälften in je 30 x 30 cm große Vierecke ausrollen. Mit Ahornfüllung bestreuen, zu Dritteln falten. Fest zusammenrollen, jede Rolle in 10 Stücke schneiden, und die Stücke auf ein gefettetes Blackblech legen. Bis zur doppelten Größe gehen lassen. 35-40 Minuten im auf 180°C vorgeheizten Backofen backen. Heiß oder kalt servieren.

ERGIBT 20 ROLLEN

PREISELBEER-APFELBROT

220 g	Mehl
½ Teel.	Salz
1 Teel.	Backpulver
½ Teel.	gemahlener Zimt
115 g	Butter
225 g	Zucker
1	Ei, geschlagen
125 ml	entrahmte Sahne
115 g	Äpfel, entkernt, in dünne Scheiben geschnitten
50 g	frische oder gefrorene, gehackte Preiselbeeren

Mehl, Salz, Backpulver und Zimt zusammensieben.

Butter und Zucker locker und cremig schlagen, Ei unterrühren. Abwechselnd ⅓ Mehl und Creme unter die Mischung heben. Äpfel und Preiselbeeren ebenfalls unter die Mischung heben.

Teig in eine gut gefettete und 23 cm große Kastenform geben, 75 Minuten im auf 180°C vorgeheizten Backofen backen oder bis ein Spieß nach dem Einstechen sauber bleibt. Aus dem Backofen nehmen und 10 Minuten abkühlen lassen, aus der Form stürzen und auf Zimmertemperatur abkühlen lassen. Servieren.

ERGIBT 1 LAIB

BLÄTTERTEIG

220 g	feines Mehl
115 g	Butter
½ Teel.	Salz
125 ml	Eiswasser

Mehl in eine Rührschüssel geben und 2 Eßlöffel Butter hineinschneiden. Salz und nur soviel Wasser dazugeben, daß ein fester Teig entsteht. 5 Minuten kneten.

Teig auf einer leicht mit Mehl bestäubten Fläche 6mm dick zu einem Rechteck ausrollen. ⅓ des Teigs mit der restlichen Butter betupfen, dreifach zusammenfalten (die mit Butter betupfte Seite auf die nicht betupfte, übrigen Teig über beide Seiten). Mit einem Tuch zudecken und 1 Stunde kaltstellen.

Teig 6 mm dick ausrollen, wieder falten, zudecken und 1 Stunde kaltstellen, Vorgang vier- bis achtmal wiederholen, je nachdem, wie blättrig der Teig sein soll.

Teig ausrollen und nach Bedarf verwenden. 5 Minuten bei 215°C backen, Temperatur auf 190°C verringern und weitere 25-30 Minuten backen.

Preiselbeer-Apfelbrot

Muffins mit wilden Blaubeeren

BAGEL

440-550 g	Mehl
1 Eßl.	Trockenhefe
2 Teel.	Salz
375 ml	heißes Wasser 55°C
2 Eßl.	Honig
1	Eiweiß
1 Eßl.	kaltes Wasser

Bagel

440 g Mehl, Trockenhefe und Salz zusammensieben. Heißes Wasser und Honig unterrühren, soviel restliches Mehl einrühren, daß ein glatter Teigball geformt wird, 5 Minuten kneten.

Zudecken und den Tag oder 15 Minuten ruhen lassen.

Teig in 12 gleichgroße Portionen teilen, zu Bällchen rollen und flach drücken. Ein Loch in die Mitte bohren und den Teig solange nach außen ziehen, bis das Loch ca. 3,7 cm groß ist. Bagel auf eine leicht bemehlte Fläche legen und 20 Minuten gehen lassen.

In einen großen Topf oder Bräter soviel Wasser geben, daß 5 cm des Bodens bedeckt sind. Zum Kochen bringen. Bargel in kleinen Mengen 5 Minuten köcheln lassen. Aus dem Wasser nehmen, abtropfen lassen und auf ein Backblech geben.

Eiweiß mit kaltem Wasser mischen und Bargel damit bestreichen. Mit Mohn bestreuen und 30 Minuten im auf 190°C vorgeheizten Backofen backen oder bis sie goldbraun und durch sind.

Schmeckt hervorragend mit Frischkäse und geräuchertem Lachs.

ERGIBT 12 BARGEL

MUFFINS MIT WILDEN BLAUBEEREN

225 g	Zucker
115 g	Butter
2	Eier
90 ml	Milch
½ Teel.	Vanilleextrakt
220 g	Mehl
2 Teel.	Backpulver
½ Teel.	Salz
250 ml	frische, wilde Blaubeeren, gewaschen und verlesen

Zucker, Butter, Eier, Milch und Vanilleextrakt verrühren.

Mehl, Backpulver und Salz zusammensieben. Flüssige Mischung in das Mehl rühren, bis ein glatter Teig entsteht. Blaubeeren unter die Mischung heben.

Teig in gut gefettete Muffinformen löffeln, 20-25 Minuten im auf 190°C vorgeheizten Backofen backen.

ERGIBT 12 MUFFINS

DATTEL-NUSS-GEBÄCK

220 g	Mehl
1 Eßl.	Backpulver
¼ Teel.	Salz
50 g	Backfett
190 ml	Milch
70 g	gehackte Datteln
35 g	gehackte Walnüsse

Mehl, Backpulver und Salz zusammensieben.

Backfett in das Mehl schneiden, bis sich ein grober Teig bildet. Milch einrühren, bis der Teig weich wird. 30 Sekunden kneten, dabei Datteln und Walnüsse hinzugeben.

Teig auf leicht bemehlter Fläche 6 mm dick ausrollen. Plätzchen mit einem bemehlten Teigschneider ausschneiden. Auf ein ungefettetes Backblech legen.

15-18 Minuten im auf 200°C vorgeheizten Backofen backen.

ERGIBT 16 PLÄTZCHEN

BANANEN DONUTS

280 g	Mehl
1½ Teel.	Backpulver
½ Teel.	Natron
1 Teel.	Salz
½ Teel.	Muskat
3 Eßl.	Backfett
115 g	Zucker
2	Eier
85 g	Bananen, zerdrückt
60 ml	Buttermilch
1 Teel.	Vanilleextrakt

Mehl, Backpulver, Natron, Salz und Muskatnuß dreimal zusammensieben. Backfett und Zucker cremig rühren. Eier, Bananen, Buttermilch und Vanilleextrakt unter Mischung rühren. Mehlmischung einrühren und einen glatten Teig formen. Teig in zwei Hälften teilen. Auf einer mit Mehl bestäubten Fläche 6 mm dick ausrollen. Mit einem bemehlten 6 cm Donutschneider schneiden. In der Fritteuse bei 190°C goldbraun frittieren. Auf Küchenpapier abtropfen lassen.

ERGIBT 20 DONUTS

ORANGEN PEKANGEBÄCK

220 g	Mehl
1 Teel.	Salz
2 Teel.	Backpulver
2 Teel.	abgeriebene Orangenschale
3 Eßl.	fein gehackte Pekannußstücke
170 g	Frischkäse
230 g	Butter
125 ml	Orangensaft
18	Pekannußhälften

Mehl, Salz und Backpulver zweimal zusammensieben, abgeriebene Orangenschale und Pekannußstücke hineinmischen.

Frischkäse und Butter cremig schlagen, Mehl hineinschneiden und zu einem weichen Teig kneten.

Orangensaft einrühren und 3 Minuten kneten.

Teig auf leicht bemehlter Fläche 6 mm dick ausrollen, mit bemehltem Teigschneider schneiden. Auf ein ungefettetes Backblech geben und mit je einer Pekannußhälfte krönen.

15-20 Minuten im auf 200°C vorgeheizten Backofen backen.

ERGIBT 12 KEKSE

BIRNEN-MÖHREN-PEKANNUSSBROT MIT KLEIE

230 g	geschälte und geriebene Birnen
40 g	geschälte und geriebene Möhren
2	große Eier, geschlagen
250 ml	Kleie
165 g	Mehl
110 g	Zucker
1 Teel.	Backpulver
½ Teel.	Salz
½ Teel.	Natron
55 g	Butter
125 ml	gehackte Pekannüsse

Birnen, Möhren, Eier und Kleie mischen und 15 Minuten ruhen lassen.

Mehl, Zucker, Backpulver, Salz und Natron zweimal zusammensieben. Butter in das Mehl schneiden, bis sich ein grober Teig bildet. Früchtemischung hineinrühren und gut verrühren. Nüsse unter die Mischung heben, Teig in eine 21 x 10 x 5 cm große Brotform geben. 25 Minuten ruhen lassen.

75 Minuten im auf 180°C vorgeheizten Backofen backen oder bis ein Spieß nach dem Einstechen sauber bleibt. 10 Minuten stehen lassen, auf ein Küchengitter stürzen und vollständig auskühlen lassen.

ERGIBT 1 BROT

Orangen-Pekangebäck

Birnen-Möhren-Pekannußbrot mit Kleie

Kreolenbeignets

Orangenbrandybrot

KREOLENBEIGNETS

250 ml	Milch, abgekocht und heiß
2 Eßl.	Butter
1 Eßl.	brauner Zucker
1 Eßl.	Zucker
330 g	Mehl
1 Teel.	Muskat
1 Eßl.	Trockenhefe
1 Teel.	Salz
1	Ei
1 Teel.	Vanilleextrakt
110 g	Puderzucker

Milch, Butter und Zucker mischen. Umrühren, bis sich der Zucker auflöst. Auf Zimmertemperatur abkühlen lassen. Mehl, Muskat, Trockenhefe und Salz zusammensieben. Eine Hälfte der Mehlmischung gründlich in die Milchmischung einrühren. Ei und Vanilleextrakt ebenfalls einrühren. Restliches Mehl unter die Mischung heben. Zudecken und an einen warmen Platz stellen. Bis zur doppelten Größe gehen lassen. Teig auf eine leicht mit Mehl bestäubte Fläche legen und ausrollen. In Quadrate schneiden und wiederum bis zur doppelten Größe gehen lassen. In 190°C heißem Öl braten. Erst eine Seite goldbraun braten, dann wenden. Nach Wunsch mit Puderzucker bestreuen.

ERGIBT 24 DONUTS

ALTBEKANNTES KARTOFFEL-KÄSEBROT

190 ml	kalter Kartoffelbrei
40 g	frisch geriebener Parmesankäse
110 g	Mehl
3 Eßl.	Backpulver
1 Teel.	Salz
2 Eßl.	Butter
125 ml	kalte Milch

Kartoffelbrei und Käse mischen.

Mehl, Backpulver und Salz zusammensieben. Butter in das Mehl schneiden, Kartoffelbrei hineinrühren und zu einem groben Teig kneten. Mehl und Kartoffelbrei müssen im Teig gut untergemischt sein. Milch einrühren, bis ein weicher Teig entsteht.

Teig auf eine leicht mit Mehl bestäubte Fläche geben und 1,5 cm dick ausrollen. In gleichgroße Quadrate schneiden. Auf ein ungefettetes Backblech legen und 12-15 Minuten im auf 200°C vorgeheizten Backofen backen.

ERGIBT 12 PLÄTZCHEN

ORANGENBRANDY BROT

250 ml	lauwarmes Wasser
60 ml	Orangenbrandy (wahlweisemit der gleichen Menge Orangensaft ersetzen)
190 ml	Orangensaft
2 Teel.	ABgeriebene Orangenschale
1 Teel.	Salz
2 Eßl.	Zucker
1	Eigelb, geschlagen
1 Eßl.	Trockenhefe
440 g	Mehl
2 Eßl.	zerlassene Butter

Wasser, Brandy, Orangensaft, abgeriebene Orangenschale, Salz, Zucker und Ei verrühren.

Trockenhefe und Mehl zweimal zusammensieben.

Unter die Flüssigkeit heben und zu einem glatten Teig kneten. Zudecken und die Rührschüssel in eine Schüssel mit warmem Wasser geben. Teig zur doppelten Größe gehen lassen. Teig herausnehmen und kurz durchkneten. In zwei Laibe teilen. Laibe in zwei 23 cm große gefettete Kastenformen geben und bis zur doppelten Größe gehen lassen.

Brote mit zerlassener Butter bestreichen und 40 Minuten im auf 180°C vorgeheizten Backofen backen oder bis die Kruste goldbraun und das Innere fest wird. Aus dem Backofen nehmen, 10 Minuten abkühlen lassen. Brote aus den Kastenformen auf ein Kuchengitter stürzen und vor dem Servieren völlig abkühlen lassen

ERGIBT 2 BROTE

EINGEKOCHTES

Nichts fängt den Geschmack der Frische so gut ein, wie das, was vom Baum oder von der Rebe gepflückt wird. Während der langen Wintermonate sehnt sich man danach, diesen Geschmack wieder zu erleben. Am besten erreicht man dies, indem man dieses besondere Aroma auf seinem Höhepunkt konserviert. Erntezeit ist Einmachzeit, die Freude daran, das feinste Obst und Gemüse, das auf dem Markt erhältlich ist, auszuwählen.

Am besten erhalten Sie diese „gerade gepflückte Frische" genau dadurch, daß Sie die Früchte selber ernten. Falls das nicht möglich ist, sollten Sie das Obst auf dem örtlichen Markt selbst aussuchen und dabei darauf achten, nur das Allerbeste auszuwählen. Obst mit Druckstellen oder beschädigtes Obst darf nicht zum Einmachen verwendet werden. Die Beschädigung verursacht eine Beeinträchtigung des Aromas, die durch das Einmachen noch stärker hervortritt. Sie sollten auch unbedingt alles Obst behutsam entstielen und gründlich waschen und säubern, bevor Sie mit dem Einmachen beginnen.

Setzen Sie beim Einkochen Ihre Phantasie ein. Vereinen Sie das Exotische mit dem Populären, um ganz neue Kombinationen zu kreieren. Vergessen Sie dabei eine Regel nicht: „wenn es Obst ist, und wenn ich es gern esse, so kann es eingemacht werden." Ihre Gäste werden angenehm überrascht sein, wenn Sie Papayas, Mangos, Kiwis, Sternfrucht und anderes exotisches Obst mit Erdbeeren, Himbeeren, Äpfel oder Orangen in Marmelade, Konfitüre oder Gelee kombinieren. Auch Sie werden Ihre wahre Freude an diesen einmaligen Aromakombinationen haben.

In diesem Kapitel wird Ihnen diese Kenntnis zuteil, wenn Sie Eingekochtes wie Erdbeer-Papayamarmelade oder Kiwi-Aprikosenmarmelade kosten. Beschränken Sie sich dabei nicht darauf, dieses Eingemachte auf Toastscheiben zu streichen, sondern verwenden Sie es auf allen Gebieten der Kochkunst. Eine gekühlte Suppe aus Trauben-Kirschmarmelade als Vorspeise, der mit Jalapeñogelee etwas „Pep" gegeben wird, wird den nichtsahnenden Gästen sicher die Augen öffnen, aber sie werden hingerissen sein.

Also genießen Sie den Sommer, aber bewahren Sie unbedingt eine kleine Kostprobe davon auf, damit auch die anderen Jahreszeiten *einfach köstlich* werden.

Eine Auswahl an Eingekochtem

STOCK AND BARREL

HIMBEER-MARMELADE

2 kg	Himbeeren
1 kg	Zucker

Beeren waschen und verlesen, in einen Kochtopf geben, erhitzen und zerdrücken. Zucker hinzufügen und zum Kochen bringen. 30 Minuten kochen. Die Marmelade in keimfreie Gläser gießen, diese versiegeln und mit dem Herstellungsdatum etikettieren.

ERGIBT 8 x 250 ml GLÄSER

EINGEMACHTE PFIRSICHE

2 kg	Pfirsiche*
500 ml	Wasser
3 Eßl.	Zitronensaft
675 g	Zucker

Pfirsiche schälen und entsteinen. Wasser in einen großen Kochtopf gießen. Zitronensaft, Zucker und Pfirsiche dazugeben. Zum Kochen bringen, Hitze reduzieren und köcheln, bis die Pfirsiche weich werden.

In Gläser geben, den Sirup darübergießen. Gläser abdichten und mit dem Herstellungsdatum etikettieren.

ERGIBT 4-6 x 250 ml GLÄSER

* ANMERKUNG: Dieses Verfahren eignet sich auch für Aprikosen, Birnen, Plaumen und Ananas.

WEINBRAND-KIRSCHEN

2 kg	Kirschen
500 ml	Wasser
1,3 kg	Zucker
500 ml	Weinbrand

Kirschen waschen, entkernen und in einen Kochtopf geben. Wasser und Zucker zufügen, rühren, bis sich der Zucker auflöst. Zum Kochen bringen und 10 Minuten kochen. Vom Herd nehmen und 8 Stunden stehen lassen.

Die Kirschen in sterile Gläser geben und diese mit gleichen Mengen Sirup und Weinbrand füllen. Gläser abdichten und mit dem Herstellungsdatum etikettieren.

Vor der Verwendung mindestens 2 Wochen durchziehen lassen.

ERGIBT 4-6 x 250 ml GLÄSER

APFELAPRIKOSEN-KONFITÜRE

600 g	geschälte, entkernte und gewürfelte Äpfel
1 l	geschälte, entsteinte Aprikosen
910 g	Zucker
1 Eßl.	abgeriebene Orangenschale
250 ml	Wasser

Alle Zutaten in einem Kochtopf mischen. Rühren, bis sich der Zucker auflöst. Zum Kochen bringen, Temperatur zurückschalten und bei geringer Hitzezufuhr zu einer sehr dicken Konfitüre einkochen.

In sterile Gläser geben, diese zudecken und mit dem Herstellungsdatum etikettieren.

ERGIBT 4 x 250 ml GLÄSER

Apfelaprikosenkonfitüre

Weinbrandkirschen

Obstsalat

JALAPEÑO-MARMELADE

340 g	Orangen
60 ml	Zitronensaft
750 ml	Wasser
8	Jalapeño-Schoten
6	Koriandersamen
675 g	Zucker

Orangen waschen und halbieren. Den ganzen Saft aus den Orangen pressen. Saft, Kerne und weiße Haut aufbewahren und zur Seite stellen.

Orangensaft in einen großen Kochtopf gießen. Zitronensaft und Wasser zugeben.

Jalapeño-Schoten halbieren, entkernen und fein würfeln.

Orangenkerne, weiße Haut und Koriander in Käseleinen zusammenbinden und in den Topf geben. Orangenschale in lange, schmale Streifen schneiden und hinzufügen. Die Mischung im Topf erhitzen und köchelnd auf die Hälfte reduzieren.

Zucker dazugeben. Rühren, bis sich der Zucker auflöst. Zum Kochen bringen und 12 Minuten kochen. Die Jalapeño-Schoten hinzufügen und weitere 3 Minuten kochen.

Etwaigen Schaum entfernen. Die Marmelade 15 Minuten stehen lassen, dann in saubere, sterile Gläser gießen. Etwas abkühlen lassen, dann abdichten. Mit dem Herstellungsdatum etikettieren.

ERGIBT 1 LITER

JALAPEÑOGELEE

450 g	frische Jalapeño-Schoten
125 ml	Weinessig
125 ml	Wasser
570 g	Zucker

Die Jalapeño-Schoten waschen, entstielen und der Länge nach halbieren.

Mit Essig und Wasser in einen Kochtopf geben. Zum Kochen bringen, Hitze reduzieren und köcheln, bis die Schoten zart werden. In den Mixer geben und pürieren.

Das Püree in ein Stück Käseleinen doppelter Stärke oder in eine Geleetüte geben. Den Saft 8 Stunden oder über Nacht in eine Schüssel tropfen lassen.

750 ml der Flüssigkeit in einen Kochtopf gießen und den Zucker darin auflösen. Zum Kochen bringen und 5 Minuten bei starker Hitze kochen. Die Flüssigkeit in sterile Gläser gießen und diese abdichten. Mit dem Herstellungsdatum etikettieren.

ERGIBT 3 x 115 ml GLÄSER

VORSICHT: Manche Pfefferschoten enthalten eine große Menge ätherischer Öle, die für den Schärfegrad der Schoten verantwortlich sind. Die Schoten nur mit Gummihandschuhen behandeln und die Hände danach immer gründlich waschen.

OBSTSALAT

225 g	entsteinte Kirschen
225 g	gewürfelte Ananas
450 g	geschälte, entkernte, gewürfelte Äpfel
450 g	geschälte, entkernte, gewürfelte Birnen
225 g	geschälte, entsteinte Pfirsiche, in Scheiben geschnitten
225 g	Mandarinenstücke
60 ml	Zitronensaft
1,8 kg	Zucker
500 ml	Wasser

Alles Obst außer den Orangen in einen großen Topf oder flachen Brattopf geben. Zitronensaft, Zucker und Wasser hinzufügen. Zum Kochen bringen, Hitze reduzieren und 10 Minuten köcheln lassen.

Orangen dazugeben und weitere 5 Minuten leicht kochen.

Das Obst in saubere, sterile Gläser drücken. Gläser mit Sirup füllen, abdichten und mit dem Herstellungsdatum etikettieren.

ERGIBT 8-10 x 250 ml GLÄSER

Jalapeñomarmelade

Kiwi-Aprikosenmarmelade

BROMBEER-MARMELADE

2 kg	Brombeeren
1 kg	Zucker

Beeren waschen und auslesen. In einen Mixer geben und pürieren. Das Püree durch ein Sieb passieren und in einen Kochtopf geben. Zucker einrühren. Zum Kochen bringen und 30 Minuten kochen.

Die Marmelade in keimfreie Gläser gießen, diese versiegeln und mit dem Herstellungsdatum etikettieren.

ERGIBT 8 x 250 ml GLÄSER

KIWI-APRIKOSEN-MARMELADE

1,5 l	geschälte, entsteinte Aprikosen
1,25 l	geschälte Kiwifrüchte
2 Eßl.	Zitronensaft
1,14 kg	Zucker

Aprikosen und Kiwis hacken und mit Zitronensaft besprenkeln. Obst in einen Kochtopf geben. Zucker einrühren. Zum Kochen bringen und etwaigen Schaum abschöpfen. 25 Minuten kochen.

Die Marmelade in keimfreie Gläser gießen, diese versiegeln und mit dem Herstellungsdatum etikettieren.

ERGIBT 4 x 250 ml GLÄSER

GEWÜRZTE HEIDELBEER-MARMELADE

2 kg	Heidelbeeren
1 kg	Zucker
1 Teel.	gemahlener Zimt
½ Teel.	gemahlener Piment
¼ Teel.	gemahlene Gewürznelken

Beeren waschen, auslesen und in einen großen Kochtopf geben. Zucker und Gewürze zufügen. Zum Kochen bringen und 30 Minuten kochen.

Die Marmelade in keimfreie Gläser gießen, diese versiegeln und mit dem Herstellungsdatum etikettieren.

ERGIBT 8 x 250 ml GLÄSER

EVELYN HOHNS GUAVENGELEE

1 kg	Guaven
420 ml	Wasser
900 g	Zucker

Die Stengel und Blüten der Guaven herausschneiden. Das Obst aber nicht schälen.

Guaven und Wasser in einen Kochtopf geben, erhitzen und die Guaven zerdrücken. Bei geringer Hitzezufuhr kochen, bis das Obst weich wird.

In Käseleinen oder einen Geleetopf geben. Den Saft 8 Stunden lang oder über Nacht in eine Schüssel tropfen lassen.

1,5 l Saft nehmen und den Zucker darin auflösen. Die Flüssigkeit in einen Kochtopf gießen und zum Kochen bringen. Bei starker Hitze 6-8 Minuten lang kochen. Die Marmelade in keimfreie Gläser gießen, diese versiegeln und mit dem Herstellungsdatum etikettieren.

ERGIBT 6 x 250 ml GLÄSER

Gewürzte Heidelbeermarmelade

TRAUBENKIRSCH- ODER WEICHSELKIRSCH-MARMELADE

4 l	Trauben-Kirschen oder Amerikansiche Weichselkirschen
1,40 kg	Zucker
3 Eßl.	Zitronensaft

Kirschen waschen und auslesen. In einen Kochtopf geben, erhitzen und zerdrücken. Durch ein Sieb passieren, um die Kerne auszusieben. Fruchtfleisch wieder in den Topf geben. Zucker und Zitronensaft zufügen. Zum Kochen bringen und 30 Minuten lang kochen.

Die Marmelade in keimfreie Gläser gießen, diese versiegeln und mit dem Herstellungsdatum etikettieren.

ERGIBT 4-6 x 250 ml GLÄSER

ERDBEER-PAPAYA-MARMELADE

2 l	Papayafruchtfleisch
1 Eßl.	Zitronensaft
2 l	gewaschene und entstielte Erdbeeren
1 Teel.	geriebene Zitronenschale
1,80 kg	Zucker
250 ml	Apfelsaft

Papaya im Zitronensaft einweichen, mit den Erdbeeren in einen großen Kochtopf geben. Zitronenschale, Zucker und Apfelsaft hinzufügen. Zum Kochen bringen und 25 Minuten kochen.

Die Marmelade in keimfreie Gläser gießen, diese versiegeln und mit dem Herstellungsdatum etikettieren.

ERGIBT 8 x 250 ml GLÄSER

EINGEMACHTE BIRNEN

2	Limonen
1 kg	Birnen
1 Teel.	gemahlener Koriander
6	Gewürznelken
910 g	Zucker

Limonen waschen und halbieren. Den Saft in einen großen Kochtopf auspressen.

Die Birnen schälen, entkernen und vierteln. In einen Kochtopf geben und nur soviel Wasser zugießen, um sie zu bedecken. Koriander und Gewürznelken dazugeben. Bei niedriger Temperatur erhitzen und die Flüssigkeit auf die Hälfte reduzieren. Birnen herausheben.

Zucker in den Topf geben und rühren, bis er sich auflöst. Zum Kochen bringen und 15-20 Minuten kochen. Birnen wieder in den Topf geben. Weiter erhitzen, bis die Flüssigkeit aufkocht. Vom Herd nehmen.

Birnen löffelweise in saubere, sterile Gläser geben und mit der Flüssigkeit bedecken. Die Gläser versiegeln und mit dem Herstellungsdatum etikettieren.

ERGIBT 4 x 250 ml GLÄSER

Eingemachte Birnen

MARMELADE AUS VIER ZITRUSFRÜCHTEN

2,8 l	Wasser
1 Teel.	Zitronensäure
340 g	Pampelmuse
225 g	Zitronen
450 g	Klementinen
115 g	Kumquats
2,75 kg	Zucker

Wasser und Zitronensäure in einen großen Kochtopf gießen.

Obst waschen. Pampelmuse und Zitronen schälen und die weiße Haut entfernen. Das Fruchtfleisch von der Schale befreien, hacken und in den Topf geben. Kumquats hacken und dazugeben.

Orangen halbieren und Saft in den Topf auspressen. Die Orangenschale in lange, schmale Streifen schneiden. Kerne und weiße Haut in ein Käseleinen zusammenbinden und in den Topf legen.

Zum Kochen bringen, die Temperatur zurückschalten und köcheln lassen. Die Flüssigkeit auf die Hälfte reduzieren.

Das Käseleinen herausnehmen, unter kaltem Wasser abspülen, aufschneiden und zur Seite legen.

Den Rest des Obsts bei sehr schwacher Hitze weitere 1½ Stunden köcheln.

Zucker und Streifen der Orangenschale in den Topf geben. Wieder aufkochen und bei starker Hitze weitere 20 Minuten kochen. Etwaigen Schaum abschöpfen. 30 Minuten stehen lassen. Die Marmelade dann in keimfreie Gläser gießen, diese abdichten und mit dem Herstellungsdatum etikettieren.

ERGIBT 4 x 250 ml GLÄSER

Marmelade aus vier Zitrusfrüchten

GEMÜSE, REIS & VEGETARISCHE KOST

Gewöhnlich bestand eine ausgewogene Diät aus dem Verzehr folgender vier Nahrungsgruppen: Milchprodukte, Fleisch und Eier, Getreide und Körner, Früchte und Gemüse. Dies trifft jedoch nicht mehr zu. Eine Mahlzeit zählt nur dann als ausgewogen, wenn sie dem Einzelnen die richtige Menge an Nährwert geben kann. Heutzutage ist man davon überzeugt, daß proteinreiches Gemüse den täglichen Bedarf eines Menschen völlig decken kann, ohne Fleisch zu verwenden.

Ein fortschrittlicher Koch weiß heute, daß Fleisch nicht mehr länger Hauptbestandteil eines schöpferischen Menüs sein muß. Die Betonung liegt auf dem Geschmack und so sollte es eigentlich immer sein. Der Geschmack jedoch verlangt notwendigerweise nicht immer unbedingt Fleisch.

Das Ziel vegetarischen Kochens ist oft Ausdruck und Kreativität. Jemand, der in jedem einzelnen Gericht Fleisch bevorzugt, hat noch keine Anerkennung für eine Kochkunst gefunden, die die ganze Welt erobert hat. Vegetarische Kost ist seit Menschengedenken die älteste Form der Essenszubereitung. Schon Adam aus der Bibel war Vegetarier. Erst nach Ende der Sintflut wurde Noah und damit dem Menschen erlaubt, Fleisch zu essen. Vegetarisches Kochen genießt einen geschichtlichen Reichtum an Tradition und Stil. Der Orient benutzt seit über 5000 Jahren nur wenig oder gar kein Fleisch beim Zubereiten von Gerichten. Von diesen Kulturen haben wir gelernt, daß fett-, kalorien- und kohlehydratarme Nahrung zu weniger Gesundheitsproblemen führt. Außerdem findet die Verwendung heimischer Gewürze für viele Gerichte immer mehr Anklang und Interesse.

Die Verwendung von frischen Zutaten bei der richtigen Zubereitung von Gemüse ist ein *muß*. Sie sollten Gemüse beinahe täglich kaufen, denn es ist ohne große Schwierigkeiten das ganze Jahr über erhältlich. Die Amerikaner können noch von den Europäern lernen, die viele ihrer Essenszutaten beinahe täglich einkaufen. Das Essen schmeckt sofort viel frischer, vollwertiger und nahrhafter.

In *Einfach Köstlich Kochen 2* erwartet Sie ein Vorgeschmack auf schöpferische und ausdrucksvolle Gemüse-, Reis- und vegetarische Kost. Noch nie hatten Sie Gelegenheit, Ihr Essen so zu genießen, zum Beispiel mit „Risotto Alla Certosina" oder „Spargel in Mango-Pfeffercremesauce". Oder wie wäre es mit „Finocchio mit Ingwer und Ananas"?! Für den Unternehmungslustigen gibt es sogar den „Feuerbohneneintopf". Alle Gerichte sind einzigartige Empfehlungen für Ihr feinsckmeckerisches Repertoire, mit anderen Worten, die Gerichte sind *Einfach Köstlich*.

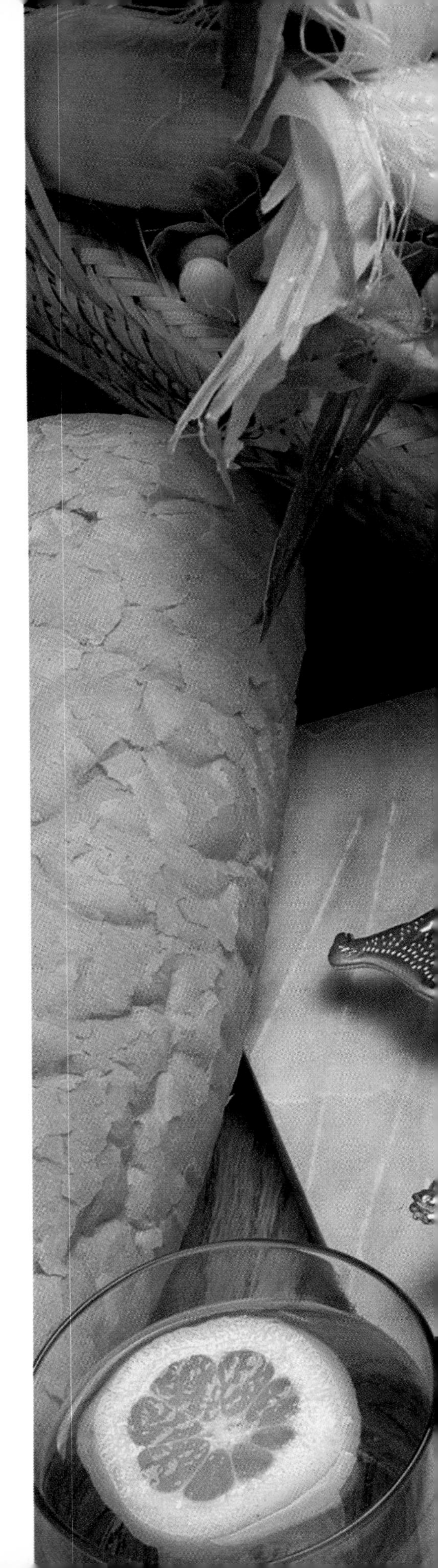

Farbenfrohe Veggie-Kebabs

Bombay-Reis

CURRYREIS

225 g	Langkornreis
125 ml	brauner Reis
45 g	wilder Reis
1 l	Hühnerbrühe (siehe Seite 77)
340 g	gekochtes, gewürfeltes Hühnerfleisch
60 g	feingewürfelte Zwiebel
100 g	feingewürfelte Sellerie
75 g	feingewürfelte rote Paprikaschote
75 g	feingewürfelte grüne Paprikaschote
40 g	grüne Erbsen
2 Eßl.	Butter
2 Eßl.	Distelöl
2 Teel.	Curry
40 g	geröstete, gehobelte Mandeln

Die drei Sorten Reis in der Hühnerbrühe zum Kochen bringen und zudecken.

Köcheln lassen, bis der Reis weich wird. Überschüssige Flüssigkeit abgießen.

Während der Reis köchelt, Hühnerfleisch und Gemüse in Butter und Öl dünsten. Gemüse mit Currypulver bestreuen.

Mischung in den Reis rühren. Mandeln hinzufügen, in eine Schüssel geben und servieren.

6 PORTIONEN

FIDDLEHEADS IN SAHNESAUCE

455 g	Fiddleheads*
2 Eßl.	Butter
2 Eßl.	Mehl
250 ml	Milch
¼ Teel.	Salz
¼ Teel.	weißer Pfeffer
1 Prise	Muskat

Die Fiddleheads waschen und welke Stücke entfernen. 12-15 Minuten dünsten, auf eine Servierplatte geben.

In der Zwischenzeit die Butter in einem kleinen Topf zerlassen. Mehl hinzugeben und 2 Minuten zu einer Mehlschwitze kochen.

Milch hineinrühren. Gewürze hinzugeben und 2 Minuten köcheln lassen. Sauce über die Fiddleheads geben und sofort servieren.

* Fiddlehead ist ein eßbarer Farn, der in Nordamrika wächst.

4 PORTIONEN

BOMBAY-REIS

60 ml	Distelöl
500 ml	gewürfeltes Hühnerfleisch
75 g	geschnittene Pilze
1	gewürfelte Paprikaschote
1	kleine, gewürfelte Zwiebel
500 ml	Zuckerschoten
910 g	gekochter Langkornreis
1 Teel.	Curry
¼ Teel.	Salz

Die Hälfte des Öls im Wok oder einer großen Pfanne erhitzen. Hühnerfleisch, Pilze, Paprikaschote, Zwiebel und Erbsen gut durchbraten und warmstellen.

Restliches Öl erhitzen, Reis und Gewürze zugeben und 3 Minuten braten. Auf eine Servierplatte geben.

Hühnerfleisch und Gemüse über den Reis löffeln, servieren.

6 PORTIONEN

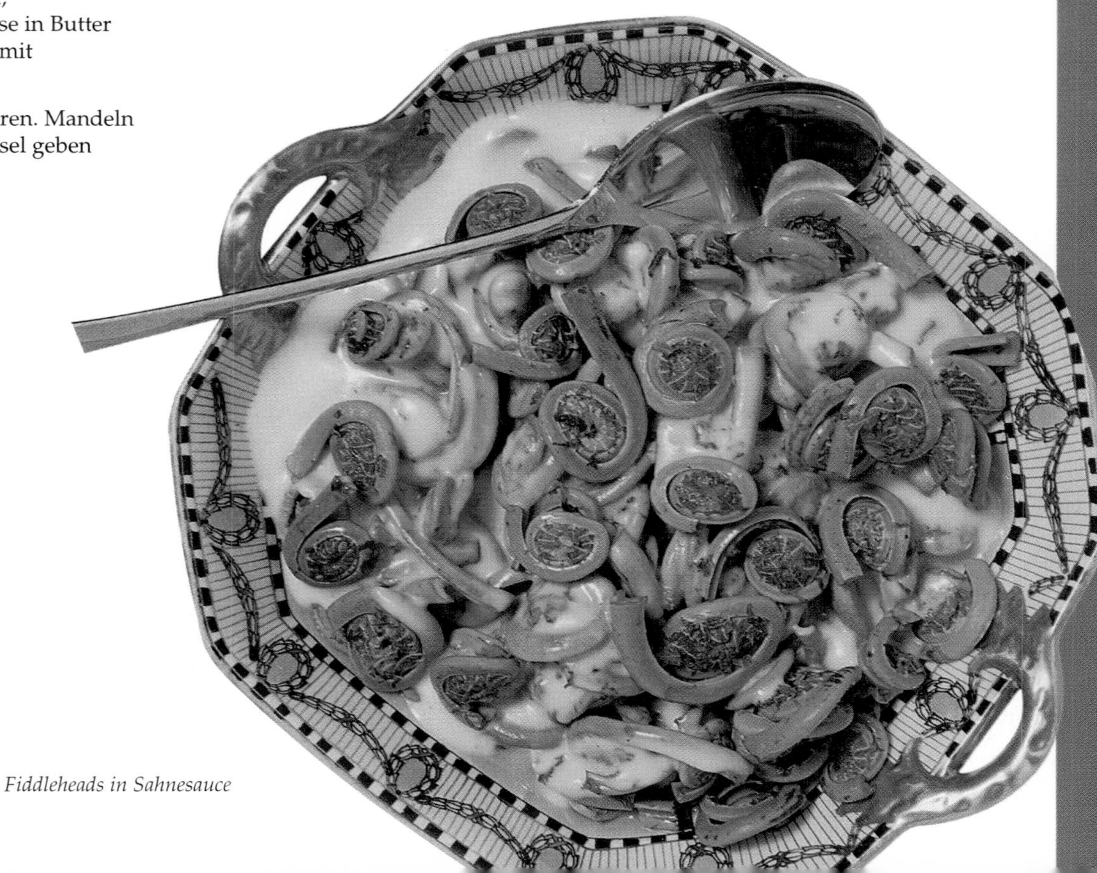

Fiddleheads in Sahnesauce

Kartoffelpuffer

ALOO MADARASI

2 Eßl.	Olivenöl
1	gewürfelte spanische Zwiebel
1 Teel.	englisches Senfpulver
1 Eßl.	Curry
360 g	geschälte, feingewürfelte Kartoffeln
250 ml	Gemüsebrühe (siehe Seite 92)
1 Teel.	geriebene Zitronenschale
1 Teel.	gemahlener Zimt
2 Eßl.	Butter

Öl in einem kleinen Topf erhitzen und Zwiebeln weichbraten, mit Senf und Currypulver bestreuen. Bei geringer Hitzezufuhr 2 Minuten köcheln lassen.

Kartoffeln, Brühe, geriebene Zitronenschale und Zimt dazugeben. Zudecken und weitere 15 Minuten köcheln lassen. Deckel abnehmen und weitere 15 Minuten köcheln lassen.

Auf eine Servierplatte geben, Butter in Tupfen daraufsetzen und servieren.

6 PORTIONEN

KARTOFFELPUFFER

2 Eßl.	Mehl
1 Teel.	Salz
¼ Teel.	Backpulver
¼ Teel.	gemahlener schwarzer Pfeffer
6	mittelgroße Kartoffeln
2	Eier
1	feingehackte Knoblauchzehe
1 Eßl.	geriebene Zwiebel
55 g	Butter
125 ml	zerkrümelter durchwachsener Speck, gebraten
375 ml	saure Sahne

Mehl, Salz, Backpulver und Pfeffer in einer Schüssel miteinander vermischen.

Kartoffeln schälen und raspeln, trockentupfen. In die Mischung rühren, Eier hineinschlagen. Knoblauchzehe und und die geriebene Zwiebel hinzugeben.

Butter in einer Pfanne erhitzen und die kleinen Pfannkuchen von beiden Seiten goldbraun braten. Mit Speck und saurer Sahne servieren.

4 PORTIONEN

APFELREIS MIT DATTELN UND NÜSSEN

340 g	Langkornreis
1 l	Apfelsaft
100 g	gehackte, entsteinte Datteln
55 g	geröstete, geschnittene Mandeln

Den Reis im Apfelsaft zum Kochen bringen, zudecken und unter geringer Hitzezufuhr köcheln lassen, bis die Flüssigkeit verdampft.

Datteln und Mandeln einrühren. Sofort servieren.

SERVES 4

GEBRATENE AUBERGINEN MIT CILANTRO- SAUCE

125 ml	saure Sahne
125 ml	Schlagsahne
500 ml	gewaschene und gehackte, glatte Petersilie
2	Knoblauchzehen
1 Teel.	Salz
½ Teel.	gemahlener schwarzer Pfeffer
55 g	Mehl
je ½ Teel.	Thymian, Basilikum, Majoran, Salz, Paprika, Cayennepfeffer, Zwiebelpulver, Knoblauchpulver, weißer Pfeffer
2	mittelgroße Auberginen
500 ml	Pflanzenöl

Saure Sahne, Schlagsahne, glatte Petersilie, Knoblauchzehen, Salz und gemahlenen schwarzen Pfeffer im Mixer glattrühren.

Mehl und Gewürze in einer kleinen Rührschüssel vermischen. Auberginen enthäuten und in Scheiben schneiden, im Mehl panieren.

Öl in einer großen Bratpfanne erhitzen und Auberginenscheiben goldbraun braten. Auf eine heiße Servierplatte geben. Sauce getrennt servieren.

6 PORTIONEN

Apfelreis mit Datteln und Nüssen

KANZLER KARTOFFELN

675 g	Kartoffeln
2 Eßl.	Butter
2 Eßl.	Mehl
250 ml	Milch
¼ Teel.	Salz
¼ Teel.	weißer Pfeffer
1 Prise	Muskat

Kartoffeln schälen und mit einem Melonenstecher kleine Bällchen ausstechen (Pariser Kartoffeln). 15 Minuten im Salzwasser kochen.

Während die Kartoffeln kochen, die Butter in einem kleinen Topf zerlassen. Mehl hinzugeben, 2 Minuten bei schwacher Hitze zu einer Mehlschwitze rühren.

Milch einrühren und köcheln lassen, bis die Mischung dick wird. Gewürze hineinmischen und weitere 2 Minuten köcheln lassen. Sauce unter die Kartoffeln rühren, in eine Servierschüssel geben. Servieren.

4 PORTIONEN

ROTER RAPINI

455 g	Rapini*
2 Eßl.	Butter
2 Eßl.	Mehl
125 ml	Hühnerbrühe (siehe Seite 77)
60 ml	Creme fraiche
60 ml	Sekt
2 Teel.	süßes Paprikapulver

Rapini 15 Minuten dünsten, in eine Servierschüssel geben.

In der Zwischenzeit die Butter in einem kleinen Topf zerlassen. Mehl hinzugeben, 2 Minuten lang bei schwacher Hitze zu einer Mehlschwitze rühren.

Hühnerbrühe, Creme fraiche, Sekt und Paprikapulver hinzugeben. Alle Zutaten mit einem Schneebesen verrühren. 10 Minuten bei mittlerer Hitze köcheln lassen.

Sauce über Rapini gießen und sofort servieren.

4 PORTIONEN

*Italienischer Brokkoli heißt Rapini.

HÜHNERBURGER — OHNE FLEISCH

160 ml	Gemüsebrühe, mit Hühnergeschmack
3 Eßl.	Ketchup
2 Teel.	Zitronensaft
1 Teel.	Worcestersauce
je ½ Teel.	Paprikapulver, Rosmarin, Knoblauchpulver, Zwiebelpulver, Thymian, Basilikum, Bohnenkraut
½ Teel.	Salz
2 Eßl.	helle Sojasoße
450 g	feste, runde Tofuscheiben
125 g	Weizenvollkornmehl
60 ml	Olivenöl
4	Vollkornbrötchen
4	Kopfsalatblätter
4	geschnittene Tomaten
80 ml	Mayonnaise

Gemüsebrühe, Ketchup, Zitronensaft, Worchestersauce, je ¼ Teelöffel aller Kräuter und Gewürze, sowie Salz und Sojasoße miteinander verrühren.

Tofu in 4 gleichgroße Scheiben schneiden. 1 Stunde in der Mischung marinieren.

Flüssigkeit abgießen und Tofu zum Trocknen in ein Tuch wickeln.

Restliche Gewürze und Kräuter mit dem Mehl mischen. Tofu darin wenden.

Öl in einer großen Pfanne erhitzen und Tofu von beiden Seiten goldbraun braten.

Vollkornbrötchen halbieren und mit Tofu, Kopfsalatblatt, Tomatenscheibe und einen Klecks Mayonnaise servieren.

4 PORTIONEN

Hühnerburger - ohne Fleisch

Aprikosenmöhren

APRIKOSEN-MÖHREN

455 g	Möhren
250 ml	getrocknete Aprikosen
250 ml	Wasser
2 Eßl.	Zucker
1 Teel.	Stärkemehl
1 Eßl.	Zitronensaft
60 ml	Apfelsaft

Möhren schälen und in Streifen schneiden. 12-15 Minuten dünsten, auf einen Servierteller geben und warmstellen.

Während die Möhren dünsten, Aprikosen 5 Minuten im Wasser kochen. Wasser aufbewahren und Aprikosen im Mixer pürieren. Zucker in das Wasser einrühren. Stärkemehl mit Zitronensaft mischen, Wasser dazugeben und köcheln lassen, bis die Mischung dick wird. Über Aprikosen geben und verrühren.

In die Pfanne zurückgeben, Apfelsaft einrühren und erhitzen, aber nicht kochen.

Sauce über die Möhren gießen und sofort servieren.

4 PORTIONEN

ROTE BETE MIT SENFGRÜN

455 g	sehr kleine rote Bete
455 g	Senfgrün, gewaschen und verlesen
4 Eßl.	Butter
1 Teel.	Dijonsenf
1 Teel.	Zucker
1 Eßl.	Zitronensaft

Rote Bete in kochendem Salzwasser weichkochen, abgießen und die Schale abziehen, warmstellen.

3 Eßlöffel Butter in einer großen Pfanne erhitzen, Senfgrün hinzugeben und weichdünsten. Auf eine Servierplatte legen und mit den roten Beten belegen.

Restliche Butter in einem kleinen Topf erhitzen, Senf, Zucker und Zitronensaft einrühren. Kochen, bis sich der Zucker auflöst. Über rote Bete gießen und sofort servieren.

6 PORTIONEN

NOSTIZ-KARTOFFELN

450 g	Kartoffeln
2 Eßl.	Butter
4	Eier
60 ml	Creme fraiche
115 g	frisch geriebener Parmesankäse
110 g	Mehl
je ½ Teel.	Salz, Cayennepfeffer, Pfeffer, Paprikapulver,Thymian
170 g	Paniermehl
1 l	Distelöl

Die Kartoffeln schälen und kochen. In einem Mixer pürieren.

Butter, 1 Eigelb, Creme fraiche und Käse mit dem Püree im Mixer glattrühren.

Zu 5 cm großen Vierecken formen und kaltstellen.

Mehl und Gewürze mischen, die restlichen Eier in die Mischung schlagen. Kartoffeln mit Mehl bestreuen, in die Eier tauchen und in Paniermehl wenden.

Öl erhitzen und Kartoffel goldbraun braten.

6 PORTIONEN

PFANNEN-ZUCCHINI MIT VIER KÄSESORTEN

3 Eßl.	Olivenöl
1	kleingeschnittene Zwiebel
1	gehackte Knoblauchzehe
1 Teel.	Basilikum
875 ml	dünngeschnittene Zucchini
80 ml	Gemüsebrühe (siehe Seite 92)
2 Eßl.	Butter
2 Eßl.	Mehl
250 ml	Milch
1	Eigelb, geschlagen
2 Eßl.	Schlagsahne
3 Eßl.	frisch geriebener Parmesankäse
30 g	geriebener Cheddarkäse
30 g	geriebener Mozzarellakäse
30 g	geriebener Provolonekäse

Öl in einer großenPfanne erhitzen. Zwiebel, Knoblauchzehe, Basilikum und Zucchini 5 Minuten im Öl dünsten. Ein Anbrennen durch löffelweises Hinzugeben von Brühe verhindern.

Butter in einem Topf zerlassen. Mehl hinzugeben und 2 Minuten bei geringer Hitzezufuhr erhitzen.

Milch hineingießen und unter ständigem Umrühren zu einer dicken Sauce kochen. Vom Herd nehmen.

Etwas Sauce und das Eigelb verquirlen. Unter ständigem Schlagen mit dem Schneebesen in die Sauce zurückgeben. Weitere 2 Minuten erhitzen, aber nicht kochen. Schlagesahne und Käse dazugeben. Über die Zucchini gießen und servieren.

4-6 PORTIONEN

Kalifornische Bohnen

KARTOFFELN NORMANDIE

1	spanische Zwiebel
1	Porree
675 g	Kartoffeln
120 g	Butter
3 Eßl.	Mehl
500 ml	heiße Milch
2 Teel.	Salz
½ Teel.	weißer Pfeffer
60 g	frisch geriebener Parmesankäse

Die Zwiebel in Scheiben schneiden. Porree waschen und zerkleinern. Kartoffeln schälen und in sehr dünne Scheiben schneiden.

Butter in einer großen Pfanne erhitzen, Zwiebelscheiben und kleinschneiden Porree darin braten, bis das Gemüse zart wird. Mehl hinzugeben und weitere 2 Minuten dünsten. In eine 2 l große Auflaufform geben. Milch, Salz und Pfeffer einrühren. Mit dem Käse bestreuen.

45 Minuten im auf 190°C vorgeheizten Backofen backen, oder bis die Kartoffelscheiben weich werden.

6 PORTIONEN

KALIFORNISCHE BOHNEN

455 g	grüne Bohnen
3 Eßl.	Olivenöl
3 Eßl.	Mehl
160 ml	Hühnerbrühe (siehe Seite 77)
160 ml	entrahmte Sahne
80 ml	Tomatenketchup
2 Teel.	Worcestersauce
1 Teel.	Paprikapulver
3 Tropfen	scharfe Pfeffersauce
1 Eßl.	Zitronensaft

Grüne Bohnen waschen und putzen, 15-20 Minuten dünsten und in eine Servierschüssel geben.

Öl in einem kleinen Topf erhitzen und Mehl hinzugeben. 2 Minuten bei geringer Hitzezufuhr kochen.

Brühe und entrahmte Sahne mit einem Schneebesen in die Mehlschwitze rühren und köcheln lassen, bis die Mischung dick wird.

Restliche Zutaten einquirlen, weitere 2 Minuten köcheln lassen.

Sauce über die Bohnen gießen und sofort servieren.

4 PORTIONEN

Pfannenzucchini mit vier Käsesorten

Bunte Gemüse-Kebabs

KOHLRABI-ROULADEN MIT DREIERLEI REIS

75 g	brauner Reis
75 g	Langkornreis
60 g	wilder Reis
750 ml	Hühnerbrühe (siehe Seite 77)
1	feingewürfelte spanische Zwiebel
2	feingewürfelter Sellerie
1	feingewürfelte grüne Paprikaschote
8	geschnittener, gewürfelter durchwachsener Speck
20-25	große Kohlrabiblätter
500 ml	Tomatensauce II (siehe Seite 117)

Dreierlei Reissorten in der Hühnerbrühe zum Kochen bringen und zugedeckt köcheln lassen, bis der Reis weichgekocht ist.

Währenddessen Zwiebel, Sellerie, grüne Paprikaschote und Speck in einer Pfanne mit heißem Öl braten. Überschüssiges Fett abgießen. Gemüsemischung mit dem gekochten Reis mischen.

Kohlrabiblätter waschen, putzen und 1½-2 Minuten dämpfen.

Einen gehäuften Eßlöffel der Reismischung auf jedes Blatt geben. Die Seiten falten und zusammenrollen. In eine leicht eingefettete Auflaufform geben. Tomatensauce über die Rouladen gießen.

Zudecken und 45 Minuten im auf 180°C vorgeheizten Backofen backen. Servieren.

6 PORTIONEN

BUNTES GEMÜSE-KEBABS

1	grüne Paprikaschote
1	gelbe Paprikaschote
1	rote Paprikaschote
2	rote Zwiebeln
2	kleine Zucchini, in 2,5 cm große Würfel geschnitten
80 g	junge Champignons
450 g	fester Tofu, in 2,5 cm große Würfel geschnitten
375 ml	Wein-Barbecuesauce

Paprikaschoten und Zwiebeln in kleine eckige Stücke schneiden. Zucchini, Schoten, Zwiebeln, Champignons und Tofu abwechselnd aufspießen. In eine flache Backform legen, mit Barbecuesauce bedecken und 3 Stunden marinieren.

Kebabs hellbraun grillen, dabei regelmäßig mit Marinade bestreichen. Vor dem Servieren ein letztes Mal mit Marinade bestreichen. Mit Reispilaf servieren.

4 PORTIONEN

FIDDLEHEADS A LA POMPADOUR

455 g	Fiddleheads
115 g	Butter
¼ Teel.	Salz
¼ Teel.	Pfeffer
je 1 Prise	Muskatblüte und Cayennepfeffer
1 Teel.	Mehl
3	Eigelb
1 Eßl.	Sherry

Die Fiddleheads waschen, auslesen und 15 Minuten dünsten.

Butter im Wasserbad zerlassen und Gewürze einrühren.

Mehl, Eigelb und Sherry mit einem Schneebesen hineinschlagen. Sauce unter ständigem Umrühren kochen, bis sie dick wird. Vom Herd nehmen.

Die Fiddleheads auf eine Servierplatte geben, Sauce darübergießen und sofort servieren.

4 PORTIONEN

Kohlrabirouladen mit dreierlei Reis

Maispfannkuchen

MAIS-PFANNKUCHEN

500 ml	frische Maiskörner
125 ml	Kaffeesahne
3	getrennte Eier
½ Teel.	Salz
¼ Teel.	Muskat

Maiskörner, Kaffeesahne und Eigelb in einer Rührschüssel verrühren.

Eiweiß steifschlagen und mit den Gewürzen unter die Mischung heben.

In einer Pfanne in Fett goldbraun braten. Mit Ahornsirup oder Berry-Berrysauce (siehe Seite 118) servieren.

4 PORTIONEN

FRIJOLES REFRITOS CON QUESO (GEBRATENE BOHNEN MIT KÄSE)

500 ml	kalte gebackene Pintobohnen (siehe Seite 731)
2 Eßl.	Butter
2 Teel.	Chilipulver
1 Teel.	Paprikapulver
1 Teel.	Worcestersauce
½ Teel.	Salz
1 Eßl.	Distelöl
250 ml	geriebener Monterey Jack Käse

Bohnen pürieren und Butter, Gewürze und Worcestersauce untermischen.

Öl in einer Pfanne erhitzen und Bohnen goldbraun braten.

Mit Käse bestreuen und servieren, wenn der Käse zu schmelzen beginnt.

4 PORTIONEN

DAUPHINE KARTOFFELN

510 g	Kartoffeln
115 g	Butter
7	Eier
1¼ Teel.	Salz
½ Teel.	weißer Pfeffer
¼ Teel.	Muskat
250 ml	Wasser
110 g	Mehl
60 g	zerlassene Butter

Kartoffeln schälen und in kochendem Salzwasser weichkochen, in einem Mixer pürieren.

55 g Butter, 1 Ei, 2 Eigelb, je 1 Teelöffel Salz, Pfeffer und Muskat hinzugeben und mit dem Kartoffelpüree im Mixer sehr glatt rühren.

BRANDTEIG:
Wasser kochen. Restliche Butter und Salz hineingeben. Mehl hineinrühren.

Die Mischung solange kochen, bis sie wie Püree aussieht.

Nach und nach die restlichen Eier einzeln dazugeben und gründlich unterrühren.

Teig in zwei Hälften teilen. Eine Hälfte mit dem Kartoffelpüree vermischen (die andere für „Pastetchen mit Erbsenfüllung" verwenden, siehe Seite 752). Mischung völlig abkühlen lassen.

Kartoffelteig in gleichmäßige, runde Scheiben aufteilen, auf ein Backblech setzen und mit der zerlassenen Butter bestreichen. 15-20 Minuten im auf 180°C vorgeheizten Backofen backen oder bis der Teig goldbraun wird. Kartoffeln können auch in Mehl getaucht und ausgiebig gebraten werden. Sehr heiß servieren.

6 PORTIONEN

Dauphinekartoffeln

BOHNEN UND TOMATEN

280 g	sonnengetrocknete Tomaten
454 g	grüne Bohnen
2 Eßl.	Butter
2 Eßl.	Mehl
125 ml	Milch
125 ml	Hühnerbrühe (siehe Seite 77)
¼ Teel.	Salz
¼ Teel.	weißer Pfeffer

Die Tomaten 20 Minuten im warmen Wasser einweichen.

Bohnen waschen und putzen, 20 Minuten dünsten.

Währenddessen die Butter in einem kleinen Topf erhitzen, Mehl dazugeben und 2 Minuten kochen. Restliche Zutaten hineinrühren und köcheln lassen, bis eine dicke Sauce entsteht.

Tomaten kleinhacken und in die Sauce einrühren. Bohnen auf eine Servierplatte legen, mit der Sauce bedecken und servieren.

4 PORTIONEN

KARAMELISIERTER DÄUMLINGSKOHL

625 g	Rosenkohl
115 g	Butter
330 g	brauner Zucker
125 ml	Schlagsahne
1 Eßl.	Zitronensaft
60 ml	gehackte Pekannüsse
1 Teel.	Vanilleextrakt

Rosenkohl putzen, welke Blätter entfernen und Stielende abschneiden. 20 Minuten dünsten.

Währenddessen die Butter in einem Wasserbad zerlassen und Zucker einrühren. Schlagsahne mit einem Schneebesen hineinschlagen und gut vermischen. Zitronensaft einrühren und 45 Minuten köcheln lassen. Gelegentlich umrühren.

Vom Herd nehmen, Nüsse und Vanilleextrakt einrühren.

Rosenkohl in eine Servierschüssel geben, mit der Sauce übergießen und sofort servieren.

6 PORTIONEN

KIWI-PAPAYA CHICORÉE

6	geschälte, gehackte Kiwis
500 ml	Papayamus
55 g	Zucker
1½ Eßl.	Stärkemehl
80 ml	Apfelsaft
12	Chicorée
20 g	Butter
60 ml	Wasser
1 Eßl.	Zitronensaft
½ Teel.	Salz
¼ Teel.	weißer Pfeffer

Kiwis und Papaya im Mixer pürieren. Durch ein Sieb in kleinen Topf passieren. Zucker einrühren. Stärkemehl und Apfelsaft mischen und zum Püree geben. Bei niedriger Temperatur köcheln lassen, bis die Sauce dick wird. 2 Eßlöffel Butter einrühren.

Chicorée putzen, welke Blätter entfernen und unter kaltem Wasser waschen.

In großer Pfanne restliche Butter, Wasser, Zitronensaft, Salz und Pfeffer erhitzen, Chicorée hinzugeben und 15 Minuten bei niedriger Temperatur köcheln lassen. Auf eine Servierplatte geben, mit Sauce übergießen und sofort servieren.

6 PORTIONEN

Karamelisierter Däumlingskohl

Kiwi-Papaya-Chicorée

Jacobs Eintopf

CHICORÉE DE BRUXELLES À LA POLONAISE

12	Chicorée
115 g	Butter
60 ml	Wasser
1 Eßl.	Zitronensaft
½ Teel.	Salz
¼ Teel.	weißer Pfeffer
3	gehackte, hartgekochte Eier
2 Eßl.	frisch gehackte Petersilie
30 g	Paniermehl

Chicorée putzen, welke Blätter entfernen und mit kaltem Wasser waschen.

60 g Butter, Wasser, Zitronensaft, Salz und Pfeffer in einer großen Pfanne erhitzen, Chicorée dazugeben und 15 Minuten köcheln lassen. In eine Auflaufform geben, mit Eier, Petersilie und Paniermehl bestreuen.

Restliche Butter zerlassen und darübergeben. 15-20 Minuten im auf 180°C vorgeheizten Backofen backen oder bis die Oberfläche goldbraun ist.

6 PORTIONEN

SPARGEL IN MANGO-PFEFFERSAUCE

900 g	Spargel
2 Eßl.	Butter
2 Eßl.	Mehl
250 ml	entrahmte Sahne
250 ml	püriertes Mangomus
1 Eßl.	rosarote Pfefferkörner

Spargel schälen und Stielenden kürzen. 8-10 Minuten dämpfen.

Währenddessen die Butter in einem kleinen Topf zerlassen, Mehl hinzugeben und bei geringer Hitze 2 Minuten kochen. Entrahmte Sahne mit einem Schneebesen hineinschlagen und köcheln lassen, bis die Mischung dick wird.

Mango hineinschlagen und weitere 3 Minuten kochen. Pfefferkörner einrühren.

Spargel auf eine Servierplatte legen, mit Sauce übergießen und sofort servieren.

4 PORTIONEN

JAKOBS EINTOPF

400 g	Linsen
1.5 l	Hühnerbrühe (siehe Seite 77)
2	Möhren
1	Zwiebel
1	Kohlrabi
1	Selleriestange
3 Eßl.	Olivenöl
345 g	feingewürfeltes Lammfleisch
1	Knoblauchzehe
1 Teel.	Salz
½ Teel.	schwarzer Pfeffer
1 Eßl.	Mehl
1	Bouquet Garni (siehe Wörterverzeichnis)

Linsen waschen. In einen großen Topf mit ausreichend Brühe geben, die Linsen sollten bedeckt sein. Zum Kochen bringen. Vom Herd nehmen und sofort abgießen.

Gemüse in kleine Würfel schneiden.

Öl in einem großen Topf erhitzen und das Lammfleisch darin goldbraun anbraten. Gemüse und Knoblauch dazugeben und weiterkochen, bis das Gemüse weichgekocht ist. Salz, Pfeffer und Mehl untermischen.

Linsen mit ausreichend Brühe dazugeben, die Linsen sollten bedeckt sein. Bouquet Garni dazugeben. Zudecken und 1¼-1½ Stunden unter gelegentlichem Umrühren köcheln lassen. Brühe oder Wasser nach Bedarf zugeben, um ein Anbrennen zu verhindern.

Bouquet herausnehmen und den Eintopf in einer Servierschüssel servieren.

4 PORTIONEN

RUMÄNISCHE AUBERGINEN

2 Eßl.	Olivenöl
2	gehackte Knoblauchzehen
1	gewürfelte grüne Paprikaschote
1	gewürfelte Zwiebel
2	gewürfelte Selleriestange
120 g	geschnittene Pilze
1 Teel.	Salz
½ Teel.	Pfeffer
1 Teel.	Basilikumblätter
½ Tee.	Oreganoblätter
½ Teel.	Thymianblätter
½ Teel.	Paprikapulver
¼ Teel.	Cayennepfeffer
1,35 kg	enthäutete, entkernte, und gehackte Tomaten
6	sehr kleine Auberginen
375 g	geschnittene Zwiebeln
2 Eßl.	Butter

Öl in einem kleinen Topf erhitzen. Knoblauchzehen, grüne Paprikaschote, Zwiebel, Sellerie und Pilze im Öl braten. Gewürze und Tomaten dazugeben. 3 Stunden köcheln lassen.

Die Wurzelenden der Auberginen abschneiden, Auberginen in eine Auflaufform geben. Eine Hälfte der Zwiebeln hinzugeben und alles mit Sauce bedecken. 45 Minuten im auf 180°C vorgeheizten Backofen backen.

Währenddessen die Butter in einer Pfanne erhitzen und die restlichen Zwiebel bei geringer Hitze goldbraun braten. Auberginen einschneiden und mit den Zwiebeln füllen. Reichlich Sauce über die Auberginen geben und servieren.

6 PORTIONEN

KARTOFFEL-SPATZEN

2 Eßl.	Butter
2 Eßl.	Mehl
250 ml	Milch
¼ Teel.	Salz
¼ Teel.	weißer Pfeffer
1 Prise	Muskat
1 l	kleine, gekochte und geriebene Kartoffeln
125 ml	Paniermehl
2	Eier
125 ml	gewürfelter, durchwachsener Speck, gebraten
375 ml	saure Sahne

Butter in einem kleinen Topf zerlassen. Mehl dazugeben und zu einer Mehlschwitze rühren. 2 Minuten bei geringer Hitze kochen.

Milch hineinrühren und köcheln lassen, bis die Mischung dick wird. Gewürze hineinmischen und weitere 2 Minuten köcheln lassen. Kartoffeln und Paniermehl einrühren, Eier hineinschlagen.

Eßlöffelgroße Stücke in kochendes Wasser geben, und Spatzen weitere 2 Minuten kochen, nachdem sie an die Oberfläche gekommen sind. Mit gewürfeltem, durchwachsenem Speck und saurer Sahne servieren.

6 PORTIONEN

MANDELN, ÄPFEL, GRÜNE BOHNEN MIT SENFCREME

4 Eßl.	Butter
1 Eßl.	Mehl
125 ml	entrahmte Sahne
1 Eßl.	Dijonsenf
2	große Granny Smith Äpfel
500 ml	blanchierte grüne Bohnen
45 g	geröstete, gehobelte Mandeln

1 Eßlöffel Butter in einem kleinen Topf erhitzen, mit Mehl bestreuen, 2 Minuten köcheln lassen. Entrahmte Sahne und Senf hineinschlagen, köcheln lassen, bis die Sauce dick wird, warmstellen.

Äpfel schälen und entkernen, in feine, lange Streifen schneiden.

Die restliche Butter in einer großen Pfanne erhitzen, Äpfel und Bohnen in der Pfanne 3 Minuten dünsten. Mandeln hinzugeben und weitere 2 Minuten braten. Auf eine Servierplatte geben, Sauce über das Gemüse gießen und servieren.

4 PORTIONEN

Rumänische Auberginen

FETAKÄSE MIT BRAUNEM REIS FLORENTINER ART

340 g	brauner Reis
750 ml	Hühnerbrühe (siehe Seite 77)
1	spanische Zwiebel
280 g	Spinat
3 Eßl.	Butter
250 ml	Fetakäse

Reis und Hühnerbrühe zum Kochen bringen. Zudecken und köcheln lassen, bis der Reis weichgekocht ist.

Währenddessen die Zwiebel fein würfeln. Spinat waschen und putzen. Butter in einer Pfanne erhitzen und Zwiebeln weichdünsten. Spinat hinzugeben und zügig kochen.

Den gekochten Reis abgießen, Zwiebelmischung und den Käse hineinrühren. Sofort servieren.

6 PORTIONEN

KIRSCHBRANDY-MÖHREN

450 g	Möhren
250 g	Kirschen, frisch oder Konserve, entsteint
60 ml	Kirschbrandy
3 Eßl.	Kirsch- oder Apfelsaft
1 Eßl.	Zitronensaft
2 Eßl.	Zucker

Möhren schälen und in Scheiben schneiden. 10-12 Minuten dünsten. In einer Servierschüssel warmhalten.

Kirschen und Kirschbrandy in einem kleinen Topf bei geringer Hitzezufuhr erhitzen, bis die Kirschen weich gekocht sind. Durch ein Sieb in einen anderen Topf passieren.

Restliche Zutaten dazugeben und köcheln lassen, bis die Sauce dick wird. Über die Möhren gießen und sofort servieren.

4 PORTIONEN

Fetakäse mit braunem Reis - Florentiner Art

ORANGEN-CASHEWNUSSREIS

750 ml	Orangensaft
285 g	Langkornreis
1½ Eßl.	Butter
2 Eßl.	Zucker
2 Eßl.	abgeriebene Orangenschale
125 ml	ungesalzene, zerbrochene Cashewnüsse

Orangensaft zum Kochen bringen. Reis hinzugeben und köcheln lassen, bis die Flüssigkeit aufgesogen ist.

Butter, Zucker, Orangenschale und Nüsse hineinrühren. Servieren.

4 PORTIONEN

KÄSEREIS MIT 5 SORTEN KÄSE

240 g	Langkornreis
750 ml	Milch
je 60 g	geriebener Cheddar-, Mozzarella- und Havartikäse
je 30 g	frisch geriebener Parmesan- und Romanokäse
½ Teel.	Salz
1 Eßl.	gehackter Schnittlauch
1 Eßl.	gehackte Petersilie

Reis bei geringer Hitze in der Milch kochen, bis die Flüssigkeit aufgesogen ist.

Übrige Zutaten einrühren. Servieren.

4 PORTIONEN

Orangen-Cashewnußreis

Spargel Smitane

Fleischlose Steaks

SPARGEL SMITANE

455 g	Spargel
1 Eßl.	Butter
2 Eßl.	geriebene Zwiebel
125 ml	Weißwein
310 ml	saure Sahne
90 ml	gebratener, gewürfelter, durchwachsener Speck
30 g	frischgeriebener Parmesankäse

Spargel schälen und eine Scheibe vom Wurzelende abschneiden.
15 Minuten im Salzwasser kochen, die Spitzen über dem Wasser lassen.*
Abgießen und warmstellen.

Butter in einem kleinen Topf zerlassen und geriebene Zwiebeln anschwitzen, bis sie weich und glasig sind. Wein dazugeben und köcheln lassen, bis die Flüssigkeit verkocht ist. Saure Sahne einrühren und zum Kochen bringen, Hitzezufuhr verringern und 3 Minuten köcheln lassen. Durch ein feines Sieb geben.

Spargel auf eine Servierplatte legen, mit Sauce übergießen, mit dem durchwachsenen Speck und Käse vor dem Servieren bestreuen.

4 PORTIONEN

*Um die Spargelspitzen über Wasser zu halten, wird der Spargel in schmale Bündel zusammengebunden und hingestellt.

ROTE BETE IN ORANGEN-APRIKOSENSAUCE

450 g	sehr kleine rote Bete
3	Orangen
250 ml	Aprikosenmarmelade
60 ml	Curacaolikör

Rote Bete im kochenden Salzwasser weichkochen, abgießen, die Schale abziehen und warmstellen.

Orange schälen und teilen, Kerne und weiße Haut entfernen.

Aprikosenmarmelade in einem kleinen Topf erhitzen. Orangenstücke und Curacaolikör hineinmischen, 3 Minuten köcheln lassen.

Rote Bete in eine Servierschüssel geben, mit Sauce übergießen und mit Orangenschale garnieren. Servieren.

4 PORTIONEN

FLEISCHLOSE STEAKS

50 g	brauner Zucker
1 Teel.	geriebener Ingwer
½ Teel.	Knoblauchpulver
250 ml	Gemüsebrühe (siehe Seite 92)
80 ml	salzarme Sojasoße
1 Teel.	Senf
450 g	festes Tofu
1 Eßl.	Stärkemehl
2 Eßl.	Sherry

Ingwer, Knoblauchpulver, Gemüsebrühe und Sojasoße in einer Rührschüssel mischen. Zucker und Senf ebenfalls in die Rührschüssel geben.

Tofu in 8 Scheiben schneiden. In die Marinade legen, zudecken und 1½ Stunden kaltstellen.

Marinade in einen kleinen Topf gießen und aufkochen. Stärkemehl in den Sherry mischen und zur Sauce geben. Köcheln lassen, bis die Sauce dick wird.

Tofu 3 Minuten von beiden Seiten braten, mit Marinade gelegentlich bestreichen. Sofort servieren.

4 PORTIONEN

MÖHREN- UND BLUMENKOHLLAIB

500 ml	gekochte Blumenkohlröschen
500 ml	gekochte, gewürfelte Möhren
375 ml	Schlagsahne
250 ml	geriebener Jarlsbergkäse
5	geschlagene Eier
3 Eßl.	Butter
1	feingewürfelte kleine Zwiebel
1	geschälter, entkernter und feingewürfelter Apfel
2 Eßl.	Mehl
1 Eßl.	Curry
60 ml	Kokosmilch
160 ml	Hühnerbrühe (siehe Seite 77)
125 ml	entrahmte Sahne
½ Teel.	Salz
¼ Teel.	weißer Pfeffer

Backofen auf 180°C vorheizen.

Den gekochten Blumenkohl und gekochte Möhren im Mixer pürieren.

In eine Rührschüssel geben und entrahmte Sahne, Käse und Eier hineinrühren. Gut vermischen. Die Mischung in eine 22 cm große Kastenform geben.

40-45 Minuten in einem heißen Wasserbad backen.

Butter in einem kleinen Topf zerlassen, Zwiebel und Äpfel darin weich dünsten. Mehl und Curry dazugeben und bei geringer Hitzezufuhr 2 Minuten kochen. Kokosmilch, Hühnerbrühe und entrahmte Sahne hineinrühren und köcheln lassen, bis die Sauce dick wird. Salz und Pfeffer einrühren.

Laib aus dem Backofen nehmen und auf einen Servierteller legen. Mit Sauce übergießen und servieren.

6 PORTIONEN

Möhren- und Blumenkohllaib

ANANAS-MANGO-MÖHREN

450 g	geschälte, in feine Streifen geschnittene Möhren
250 ml	zerkleinerte Ananas, Saft abgießen und aufbewahren
250 ml	Mangomus
55 g	Zucker
1½ Eßl.	Stärkemehl

Möhren 12 -15 Minuten dünsten, in eine Servierschüssel geben.

Ananas und Mango im Mixer pürieren, durch ein Sieb in einen kleinen Topf passieren. Zucker hineinrühren.

Stärkemehl in 60 ml Ananassaft einrühren. Zum Früchtepüree geben. Bei geringer Hitzezufuhr kochen, bis die Sauce dick wird.

Sauce über die Möhren gießen und servieren.

4 PORTIONEN

CHICORÉE IN PFLAUMEN-BRANDYCREME

12	Chicorée
3 Eßl.	Butter
¼ Teel.	Salz
3 Eßl.	Zucker
4	Eigelb
430 ml	warme, entrahmte Sahne
60 ml	Pflaumenbrandykompott oder Pflaumenmarmelade

Chicorée putzen und welke Blätter entfernen. 5-6 Minuten in gesalzenem Wasser kochen. Butter im kleinen Topf zerlassen, Hitzezufuhr verringern, Chicorée hinzugeben und 30 Minuten köcheln lassen.

Währenddessen Salz und Zucker in das Eigelb schlagen. In ein Wasserbad geben und entrahmte Sahne mit dem Schneebesen hineinschlagen. Solange schlagen, bis die Sauce dick wird. Pflaumenbrandykompott oder Pflaumenmarmelade einrühren.

Chicorée auf eine Servierplatte geben, mit der Sauce übergießen und sofort servieren.

4 PORTIONEN

Ananas-Mangomöhren

Brokkoli Almandine

GEBACKENE PINTOBOHNEN

450 g	Pintobohnen
55 g	brauner Zucker
125 ml	flüssiger Honig
80 ml	Ahornsirup
2 Teel.	Senfpulver
je ½ Teel.	Zimt, Piment, Ingwer, Muskat
1 Tee.	gemahlener schwarzer Pfeffer
1	gewürfelte Zwiebel
225 g	gewürfelter, geräucherter Schinken
1	geräucherte Haxe, zerkleinert
170 g	gepökeltes Schweinefleisch oder durchwachsener Speck

Pintobohnen 8 Stunden oder über Nacht einweichen lassen. Abgießen. Bohnen in einen kleinen Topf geben, mit Wasser bedecken und zum Kochen bringen. Vom Herd nehmen. 1 Stunde stehen lassen. Abgießen. Wasser aufbewahren. Bohnen in einen Römertopf schöpfen.

Zucker, Honig, Sirup, Senf, Gewürze und gewürfelte Zwiebel unter die Bohnen rühren. Die geräucherte Haxe in die Mitte geben und mit der Mischung bedecken. Das gepökelte Schweinefleisch obenauf legen. Gut zudecken.

6-8 Stunden im auf 140°C vorgeheizten Backofen backen. Gelegentlich nachsehen, daß die Mischung nicht austrocknet. Nach Bedarf genügend von dem zur Seite gestellten Wasser hineingeben. Das gepökelte Schweinefleisch entnehmen, kleinwürfeln und nach Belieben in die Bohnen geben. Servieren.

6 PORTIONEN

BLUMENKOHL IN AURORASAUCE

2 Eßl.	Butter
2 Eßl.	Mehl
250 ml	Hühnerbrühe (siehe Seite 77)
½ Teel.	Salz
¼ Teel.	weißer Pfeffer
45 ml	Schlagsahne
3 Eßl.	Tomatenmark
750 ml	Blumenkohl

Butter in einem kleinen Topf zerlassen. Mehl dazugeben und 2 Minuten bei geringer Hitze kochen. Hühnerbrühe, Salz und Pfeffer dazugeben und köcheln lassen, bis die Sauce dick wird. Schlagsahne und Tomatenmark hineinrühren.

Währenddessen den Blumenkohl dünsten.

Blumenkohl in eine Servierschüssel geben, mit der Sauce übergießen und sofort servieren.

4 PORTIONEN

BROKKOLI ALMANDINE

455 g	Brokkoli
60 g	Butter
40 g	Mandelsplitter
2 Eßl.	Zitronensaft
1 Teel.	abgeriebene Orangenschale

Brokkoli 15 Minuten dünsten oder bis er zart ist.

Butter in einem kleinen Topf erhitzen, Mandeln dazugeben und braten, bis sie goldbraun sind. Zitronensaft und die abgeriebene Orangenschale hineinrühren.

Brokkoli in eine Servierschüssel legen, mit Sauce übergießen und sofort servieren.

4 PORTIONEN

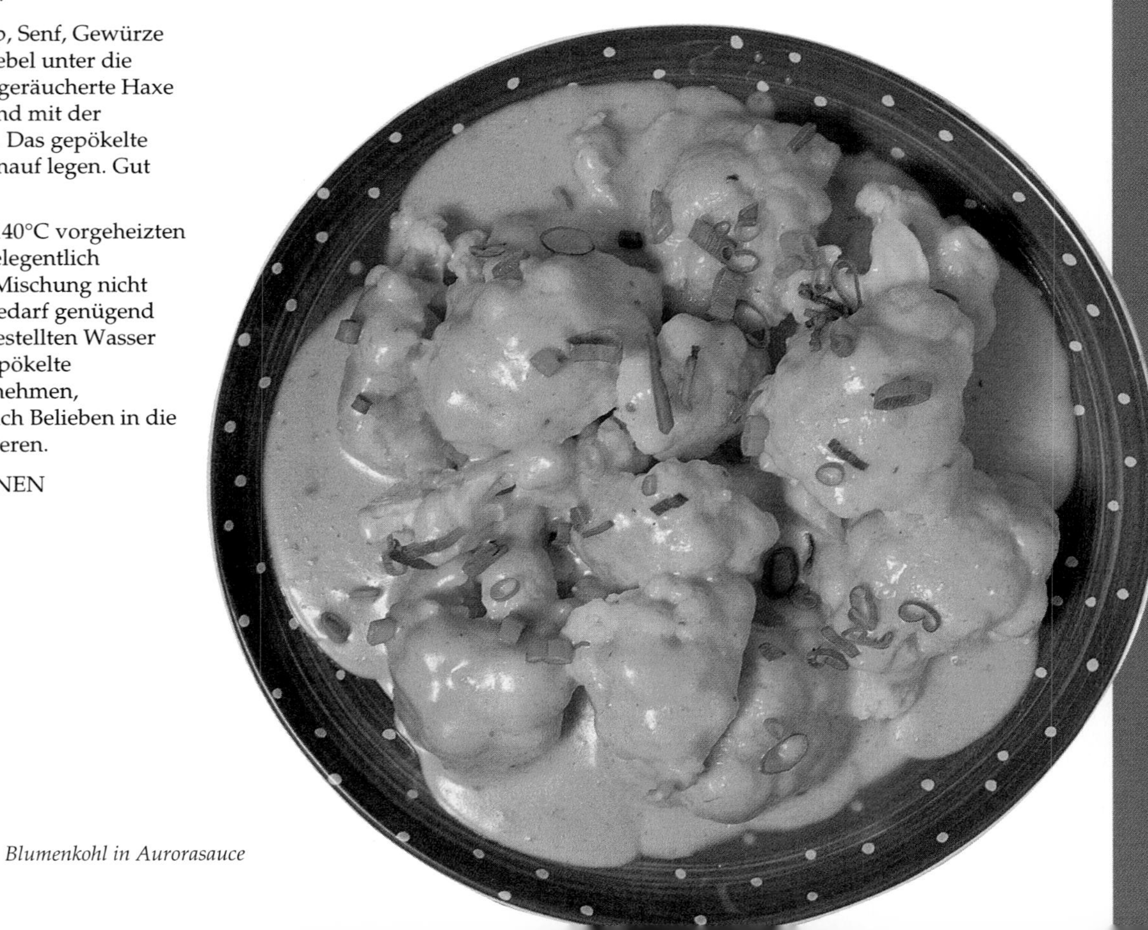

Blumenkohl in Aurorasauce

ARTISCHOCKEN MIT EIER-CURRYSAUCE

8	kleine Artischocken
3	hartgekochte Eigelb
1 Teel.	Dijonsenf
250 ml	Olivenöl
1½ Eßl.	Weinessig
1 Eßl.	Curry
3 Eßl.	Schlagsahne, geschlagen

Artischocken putzen und Stielende abschneiden. Blätter putzen und mit einer Schere abrunden, waschen. In einem großen Topf mit siedendem Wasser 30-45 Minuten kochen, bis die Blätter weichgekocht sind. Abgießen und abkühlen lassen.

In einem Mixer Eier und Senf zu einer glatten Paste rühren. Dabei langsam das Öl dazugeben. Nach und nach den Weinessig in die Mischung rühren. Die Sauce in eine kleine Rührschüssel geben. Curry einrühren und die geschlagene Schlagsahne unterheben.

Artischocken auf eine Servierplatte legen, mit Sauce übergießen und servieren.

4 PORTIONEN

MAISPUDDING

2 Eßl.	Butter
2 Eßl.	Mehl
250 ml	Milch
¼ Teel.	Salz
¼ Teel.	weißer Pfeffer
1 Prise	Muskat
500 ml	frische Maiskörner
2	Eier

Butter in einem kleinen Topf zerlassen. Mehl hinzugeben und 2 Minuten bei geringer Hitzezufuhr zu einer Mehlschwitze rühren.

Milch hineinrühren, köcheln lassen, bis die Mischung dick wird. Gewürze dazugeben und weitere 2 Minuten köcheln lasssen.

Maiskörner hineinrühren, Eier mit dem Schneebesen hineinschlagen. In eine Auflaufform geben und diese in eine zweite Form mit heißem Wasser stellen. 35 Minuten im auf 180°C vorgeheizten Backofen backen. In der Auflaufform servieren.

4 PORTIONEN

AUBERGINEN NACH HOTELART

3	Auberginen
4	gehäutete, entkernte, gewürfelte Tomaten
1	kleine feingewürfelte Zwiebel
4 Eßl.	Olivenöl
je ¼ Teel.	Thymian, Kerbel, Basilikum, Majoran, weißer Pfeffer
1 Teel.	Salz
170 g	Paniermehl, fein
2	Eier
30 g	frischgeriebener Parmesankäse
2 Eßl.	zerlassene Butter

Eine der Auberginen schälen, in feine Würfel schneiden und mit den Tomaten und der Zwiebel vermischen.

Öl in einem großen Topf erhitzen und das gehackte Gemüse darin dünsten, bis die Flüssigkeit verdampft ist. In eine Rührschüssel geben, Gewürze, Paniermehl, Eier und Käse dazugeben und gut vermischen.

Die restlichen Auberginen schälen und längs in dicke Stücke schneiden. Mit Butter bestreichen und mit Häufchen der Mischung krönen. Auf ein Backblech legen und 20-25 Minuten im auf 180°C vorgeheizten Backofen backen oder bis alles goldbraun wird.

6 PORTIONEN

Artischocken mit Eier-Currysauce

Auberginen nach Hotelart

BROKKOLI MIT MOUSSLINSAUCE

450 g	Brokkoli
115 g	Butter
2	Eigelb
2 Teel.	Zitronensaft
1 Prise	Cayennepfeffer
60 ml	Schlagesahne

Brokkoli 15 Minuten dünsten.

Währenddessen die Butter zerlassen und stark erhitzen.

Eigelb bei geringer Hitzezufuhr in ein Wasserbad geben. Zitronensaft nach und nach dazugeben und gut vermischen. Vom Herd nehmen, nach und nach die heiße Butter hineinrühren.

Cayennepfeffer und Schlagsahne hinzugeben.

Brokkoli auf eine Servierplatte legen, mit Sauce übergießen und sofort servieren.

4 PORTIONEN

CHAMPAGNER-MÖHREN

455 g	Möhren
3 Eßl.	Butter
3 Eßl.	Mehl
375 ml	Hühnerbrühe (siehe Seite 77)
125 ml	Creme fraiche
125 ml	Sekt

Möhren schälen und in lange Streifen schneiden. 15 Minuten dünsten.

Währenddessen Butter in einem kleinen Topf zerlassen. Mehl dazugeben und bei geringer Hitzezufuhr zu einer Mehlschwitze rühren.

Hühnerbrühe, Creme fraiche und Sekt hinzugeben und alle Zutaten miteinander verrühren.

10 Minuten bei mittlerer Hitze köcheln lassen. Sauce über die Möhren gießen und servieren.

4 PORTIONEN

PILZ-KREBS-SCHNITZEL

225 g	Pilze
3 Eßl.	Olivenöl
2 Eßl.	Butter
250 g	Mehl
250 ml	Milch
¼ Teel.	Salz
¼ Teel.	weißer Pfeffer
je ½ Teel.	Thymian, Majoran, Basilikum
225 g	gekochtes Krebsfleisch
2	Eier
60 ml	entrahmte Sahne
175 g	Paniermehl, fein
250 ml	Distelöl

Pilze waschen und sehr fein würfeln.

Öl in einem großen Topf erhitzen und Pilze darin dünsten, bis die Flüssigkeit verdampft ist.

Butter in einem Topf zerlassen.
30 g Mehl dazugeben und 2 Minuten bei geringer Hitze zu einer Mehlschwitze rühren.

Milch hineinrühren und köcheln lassen, bis die Sauce dick wird. Gewürze dazugeben und weitere 2 Minuten köcheln lassen.

Pilze unter die Mischung heben und gut vermischen. Auf Zimmertemperatur abkühlen lassen.

Zu 8 runden Klopsen formen, auf ein mit Wachspapier ausgelegtes Backblech legen und 2 Stunden kaltstellen.

Eier und entrahmte Sahne mit dem Schneebesen schlagen. Pastetchen mit Mehl bestäuben, in die Eier tauchen und im Paniermehl wenden.

Öl in einer großen Pfanne erhitzen und Schnitzel goldbraun braten.

Mit Madeirasauce (siehe Seite 112) servieren.

4 PORTIONEN

Brokkoli mit Mousslinsauce

WÜRZIGER CHICORÉE

12	kleine Chicorée
je ½ Teel.	Majoran, Salbei, Basilikum, Schnittlauch, Pfefferkörner, Thymian
1 Eßl.	gehackte Schalotten
60 ml	Weißwein
3 Eßl.	Butter
3 Eßl.	Mehl
180 ml	Hühnerbrühe (siehe Seite 77)
125 ml	entrahmte Sahne
1 Eßl.	frischgehackter Kerbel

Chicorée putzen und alle welken Blätter entfernen. 5-6 Minuten in siedendem Wasser kochen. Abgießen und warmstellen.

Gewürze, Schalotten und Wein in einem kleinen Topf vermischen. Die Hälfte der Flüssigkeit verkochen. Durch ein Käseleinen oder feines Sieb pressen. Flüssigkeit zur Seite stellen.

Butter in einem zweiten Topf zerlassen, Mehl dazugeben und bei geringer Hitzezufuhr 2 Minuten kochen. Die zur Seite gestellte Flüssigkeit, Hühnerbrühe und entrahmte Sahne dazugeben und köcheln lassen, bis die Mischung dick wird. Frischgehackten Kerbel einrühren.

Sauce über den Chicorée gießen und servieren.

4 PORTIONEN

Rosenkohl in Suzettesauce

REIS MIT FEINEN KRÄUTERN

2 Eßl.	Butter
40 g	feingewürfelte Zwiebel
45 g	feingewürfelter Sellerie
40 g	feingewürfelte rote Paprikaschote
1,25 l	Hühnerbrühe (siehe Seite 77)
455 g	Langkornreis
je ½ Teel.	Basilikum, Thymian, Oregano, Kerbel
1 Eßl.	gehackter Schnittlauch
2 Eßl.	gehackte Petersilie

Butter in einem kleinen Topf erhitzen. Gemüse hinzugeben und dünsten, bis es weich wird. Hühnerbrühe und Reis dazugeben. Zum Kochen bringen, Hitzezufuhr verringern und köcheln lassen, bis der Reis die Flüssigkeit aufgenommen hat.

Kräuter hineinmischen und servieren.

6 PORTIONEN

ROSENKOHL IN SUZETTESAUCE

450 g	Rosenkohl
1	Orange
115 g	Butter
110 g	Zucker
3 Eßl.	Orangenbrandy

Rosenkohl waschen und putzen, alle welken Blätter und das Stielende entfernen. 10 Minuten in siedendem Salzwasser kochen. Abgießen und in einer Servierschüssel warmhalten.

Währenddessen die Orangenschale abreiben, pressen und den Saft zur Seite stellen.

Butter in einem kleinen Topf erhitzen, Zucker hineinrühren und kochen, bis der Zucker karamelisiert. Abgeriebene Orangenschale hinzugeben und mit Orangenbrandy flambieren. Orangensaft hineingießen und 2 Minuten bei geringer Hitzezufuhr kochen. Über den Rosenkohl gießen und servieren.

4 PORTIONEN

Geröstete Paprikaschoten mit Pilzen

GERÖSTETE PAPRIKASCHOTEN MIT PILZEN

1	rote Paprikaschote
1	gelbe Paprikaschote
1	grüne Paprikaschote
80 g	halbierte junge Champignons
3 Eßl.	Butter
250 ml	Aillolisauce (siehe Seite 102)

Backofen auf 200°C vorheizen. Paprikaschoten auf ein Backblech legen. 20 Minuten im Backofen backen, gelegentlich wenden. Aus dem Backofen nehmen und in eine Papiertüte geben. Gut verschließen. Nach 20 Minuten sollte sich die Haut entfernen lassen. Schoten halbieren, Samen und Membranen entfernen. In feine, lange Streifen schneiden.

Während die Schoten schwitzen, Butter in einem kleinen Topf erhitzen. Champignons hinzugeben und dünsten, bis die Flüssigkeit verdampft ist. Paprikaschoten dazugeben und weitere 2 Minuten dünsten. Paprikaschoten und Champignons auf eine Servierschale setzen, mit Aillolisauce begießen und servieren.

4 PORTIONEN

ZWEIFACH GEBACKENE KARTOFFELN

6	große, gebackene Kartoffeln
140 g	frischer Spinat
3 Eßl.	Butter
1	zerhackte Knoblauchzehe
je ½ Teel.	Basilikum, Thymian, Oregano
2 Teel.	Salz
1 Teel.	Pfeffer
115 g	frischgeriebener Parmesankäse

Noch heiß, die Spitze der Kartoffeln abschneiden, das Innere herauslöffeln, pürieren und zur Seite stellen.

Spinat waschen und die Stengel entfernen. Fein zerhacken.

Backofen auf 230°C vorheizen.

Butter in einer Pfanne zerlassen, Spinat und Knoblauchzehe darin dünsten. Das Kartoffelpüree, Gewürze und den Käse hineinrühren. Die Kartoffelschalen damit wieder füllen.

Auf ein Backblech setzen und backen, bis die Kartoffeln vollständig erhitzt oder goldbraun sind.

6 PORTIONEN

KARTOFFELN A LA KALENUIK

675 g	geschälte Kartoffeln
150 g	gewürfelter, durchwachsener Speck
1	gewürfelte spanische Zwiebel
75 g	gewürfelte grüne Paprikaschote
185 g	geschnittene Pilze
4 Eßl.	Butter
3 Eßl.	Mehl
250 ml	enthäutete, entkernte, gehackte Tomaten
375 ml	Rinderbrühe (siehe Seite 85)
60 ml	Sherry
1 Teel.	Worcestersauce
1 Eßl.	Sojasauce
1 Teel.	Salz
½ Teel.	Pfeffer
je ¼ Teel.	Thymian, Basilikum, Oregano, Paprika, Chilipulver, Zwiebelpulver, Knoblauchpulver
115 g	geriebener, scharfer Cheddarkäse

Kartoffeln in Scheiben schneiden, fast garkochen, abgießen und in eine gefettete, 3 l große Auflaufform legen.

Den durchwachsenen und gewürfelten Speck in einer Pfanne braten, Fett abgießen. 2 Eßlöffel zur Seite stellen.

Zwiebel, Paprikaschote und Pilze in einem kleinen Topf mit Butter und 2 Eßlöffeln Bratfett dünsten. Speck dazugeben, mit Mehl bestreuen und 2 Minuten kochen. Restliche Zutaten, jedoch nicht den Käse, hinzugeben. Hitzezufuhr verringern, umrühren und köcheln lassen, bis die Sauce dick wird.

Über die Kartoffeln gießen. 15 Minuten im auf 190°C vorgeheizten Backofen backen. Mit Käse bestreuen und weitere 5 Minuten backen. Servieren.

6 PORTIONEN

ZITRONEN-MANDEL-BROKKOLI

455 g	Brokkoli
2 Teel.	Stärkemehl
165 g	Zucker
430 ml	kochendes Wasser
60 ml	Zitronensaft
1 Eßl.	abgeriebene Zitronenschale
2 Eßl.	Butter
30 g	geröstete, gehobelte Mandeln

Brokkoli 12-15 Minuten dünsten, in eine Servierschüssel geben.

Stärkemehl mit dem Zucker vermischen. In kochendes Wasser schlagen, köcheln lassen, bis die Sauce dick wird. Zitronensaft und -schale hineinmischen, köcheln lassen, bis die Sauce wieder dick wird.

Vom Herd nehmen und Butter unter die Sauce rühren. Die Sauce über den Brokkoli gießen, mit den Mandeln bestreuen und servieren.

4 PORTIONEN

SÜSS-SAURE GARNELEN (VEGETARISCH)

450 g	festes Tofu
30 ml	Olivenöl
1	Knoblauchzehe
1	kleine, gewürfelte Zwiebel
1	kleine, gewürfelte und grüne Paprikaschote
60 ml	enthäutete, entkernte, gewürfelte Tomaten
4 Teel.	brauner Zucker
4 Teel.	Sojasoße
160 ml	Hühnerbrühe (siehe Seite 77)
1 Eßl.	Zitronensaft
1 Eßl.	Reiswein (wahlweise)
160 ml	gewürfelte Ananas
2 Teel.	Stärkemehl
2 Teel.	Wasser

Tofu in ein Käseleinen geben und überflüssige Flüssigkeit herauspressen. In 2,5 cm große Würfel schneiden.

Öl im Wok erhitzen, Knoblauchzehe, Zwiebel und Paprikaschote hineingeben und zügig braten. Tomaten, Zucker, Sojasoße, Zitronensaft und Wein hineinrühren und aufkochen lassen. Ananaswürfel dazugeben.

Stärkemehl mit Wasser mischen und zur Mischung geben. Kochen, bis die ganze Mischung dick wird.

Auf Reis servieren.

4 PORTIONEN

Zitronen-Mandel-Brokkoli

Mariniertes und gegrilltes Gemüse

MARINIERTES UND GEGRILLTES GEMÜSE

1	Aubergine
1	große Zucchini
1	rote Paprikaschote
1	gelbe Paprikaschote
2	große, geschälte Möhren
1	spanische Zwiebel
190 ml	Olivenöl
60 ml	Zitronensaft
1 Eßl.	geriebene Zwiebel
1	zerhackte Knoblauchzehe
½ Teel.	Salz
je ¼ Teel.	Basilikum, Thymian, Oregano, Paprika, Pfeffer
1 Eßl.	Sherry
1 Teel.	Worcestersauce

Gemüse putzen und in große Scheiben schneiden, in eine Rührschüssel geben.

Restliche Zutaten mischen und über das Gemüse gießen, 1 Stunde marinieren.

Gemüse 10 Minuten bei mittlerer Hitze grillen, mehrmals mit Marinade bestreichen. Ein weiteres Mal bestreichen und servieren.

4 PORTIONEN

Rosenkohl Aegir

ROSENKOHL AEGIR

450 g	Rosenkohl
115 g	Butter
2	Eigelb
2 Teel.	Zitronensaft
1 Teel.	Senfpulver
1 Prise	Cayennepfeffer

Rosenkohl putzen, Stielende abschneiden und welke Blätter entfernen. 10 Minuten in siedendem Wasser kochen.

Butter bei großer Hitzezufuhr zerlassen und stark erhitzen.

Währenddessen Eigelb in einem Wasserbad erhitzen. Zitronensaft und Senf dazugeben und gut vermischen. Unter ständigem Schlagen kochen, bis die Mischung dick und cremig wird. Vom Herd nehmen.

Die zerlassene Butter nach und nach in die Eimischung schlagen. Cayennepfeffer dazugeben.

Rosenkohl auf einen Servierteller geben, mit Sauce übergießen und sofort servieren.

4 PORTIONEN

BEULEMANNS CHICORÉE

12	Chicorée
55 g	Butter
60 ml	Wasser
1 Eßl.	Zitronensaft
½ Teel.	Salz
¼ Teel.	weißer Pfeffer
125 ml	feingewürfelter Schinken
190 g	gekochte, geschnittene Pilze
250 ml	Demi-Glacesauce (siehe Seite 123)
60 ml	Creme fraiche

Chicorée putzen, alle welken Blätter entfernen und mit kaltem Wasser spülen.

Butter, Wasser, Zitronensaft, Salz und Pfeffer in einer großen Pfanne erhitzen, Chicorée zugeben und 15 Minuten bei geringer Hitzezufuhr köcheln lassen.

In einem kleinen Topf feingewürfelten Schinken, Pilze, Demi-Glacesauce und Creme fraiche mischen und köcheln lassen.

Chicorée in eine Servierschüssel geben, mit Sauce übergießen und servieren.

6 PORTIONEN

LANDHAUS-MÖHREN

675 g	Möhren
4 Eßl.	Butter
3 Eßl.	Mehl
250 ml	Milch
250 ml	Hühnerbrühe (siehe Seite 77)
½ Teel.	Salz
¼ Teel.	gestoßener, schwarzer Pfeffer

Möhren schälen und in lange Streifen schneiden, 15 Minuten dünsten, in eine Servierschüssel geben.

Butter in einem kleinen Topf zerlassen, Mehl dazugeben und 2 Minuten bei geringer Hitzezufuhr kochen. Milch, Hühnerbrühe, Salz und Pfeffer hineinschlagen, Hitzezufuhr verringern und köcheln lassen, bis die Mischung glatt wird.

Sauce über die Möhren gießen und sofort servieren.

8 PORTIONEN

SPARGEL MIT ORANGENBRANDY

450 g	Spargel
2 Teel.	Stärkemehl
110 g	Zucker
375 ml	Orangensaft
125 ml	Grand Marnier
2 Teel.	geriebene Orangenschale
1½ Eßl.	Butter

Spargel schälen und Wurzelende abschneiden. 15 Minuten in siedendem Salzwasser kochen, die Spitzen über dem Wasser lassen. Abgießen und warmstellen.

Stärkemehl und Zucker mischen. Orangensaft und Grand Marnier aufkochen. Zucker einrühren, Hitze verringern und köcheln lassen, bis die Flüssigkeit dick wird. Vom Herd nehmen, abgeriebene Orangenschale und Butter einrühren.

Spargel auf einen Servierteller legen, mit der Sauce übergießen und sofort servieren.

4 PORTIONEN

RISOTTO ALLA CERTOSINA

1	feingehackte spanische Zwiebel
3 Eßl.	Olivenöl
230 g	Langkornreis
250 ml	Orzonudeln*
1 l	Fischbrühe (siehe Seite 76)
75 g	feingewürfelte rote Paprikaschote
75 g	feingewürfelte grüne Paprikaschote
3 Eßl.	Butter
2 Eßl.	Mehl
500 ml	gekochtes Krabbenfleisch
500 ml	entrahmte Sahne
je ¼ tsp	Salz, Basilikum, Kerbel, Majoran
¼ Teel.	weißer Pfeffer
75 g	geriebener Parmesankäse
2 Eßl.	gehackte Petersilie

In einer großen Pfanne oder Topf die Zwiebel in Öl dünsten. Reis und Orzonudeln dazugeben und unter ständigem Rühren braten, bis beides goldbraun wird. Die Fischbrühe dazugeben, zudecken und köcheln lassen, bis die Flüssigkeit aufgesaugt ist.

In einem kleinen Topf die rote und grüne Paprikaschote in Butter dünsten. Mit Mehl bestreuen und 2 Minuten bei geringer Hitzezufuhr kochen. Krabben, entrahmte Sahne und Gewürze hinzugeben. 8-10 Minuten köcheln lassen. Käse hineinmischen.

Die Sauce in den Reis einrühren. In eine Servierschüssel geben. Mit Petersilie bestreuen und servieren.

6 PORTIONEN

*Orzonudeln bestehen aus einem getrockneten, reisartigen Teig, und sollten in der Teigwarenabteilung eines Supermarktes zu finden sein.

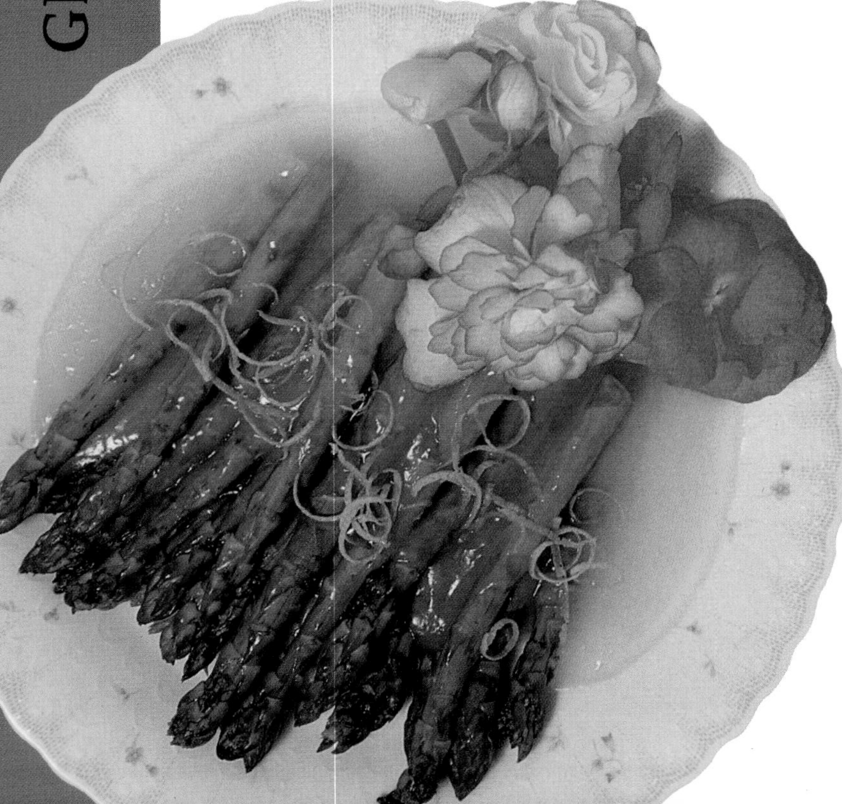

Spargel mit Orangenbrandy

Risotto Alla Certosina

POMME DE TERRE À LA BARBANÇONNE

1 kg	Kartoffeln
3 Eßl.	Butter
3 Eßl.	Mehl
310 ml	Hühnerbrühe (siehe Seite 77)
310 ml	entrahmte Sahne
55 g	frischgeriebener Parmesankäse
3 Eßl.	gehackter Schnittlauch
3 Eßl.	frischgehackte Petersilie

Kartoffeln schälen und in dicke Scheiben schneiden. Kartoffeln in gesalzenem Wasser kochen, bis sie noch etwas fest sind, abgießen.

Butter im kleinen Topf erhitzen. Mehl hinzugeben und 2 Minuten bei geringer Hitzezufuhr kochen. Hühnerbrühe und entrahmte Sahne einrühren. Hitze verringern und köcheln lassen, bis die Flüssigkeit dick wird. Käse, Schnittlauch und Petersilie einrühren und 2 Minuten köcheln lassen.

Mehrere Schichten von Kartoffeln und Sauce in eine Charlottenform legen und 35 Minuten im auf 180°C vorgeheizten Backofen backen. Aus der Form nehmen und servieren.

6 PORTIONEN

CHINESISCHER MEERESFRÜCHTE-REIS

60 ml	Distelöl
60 g	Krabben, ohne Schale und Darm
115 g	Hummerfleisch
115 g	Krebsfleisch
1	feingewürfelte, mittelgroße Zwiebel
1	feingewürfelte rote Paprikaschote
20	junge Champignons
1 kg	gekochter Langkornreis
1 Eßl.	Sojasoße
1 Eßl.	Sherry

Die Hälfte des Öls im Wok oder kleinen Topf erhitzen. Meeresfrüchte hineingeben und schnell braten. Aus dem Wok nehmen und warmstellen.

Restliches Öl in den Wok geben. Zwiebeln, Paprikaschote und Champignons braten. Reis dazugeben und 1 Minute anbraten. Die Meeresfrüchte dazumischen.

Sojasoße und Sherry unterrühren und servieren.

6 PORTIONEN

KOKOSREIS

225 g	Langkornreis
875 ml	Milch
60 g	Kokosflocken
55 g	Zucker

Reis und Milch aufkochen, Kokosflocken und Zucker einrühren. Zudecken und köcheln lassen, bis die Flüssigkeit vom Reis aufgenommen wurde. In polynesischen Reisschalen servieren.

4 PORTIONEN

Pomme de Terre à la Barbançonne

Kokosreis

KARTOFFELN DAUPHIN

8	geschälte, große Kartoffeln
½ Teel.	Salz
½ Teel.	weißer Pfeffer
160 ml	zerlassene Butter

Backofen auf 200°C vorheizen.

Kartoffeln in feine, lange Streifen schneiden. Unter fließendem Wasser waschen. Abtropfen lassen.

Geschnittene Kartoffeln in eine rechteckige Auflaufform legen. Würzen.

Zerlassene Butter über die Kartoffeln gießen. 30-45 Minuten im Backofen backen, bis die Kartoffeln weich sind. Auf eine rechteckige Servierform stürzen. Heiß servieren.

6 PORTIONEN

FINOCCHIO (FENCHEL) MIT INGWER UND ANANAS

8	kleine Fenchel
4 Eßl.	Butter
125 ml	Apfelsaft
2 Eßl.	Zitronensaft
2 Teel.	geriebene Ingwerwurzel
3 Eßl.	Stärkemehl
1 Eßl.	brauner Zucker
125 ml	gewürfelte Ananas

Fenchel putzen, grüne Stiele und Boden abschneiden. Welke Blätter entfernen.

Butter in einem kleinen Topf zerlassen, Apfelsaft und Fenchel dazugeben, Hitzezufuhr verringern und 20 Minuten köcheln lassen.

Währenddessen Zitronensaft und Ingwer, Stärkemehl und Zucker miteinander vermischen. Aufkochen, Ananaswürfel dazugeben, Hitzezufuhr verringern und köcheln lassen, bis die Sauce dick wird.

Fenchel auf eine Servierplatte legen, mit Sauce übergießen und servieren.

*Ausgesprochen gut als Beilage zu Fischgerichten.

4 PORTIONEN

POMME DE TERRE BERNY

455 g	Kartoffeln
2 Eßl.	Butter
4	Eier
60 ml	Sahne
110 g	Mehl
1¼ Teel.	Salz
½ Teel.	weißer Pfeffer
¼ Teel.	Muskat
60 ml	Milch
220 g	Mandelsplitter
60 ml	zerlassene Butter

Kartoffel schälen und in siedendem Wasser weichkochen. Im Mixer pürieren.

Butter, 1 Eigelb und Sahne dazugeben und vermischen, bis die Mischung sehr glatt ist.

Mischung zu flachen, runden Scheiben formen und auf ein mit Wachspapier ausgelegtes Backblech legen, völlig abkühlen lassen. Zigarrenförmig aufrollen.

Das restliche Mehl mit den Gewürzen mischen. Restliche Eier in die Milch schlagen.

Kartoffeln im Mehl rollen, in die Eimischung tauchen und in den Mandelsplittern wenden. Auf ein Backblech legen, mit der zerlassenen Butter bestreichen und 15-20 Minuten im auf 180°C vorgeheizten Backofen backen oder bis sie goldbraun sind. Berny-Kartoffeln können auch frittiert werden.

4 PORTIONEN

Pomme de Terre Berny

NADINE POWERS MÖHRENPIE

½ Portion	Feinschmeckerteig (siehe Seite 541)
430 ml	pürierte, gekochte Möhren
100 g	zusammengepreßter, brauner Zucker
60 ml	Ahornsirup
½ Teel.	geriebener Ingwer
1 Teel.	Zimtpulver
1 Prise	geriebene Nelken
2	geschlagene Eier
250 ml	Kondensmilch
125 ml	Wasser

Teig ausrollen und in eine 22 cm große Pieform geben. Kanten wellen.

Möhrenpüree in einen Mixer geben und mit Zucker, Sirup, Gewürzen, Eiern, Milch und Wasser mischen und pürieren.

In den Pieboden geben, 10 Minuten im auf 230°C vorgeheizten Backofen backen. Temperatur auf 140°C verringern und weitere 45 Minuten backen oder bis ein in die Mischung gestochenes Messer sauber herauskommt.

Aus dem Backofen nehmen und vor dem Servieren abkühlen lassen. Nach Belieben mit Schlagsahne dekorieren.

6 PORTIONEN

Nadine Powers Möhrenpie

GRATINIERTE JERUSALEM-ARTISCHOCKEN

675 g	Jerusalem-Artischocken
2 Eßl.	Butter
2 Eßl.	Mehl
250 ml	Hühnerbrühe (siehe Seite 77)
125 ml	entrahmte Sahne
30 g	frischgeriebener Parmesankäse
230 g	geriebener, mittelalter Cheddarkäse
20 g	Paniermehl

Artischocken schälen und in dicke Scheiben schneiden, 15 Minuten dünsten.

Währenddessen die Butter in einem kleinen Topf zerlassen. Mehl dazugeben und 2 Minuten bei geringer Hitzezufuhr kochen.

Hühnerbrühe hineinrühren und cremig schlagen. Hitze verringern und köcheln lassen, bis die Sauce dick wird. Parmesankäse hineinrühren und weitere 2 Minuten köcheln lassen.

Abwechselnde Schichten von Artischocken und Sauce in eine gefettete Auflaufform geben, als letzte Schicht mit der Sauce abschließen. Mit Cheddarkäse und Paniermehl bestreuen. 35 Minuten in einem auf 180°C vorgeheizten Backofen backen. Servieren.

4 PORTIONEN

RAPINI MORNAY

455 g	Rapiniröschen
2 Eßl.	Butter
2 Eßl.	Mehl
250 ml	Hühnerbrühe (siehe Seite 77)
125 ml	entrahmte Sahne
30 g	frischgeriebener Parmesankäse

Rapini (italienischer Brokkoli) 15 Minuten dünsten, in eine Servierschale geben.

Währenddessen die Butter in einem kleinen Topf zerlassen. Mehl unterrühren und 2 Minuten bei geringer Hitzezufuhr kochen.

Hühnerbrühe und entrahmte Sahne einrühren. Hitzezufuhr verringern und köcheln lassen, bis die Sauce dick wird. Käse einrühren und weitere 2 Minuten köcheln lassen.

Sauce über den Rapini gießen und sofort servieren.

4 PORTIONEN

Brokkolisoufflé

KARTOFFELN SAVOYARDE

150 g	durchwachsener Speck
1	spanische Zwiebel
3 Eßl.	Butter
450 g	geschälte, geschnittene Kartoffeln
500 ml	Gemüsebrühe (siehe Seite 92) oder Rinderbrühe (siehe Seite 85)
½ Teel.	Salz
½ Teel.	Pfeffer
115 g	geriebener Parmesankäse
115 g	geriebener Gruyerekäse

Speck in Würfel schneiden und in einer großen Pfanne braten. Fett abgießen.

Zwiebel schneiden und mit Butter in der Pfanne braten. Kartoffeln dazugeben und 10 Minuten unter regelmäßigem Wenden braten. In eine 2 l große eingefettete Auflaufform geben.

Mit der Hühnerbrühe bedecken, würzen und Parmesankäse einrühren. 20 Minuten in einem auf 180°C vorgeheizten Backofen backen. Mit Gruyerekäse bestreuen und weitere 15 Minuten backen oder bis die Kartoffeln weich sind.

6 PORTIONEN

PAMELAS ERBSEN

675 g	Erbsen
1 l	Hühnerbrühe (siehe Seite 77)
750 ml	scharfe Mornaysauce (siehe Seite 111)
340 g	gekochtes und gewürfeltes Hühnerfleisch
375 ml	gekochte Langustenschwänze
1 Teel.	Paprika
2 Eßl.	gehackte Petersilie

Erbsen 1-1½ Stunden in der Hühnerbrühe weichkochen. Abgießen. In eine 2 l große Auflaufform geben.

Backofen auf 180°C vorheizen.

Mornaysauce mit dem gewürfelten Hühnerfleisch und den Langustenschwänzen mischen. Auf die Erbsen schöpfen und mit Paprika bestreuen. 30 Minuten backen.

Aus dem Backofen nehmen, mit Petersilie bestreuen und servieren.

6 PORTIONEN

BROKKOLI-SOUFFLÉ

3 Eßl.	Butter
3 Eßl.	Mehl
310 ml	Milch
115 g	geriebener Schweizer Käse
40 g	geriebener Parmesankäse
½ Teel.	Salz
¼ Teel.	Pfeffer
6	große, getrennte Eier, Zimmertemperatur
180 g	gedünstete Brokkoliröschen

Backofen auf 190°C vorheizen.

Butter in einem kleinen Topf zerlassen, Mehl dazugeben und 2 Minuten bei geringer Hitzezufuhr kochen. Milch hineinrühren und köcheln lassen, bis die Sauce dick wird. Beide Käsesorten , Salz und Pfeffer einrühren. Vom Herd nehmen und abkühlen lassen.

Eine 2,5 cm große Souffléform einfetten.

Eigelb in eine Rührschüssel schlagen. Eier in die Sauce schlagen, die Sauce unter den gedünsteten Brokkoli heben.

Eiweiß steif schlagen, unter die Mischung heben. Mischung in die Souffléform geben. 40 Minuten backen oder bis sich das Soufflé aufgeht. Sofort servieren.

4 PORTIONEN

Pamelas Erbsen

Riz Saint Denis

GEWÜRZTER HÜHNERREIS

230 g	Langkornreis
180 ml	Orzonudeln
3 Eßl.	Distelöl
1	kleine, feingewürfelte Zwiebel
1	feingewürfelter Sellerie
250 g	geschnittene Pilze
75 g	feingewürfelte grüne Paprikaschote
1 l	scharfe Hühnerbrühe (siehe Seite 77)
340 g	gekochtes und kleingewürfeltes Hühnerfleisch
½ Teel.	Salz
je ¼ Teel.	Knoblauchpulver, Zwiebelpulver, Paprika, Chilipulver, Oreganoblätter, Thymianblätter, Basilikumblätter
je 1 Prise	schwarzer Pfeffer, weißer Pfeffer, Cayennepfeffer
2 Eßl.	Butter

In einem großen Topf oder Pfanne Öl erhitzen und Reis und Orzonudeln goldbraun braten. Zwiebel, Sellerie, Pilze und grüne Paprikaschoten untermischen. Dünsten, bis das Gemüse weich ist. Mit Hühnerbrühe übergießen und zudecken. Hitzezufuhr verringern und köcheln lassen, bis die Flüssigkeit aufgesogen wurde.

Kleingewürfeltes Hühnerfleisch, Gewürze und Butter in den heißen Reis einrühren. In eine Servierschüssel geben und servieren.

6 PORTIONEN

Spanischer Reis

RIZ SAINT DENIS

120 g	Pilze
450 g	Langkornreis
1 l	Rinderbrühe (siehe Seite 85)
500 ml	scharfe Demi-Glacesauce (siehe Seite 123)
80 g	frischgeriebener Parmesankäse

Pilze waschen und in Würfel schneiden. In einen Topf geben und Reis und Rinderbrühe zugeben. Zum Kochen bringen, zudecken und köcheln lassen, bis der Reis weichgekocht und die Flüssigkeit aufgesogen wurde.

Auf einem Servierteller anrichten. Die Demi-Glacesauce um die angehäufte Reismischung geben. Mit dem Käse bestreuen und servieren.

6 PORTIONEN

SPANISCHER REIS

8	gewürfelte Scheiben durchwachsener Speck
1	große, feingewürfelte spanische Zwiebel
1	feingewürfelte grüne Paprikaschote
2	Selleriestangen
500 ml	Hühnerbrühe (siehe Seite 77)
230 g	Langkornreis
500 ml	enthäutete, entkernte und gehackte Tomate
2 Teel.	Chilipulver
½ Teel.	Salz
je ¼ Teel.	Pfeffer, Paprika

Speck in einem großen Topf braten. Gemüse hinzugeben und weichdünsten.

Hühnerbrühe, Reis, Tomaten, und Gewürze hinzugeben und zudecken. Aufkochen, dann köcheln lassen, bis die Flüssigkeit aufgesogen ist. Servieren.

4 PORTIONEN

DÄUMLINGSKOHL 2

455 g	Rosenkohl
75 g	Butter
1 Teel.	Zitronensaft
1 Eßl.	frischgehackter Kerbel
2	hartgekochte und feingehackte Eier

Rosenkohl putzen, Stielende abschneiden und welke Blätter entfernen. Rosenkohl 10 Minuten dünsten. In eine Servierschüssel geben.

Butter in einem kleinen Topf zerlassen und erhitzen, bis sie schäumig wird. Zitronensaft und Kerbel hinzugeben und 1 Minute aufkochen. Über den Rosenkohl gießen.

Mit den feingehackten Eiern bestreuen und servieren.

4 PORTIONEN

AHORN-WALNUSS-MÖHREN

2	Eigelb
125 ml	Ahornsirup
125 ml	Schlagsahne, geschlagen
30 g	zerbrochene Walnußstücke
455 g	geschälte, in feine Scheiben geschnittene Möhren

Eigelb schlagen und mit Ahornsirup in einem Wasserbad verquirlen. Kochen, bis die Mischung dick wird, auf Zimmertemperatur abkühlen lassen.

Geschlagene Schlagsahne und Walnußstücke unter die Mischung heben.

Möhren 12 Minuten dünsten, in eine Servierschüssel geben. Mit Sauce übergießen und sofort servieren.

4 PORTIONEN

FEUERBOHNEN-EINTOPF

675 g	schwarze Bohnen
115 g	grobgewürfelter Schinken
115 g	gewürfelter, durchwachsener Speck
2	gehackte Knoblauchzehe
1	geschnittene Zwiebel
2	gewürfelter Sellerie
500 ml	enthäutete, entkernte und gehackte Tomaten
1 l	Rinderbrühe (siehe Seite 85)
1 Teel.	Worcestersauce
¼ Teel.	scharfe Pfeffersoße
je ¼ Teel.	Pfeffer, Oregano, Thymian, Zwiebelpulver, Basilikum, Cayennepfeffer
je 1 Teel.	Paprika, Salz
½ Teel.	Chilipulver

Die schwarzen Bohnen 8 Stunden oder über Nacht einweichen lassen.

Schinken und Speck in einem großen Topf braten. Knoblauchzehen, Zwiebel und Sellerie darin weichdünsten. Tomaten, Rinderbrühe, schwarze Bohnen, Worcestersauce, scharfe Pfeffersoße und Gewürze hinzugeben. Aufkochen und 2½-3 Stunden köcheln lassen. Servieren.

6 PORTIONEN

Däumlingskohl 2

Feuerbohneneintopf

POMME DE TERRE BOULANGERE

55 g	Butter
1	geschnittene spanische Zwiebel
450 g	geschälte, geschnittene Kartoffeln
500 ml	Hühnerbrühe (siehe Seite 77)
½ Teel.	Salz
½ Teel.	weißer Pfeffer

Butter in einem großen Topf erhitzen, die geschnittene Zwiebel darin dünsten. Kartoffeln hinzugeben, 10 Minuten unter gelegentlichem Wenden kochen, in eine 2 l große Auflaufform geben. 45 Minuten im auf 180°C vorgeheizten Backofen backen oder bis die Kartoffeln weichgekocht sind.

6 PORTIONEN

ROSENKOHL LYONNAISE

450 g	Rosenkohl
125 ml	Milch
125 ml	entrahmte Sahne
¼ Teel.	Muskat
¼ Teel.	Salz
¼ Teel.	weißer Pfeffer
1	mittelgroße spanische Zwiebel
3 Eßl.	Butter
3 Eßl.	Mehl
80 ml	Weißwein, lieblich

Rosenkohl putzen, welke Blätter entfernen und das Wurzelende abschneiden. 10 Minuten im siedenden Salzwasser kochen. Abgießen, in einer Servierschüssel warmstellen.

Milch, entrahmte Sahne, Muskat, Salz, Pfeffer und Zwiebel in einem kleinen Topf mischen. Aufkochen, bis die Zwiebeln weich sind.

In einem zweiten Topf die Butter zerlassen, Mehl einrühren und 2 Minuten köcheln lassen. Die andere Zwiebelmischung und den Wein dazugeben, 8-10 Minuten köcheln lassen, bis das Ganze dick wird. Über den Rosenkohl gießen und sofort servieren.

4 PORTIONEN

PASTETCHEN MIT ERBSENFÜLLUNG

½ Portion	Brandteig (siehe Seite 719 unter Dauphine Kartoffeln)
2 Eßl.	Butter
2 Eßl.	Mehl
250 ml	Milch
¼ Teel.	Salz
¼ Teel.	weißer Pfeffer
1 Prise	Muskatnuß
375 ml	gekochte Erbsen
125 ml	gewürfelter Schinken (falls erwünscht)

Backofen auf 200°C vorheizen.

Häufchen aus Brandteig 5 cm von einander entfernt auf ein leicht mit Mehl bestäubtes Backblech geben (eßlöffelgroße Menge).

20 Minuten im Backofen backen oder bis die Pastetchen goldbraun sund.

Währenddessen Butter in einem kleinen Topf zerlassen. Mehl hinzugeben und 2 Minuten zu einer Mehlschwitze rühren.

Milch hineinrühren und köcheln lassen, bis die Sauce dick wird. Gewürze dazugeben und weitere 2 Minuten kochen. Erbsen und Schinken hineinrühren.

Die Spitzen der Pastetchen aufschneiden, mit der cremigen Erbsenmischung füllen, Spitzen aufsetzen und servieren.

4 PORTIONEN

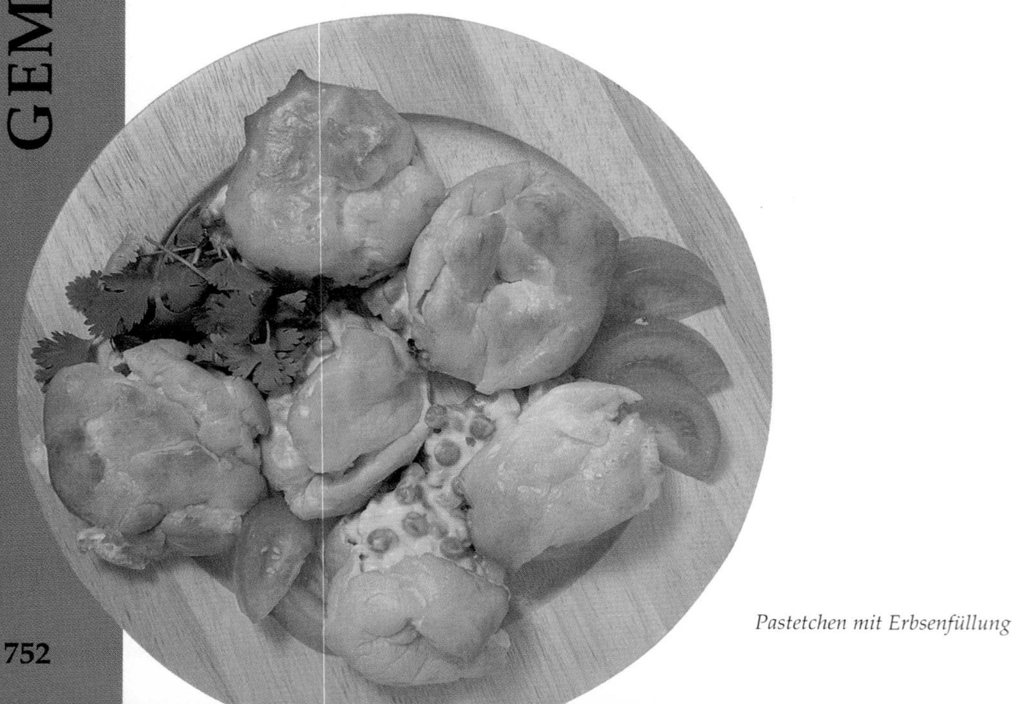

Pastetchen mit Erbsenfüllung

Cassoulet a la Chef K.

CASSOULET A LA CHEF K.

115 g	Pintobohnen
115 g	große Limabohnen
115 g	schwarze Bohnen
675 g	gewürfeltes Lammfleisch
345 g	geräucherte Wurst
60 ml	Olivenöl
1 l	Rinderbrühe (siehe Seite 85)
3 Eßl.	brauner Zucker
½ Teel.	Senfpulver
½ Teel.	Salz
¼ Teel.	zerstoßener schwarzer Pfeffer
1	geschnittene Zwiebelringe
250 ml	Tomatensauce (siehe Seite 106)

Bohnen 8 Stunden oder über Nacht im Wasser einweichen und in einem großen Topf in siedendem Wasser weichkochen.

Das gewürfelte Lammfleisch und die Wurst in einer großen Pfanne in Öl goldbraun braten. Mit 500 ml Rinderbrühe aufgießen und köcheln lassen, bis das Fleisch gar ist.

In eine Auflaufform geben. Bohnen abgießen und unter das Fleisch mischen. Restliche Rinderbrühe und die anderen Zutaten hinzugeben. Gut vermischen.

1½ Stunden im auf 180°C vorgeheizten Backofen backen. Aus dem Backofen nehmen und servieren.

6 PORTIONEN

JERUSALEM-ARTISCHOCKEN UND GRÜNER BOHNENSALAT

345 g	Jerusalem-Artischocken*
345 g	grüne Bohnen
3 Eßl.	feingewürfelte süße, rote Paprikaschote
je 1 Teel.	gehackter Schnittlauch, Petersilie, Kerbel, Kapern und Essiggurke
125 ml	Olivenöl
3 Eßl.	Zitronensaft

Artischocken schälen und in Scheiben schneiden. 10 Minuten dünsten oder bis sie weichgekocht sind.

Grüne Bohnen waschen und putzen, 20 Minuten dünsten.

In einem kleinen Topf die restlichen Zutaten erhitzen, aber nicht kochen.

In einer Servierschüssel Bohnen und Artischocken miteinander mischen, mit Sauce übergießen und servieren. Kann aber auch erst gekühlt werden, bevor es serviert wird.

4 PORTIONEN

*Die Jerusalem-Artischocke, oder auch Erdartischocke genannt, ist mit der Artischockenfamilie nicht verwandt. Sie ist eine röhrenförmige Wurzel der Sonnenblume.

RAPINI ALLA ROMANA

400 g	Rapini*
60 ml	Olivenöl
60 g	gewürfelte Zwiebel
75 g	gewürfelte rote Paprikaschote
2 Teel.	zerhackter Knoblauch
3 Eßl.	Zitronensaft
250 ml	enthäutete, entkernte, gehackte Tomaten
1 Teel.	süßes Basilikum
½ Teel.	Salz
¼ Teel.	Pfeffer
55 g	frisch geriebener Parmesankäse

Rapini im siedenden Salzwasser 2 Minuten kochen. Abgießen und warmhalten.

Öl in einem kleinen Topf erhitzen, darin Zwiebel, rote Paprikaschote und Knoblauch dünsten. Zitronensaft, Tomaten, Basilikum, Salz und Pfeffer hineinrühren. Hitzezufuhr verringern und 10 Minuten köcheln lassen.

Rapini einrühren und weitere 5 Minuten köcheln lassen. Auf eine Servierplatte geben, Käse darüberstreuen und servieren.

6 PORTIONEN

*Rapini ist italienischer Brokkoli.

Delmonico Kartoffeln

POMME DE TERRE ALPHONSE

6	große Kartoffeln
4 Eßl.	Butter
je ¼ Teel.	Basilikum, Oregano, Thymian, Salbei, schwarzer Pfeffer
1 Teel.	Salz
175 g	geriebener Gruyerekäse

Kartoffeln gut waschen und halbgar kochen. Abgießen, abkühlen lassen, Schale entfernen und in Scheiben schneiden.

Backofen auf 200°C vorheizen.

Kartoffeln in eine gefettete Auflaufform geben. Mit Butter und Gewürzen bestreuen, 20 Minuten backen.

Mit Käse bestreuen und weitere 5 Minuten backen. Servieren.

4 PORTIONEN

DELMONICO KARTOFFELN

675 g	Kartoffeln
2 Eßl.	Butter
2 Eßl.	Mehl
250 ml	Milch
¼ Teel.	Salz
¼ Teel.	weißer Pfeffer
1 Prise	Muskat
60 ml	gewürfelter Piment
45 g	Paniermehl
55 g	Butter

Kartoffel schälen und in 1,3 cm dicke Würfel schneiden. 15 Minuten im siedenden Salzwasser kochen.

Währenddessen Butter in einem kleinen Topf zerlassen. Mehl hinzugeben und 2 Minuten bei geringer Hitzezufuhr zu einer Mehlschwitze rühren. Milch dazugeben und umrühren, köcheln lassen, bis die Sauce dick wird. Gewürze dazugeben und weitere 2 Minuten köcheln lassen. Piment hineinmischen.

Kartoffeln in der Sauce wenden und in eine gefettete Auflaufform geben. Mit Paniermehl und Butter bestreuen. 30 Minuten im auf 180°C vorgeheizten Backofen backen. Servieren.

4 PORTIONEN

CHICORÉE A LA MORNAY

12	Chicorée
75 g	Butter
60 ml	Wasser
1 Eßl.	Zitronensaft
½ Teel.	Salz
¼ Teel.	weißer Pfeffer
2 Eßl.	Mehl
250 ml	Hühnerbrühe (siehe Seite 77)
125 ml	entrahmte Sahne
30 g	frischgeriebener Parmesankäse

Chicorée putzen, welke Blätter entfernen und unter kaltem Wasser abspülen.

55 g Butter, Wasser, Zitronensaft, Salz und Pfeffer in einer großen Pfanne erhitzen. Mehl hinzugeben und 2 Minuten bei geringer Hitzezufuhr kochen.

Hühnerbrühe und entrahmte Sahne hineinrühren. Hitzezufuhr verringern und köcheln lassen, bis die Sauce dick wird. Käse hineinrühren und weitere 2 Minuten köcheln lassen.

Chicorée auf einen Servierteller geben, mit Sauce übergießen und servieren.

6 PORTIONEN

Chicorée a la Mornay

Reis Matriciana

Krevetten mit Himbeerspargel

REIS MATRICIANA

8	Scheiben durchwachsener Speck
1	zerhackte Knoblauchzehe
1	kleine, feingehackte Zwiebel
500 ml	enthäutete, entkernte und gehackte Tomaten
455 g	Langkornreis
1 l	Hühnerbrühe (siehe Seite 77)
500 ml	Tomatensaft
1 Teel.	Kerbel
½ Teel.	Salz
¼ Teel.	Pfeffer

Speck, feingewürfelt, Knoblauchzehe und feingehackte Zwiebel in der Pfanne schwenken. Tomaten hinzugeben und anschmoren, bis das Meiste der Flüssigkeit verkocht ist.

Reis hineinmischen, Hühnerbrühe, Tomatensaft und Gewürze hinzugeben. Zudecken und köcheln lassen, bis der Reis weichgekocht und die Flüssigkeit aufgesogen wurde. Servieren.

6 PORTIONEN

KREVETTEN MIT HIMBEERSPARGEL

90 ml	Himbeeressig
4 Teel.	Dijonsenf
4 Teel.	Zucker
¾ Teel.	Salz
¼ Teel.	Pfeffer
190 ml	Olivenöl
675 g	Spargel
500 ml	gekochte Krevetten

Essig, Senf, Zucker, Salz und Pfeffer miteinander vermischen. Nach und nach Olivenöl hineinschlagen.

Spargel schälen, Wurzelenden kürzen, 7 Minuten garen, ohne daß die Spitzen ins Wasser kommen. Unter kaltem Wasser abspülen und abtrocknen.

Spargel auf eine Servierplatte legen. Mit Dressing übergießen und im Kühlschrank marinieren.

Gekochte Krevetten über den Salat streuen und servieren.

4 PORTIONEN

GETRÄNKE

Was ist eine Mahlzeit ohne ein ausgezeichnetes Getränk? Einsam! Deshalb habe ich eine interessante Auswahl an Getränken für den modernen Lebensstil vorgestellt, sowohl alkoholische als auch alkoholfreie.

Frische, fruchtige Getränke, gesunde Getränke, Partygetränke und Getränke zur Entspannung, alle Rezepte, die sich auf den folgenden Seiten befinden, sind ohne Ausnahme *einfach köstlich*. Wir präsentieren Kaffee und Kakao wie sie bisher nie angeboten wurden, und wie Sie sie noch nie probiert haben. Sie werden so beliebt werden wie der Barmixer Ihres Lieblingsrestaurants.

Der Geschmack ist natürlich Hauptsache, und diese Getränke erfüllen alle Anforderungen des Geschmacks. Doch sogar ein Getränk kann mißlingen, wenn die richtigen Zutaten nicht verwendet werden. Folgen Sie dem Rezept und vermeiden Sie eine Niederlage. Jedes Getränk ist so konzipiert, um den allerbesten Geschmack hervorzubringen; ein bißchen zuviel oder zuwenig einer Zutat kann ein hervorragendes Getränk zur Mittelmäßigkeit herabsetzen. Natürlich können Sie mit Ihren Getränken experimentieren. Setzen Sie Ihren Erfindungsreichtum ein, um Ihnen und Ihren Gästen das Beste zu garantieren.

Viele Leute schenken den Getränken die wenigste Beachtung, wenn sie eine besondere Mahlzeit zubereiten. Die Getränke berühren jedoch die Lippen der Gäste häufiger als irgendein anderes Gericht, das während der Mahlzeit serviert wird. Folglich sollte man dem Getränk mindestens genau soviel Beachtung schenken. Wenn eine Auswahl an feinen Getränken während des Abendessens angeboten wird, bleibt die Mahlzeit umso unvergeßlicher.

Im Laufe einer Mahlzeit mit fünf Gängen dürfte man sogar vier unterschiedliche Weine zu sich nehmen. Warum nicht den Wein durch vier verschiedene Getränke ersetzen? Diese werden Ihnen sicher Komplimente einbringen, und werden dem Gast etwas Spannendes versprechen, und zwar mehr als nur das Knallen eines Korkens.

Einfach köstliche Getränke werden jede Party beleben, werden eine kalte Winternacht erwärmen oder die Hitze eines brütend heißen Tages auch bei 35 Grad mildern. Wir zeigen Ihnen eine Auswahl von mehr als vierzig Getränken. Sie sollten also abwechseln, damit Sie immer das genau richtige Getränk zum richtigen Anlaß servieren können. Vergessen Sie bloß nicht, daß die besten Getränke immer *einfach köstlich* sind.

Northern & CNR

RAIL CROSSING ROAD
STOP WHEN SWINGING
LIONEL
CANADIAN NATIONAL
CN 290205
CN
LIONEL LI
RAIL CROSSING ROAD
246

YO-YO

30 ml	dunkler Rum
30 ml	Tia Maria
1	Maraschinokirsche

Flüssigkeiten über Eisstücke in ein Whiskyglas gießen. Mit der Kirsche garnieren und servieren.

ERGIBT 1 GLAS

MELONENKUGEL

½	Honigmelone, entkernt
½	Kantalupe, entkernt
1	Orange

Melonen löffelweise in den Mixer geben. Auf niedriger Stufe kurz pürieren. Orange in Spalten aufteilen und zu dem Getränk geben. Servieren.

ERGIBT 2 GLÄSER

HERRLICHE SCHOKOLADE

60 g	halbbittere Schokolade, geraspelt
60 g	Zucker
125 ml	kochendes Wasser
625 ml	Milch, abgekocht
1 Eßl.	instant Kaffeepulver
80 ml	Kognak
80 ml	Amaretto
125 ml	Schlagsahne
30 g	geröstete, gehobelte Mandeln

Schokolade, Zucker und Wasser in einem kleinen Kochtopf mischen und zum Kochen bringen. Temperatur zurückschalten und 2 Minuten leicht kochen.

Milch, Kaffee, Kognak und Amaretto einquirlen und weitere 2 Minuten köcheln.

In vier große Tassen gießen. Sahne schlagen und auf die Schokolade geben. Mit Mandeln bestreuen und servieren.

ERGIBT 4 GLÄSER

Yo-Yo

LAKRITZEN-STANGE

80 g	weiße Schokolade, geraspelt
60 g	Zucker
500 ml	Milch
250 ml	entrahmte Sahne
60 ml	Pernod
60 ml	Anisette
6	Lakritzstangen

Schokolade, Zucker, Milch, Sahne und Liköre in einem kleinen Stieltopf mischen. Erwärmen, ohne kochen zu lassen. In große Tassen gießen, mit Lakritzstangen garnieren und servieren.

ERGIBT 4 GLÄSER

MANDEL-KÄSEKUCHEN

60 ml	Amaretto
125 ml	entrahmte Sahne
250 ml	Mandelnußspeiseeis
2 Eßl.	einfacher Sirup
¼ Teel.	Mandelextrakt
2 Teel.	geröstete, gehobelte Mandeln

Likör, Sahne, Eis, Sirup und Extrakt im Mixer vermengen und glatt rühren.

In zwei hohe Gläser gießen, mit gehobelten Mandeln garnieren und servieren.

ERGIBT 2 GLÄSER

Melonenkugel

Pechnüsse

50-50 BAR

80 g	halbbittereSchokolade, geraspelt
500 ml	Milch
250 ml	entrahmte Sahne
60 ml	Galliano Likör
60 ml	Triple Sec Likör
60 ml	Orangensaftkonzentrat
125 ml	Schlagsahne
4	Orangeschokoladenstangen

Schokolade, Milch, Sahne, Liköre und Orangensaft in einem Kochtopf vermengen. Erhitzen, ohne zum Kochen zu bringen.

In große Tassen gießen.

Sahne schlagen und das Getränk damit krönen. Mit einer Schokoladenstange garnieren, servieren.

ERGIBT 4 GLÄSER

50-50 Bar

KUBANER-COCKTAIL

20 ml	Weinbrand
10 ml	Aprikosenbrandy
1 Teel.	Limonensaft
2 Schüsse	Orangenbitterlikör

Eisstücke in einen Shaker geben und die Zutaten darüber gießen. Umrühren und in ein Cocktailglas abseihen.

ERGIBT 1 GLAS

PECHNÜSSE

30 g	abgebrühte Mandeln
125 ml	Joghurt mit Ananasgeschmack
125 ml	Ananassaft
1 Tropfen	Mandelextrakt
1 Teel.	geröstete, gehobelte Mandeln

Alle Zutaten im Mixer vermengen und glatt rühren. In ein Sektglas gießen und servieren.

ERGIBT 1 GLAS

KAHLUATRÄUME

60 ml	Kahlua-Likör
1 Eßl.	Puderzucker
2 Eßl.	extra starker, kalter Kaffee
125 ml	entrahmte Sahne
250 ml	Kaffeespeiseeis

Zutaten in den Mixer geben und glatt rühren. In zwei hohe Gläser gießen und servieren.

ERGIBT 2 GLÄSER

PFIRSICHTRAUM

2 Eßl.	Honig
230 g	frische Pfirsiche, in Scheiben geschnitten
125 ml	Joghurt, natur
250 ml	Aprikosen- oder Pfirsichnektar

Alle Zutaten in einen Mixer geben und pürieren. In große Whiskygläser gießen und servieren.

ERGIBT 2 GLÄSER

ÄRGER

30 ml	Scotch
30 ml	Kahlua-Likör
30 ml	Sahne

Zutaten über Eisstücke in ein Whiskyglas gießen. Servieren.

ERGIBT 1 GLAS

RUSSISCHE BANANE

80 g	halbbittere Schokolade, geraspelt
375 ml	starker Kaffee
250 ml	entrahmte Sahne
60 g	Zucker
60 ml	Wodka
60 ml	Kahlua-Likör
2	Bananen, zerdrückt
125 ml	Schlagsahne
60 ml	Schokoladenspäne

Schokolade, Kaffee, entrahmte Sahne, Zucker, Liköre und Bananen in einem Kochtopf verrühren. Die Mischung erhitzen, aber nicht zum Kochen bringen.

In große Tassen gießen. Die Schlagsahne schlagen und das Getränk damit krönen. Mit Schokoladenspänen garnieren und servieren.

ERGIBT 4 GLÄSER

CAFE MEXICO

750 ml	Kaffee
80 ml	Tequila
80 ml	Kahlua-Likör
¼	Zitrone
60 g	Zucker
125 ml	Schlagsahne
12	mit Schokolade überzogene Kaffeebohnen

Kaffee, Tequila und Kahlua zusammen erhitzen. Die Ränder der Tassen mit Zitrone abreiben und dann in den Zucker tauchen. Die Tassen mit Kaffee füllen. Sahne schlagen und daraufgeben. Jede Tasse mit vier Kaffeebohnen garnieren und servieren.

ERGIBT 4 GLÄSER

HONOLULU LADY

60 ml	Calvados
30 ml	Kokosmilch
30 ml	Zitronensaft
1 Eßl.	Grenadine
90 ml	weiße Zitronenlimonade
½ Teel.	Puderzucker
1	Ananasstange
1	Maraschinokirsche

Ein hohes Glas zur Hälfte mit Eisstücken füllen, die Flüssigkeiten daraufgießen, Zucker hinzufügen und umrühren. Ananas und Kirsche auf einen Zahnstocher aufspießen, das Getränk damit garnieren.

ERGIBT 1 GLAS

Pfirsichtraum

Cafe Mexico

MARIENKÄFER-SCHOKOLADE

80 g	weiße Schokolade, geraspelt
60 g	Zucker
500 ml	Milch, abgekocht
250 ml	entrahmte Sahne
80 ml	Bananenlikör
80 ml	Triple Sec Likör
1 Eßl.	Grenadine
60 ml	Schokoladenspäne

Schokolade, Zucker und Milch in einem kleinen Kochtopf mischen. Erhitzen, jedoch nicht zum Kochen bringen. Sahne und Liköre hinzufügen, weitere 3 Minuten köcheln.

Die Innenseite von Kristallbechern mit vier Streifen Grenadine versehen. Becher mit dem Getränk füllen und mit Schokoladenspänen krönen. Servieren.

ERGIBT 4 GLÄSER

BRAUNER FUCHS

35 ml	Bourbon
15 ml	Benedictine Likör
1	Maraschinokirsche

Liköre über Eisstücke in ein Whiskyglas gießen. Mit der Kirsche garnieren und servieren.

ERGIBT 1 GLAS

BIENENKNIE

30 ml	Wodka
15 ml	Honig
15 ml	Limonensaft

Die Flüssigkeiten über Eisstücke in einen Shaker gießen. Gut schütteln, in ein Cocktailglas abseihen, servieren.

ERGIBT 1 GLAS

SIDECAR

30 ml	Cointreau
30 ml	Weinbrand
30 ml	Zitronensaft

Die Flüssigkeiten über Eisstücke in einen Shaker gießen. Gut schütteln, in ein Cocktailglas abseihen, servieren.

ERGIBT 1 GLAS

ALEXANDER COCKTAIL

60 ml	Creme de Cacao
120 ml	Gin
60 ml	Creme fraiche

Die Flüssigkeiten über Eisstücke in einen Shaker gießen. Gut schütteln, in zwei Cocktailgläser abseihen.

ERGIBT 2 GLÄSER

BOURBON CASSIS

30 ml	Bourbon
15 ml	trockener Wermut
1 Teel.	Creme de Cassis
1 Teel.	Zitronensaft
1	Zitronenschalespirale

Flüssigkeiten über Eisstücke in ein Whiskyglas gießen. Mit der Zitronenspirale garnieren.

ERGIBT 1 GLAS

Marienkäferschokolade

KOKOSTRAUM

60 g	halbbittere Schokolade, geraspelt
60 ml	Kokosnußcreme
500 ml	Milch
180 ml	entrahmte Sahne
60 ml	Kokosrum
125 ml	Schlagsahne
25 g	geröstete Kokosflocken

Schokolade, Kokosnußcreme, Milch, entrahmte Sahne und Rum in einem kleinen Topf verrühren. Erhitzen, ohne Kochen zu lassen.

In Kristallbecher gießen. Schlagsahne schlagen und auf das Getränk geben. Mit gerösteten Kokosflocken bestreuen und servieren.

ERGIBT 4 GLÄSER

GRANATAPFEL APFEL

3	Granatäpfel
375 ml	Apfelsaft

Granatäpfel halbieren, Fruchtfleischkerne loslösen, in den Mixer geben und 1 Minute lang pürieren. Durch ein Sieb passieren und die Flüssigkeit zurückbehalten. Granatapfelsaft mit Apfelsaft verrühren und in mit Eisstücken gefüllte, hohe Gläser gießen. Servieren.

ERGIBT 2 GLÄSER

GRAND GALLIANO KAFFEE

750 ml	Kaffee
60 ml	Grand Marnier
60 ml	Galliano Likör
125 ml	Schlagsahne
60 ml	Schokoladenspäne

Kaffee und Liköre zusammen erhitzen. In mit einem Zuckerrand versehene Gläser gießen. Sahne schlagen und den Kaffee damit krönen. Mit Schokoladenspänen bestreuen. Servieren.

ERGIBT 4 GLÄSER

Kokostraum

Erdbeerfelder

Vandermint Schokoladenkaffee

ERDBEERFELDER

80 g	weiße Schokolade, geraspelt
500 ml	Milch
250 ml	entrahmte Sahne
60 g	Zucker
250 ml	Erdbeerpüree
125 ml	Schlagsahne
4	große frische Erdbeeren

Schokolade, Milch, entrahmte Sahne, Zucker und Püree in einem kleinen Kochtopf vermengen. Erhitzen, aber nicht kochen lassen. In vier Becher gießen.

Schlagsahne schlagen und auf das Getränk geben. Mit einer Erdbeere garnieren und servieren.

ERGIBT 4 GLÄSER

VANDERMINT SCHOKOLADEN-KAFFEE

60 g	halbbittere Schokolade, geraspelt
500 ml	Kaffee
60 g	Zucker
250 ml	entrahmte Sahne
80 ml	Vandermint Schokoladenlikör
60 ml	Creme de Cacao
125 ml	Schlagsahne
4	Maraschinokirschen
4	Schokoladen-Minze-Stangen

Schokolade, Kaffee, Zucker und entrahmte Sahne in einem Kochtopf erhitzen. Zum Kochen bringen, Temperatur reduzieren und 2 Minuten köcheln. Liköre einrühren und 1 weitere Minute köcheln.

In große Tassen geben. Schlagsahne schlagen und auf das Getränk geben. Mit einer Kirsche und einer Schokoladenstange garnieren. Servieren.

ERGIBT 4 GLÄSER

XYZ KAFFEE

750 ml	schwarzer Kaffee
80 ml	Benedictine Likör
80 ml	Bourbon
¼	Orange
60 g	Zucker
125 ml	Schlagsahne
4	Maraschinokirschen

Kaffee und Liköre in einem kleinen Stieltopf erhitzen. Die Ränder von vier große Tassen mit Orange abreiben und in Zucker eintauchen. Becher mit Kaffee füllen.

Sahne schlagen und den Kaffee damit krönen. Mit einer Kirsche garnieren und servieren.

ERGIBT 4 GLÄSER

APFELBLÜTE

60 ml	Calvados
1 Eßl.	Limonensaft
1 Teel.	Zitronensaft
120 ml	Apfelsaft
1	Scheibe Apfel, frisch geschnitten

Ein hohes Glas zur Hälfte mit Eisstücken füllen, Flüssigkeiten darübergießen, mit der Apfelscheibe garnieren.

ERGIBT 1 GLAS

FRANZÖSISCH 95

35 ml	Bourbon
2 Eßl.	Zitronensaft
15 ml	Sodawasser
80 ml	Sekt
1	Limonenscheibe

Flüssigkeiten über Eisstücke in ein hohes Glas gießen. Mit der Limonenscheibe garnieren und servieren.

ERGIBT 1 GLAS

GROSSARTIGER ORANGEN-MILCHMIX

60 ml	Grand Marnier
60 ml	Orangensaftkonzentrat
125 ml	entrahmte Sahne
250 ml	Orangensorbet
2	frische Orangenscheiben

Likör, Konzentrat, Sahne und Sorbet in den Mixer geben und glatt rühren.

In hohe Gläser füllen, mit Orangenscheiben garnieren und servieren.

ERGIBT 2 GLÄSER

KIRSCHBLÜTE

30 ml	Weinbrand
20 ml	Kirschbrandy
1 Teel.	Curacao
1 Teel.	Grenadine
80 ml	Sodawasser
1	Maraschinokirsche

Flüssigkeiten über Eisstücke in ein hohes Glas gießen. Mit der Kirsche garnieren und servieren.

ERGIBT 1 GLAS

DIE FOLTERBANK

10 ml	weißer Wermut
10 ml	roter Wermut
10 ml	Gin
1 Teel.	Anisette

Zutaten über Eisstücke in einen Shaker gießen. Gut schütteln und in ein Cocktailglas abseihen.

ERGIBT 1 GLAS

Heidelbeerkäsekuchen

WEISSE ZERSTÖRUNG

85 g	weiße Schokolade, geraspelt
500 ml	Milch, abgekocht
250 ml	entrahmte Sahne
60 g	Zucker
60 ml	Weinbrand
60 ml	weiße Creme de Cacao
60 ml	weiße Creme de Menthe
125 ml	Schlagsahne

Schokolade, Milch, entrahmte Sahne und Liköre in einem kleinen Stieltopf verrühren. Erhitzen, aber nicht aufkochen. In große Tassen füllen.

Schlagsahne schlagen und auf das Getränk geben. Servieren.

ERGIBT 4 GLÄSER

HEIDELBEER-KÄSEKUCHEN

125 ml	gewaschene und gesäuberte Heidelbeeren
125 ml	entrahmte Sahne
250 ml	Vanilleeis
60 ml	Parfait Amour Likör
60 g	weicher Frischkäse

Ein Dutzend Heidelbeeren zurückbehalten und den Rest in einen Mixer geben. Die übrigen Zutaten hinzufügen und alles glatt rühren.

Die Mischung in 2 hohe Gläser gießen, mit den zurückbehaltenen Heidelbeeren garnieren und servieren.

ERGIBT 2 GLÄSER

Kirschblüte

COINTREAU COCKTAIL

30 ml	Cointreau
30 ml	Weinbrand
30 ml	Zitronensaft
	Orangenschalespirale

Zutaten über Eisstücke in einen Shaker gießen. Gut schütteln, in ein Cocktailglas abseihen. Mit Orangenschale garnieren.

ERGIBT 1 GLAS

BANANENKAFFEE

60 ml	Bananenlikör
60 ml	Creme de Cacao
750 ml	heißer Kaffee
¼	Zitrone
60 g	Zucker
125 ml	Schlagsahne

Liköre erhitzen und mit dem Kaffee verrühren. Die Ränder von vier gläsernen Kaffeebechern mit Zitrone abreiben und in Zucker tauchen.

Becher mit Kaffee füllen. Sahne schlagen und auf den Kaffee geben.

ERGIBT 4 GLÄSER

Cointreau Cocktail

SEHR REICHHALTIGE HEISSE SCHOKOLADE

80 ml	halbbittere Schokolade, geraspelt
60 g	Zucker
250 ml	Wasser
125 ml	gesüßte Kondensmilch
500 ml	Milch, abgekocht
1 Prise	Salz
¼ Teel.	Vanilleextrakt
125 ml	Schlagsahne

Schokolade, Zucker, Wasser und Kondensmilch in einem Stieltopf mischen. Zum Kochen bringen, Hitze reduzieren und 2 Minuten köcheln. Milch, Salz und Vanille zufügen. Eine Minute lang im Mixer verquirlen.

In vier Becher einfüllen. Sahne schlagen und die Schokolade damit krönen. Servieren.

ERGIBT 4 GLÄSER

APFELPEP

2	Eier
375 ml	Apfelsaft
125 ml	entrahmte Sahne
2 Teel.	Honig
½ Teel.	Zimt

Alle Zutaten in den Mixer geben und glatt rühren. In Whiskygläser füllen und servieren.

ERGIBT 2 GLÄSER

Apfel-Morgenglut

APFEL-MORGENGLUT

35 ml	Calvados
35 ml	Orangensaft
30 ml	Zitronensaft
30 ml	Limonenlikör
1 Teel.	Grenadine
1	Apfelscheibe

Die Flüssigkeiten über Eisstücke in ein hohes Glas gießen, Grenadine darauf schwimmen lassen. Mit der Apfelscheibe garnieren und servieren.

ERGIBT 1 GLAS

HONIGFLIP

250 ml	kalte Milch
1	Ei
1½ Eßl.	Honig
1 Teel.	Vanilleextrakt

Zutaten über einige Eisstücke in den Mixer gießen. Glatt rühren, in einen Glasbecher abseihen und servieren.

ERGIBT 1 GLAS

SÜD-AFRIKANISCHER ABENDTRUNK

45 ml	Weinbrand
15 ml	weißer Wermut
15 ml	Zitronensaft
15 ml	Orangensaft

Zutaten über Eisstücke in einen Shaker gießen. Gut schütteln, in ein Cocktailglas abseihen und servieren.

ERGIBT 1 GLAS

Schokoladen-Grashüpfer

SCHOKOLADEN-GRASHÜPFER

85 g	weiße Schokolade, geraspelt
60 g	Zucker
500 ml	Milch
250 ml	entrahmte Sahne
60 ml	grüne Creme de Menthe
60 ml	weiße Creme de Cacao
¼ Teel.	grüne Lebensmittelfarbe
125 ml	Schlagsahne
4	kandierte Minzblätter
4	Schokoladen-Minze-Stangen

Schokolade, Zucker, Milch, entrahmte Sahne, Liköre und Lebensmittelfarbe in einem kleinen Stieltopf vermengen. Erhitzen, ohne Kochen zu lassen. In große Tassen füllen.

Schlagsahne schlagen und auf die Getränke geben. Mit Minzblättern und Schokoladenstangen garnieren und servieren.

ERGIBT 4 GLÄSER

APFELMUS

30 ml	Gin
30 ml	Calvados
1 Eßl.	Zitronenkristalle zum Mixen
1 Eßl.	Limonenkristalle zum Mixen
30 ml	Orangensaft
60 ml	Eisstücke
1	Kirsche

Alle Zutaten außer der Kirsche in den Mixer geben und durchrühren. In ein Whiskyglas gießen. Mit der Kirsche garnieren.

ERGIBT 1 GLAS

MINT JULEP

35 ml	Bourbon
1 Teel.	grüne Creme de Menthe
1 Teel.	Sodawasser
	Minzezweig

Die Flüssigkeiten über Eisstücke in ein hohes Glas gießen. Mit einem Minzezweig garnieren.

ERGIBT 1 GLAS

MOSS LANDING KAFFEE

750 ml	Kaffee
80 ml	Grand Marnier
80 ml	Bananenlikör
125 ml	Schlagsahne
60 ml	Schokoladenspäne

Kaffee und Liköre zusammen erhitzen. In mit einem Zuckerrand versehene Gläser gießen. Sahne schlagen und auf den Kaffee geben. Mit Schokoladenspänen garnieren.

ERGIBT 4 GLÄSER

AVOCADO APHRODISIAKUM

1	mittelgroße Avocado
1	lange Salatgurke
60 ml	Zitronensaft
2 Teel.	Worcestersauce
500 ml	Eisstücke

Avocado schälen und entsteinen. Gurke schälen und in Scheiben schneiden. Gurkenschale und zwei Gurkenscheiben zur Garnierung zurückbehalten, den Rest in einen Mixer geben. Avocado und restliche Zutaten zufügen und alles pürieren.

In große, hohe Gläser füllen, mit Gurkenschale und Gurkenscheiben garnieren.

Servieren.

ERGIBT 2 GLÄSER

Avocado Aphrodisiakum

BARRACUDA

20 ml	Jack Daniel's Whiskey
1 Teel.	Orgeat
30 ml	Orangensaft
1 Eßl.	Zitronenkristalle zum Mixen
1	Orangenscheibe

Alle Zutaten außer der Orangenscheibe in den Mixer geben und verrühren. Die Mischung in ein mit Eisstücken gefülltes hohes Glas gießen. Mit der Orangenscheibe garnieren und servieren.

ERGIBT 1 GLAS

DER STICH

30 ml	Creme de Menthe
30 ml	Weinbrand

Zutaten über Eisstücke in einen Shaker gießen. Gut schütteln, in ein Cocktailglas abseihen, servieren.

ERGIBT 1 GLAS

BLOODY CAESAR

1	Zitronenscheibe
½ Teel.	Salz
1 Eßl.	Wodka
60 ml	Muschelnektar
60 ml	Tomatensaft
¼ Teel.	Worcestersauce
Tropfen	scharfe Pfeffersoße
1 Prise	Pfeffer
1 Prise	Cajun Gewürzmischung
1	Selleriestange

Den Rand eines hohen Glases mit der Zitronenscheibe abreiben, dann ins Salz tauchen. Das Glas mit Eisstücken füllen. Wodka, Muschelnektar, Saft, Saucen, Pfeffer und Gewürze zugießen, durchrühren. Mit der Selleriestange garnieren und servieren.

ERGIBT 1 GLAS

Zitronenspumante

NORTHERN & CNR

30 ml	dunkler Rum
30 ml	Weinbrand
60 ml	Ananassaft
1 Eßl.	Zitronensaft

Zutaten über Eisstücke in einen Shaker gießen. Gut schütteln, in ein Cocktailglas abseihen.

ERGIBT 1 GLAS

ZITRONEN-SPUMANTE

40 g	Puderzucker
250 ml	Wasser
125 ml	Zitronensaft
1 l	Asti Spumante

Zucker, Wasser und Zitronensaft in einem kleinen Stieltopf vermengen, zum Kochen bringen und auf Zimmertemperatur abkühlen. In Eiswürfelbehälter gießen und einfrieren.

Zitroneneiswürfel herausnehmen und in 6 hohe Gläser geben, Sekt darübergießen und servieren.

ERGIBT 6 GLÄSER

BROADWAY MELODIE

15 ml	Gin
15 ml	weißer Wermut
15 ml	Grand Marnier

Zutaten über Eisstücke in einen Shaker gießen. Gut schütteln, in ein Cocktailglas abseihen.

ERGIBT 1 GLAS

TRAUBEN-ERFRISCHUNG

250 ml	Weintraubensaftkonzentrat
500 ml	Wasser
1 l	Asti Spumante

Traubensaftkonzentrat mit Wasser mischen, in Eiswürfelbehälter gießen und einfrieren.

Traubeneiswürfel herausnehmen und in 6 hohe Gläser geben, Sekt darübergießen und servieren.

ERGIBT 6 GLÄSER

GESUNDHEITS-TRUNK

250 ml	Orangenspalten
250 ml	Milch
1	Ei
1	Banane
125 ml	Orangensaft
125 ml	Ananassaft
1 Teel.	Ahornsirup
1 Eßl.	Weizenkeime

Zutaten in einen Mixer geben und glatt rühren. In große Whiskygläser füllen und servieren.

ERGIBT 2 GLÄSER

ROYAL ALEXANDER

30 ml	Creme de Cacao
30 ml	Weinbrand
30 ml	frische Sahne
15 ml	trockener weißer Wermut

Zutaten über Eisstücke in einen Shaker gießen. Gut schütteln, in ein Cocktailglas abseihen.

ERGIBT 1 GLAS

Traubenerfrischung

HERZKÖNIG-SCHOKOLADE

60 g	halbbittere Schokolade, geraspelt
500 ml	Kaffee
60 g	Zucker
250 ml	entrahmte Sahne
60 ml	Wodka
60 ml	Galliano Likör
60 ml	Grand Marnier
125 ml	Schlagsahne
60 ml	Schokoladenspäne

Schokolade, Kaffee und Zucker in einem kleinen Stieltopf mischen. Zum Kochen bringen, Hitze reduzieren und 2 Minuten köcheln. Entrahmte Sahne und Liköre zufügen, 3 weitere Minuten leicht kochen. Das Getränk in große Tassen füllen.

Schlagsahne schlagen und auf die Schokolade geben. Mit Schokoladenspänen garnieren, servieren.

ERGIBT 4 GLÄSER

CALYPSO KAFFEE

1 Eßl.	Zucker
750 ml	Kaffee
80 ml	Rum
80 ml	Kahlua-Likör
125 ml	Schlagsahne
4	Maraschinokirschen, mit Stengel

Zucker, Kaffee, Rum und Kahlua zusammen erhitzen. In große, mit einem Zuckerrand versehene Tassen gießen. Sahne schlagen und auf den Kaffee geben. Mit einer Kirsche garnieren und servieren.

ERGIBT 4 GLÄSER

Melonanas

HAWAII WAHOO

60 ml	Gin
60 ml	Kirschbrandy
60 ml	Ananassaft
1 Teel.	Grenadine
1	Scheibe frischer Ananas

Die Flüssigkeiten über Eisstücke in einen Shaker gießen. Gut schütteln, in ein großes Sektglas abseihen. Mit einer Ananasscheibe garnieren.

ERGIBT 1 GLAS

ERDBEER-FLIP

250 ml	frische Erdbeeren, in Scheiben geschnitten
125 ml	Erdbeerjoghurt
250 ml	Milch
125 ml	Apfelsaft

Alle Zutaten in den Mixer geben und gut durchrühren. In hohe Gläser gießen und servieren.

ERGIBT 2 GLÄSER

MELONANAS

250 ml	Ananassaft
250 ml	gewürfelte Honigmelone
250 ml	gewürfelte Kantalupe

Zutaten in den Mixer geben und glatt rühren. In 2 Whiskygläser gießen und servieren.

ERGIBT 2 GLÄSER

NÖRDLICH DES 49. BREITENGRADES

2 Eßl.	Ahornsirup
250 ml	gewaschene Blaubeeren
125 ml	Joghurt
250 ml	Apfelsaft

Zutaten in den Mixer geben und glatt rühren. In große Whiskygläser gießen und servieren.

ERGIBT 2 GLÄSER

KANADISCHER QUIZ

250 ml	Joghurt
500 ml	Ananassaft
250 ml	Heidelbeeren
2 Eßl.	Ahornsirup

Zutaten in den Mixer geben und glatt rühren. In Whiskygläser gießen und servieren.

ERGIBT 2 GLÄSER

TIGERTATZE

80 ml	weiße Schokolade
500 ml	Milch
250 ml	entrahmte Sahne
80 ml	Anisette
80 ml	Orangensaftkonzentrat
60 g	Zucker
1 Eßl.	Grenadine
1 Eßl.	Melasse

Schokolade, Milch, Sahne, Anisette, Orangensaftkonzentrat und Zucker in einem kleinen Stieltopf verrühren. Erhitzen, aber nicht kochen lassen.

Die Innenseiten von Glasbechern mit Streifen Grenadine und Melasse versehen, das Getränk in die Becher füllen und servieren.

ERGIBT 4 GLÄSER

CAPTAIN MORGAN

30 ml	dunkler Rum
1 Teel.	Limonensaft
½ Teel.	Cointreau
1	Olive, grün

Die Flüssigkeiten über Eisstücke in einen Shaker gießen. Gut schütteln, in ein Cocktailglas abseihen. Mit der Olive garnieren.

ERGIBT 1 GLAS

Hawaiian Wahoo

Worterverzeichnis für Kochausdrücke

Nachfolgend sind Erläuterungen zu gebräuchlichen Begriffen der Essenszubereitung aufgeführt:

A' LA' CARTE: Der französische Begriff für „Nach der Speisekarte".

A' LA' MODE: „nach Art von" — eine bestimmte Art, in der ein Gericht serviert wird.

ABGIESSEN: Flüssige und feste Zutaten voneinander trennen — der langsame Vorgang wird als **ABTROPFEN LASSEN** bezeichnet.

ABHÄNGEN: Ein Ausdruck für die Lagerung von Fleisch bei einer Temperatur von 1-2 °C, damit es zart wird, ca. 14-21 Tage.

ABKOCHEN: Das Kochen von Flüssigkeit bis zum Siedepunkt. Milch muß wenigstens 85°C heiß werden, um akgekocht zu sein.

ALBUMEN: Der Hauptbestandteil von Eiweiß.

ANDOUILLE WURST: Sehr stark gewürzte kreolische Wurst nach Cajun-Art. In Spezialgeschäften erhältlich

APFELSORTEN: Baldwin, Cortland, Empire, Goldener & Roter Delicious, Gala, Granny Smith, Gravenstein, Greening, Ida Rot, Jonathan, Lodi, Macintosh, Macoun, Milton, Newton, Pippin, Northern Spy, Rome Beauty, Russet, Stayman, Winesap, York Imperial — alle sehr schmackhaft. Die meisten von ihnen sind zum Backen oder Kochen geeignet. Immer sollte das beste und frischeste Obst verwendet werden.

ASPIK/SÜLZE: Eine sehr schmackhafte Gelatine, die aus Fleisch- oder Gemüsebrühe zubereitet wird. Bestimmte Zutaten werden in diese Gelatine eingelegt. Die Gelatine wird dann fest.

AU GRATIN: Nahrungsmittel, Meeresfrüchte, Hühnerfleisch oder Gemüse, die mit einer Sauce zubereitet, mit Butter und Paniermehl oder Käse bestreut und im Ofen überbacken werden.

AU JUS: Fleisch im eigenen Bratensaft.

AUFGUSS: Flüssigkeit, die entsteht, wenn eine Substanz hineingetaucht wird, zum Beispiel Tee oder Kaffee.

AUFLÖSEN: Die Aufnahme eines festen Stoffes in Flüssigkeit.

BACKEN: Bei indirekter Hitzezufuhr garen, gewöhnlich im Backofen: wenn es sich auf im Backofen gegartes Fleisch bezieht, heißt der Vorgang braten.

BACKFETT/BRATFETT: Der Rest, welcher nach dem Braten von Fleisch in der Pfanne übrigbleibt; Pflanzenfett, das zum Braten oder Backen verwendet wird.

BACKOFENGRILL: Die Heizspirale in einem Backofen, unter der das Essen goldbraun gebraten wird.

BACKPULVER:	SAS Phosphate: bezieht sich oftmals auf eine zweifache Reaktion. Reagiert zuerst, wenn es in den Teig gemischt wird, und dann während des Kochens oder Backens.
BAIN MARIE:	Französischer Ausdruck für ein Wasserbad.
BAISER:	Steifgeschlagenes Eiweiß mit Zucker vermischt.
BARBECUE /GRILLEN:	Langsam über Kohle-, Gas- oder Elektrogrill oder am Spieß rösten, Grillgut wird gewöhnlich mit stark gewürzter Sauce bestrichen. Barbecue bezieht sich auch auf geräucherte Lebensmittel in der Mitte und im Süden der USA.
BEGIESSEN:	Außenseite während des Bratens anfeuchten, um ein Austrocknen zu verhindern und den Geschmack und das Aussehen zu verbessern.
BESCHAFFENHEIT:	Das Gefühl einer Substanz in den Fingern oder auf der Zunge.
BESTÄUBEN:	Mit einer trockenen Substanz leicht bedecken.
BESTREICHEN:	Butter, Eigelb oder Eiweiß etc. mit einem Pinsel, einem Tuch oder Küchenpapier auftragen.
BESTREICHEN:	Eine Flüssigkeit wie zum Beispiel Eigelb oder Wasser auf die Oberfläche eines noch nicht gebackenen Teigs auftragen.
BEURRE:	Der französische Begriff für Butter.
BINDEN:	Etwas zusammenbinden.
BISQUE:	Eine dicke und cremige Suppe mit Schalentieren.
BLANC MANGE:	Das französische Wort „blanc" bedeutet weiß, „mange" bedeutet essen — gewöhnlich ein Pudding, der mit Stärkemehl gebunden wird.
BLANCHIEREN:	Zuerst mit kochendem Wasser, dann mit kaltem Wasser übergießen.
BLINDBACKEN:	Einen Pie-Boden ohne Inhalt backen. Die Enden des Teigs nach Belieben formen. Eine Gabel alle 2,3 cm in den Teig stechen. 10-12 Minuten im auf 220°C vorgeheizten Backofen backen oder bis der Boden goldbraun ist. Abkühlen lassen, bevor die Füllung hineingegeben wird.
BOUCHÉE:	Kleine Blätterteigpasteten, mit Fleisch, Geflügel oder Fisch gefüllt.
BOUILLON	Eine klare Fleischsuppe, gewöhnlich mit Rinderbrühe zubereitet.
BOUQUET GARNI:	Eine Kombination von Kräutern, die benutzt wird, um Fleisch, Suppe etc. zu würzen, normalerweise in einem Käseleinen zusammengebunden. Für die Rezepte in diesem Buch gilt folgende Zusammenstellung: jeweils 2 Teelöffel Petersilie, Thymian und Majoran, ½ Teelöffel ganze, schwarze Pfefferkörner und 1 Lorbeerblatt, falls im Rezept nicht anders angegeben.
BRATEN:	In einer kleinen Menge heißem Fett braten oder schmoren.
BRÜHE:	Ein anderer Ausdruck für Bouillon, eine Flüssigkeit, in der Fleisch, Fisch oder Gemüse gekocht wurde; eine dünne Suppe.
BRÜHE:	Eine Flüssigkeit, die gewonnen wird, wenn Fleisch, Knochen oder Gemüse gekocht werden: in Suppen und Saucen zu verwenden.
BRUNOISE:	Lebensmittel, in 0,3 cm kleine Würfel geschnitten.
BÜCKLING:	Getrockneter und geräucherter Hering.
CANAPÉ:	Eine Vorspeise. Immer mit Brot, Toast oder Keksen und gewürzter Butter serviert.

CÉPES: Eine Pilzsorte.

CHAMPIGNONS: Der französische Begriff für Pilze.

CHANTERELLES: Eine Pilzsorte.

CHÂTEAUBRIAND: 450 g Filetsteak.

CHILI CON CARNE: Spanisch, bedeutet „Pfefferschoten mit Fleisch".

COCKTAIL: Ein Appetithäppchen, kann zum Beispiel aus Meerefrüchten zubereitet sein, wird in kleinen Portionen serviert.

CONCASSE (TOMATEN): Enthäutete, entkernte Tomaten, in 0,6 cm große Würfel geschnitten

CONSOMMÉ: Eine klare Suppe, hergestellt aus Fleisch und Gemüse, gewürzt, gesiebt und geklärt.

COURT BOUILLON: Eine würzige Flüssigkeit, in der Fleisch, Fisch und verschiedene Arten Gemüse gemeinsam mit Wein, Zitrusfrüchten und Bouquet Garni gekocht werden.

CREMIG RÜHREN: Fett mit einem Löffel, Schneebesen oder elektrischen Mixer weichschlagen; bedeutet auch, das weichgeschlagene Fett mit Zucker zu vermischen.

CROUTONS: Kleine Würfel von knusprig-getoastetem Brot.

DEGLACER: Bratensaft mit Flüssigkeit strecken.

DÈGRAISSER: Überschüssiges Fett abschöpfen — von Brühen, Saucen, Suppen, Eintopf.

DÜNSTEN/BRATEN: Gemüse, Fleisch etc. in wenig Fett in einem Topf schmoren.

DÜNSTEN/DAMPFEN: In Dampf mit oder ohne Druck kochen.

DÜNSTEN: Langsam und gerade unterhalb des Siedepunktes kochen.

DURCHDREHEN: Nahrung in kleine Stücke zerkleinern, indem sie zum Beispiel durch einen Fleischwolf gedreht wird.

DUXELLES: Gehackte Zwiebeln und Champignons in Butter oder Öl gebraten, bis alle Flüssigkeit verdampft ist.

EINFETTEN: Einen Fettfilm auf einen Gegenstand geben.

EIS: BestimmteArten von gefrorenen Desserts; gefrorenes Wasser.

EMINCÈ: Feinschneiden.

EMULSION: Die Verbindung von zwei oder mehreren Flüssigkeiten, die gegenseitig nicht löslich sind. Wenn beide Flüssigkeiten gut verschlagen werden, zersetzt sich eine Flüssigkeit kleine Kügelchen, die von der anderen Flüssigkeit vollständig umgeben werden. So umgibt z.B. das Ei die geschmolzene Butter in der Hollandaise.

EN BROCHETTE: Aufgespießt.

ENTRÉE: Der Hauptgang eines Gerichtes in Nordamerika. Ein Appetithappen in Frankreich.

ETAMINE: Käseleinen, Abseihtuch.

FEINHACKEN: In sehr kleine Stücke geschnitten.

FESTMILCH: Alle Bestandteile der Milch, jedoch nicht das Wasser.

FETTGEBÄCK:	Ein Teig bestehend aus Eiern, Mehl und Milch, in den Fleisch, Obst oder Gemüse hineingemischt. Der Teig wird dann frittiert.
FEUCHTIGKEIT:	Tropfenförmige Nässe in der Luft, die das Gelingen mancher Backwaren beeinflussen kann.
FILET:	Mageres Fleischstück aus der Lende, ohne Knochen.
FINES HERBES:	Feingehackte Kräuter, Petersilie, Schnittlauch, Kerbel.
FINNAN HADDIE:	Geräucherter Schellfisch oder Kabeljau.
FLEURONS:	Hörnchen und ähnliche Backwaren aus Blätterteig gebacken.
in FLÖCKCHEN AUFSETZEN:	Kleine Stückchen Butter oder Käse auf die Oberfläche vo Nahrungsmitteln geben.
FOIE GRAS:	Gänsestopfleber.
FOND:	Ausgangsbrühe für Saucen und Suppen.
FRIKASSIEREN:	Kochen, indem die Zutat zuerst in der Pfanne gebraten, dann in Brühe oder Sauce weitergegart wird.
FRITIEREN:	In heißem Fett braten, wobei das Fett das Bratgut völlig bedeckt.
FROMAGE:	Der französische Begriff für Käse.
GARNELE:	Ein Schalentier, daß wie eine Krabbe aussieht, aber viel größer ist.
GARNIEREN:	Zum Beispiel das Hauptgericht mit einem kleinen, kontrastreichen und eßbaren Gegenstand verzieren.
GEFLÜGEL:	Ein Oberbegriff für einheimische Vögel aus der Landwirtschaft wie Hühner, Truthahn, Hennen, Gänse etc.
GEKLÄRTE BUTTER /BUTTERSCHMELZ:	Zerlassene Butter, von der der obenschwimmende Quark mit einem Löffel abgeschöpft wurde, sodaß nur das goldschimmernde Fett zurückbleibt.
GELATINE:	Wird aus Tierknochen und Knochenmark hergestellt. Wird für die Zubereitung von Gelee, Sülze und in Formen gegossene Fleischgerichte und Salate verwendet.
GHERKINS:	Kleine,süße, eingelegte Gurken.
GLASUR:	Ein schimmernder Überzug einer zuckrigen Substanz wie zum Beispiel Johannisbeermarmelade, um Kuchen etc. zu dekorieren.
GLUTEN:	Eine Substanz, die in Weizenmehl enthalten ist und dem Teig die Geschmeidigkeit verleiht.
GOURMET:	Eine Person, die gutes Essen und Trinken liebt — ein Feinschmecker.
GRILLEN:	Bei indirekter Hitzezufuhr auf einer festen Oberfläche braten.
GUMBO:	Eine Art Suppe oder Eintopf, angedickt mit Okra.
HACKEN:	Zutaten in kleine Stücke schneiden.
HEFE:	Gärmittel, erhältlich in trockener, pulverförmiger und gepresster Form. 1 Eßlöffel der pulverförmigen Form entspricht 30 ml der gepressten Hefe, die pulverförmige Form kann direkt verarbeitet werden und braucht nicht in einer Zucker-Wasser-Lösung aufgelöst zu werden. 30 ml Hefe bringen etwa 1,6 kg Mehl zum Gähren.

HINEINSCHNEIDEN:	Festes Fett mit trockenen Zutaten mischen, ohne es völlig hineinzumischen, sondern so unterzumengen (mit dem Messer), daß das Fett in kleinen Partikeln erhalten bleibt und nicht ganz aufgelöst wird.
HORS D'OEUVRES:	Kleine und schmackhafte Portionen von Nahrung, als Appetithappen gereicht.
INNEREIEN:	Herz, Leber und Muskelmagen von Geflügel.
INVERTZUCKER:	Einfacher Zucker, eine Mischung aus Trauben- und Fruchtzucker; zum Beispiel Honig.
JULIENNE:	In lange, schmale Streifen geschnittenes Gemüse. Der Ausdruck stammt vom französischen Küchenchef Jean Julienne.
KALORIE:	Eine Einheit, mit der Wärme oder Energie, die durch die Nahrung im Körper freigesetzt wurde, gemessen wird.
KANDIEREN:	Durch das Kochen mit heißem Zucker konservieren; mit einer Kruste oder Schicht aus Zucker umhüllen.
KARAMELISIEREN:	Zucker oder zuckerhaltige Lebensmittel erhitzen, bis diese dunkelbraun werden und einen eigentümlichen „Butter-Nuß-Geschmack" entwickeln.
KAVIAR:	Eier oder Rogen vom Fisch, schwarz ist meistens vom Stör, rot oft vom Lachs.
KLÄREN:	Reinigen, indem der Schaum, kleine Teilchen und Fett aus der Suppe/Brühe herausgeschöpft werden.
KLEIE:	Haut oder Spreu vom Getreide, wird beim Mahlprozeß vom Korn getrennt.
KNETEN:	Teig mit dehnenden, schlagenden und faltenden Bewegungen bearbeiten.
KNOBLAUCH:	Eine scharfe und würzige Knolle aus der Familie der Zwiebel.
KÖCHELN LASSEN:	Eine Flüssigkeit bis auf etwa 85°C erhitzen oder eine Zutat darin kochen.
KOCHEN:	Der Kochvorgang einer beliebigen Flüssigkeit. Die Temperatur von kochendem Wasser ist 100°C (NN).
KOMPOTT:	Eine Kombination von Früchten.
KOTELETT:	Ein speziell geschnittenes Stück Fleisch — zum Beispiel Schweinekotelett oder Lammkotelett.
KRAUTSALAT:	Ein Salat bestehend aus kleingeschnittenem Kohl, Möhren und Essigdressing.
KROKETTEN:	Eine Mischung aus gehackten oder gemahlenen, gekochten Lebensmitteln, mit Eiern oder einer dicken, cremigen Sauce gebunden, geformt, dann in Ei angefeuchtet und inPaniermehl gewendet, gebraten.
LAUCH / PORREE:	Eine lange, dünne und grüne Pflanze aus der Familie der Zwiebel.
LÈGUMES:	Gemüse, bezieht sich auch auf Trockennahrung wie Bohnen, Erbsen und Linsen.
LIAISON:	Eine Mischung bestehend aus Sahne und Eigelb.
LINSEN:	Flacher, roter oder grüner Samen, wird für Suppengerichte verwendet.
M.S.G.:	(Monosodium Glutamat) — Eine Chemikalie, die benutzt wird, um den Geschmack von Nahrung zu verstärken und aus der Zuckerrübe, Mais und Weizen gewonnen wird. Muß bei Kochen sehr vorsichtig dosiert werden.

MACEDOINE:	Eine Mischung aus Obst oder Gemüse, in bestimmte Formen geschnitten.
MARINADE:	Eine intensive, aromatische Flüssigkeit, die verwendet wird, um Nahrung einzulegen, welche dadurch den Geschmack der Flüssigkeit annimmt.
MEHLSCHWITZE:	Eine gekochte Mischung aus Mehl und Fett, die verwendet wird, um Suppen und Saucen anzudicken.
MELBA:	Ein Lebensmittel, das von Auguste Escoffier kreiert wurde, um den Opernstar Nellie Melba zu ehren.
MILCH:	Ein Naturprodukt der Kuh. Ist in verschiedenen, verarbeiteten Formen wie Buttermilch, Kondensmilch oder Trockenmilch (Milchpulver) erhältlich.
MIREPOIX:	Eine Mischung aus Zwiebeln, Möhren, Sellerie und Paprikaschoten, normalerweise gewürfelt.
MISCHEN:	Zutaten vermengen.
MISE - EN - PLACE:	Im voraus zubereiten, wie zum Beispiel Brühe, Sauce, Fleisch, Gemüse oder Teig.
MOKKA:	Eine Variante des Kaffees, wird benutzt, um Nahrung zu aromatisieren. Kann sich auch auf eine Mischung aus Schokolade und Kaffee beziehen.
MOUSSE:	Gefrorenes Dessert aus geschlagener Sahne.
NATRON:	Natriumbikarbonat (doppeltkohlensaures Natrium = Na 2CO3) oder Soda — wird mit Backpulver oder allein verwendet, um den Teig aufgehen zu lassen. Muß sofort gebacken werden..
ORANGE ROUGHY:	Kleiner, zarter Weißfisch von Australien.
ORANGENSORTEN:	Seville, Valencia, Navel, Tempel, Tangerine, Klementine, Mandarine,Satsuma, Kumquat, Ugli (Tangelo).
PANIEREN:	(Kochbegriff) — in Paniermehl, Maismehl oder zerbröckelten Kräckern wenden.
PANIEREN:	Mit feingeriebenen Brotkrümeln oder anderen feingeriebenen Zutaten bestreuen oder Zutaten darin wenden.
PARFAIT:	Ein Dessert, bestehend aus Eis, Obst und Schlagsahne.
PASTE:	Eine Mischung aus Mehl oder Stärkemehl und Wasser. / Eine Mischung aus gemahlenen Zutaten, cremig geschlagen.
PASTETE:	Feingemahlene oder gehackte Zutaten, die durch ein Bindemittel zusammengehalten werden.
PETIT:	Klein.
PETITS - FOURS:	Kleine Stückchen phantasievoll-zubereitetes Gebäck, mit Zuckerguß überzogen.
PIKANT:	Starkgewürztes Essen oder Saucen.
PLANKIERT:	Fleisch grillen und auf einem speziellen Holzbrett servieren.
POCHIEREN:	Unterhalb des Siedepunktes in soviel Flüssigkeit köcheln oder ziehen lassen, daß die Nahrung bedeckt ist.
PÖKELN:	Eine Methode, um Rindfleisch in Salzlake zu konservieren.

POTAGE:	Französischer Begriff für eine dicke Suppe.
PRINTAINER:	Mit einer Füllung aus jungem Gemüse garnieren, in verschiedene Formen geschnitten.
PÜRIEREN:	Durch ein Sieb passieren; in einem Mixer breiig rühren.
RASPELN:	In dünne Streifen schneiden.
REDUZIEREN:	Durch Köcheln die Menge an Flüssigkeit verringern.
REIBEN:	Kleine Partikel einer Zutat dadurch erhalten, daß diese auf einer Reibe gerieben wird.
ROGEN:	Eier vom Fisch.
ROHRZUCKER:	Ein süßes Kohlehydrat, gewonnen aus raffinierten Zuckerrohpflanzen.
ROMAGNA:	Eine Blattsalatart, wird für Salate verwendet.
ROULADE:	Eine Scheibe Fleisch, mit einer Füllung aufgerollt.
SALPICON:	Eine Zusammenstellung verschiedener Zutaten, in Würfel geschnitten und normalerweise mit einer Sauce gemischt.
SALZLAKE:	Eine Lösung bestehend aus Salz und Wasser mit oder ohne andere Konservierungsmittel; wird benutzt, um Fleisch, Gemüse etc. zu konservieren.
SARDELLEN:	Ein kleiner heringartiger Fisch, gewöhnlich in starkgewürztem Öl eingelegt.
SÄUERN /GEHEN LASSEN:	Einen Teig auflockern / zum Gehen bringen, indem er mit Hefe, Backpulver oder Natron versetzt wird.
SAUTEUSE:	Kleiner Topf.
SCALLOP:	Essen in einer cremigen Sauce oder einer anderen Flüssigkeit backen / Jakobsmuschel.
SCHÄLEN:	Schale entfernen.
SCHÄLEN:	Schale von Kartoffeln oder Äpfeln etc. mit einem scharfen Messer entfernen.
SCHALOTTE:	Gemüse aus der Familie der Zwiebel.
SCHLAGEN:	Eine Mischung mit dem Schneebesen oder Löffel schnell und stark in kreisförmiger oder Aufwärtsbewegung verrühren..
SCHLAGEN:	Mit einem Schneebesen sehr zügig Luft in die Flüssigkeit, zum Beispiel Eiweiß, hineinmengen, das Volumen der Flüssigkeit vergrößert sich durch diesen Vorgang.
SCHMELZPUNKT:	Die Temperatur, bei der eine Substanz flüssig wird.
SCHMORBRATEN:	Ein großes Stück Fleisch durch Schmoren garen..
SCHMOREN:	In einem heißen Behälter in einer kleinen Menge Fett braun anbraten, dann zugedeckt langsam in etwas Flüssigkeit garen.
SCHMOREN:	In Flüssigkeit köcheln lassen, bis die Nahrung zart und gar ist.
SCHNEIDEN:	Lebensmittel mit einem Messer oder einer Schere teilen.

SCHNITZEL: Eine kleine Scheibe Fleisch ohne Knochen.

SCHWEINESCHMALZ: Vom Schwein gewonnenes Bratfett.

SIEBEN: Trockenen Zutaten durch ein Sieb geben.

SPEISEWÜRZE: Zum Beispiel Salz, Pfeffer, Essig und Basilikum.

SPICKEN: Fettstreifen mit einem Spieß oder einer Spicknadel in das Bratenfleisch stechen.

STÄRKEMEHL: Raffinierte Maisstärke, wird dazu benutzt, Pudding anzudicken.

STRUKTUR: Die innere Beschaffenheit eines Produkts.

SULTANINEN: Rosinen von kernlosen Weintrauben.

SUPRÉME: Das Beste und Delikateste. Bezeichnet ebenfalls Filet oder Brust vom Hühnchen.

TEIG: Eine Mischung aus Mehl, Flüssigkeit und anderen Zutaten, für Kuchen, Fettgebäck, Eierkuchen etc. verwendet.

TOASTEN / RÖSTEN: Die Oberfläche der Nahrung bei direkter Hitzezufuhr bräunen.

TOASTSCHEIBEN: Leichtgeröstete Brotscheiben.

TROCKENHITZE: Ein Ausdruck, der verwendet wird, wenn ohne Flüssigkeit gekocht wird.

TRÜFFEL: Schwarzer, schwammartiger Pilz, der in der Erde wächst, sehr teuer.

ÜBERZIEHEN: Kuchen oder Gebäck mit Zuckerguß oder Glasur bedecken.

UNTERHEBEN: Etwas unter zweierlei Arten von Bewegung vermischen, senkrecht durch die Mischung schneiden und jedes Mal wieder und wieder wenden, indem der Löffel entlang des Bodens der Rührschüssel geführt wird.

VERMENGEN: Zwei oder mehrere Zutaten miteinander vermischen.

VERMISCHEN: Zwei oder mehrere Zutaten gründlich miteinander vermengen.

VERSIEGELN: Fleisch etc. sehr zügig bei intensiver Hitzezufuhr bräunen.

VOL-AU-VENT: Eine Blätterteighülle, verschiedene Größen, abhängig vom Rezept.

VORKOCHEN: Kochen oder köcheln lassen, bis die Nahrung teilweise zart wird. Die Nahrung wird meist durch eine andere Methode fertiggegart.

WEINSTEIN: Bodensatz vom Wein, eine Säure mit der chemischen Formel $C_4H_6O_6$. Weinstein wurde früher oft benutzt, bevor das Backpulver allgemein bekannt wurde. Eine wichtige Zutat, wenn Eiweiß zum Backen benutzt wird.

WEINTRAUBENSORTEN: Gamay, rot, wird für Beaujolais and Weißherbst verwendet.
Pinot Noil, rot, ebenfalls für Champagner.
Sémillion, weiß, wird für Sauternes verwendet.
Chenin Blanc, weiß. Riesling, weiß.
Chardonnay, weiß, wird für weißen Burgunder und Champagner verwendet.
Muscateller, weiß. Grenache, rot, süß.
Cabernet Sauvignon, rot. Sauvignon Blanc, weiß.
Zinfadel, rot.

WÜRFELN: In etwa 0,6 cm große Würfel schneiden.

ZERBRÖCKELN: In kleine, leichte Stücke brechen.

ZERLASSEN /SCHMELZEN: Bei Hitzezufuhr verflüssigen.

ZESTE: Der französische Begriff für den äußeren Teil der Schale mit dem glänzenden Film einer Zitrusfrucht.

ZIEHEN LASSEN: Der Vorgang, wenn zum Beispiel mit kochendem Wasser übergossener Tee steht, zieht und das Wasser das Aroma des Tees annimmt.

ZUTAT: Ein eßbares Material.

ZWIEBACK: Bedeutet zweifach gebacken, ein süßer, gebackener Brotteig, in Scheiben geschnitten und getoastet.

UMRECHNUNGSTABELLE FÜR MASSEINHEITEN

Englisch	Amerikanisch	Metrisch	Australisch
1 Teel.	1 Teel.	15 ml	20 ml
¼ Tasse	¼ Tasse	60 ml	2 Teel.
⅓ Tasse	⅓ Tasse	80 ml	¼ Tasse
½ Tasse	½ Tasse	125 ml	⅓ Tasse
⅔ Tasse	⅔ Tasse	170 ml	½ Tasse
¾ Tasse	¾ Tasse	190 ml	⅔ Tasse
1 Tasse	1 Tasse	250 ml	¾ Tasse
1¼ Tasse	1¼ Tasse	310 ml	1 Tasse

BACKOFENTEMPERATUREN

Elektroherd	°F	°C
sehr gering	250	120
gering	300	150
mäßig warm	325	160
warm	350	180
warm-heiß	425	210
heiß	475	240
sehr heiß	525	260

Gasherd	°F	°C
sehr gering	250	120
gering	300	150
mäßig warm	325	160
warm	350	180
warm-heiß	375	190
heiß	400	200
sehr heiß	450	230

REGISTER

DESSERTS

EIERGERICHTE

EINGEKOCHTES

GEFLÜGEL

GEGRILLTES

GEMÜSE, REIS & VEGETARISCHE KOST

GETRÄNKE

MEERESFRÜCHTE

NUDELN

PASTETEN

PIZZA

RIND- UND KALBFLEISCH

SALATE

SAUCEN

SCHLICHTE FEINKOST

SCHWEINE- UND LAMMFLEISCH

SPEZIALITÄTEN VON KÜCHENCHEF K.

SUPPEN

WILDBRET

Danksagung

Wir möchten den folgenden Sponsoren für ihre großzügige Unterstützung danken.

SYLVIA COOK
KIM GRIFFITHS
ASHBROOKS
BOWRINGS LTD.
COUNTRY'S REACH
DANSK GIFTS/HEIDI ROSS
LE GNOME GALLERIA INC.
LONDON DRUGS LTD.
EATONS
STOKES INC.
WOODCRAFTERS/HOME ACCENTS
TOTALLY TROPICAL INTERIORS INC.
HALLMARK CARD SHOPS
PRINCESS HOUSE OF CANADA/ELAINE VADER

Printed on 60 lb Stora matte.